TEACHER'S EDITION

Galería Hispánica

Robert Lado

Margaret Adey

Louis Albini

Joseph Michel

Hilario S. Peña

McGraw-Hill Book Company

St. Louis New York San Francisco Dallas Toronto London Sydney

CONTENTS

Teacher's Edition, Galería Hispánica

INTRODUCTION

This edition presents ideas and suggestions to guide the instructor in the most effective use of *Galería Hispánica*. Designed to develop in students a greater degree of facility in the four basic language skills and to deepen their understanding and appreciation of Hispanic culture, *Galería Hispánica* contains seventeen **cuadros,** or units, each of which presents three authentic reading passages treating a central theme such as **el humorismo, la aventura, el amor,** and **la muerte.** The arrangement of selections, introductory material, and exercises facilitates maximum comprehension of ideas, vocabulary and linguistic patterns, and Hispanic culture and meaningful study of the various literary genre.

Methods of Presentation

The authors prepared *Galería Hispánica* in accordance with the now widely accepted principles of audio-lingual language learning and applied linguistics. The suggestions in this edition will serve to guide the instructor in the most effective presentation and use of these materials. A detailed unit plan for **Cuadro 1** is given as a model. Suggestions for the remaining units are limited to those items which require detailed information or special methods of presentation or drill. Supplementary historical or cultural background notes, **Notas Culturales,** are also provided.

Use of the Target Language

The entire text of *Galería Hispánica* is presented in Spanish as it is spoken today. Insist that only Spanish be spoken in class except for those rare occasions when an explanation in English is necessary for clarity. Such emergencies should be limited to an absolute minimum and, when possible, confined to the last few moments of the class. In this way the Spanish atmosphere will be preserved.

Basic Skills

READING AND WRITING. At this level of language learning the primary goal of the course is to strengthen the reading and writing skills. This fact should not be interpreted as a lessening of the emphasis on listening and speaking but rather as a means of stimulating these skills. This text provides ample practice in both reading and writing.

LISTENING. The instructor may read aloud or play the recording of all or part of the **selección,** depending on the length. After the passage or segment has been read once, the instructor should act as the model for pronunciation and intonation practice. The students may be required to continue practice either in the classroom or in the language laboratory, but the initial oral reading of the **selección** should take place in the classroom.

After the passage has been read several times, the question of **Para la Comprensión** should be asked orally to check for understanding.

SPEAKING. It is assumed that Spanish is the official language of the class and that the instructor corrects all utterances for accuracy and usage. **Para la Comprensión** provides for simple responses after the first statement of the question and complete sentence answers thereafter. The tape recording of the drills of **Estructura** are designed to provide reinforcement of the basic speech patterns through classroom and language laboratory practice. Prolonged periods of drill may become tiring and defeat their purpose. Frequent reviews of shorter duration will prove more effective.

The **Ejercicios Creativos** will stimulate the most challenging speaking practice in the form of résumés, reports, discussions, and debates. Since the exercises vary in length and complexity, the **selección** may serve as a model.

Vocabulary Development

Rapid expansion of both passive and active vocabulary in foreign language learning is most readily achieved through intensive practice in reading and controlled composition, together with oral reinforcement. *Galería Hispánica* promotes this desired vocabulary acquisition in five general ways.

(1) The **Palabras Clave** should be drilled intensively in class before the **selección** is assigned. They should be read aloud by the instructor and the students. The class should practice writing original sentences using the words, or they may be assigned for memorization.

(2) The side notes provide immediate answers to questions of meaning and usage. They are not intended to be memorized but rather to provide explanations of difficult passages.

(3) The **Diccionario** reinforces the **Palabras Clave** and provides rapid drill for meaning. As an additional exercise the instructor may require the students to read the sentences aloud, completing them with all or modified parts of the definitions.

(4) **Para la Comprensión** affords still another opportunity to employ the newly learned vocabulary in oral discussion. The instructor may wish to assign the questions to be written for homework, following through in the next class session by choosing certain of the questions for review.

(5) The **Ejercicios Creativos** allow for more lengthy expression of ideas and judgments using the vocabulary items learned previously.

Timing and Pacing of the Cuadros

Timing and pacing of units are among the foreign language instructor's principal concerns. *Galería Hispánica* provides for this much desired flexibility. In general, ten class meetings per **cuadro** are suggested. Some units are longer than others, however, and will require more time. Naturally, the first two or three **cuadros** will require much more attention and added practice.

Assignments

Galería Hispánica provides for a variety of types of outside assignments (*tarea*) in each of the four basic skills. The instructor may find the following suggestions helpful.

(1) Writing of original sentences using the **Palabras Clave,** or completion of the sentences of the **Diccionario**

(2) Memorization of the **Palabras Clave**

(3) Reading of portions of the **selección** and presentation, either orally or in writing, of selected questions from **Para la Comprensión**

(4) Practice in the language laboratory of the drills in **Estructura**

(5) Preparation of oral or written reports, résumés and panel discussions based on the **Ejercicios Creativos** or the **Notas Culturales** in this manual

Importance of Variety

Any drill, exercise, or assignment, no matter how interesting, can become monotonous and ineffective. Among the most effective features of *Galería Hispánica* are the carefully selected photographs, maps, and drawings which may be used to stimulate reports, discussions or compositions.

Evaluating Compositions

The following scale may be of assistance in grading creative writing.

Points

(1) Composition
  a. Introduction: Is the topic clearly introduced? — 5
  b. Body of theme: Is the topic carefully developed? Consider: logical thought development, appropriateness of ideas, originality, and research (if any). — 10
  c. Conclusion: Is the conclusion convincing? — 10
  d. Length: Total vocabulary utilized. — 10

(2) Vocabulary complexity and variety: Is vocabulary enlargement reflected steadily in work? Is the new vocabulary being employed correctly? — 15

(3) Structural forms: Are correct linguistic structures used (agreement of subject and verb, agreement and placement of nouns and modifiers, etc.)? — 20

(4) Sentence structure: Is the student able to compose simple compound sentences and complex compound sentences with prepositional phrases and subordinate clauses? — 20

(5) Spelling — 10

Total points 100

Evaluating Oral Presentations

Oral presentations fall into two categories: spontaneous and planned. It is rather doubtful that the average student will be able to expound on a topic without previous preparation. At least during the early stages of this course, refrain from assignments which put a strain on his linguistic abilities. Allow time for preparation and practice. Suggestions for evaluating oral presentations:

Points

(1) Composition (same as for written work) — 35

(2) Vocabulary complexity and variety — 10

(3) Structural forms — 20

(4) Complexity of sentence structure — 10

(5) Delivery: pronunciation and enunciation (15); articulation and clarity (10) — 25

Total points 100

CUADRO 1 • EL HUMORISMO

First Day

(1) Introduce the theme of the cuadro by reading **Preparando la Escena** for the class and answer questions.

(2) Read the **Introducción** for the class.

(3) Read the **Guía de Estudio** for the class and answer questions.

(4) Model the **Palabras Clave** for class repetition. Have the students make original sentences and write them on the board. Read aloud, correct, and discuss.

Tarea: Lea Ud. *Una carta a Dios* sin traducir y aprenda las Palabras Clave.

Second Day

(1) Review the **Palabras Clave**.

(2) Ask **¿De qué trata el cuento?** Write it on the board; explain it to the class and have them repeat it several times. Repeat the question again before calling on volunteers for answers.

(3) Read (or play from the tape) lines 1-11 of the **selección**. Read it a second time, pausing at appropriate places to let the entire class repeat it in chorus. Then have one or two students read these same lines. Continue in this manner until the story is completed.

(4) Now play the entire story or have several of the students read it.

(5) Present the **Diccionario** by having the class repeat after you in chorus each word and the definition. Then call on individual students to read and complete the sentences (choral response followed by individual response).

Tarea: Prepárese para contestar a las preguntas de Para la Comprensión. Se puede hacer esto por escribir las repuestas en oraciones simples.

Ejemplo: ¿Dónde estaba la casa?
Estaba en el valle.

Practique oralmente en oraciones completas:

La casa estaba en el valle.

Estudie Diccionario.

Third Day

(1) Have the class review the **Diccionario**, making original sentences. (Allow about 15 minutes for this activity.)

(2) Have the students reread the story orally by assigning the parts which are in dialog form and naming two narrators.

(3) Go over the answers to questions of **Para la Comprensión**, page 7. Review questions which are most troublesome.

Tarea: Escriba **Ejercicios Creativos 1-4, página 21.** In all probability, some students will copy the descriptions asked for in exercises 1 and 2 from the **selección**. At this stage, this is not to be discouraged or criticized. However, they should be encouraged to add one or two original sentences based on their own observations and cautioned not to attempt to use structures they have not been taught.

Exercises 3 and 4 may be offered as optional, and it is likely that the accelerated students who have greater facility of expression will be stimulated by the challenge. Suggest that, at a later time, those who find the material somewhat difficult may attempt this type of exercise, which requires originality and more skilled expression.

Fourth Day

(1) Correct **Ejercicios Creativos.** Have several of each of the exercises written on the board and read. Correct mechanical errors. Discuss the following aspects of a good original composition: clarity of the introduction; development of the body of the paragraph; the closing sentence. Discuss the purpose of the paragraph: to present an idea or to describe. Each of the components above must offer important contributions to the development of that idea so that it will be clearly understood by all. Devote about half of the period to this discussion.

(2) Present **Estructura: verbos con preposiciones.** Write the first model sentence from page 7 on the board: **Comenzó a llover.** Pronounce the model carefully for the class to repeat. Do not put extra stress on the *a*. Continue the item substitution drill orally. You may choose to write the items on the board during this first drill. Continue with **Vengan a comer.** Practice with **comenzó, empezó, iba, se puso, principió, vino.** Generalize: **Verbos de acción o de iniciar otra acción requieren la preposición *a* con otro infinitivo.**

Practice these verbs in the present tense. Use only the third person singular with exercises 1–6.

All persons singular and plural can be employed in exercises 7–14. This will also serve as a review of the present tense of these common verbs.

(3) Present **Estructura: el artículo lo.** Write on the board: **La primera parte me parece interesante.** Scratch through **La primera parte** and write above it **lo primero.** Repeat with **La primera cosa.** Erase and write the sentence as it should be changed: **Lo primero me parece interesante.** Continue with the drill in the same manner. Generalize: **Adjetivos indefinidos (que no refieren a un nombre determinado) tienen valor de nombre con el artículo lo.**

Write model sentences of the second part of this drill, page 8, on the board. Read and have the class repeat. Underline **angosta** and draw an arrow down to **lo angosto** (the masculine form). Draw attention to the reversal of the word order and the shift in agreement from **la calle era angosta** to **lo angosto de la calle.** Write the second model on the board, read it to the class, and have the students repeat it in unison. Since these sentences are somewhat complicated, allow the students to read from the text or write all the pattern sentences on the board. Now remove the models or close the books.

Continue the practice. If necessary, be prepared to add other models to the oral drill:

> **Dijeron que el campesino era triste.**
> **el valle era grande.**
> **la lluvia era buena.**
> **la carta era ridícula.**

(4) Present **Estructura: el imperfecto con** *cada vez que.* Write the model sentences on the board. After **Comimos cuando llegó Juan,** write in parentheses **una vez;** after **Comíamos cada vez que llegaba Juan,** write in parentheses **repetidas veces.** Continue to drill orally. Generalize: **No use acción incompleta (imperfecto) dentro de un marco de acción completa (pretérito). El verbo de la cláusula principal establece el marco. El pretérito expresa una acción completa: comí, leí; el imperfecto expresa una acción incompleta o repetida habitualmente: comía, leía.**

(5) Present **Estructura: el artículo neutro lo.** The objective of this drill is to learn how to eliminate unnecessary subordinate clauses and thereby render a more interesting sentence. Write the model sentences on the board for class repetition. Continue to drill orally.

Tarea: Estudie los ejercicios repasados en clase. Lea la Introducción y la Guía de Estudio de *Los tres cuervos*, página 9.

Fifth Day

(1) Conduct an oral review of structure drills of the first **selección** with students' books closed. Insist on good, clear, rapid responses.

(2) Present the **Palabras Clave** as suggested in the first **selección.**

(3) Call on students to read the **Introducción** of *Los tres cuervos* and the **Guía de Estudio** in class. Answer questions.

(4) Play the tape to the end of the first section of this **selección** without interruption. Then read aloud as a model for the class to repeat. Pay careful attention to the *o* of **coronel, ocurren, positiva, estómago.** Assign two boys to read the selection as a dialog, or divide the class into two sections for reading the roles of the colonel and the general.

Tarea: Estudie las **Palabras Clave.** Lea de nuevo la primera parte de la selección y después lea el cuento hasta el final por su significado general.

Sixth Day

(1) Review the **Palabras Clave.**

(2) Ask general questions about the story to determine comprehension:

1. Según Epaminondas, ¿cuántos cuervos había? (Dos)
2. ¿Los vio? (No)
3. Según el capitán Aristófanes, ¿cuántos cuervos vomitó el soldado? (Uno)
4. El capitán habla en términos técnicos del cuervo. ¿Por qué hace esto—para ayudar al general o para mostrar su educación? (Para mostrar su educación)
5. ¿Fue él testigo del hecho? (No)
6. Según el teniente Pitágoras, ¿vomitó un cuervo entero? (No)
7. ¿Cuál es el origen de la exageración? (Un versito que el sargento cantó)
8. ¿Quién exageró el cuento más que nadie? (El general)

(3) Review the section of the tape heard in the preceding class and continue as before with each section. Answer questions.

(4) To summarize ask the class: ¿En qué queda el humor de este cuento? (Se burla de los militares que no prestan atención a los inferiores y de la tendencia de los hispanos de exagerar.)

Tarea: Estudie el Diccionario y prepárese para contestar a las preguntas en Para la Comprensión.

Seventh Day

(1) Read and complete the **Diccionario** in class. Have the students make original sentences.

(2) Go over **Para la Comprensión**. Ask the questions, requiring at first only the simplest answer. Then restate the question, requiring a complete answer.

(3) Have the students write in class a one paragraph summary of the story. Suggest an introductory sentence: *Los tres cuervos* es un cuento humorístico de unos militares que . . . Collect and correct the summaries for use in class tomorrow.

Tarea: Escriba Ejercicios Creativos, página 21, ejercicios 5 y 6.

Eighth Day

(1) Ask several students to read their answers to exercise 5.

(2) Listen to the answers to exercise 6 (**relatos de una exageración**). Follow suggested scale for grading compositions presented in the introduction.

(3) If there is time, begin **Estructura**. If not, assign part of it for the **Tarea**.

Tarea: Estudie la Estructura en las páginas 15–16. Escriba números 10–26 en las páginas 15–16.

Ninth Day

(1) Present **Estructura: el verbo *ir***. Part One is a review of ir a plus the infinitive. Continue this oral drill with other model sentences:

El va a recitar el versito.
El va a ser testigo del hecho.
El va a exagerar el caso.
El va a considerar otro punto de vista.

(2) Perform the **Estructura: ejercicios con el imperfecto y el pretérito** drill orally. For further practice, continue the drill by changing the subjects of estabámos leyendo: yo, el general, el general y yo, los soldados, el sargento, tú, la novia, Uds. Exercises 10–15 show the relation of the simple preterite to the preterite progressive. In the preterite progressive the emphasis is placed on the action of the verb of the independent clause which was in progress when the action of the dependent clause occurred. Continue work on this drill orally, changing the subjects of the verbs in the independent clauses as another variation. Exercises 16–26 on page 16 are reviews of the preterite and imperfect forms of estar. These are easy enough not to require writing the models on the board.

Additional practice may be advisable in the form of a quick change drill:

Estuvimos bailando.
Estábamos bailando.

Estuviste leyendo el libro.
Estabas leyendo el libro.

Estuvieron comiendo en el patio.
Estaban comiendo en el patio.

Estuve esperando a María.
Estaba esperando a María.

Luis estuvo estudiando el reporte.
Luis estaba estudiando el reporte.

Mis padres estuvieron hablando del tiempo.
Mis padres estaban hablando del tiempo.

El general estuvo escribiendo una carta.
El general estaba escribiendo una carta.

Write the imperfect sentences or similar short sentences whose verb is in the imperfect tense on the board, and require the students to complete the sentence with a clause whose verb is in the preterite. Ejemplo: Estábamos bailando cuando comenzó a llover.

Tarea: Escriba Ejercicios Creativos, página 21, ejercicios 7, 8, 9.

Tenth Day

(1) Ask the students to read their descriptions. Write the list of military expressions that students have collected on the board. Ask them if these expressions are strictly limited to the military. Ask students to employ them in other sentences.

(2) *Importancia de los signos de puntuación* is a story designed for pure enjoyment. The students may be impressed with the need to punctuate carefully. Read the **Introducción**. Entretenido may need to be explained—divertido; para hacer a uno feliz y contento.

(3) Introduce the **Palabras Clave** in the usual manner. Possible problem words are: se meten—se ponen en (ponerse en); preso—prisionero.

(4) Have students listen to paragraphs one and two on the tape, two or three times. Read the sentences as a model for choral repetition by the class. Continue with the **décimas**, asking different girls to read the parts of the sisters and a boy to read the narration and final **décima**. Play the tape.

(5) Introduce the **Diccionario** in the usual manner.

Tarea: Estudie el vocabulario del Diccionario. Escriba las contestaciones de las preguntas de Para la Comprensión. Memorice el refrán: Falta de todos, consuelo de bobos.

Eleventh Day

(1) Review the **Diccionario**. Ask the students to employ the items in original sentences.

(2) Present **Estructura: el subjuntivo con expresiones impersonales.** Model sentences 1–12 for repetition by class. Then change the dependent clause, replacing **hablar** with other regular first class verbs: **informar al capitán; escuchar con atención; arreglar lo descompuesto.** Present it as a person-number substitution drill; mix the order of the subject pronouns or proper nouns.

(3) Repeat the above procedure with sentences 13–33. Replace dependent clause verbs with: **leer la información; exigir una contestación; abrir la carta.**

(4) Have students complete the **Ejercicios Creativos** 12 and 13, page 21, in class. Exercise 12 should be done orally. Exercise 13 could be written and later read and corrected in class. **A su parecer** is a new expression which can be easily explained with **en su opinión.** Assist students in justifying their opinions: **La selección más graciosa es_____porque lo entiendo mejor; el joven es muy inteligente y no tiene que decir que quiere a ninguna de las muchachas, etc.**

Tarea: Escriba Ejercicios Creativos, ejercicio 10, página 21. Prepárese para relatar el cuento a la clase. (Sugestión: escriba su sumario y apréndalo de memoria.) Escriba ejercicio 11.

Twelfth Day

(1) Correct **Ejercicios Creativos.** Have students present their oral reports to the class. Score according to original composition scale. Give each student a copy of the score so that he may understand his weaknesses for correction in the future. Have three students read their descriptions of exercise 11.

(2) Present **Estructura:** exercises 34–41, page 20. Explain the model sentences and continue with the substitution drill. Generalize: **Use el subjuntivo en relaciones impersonales con** *que.* **Una expresión impersonal no tiene una persona como sujeto: En inglés el sujeto es "it."** Perform exercises 42–51. For additional practice write on the board:

1. Es mejor	1. yo	1. ir
2. Es fácil	2. tú	2. saber
3. Es importante	3. José	3. salir
4. Es necesario	4. Ud.	4. oir
5. Es posible	5. nosotros	5. hacer eso
6. Es bueno	6. Uds.	6. seguir
7. Es imposible	7. ellos	7. venir

Call out three numbers: 1, 3, 5. The student is to read the sentence: **Es mejor que José haga eso.** Continue around the class using different number combinations. (If you have access to an overhead projector, prepare the transparency before class and file later for future use.)

Tarea: Prepárese para una prueba sobre **Cuadro 1.**

Thirteenth Day

Give a test covering the material in **Cuadro 1.**

CUADRO 2 • TIPOS DEL MUNDO HISPANICO

For this and the remaining cuadros, comments and suggestions for presentation will include only those items requiring special attention or lending themselves to a type of activity not already outlined, or to an expansion of the drills of **Estructura.**

The sections entitled **Notas Culturales** do not appear in the student text. They are intended primarily to provide the instructor with additional introductory material and to serve as a source for dictation.

NOTAS CULTURALES. El mundo hispánico es tan ancho e incluye tantos países distintos que es natural que se hayan desarrollado muchos tipos distintos. Son productos de su historia y sus tradiciones; del local que habitan con los rigores desfavorables o las bendiciones de la naturaleza; y de su contacto con otras gentes—a veces cultas e ingeniosas, otras veces salvajes o con pocos deseos de ser asimilados en la vida contemporánea. Cada país puede citar ejemplos de personajes típicos de sus varias regiones: pueden ser grupos étnicos, como el gitano, o los numerosos tipos indios, que también se varían mucho; o puede ser por el oficio en que habitualmente se usa cierto uniforme o traje que lo distingue de otros, como el gaucho de la Argentina y del Uruguay, el torero, el bailarín, o el pastor de España.

En la foto en la página 22, vemos a una gitana que interpreta el dificilísimo baile flamenco, baile sensual que evoca recuerdos de su pasado, su origen oriental y africano, su desprecio de una civilización que no entiende al gitano y que en muchas partes lo odia. Se puede ver la intensa pasión y el sufrimiento trazados en la cara. La vuelta rápida, de que la falda flotante es evidencia, indica su agilidad. Los movimientos expresivos de las manos son testigo de que los gitanos comunican con las manos.

Dondequiera que se vea el baile flamenco acompañado de su música triste de guitarra, palmas, y gritos de «olé,» «aguas,» o «zas, zas, zas,» uno piensa en seguida en España y en uno de los tipos más pintorescos del mundo hispánico.

El rastreador

NOTAS CULTURALES. La pampa es un área vasta al norte, oeste y sur de Buenos Aires. Es un llano fértil y perfecto para la agricultura. Hoy día la pampa produce más trigo, ganado y ovejas que cualquier parte del mundo. Por esta razón es el centro económico de la Argentina. En 1552 dos portugueses trajeron siete vacas y un toro a esa región. Poco después los españoles comenzaron a importar vacas, ovejas, y caballos. Debido al buen pasto y al clima ideal, los animales se multiplicaban rápidamente. Más tarde los ingleses construyeron ferrocarriles para transportar los animales a las ciudades de la costa y también introdujeron el alambre de púa con el cual encerraron las estancias.

El gaucho era mestizo—hijo de padre español y de madre india. Amaba aquella vida, libre de las leyes y de los reglamentos de la sociedad. Su único deseo era de trabajar y vivir en paz. No quería posesiones que no le permitieran vagar buscando su felicidad. Hoy se ha desaparecido el verdadero gaucho, víctima de la civilización.

PREGUNTAS PARA LA CLASE. Use these kinds of questions in class after the first reading or the first playing of the tape to check comprehension. Read or play the selección in segments. Then ask the corresponding questions.

1. ¿Quiénes son los rastreadores?
2. En los campos abiertos, ¿qué es preciso saber?
3. Cuando iba una vez por un camino cerca de Buenos Aires, ¿dónde tenía fija la vista el peón que le acompañaba?

4. Nombre varias cosas que el peón podía distinguir al ver la huella.
5. ¿Cuánto tiempo hacía que no veía aquella huella?
6. ¿Qué le pareció increíble?
7. ¿Cómo es el rastreador?
8. ¿Cómo lo tratan todos?
9. Poco después de notar el robo, ¿qué hacen con toda prisa?
10. Describa lo que hace el rastreador después de ver la huella.
11. ¿Cómo considera el juez el testimonio del rastreador?
12. ¿Por cuántos años ejerció Calíbar su oficio?
13. ¿Cómo es el venerado rastreador ahora?
14. Describa el robo de su montura durante un viaje a Buenos Aires. (This description is long. Ask several students to contribute.)
15. Relate el suceso de reo que se escapó de la cárcel.
16. ¿Cómo fue posible que algunos presos políticos se escaparan?

VERDAD O FALSO. This true-false quiz, for use with the first paragraph of the selección, may be administered either orally or in writing.

1. Todos los gauchos del interior son rastreadores. (V)
2. En la pampa los animales podían transitar grandes distancias. (V)
3. Es imposible distinguir la huella de un animal entre las huellas de mil animales. (F)
4. Un día un peón le echó al suelo. (F)
5. Después de examinar una huella podía identificar el animal y otros detalles. (V)
6. Hacía un año que no había visto el rastro de aquella mula. (V)
7. El autor no lo creyó. (F)

EJERCICIOS CREATIVOS. When assigning exercise 2, page 49, remind the students that an interesting oral report must be well prepared, that is, carefully planned, written and practiced. They should not attempt to speak extemporaneously, nor should they try to use language patterns they have not yet learned. The introductory and closing sentences should be clear and to the point. Some sample introductory sentences will help.

(1) En la Argentina el rastreador correspondía mucho al scout del oeste de los Estados Unidos.
(2) El rastreador es una figura importante de la historia de la Argentina como lo es el scout de los Estados Unidos.

Some points of comparison between the rastreador and the scout are:

(1) Podía seguir una huella.
(2) La gente lo respetaba.
(3) Sabía montar bien a caballo.
(4) Tenía mucha responsabilidad al ejercer su oficio.
(5) Poseía una dignidad reservada y misteriosa.
(6) Hoy día casi se ha desaparecido.
(7) Conocía bien el temperamento y las costumbres de los indios.

ESTRUCTURA: *VOLVER A* + INFINITIVO. This drill is a review. It may be necessary, however, to review the future and preterite on the board and the various other ways of saying "again": otra vez, de nuevo, nuevamente. The drill in the text may thus be expanded.

1. Estudié otra vez en la biblioteca.
2. Julián compró los boletos otra vez.
3. Entraron de nuevo en el correo.
4. Se escapó de nuevo de la cárcel.
5. Trepaste nuevamente a la muralla.
6. Siguieron otra vez la huella.
7. Examinó de nuevo la pista.
8. Bajó nuevamente del caballo.

The same method may be incorporated in drill sentences with verbs in the present and future tenses.

ESTRUCTURA: *HACER* + EXPRESION DE TIEMPO. Summarize with a grammatical generalization such as: Se usa *hace* con el presente para indicar que la acción llega hasta el presente. Se usa *hace* con el pretérito para indicar que la acción terminó en el pasado. Hacía lleva el imperfecto o el pluscuamperfecto.

The instructor may wish at times to have the students formulate their own grammatical generalization.

El matador

NOTAS CULTURALES. No hay otra profesión ni oficio que se distinga tanto por su traje o manera de vestirse como la del torero. El traje de luces es propiamente nombrado porque los bordados de oro reflejan los rayos de luz y llaman la atención del público a su persona. Es un traje complicado e incluye tales prendas como las zapatillas sin tacón, las medias de color de rosa, la taleguilla apretada, y la chaqueta corta y suelta con aberturas debajo de los brazos para facilitar el movimiento de ellos.

En la cabeza lleva un sombrero especial llamado «montera» que generalmente es de seda y lana. Para hacer más vistoso su atavío a la entrada en la plaza, ajusta sobre el brazo izquierdo un capote de ricos bordados de seda. El traje es tan apretado que el torero no puede vestirse solo y necesita ayuda de otros. Los taurómacos lo consideran un gran honor poder estar presente y ayudarle al torero prepararse para la fiesta colorida y emocionante.

Mire la fotografía de «Picador,» escultura de Pablo Gargallo en la página 37. Se puede explicar que el picador es el torero a caballo que pica con vara al toro preparándolo para la faena del matador.

PREGUNTAS PARA LA CLASE.
1. ¿Cómo se describe al torero? (Es vanidoso.)
2. Cite algunos ejemplos de su vanidad. (a. Su manera de bajar del carruaje. b. Su manera de recibir los saludos del público. c. Se pavonea al andar. d. Cree que honra al conde por darle el capote. e. Quiere lucirse.)
3. ¿Por qué se enoja con Conejo? (Se pone a reír del torero.)
4. ¿Cómo muestra al público su desdén por su trabajo? (No aplaude. Silba cuando entra en el callejón.)
5. ¿Por qué tuvo que tirarse al callejón? (Casi lo cogió el toro.)
6. ¿Cómo sabemos que está nervioso? (Le entran sudores.)
7. ¿Qué hizo al tomar el olivo? (Se le cayó la espada.)
8. Después de recibir la espada de Conejo, vuelve a entrar en el redondel. ¿Qué comienza a hacer el torero? (Habla al toro.)
9. ¿Dónde dio con la primera estocada? (En un hueso.)
10. ¿Qué suerte tuvo con la segunda estocada? (Mató al toro.)
11. ¿Cómo mira a los tendidos? (Con aire de triunfo.)
12. ¿Qué hará mañana? (Le pedirá al empresario mil pesos más por corrida.)
13. ¿Qué hace el público para mostrar su entusiasmo? (Arroja sombreros y puros. Un taurómaco arroja la chaqueta y las botas.)
14. ¿Qué es lo que quiere el torero más—los aplausos o el dinero? (Prefiere el dinero.)

REPASO RAPIDO DEL VOCABULARIO. With books closed, ask for a definition. ¿Qué es un carruaje? (Un coche, un vehículo.) For variety the instructor may give the definition in Spanish to elicit the vocabulary item.

EJERCICIOS CREATIVOS. After reading exercise 3 on page 49, have the students list on their papers the types described. Write the following adjectives on the board: (1) **dramático,** (2) **jactancioso,** (3) **ridículo,** (4) **arrogante,** (5) **altivo,** (6) **hace poco caso a otros.** Ask the students to name personalities whom these adjectives describe, justifying their opinions and citing examples.

ESTRUCTURA: SUBJUNTIVO: CONCORDANCIA DE TIEMPOS. Agreement of tenses is one of the subtle phases of language learning. The proper use of a subjunctive tense or of the preterite and the imperfect is an indication of thorough language learning. Drill expansion in this area is always productive.

Modelo: ¡Sal pronto! (Me dice que salga pronto).
(Me dijo que saliera pronto).

Continue the pattern practice orally until the review is complete. Some suggestions for drill expansion are:

1. Di la verdad.
2. Haz esto pronto.
3. Pon las flores aquí.
4. Ten paciencia.
5. Da la montera al conde.
6. Ve a la plaza.
7. Se bueno.
8. Estudia esta noche.
9. Mira a los aficionados.
10. Sube al coche.

Change the verbs to the third person plural and continue.

11. Salgan Uds. pronto. (Nos dice que salgamos pronto.)
   Salgan Uds. pronto. (Nos dijo que saliéramos pronto.)
12. Lean Uds. el cartel.
13. Inviten Uds. a los visitantes.
14. Describan Uds. la corrida.
15. Corran Uds. a la salida.

Campito, payador de Pachacama

NOTAS CULTURALES. Miremos en el mapa al país de Chile. Localicen la capital, Santiago, en el centro del país. Ahora noten Uds. la región de la pampa argentina. Aunque estos dos países están separados por las altísimas montañas de los Andes, una costumbre gauchesca llegó a ser popu-

lar entre los chilenos—la de los payadores de inventar espontáneamente canciones o «payas.» Las «payas» describen la vida, las aventuras o las emociones del que las canta. El payador siempre se acompaña con su guitarra. Cuando hay una competencia, trata de contestar a su rival con los mejores versos para ganar. El payador tiene que ser listo e ingenioso para componer sus versos y salir triunfante. Desgraciadamente hoy día este arte está desapareciéndose.

PREGUNTAS PARA LA CLASE.

1. ¿En cuánto tiempo se convirtió en artista de radio? (De la noche a la mañana.)
2. Nombre las dos naciones que le invitaron a viajar al extranjero. (México y el Brasil.)
3. ¿Para qué fue a Santiago? (Para la fiesta de Arte Popular.)
4. ¿Qué buscaban los directivos de la fiesta? (Un contendor para el payador Críspulo Gándara.)
5. ¿Habían encontrado a un contendor? (No habían encontrado a nadie.)
6. Al terminar la fiesta, ¿regresó Campito a su hogar? (No, se quedó en la capital.)
7. ¿Cómo sabemos que le gustaron las fiestas? (Vivió de fiesta en fiesta.)
8. ¿Qué oficio tenía antes de ir a Santiago? (Era camionero de campo.)
9. ¿Qué clase de artistas conocía? (Bohemios e intelectuales.)
10. ¿Qué le pasó muy pronto? (Se aburrió de esa vida.)
11. ¿Con quién ha vivido siempre? (Con su madre.)
12. Fue contratado por Radio Portales. ¿Cuánto dinero recibía por cada actuación? (Veinte escudos.)
13. ¿Trabajó en la radio todos los días? (No, solamente los domingos.)
14. ¿Qué considera ser su verdadera profesión? (Chófer de camiones, o camionero.)
15. ¿Quién es Lorenzo Berg? (Director del Museo del Arte Moderno, uno de los mecenas [patrones] de Campito.)
16. ¿Cómo sabemos que Campito es sentimental? (Es cargadito a la ternura.)
17. ¿Mostraba mucho interés en las mujeres? (No, siguió impasible.)
18. ¿Cómo pareció considerar el auto de la dama? (Como si fuera una carreta.)
19. ¿Por qué lo apoderaron «el Sinatra del campo?» (Muchos creían que lo parecía.)

20. ¿De qué grupo es miembro? (Una cofradía de chinos.)
21. ¿Qué hace en sus fiestas religiosas? (Dirige los cantos y bailes.)
22. ¿Cómo es Campito? (Es tímido.)
23. Relate lo que pasó la primera vez que fue a Valparaíso. (Subió a un vagón que no era conectado.)
24. ¿Cómo nació Campito? (Nació payando.)
25. ¿Cuántas canciones propias tiene? (Diez.)
26. ¿Aprendió a leer en el colegio? (No, aprendió solito.)
27. ¿Cuándo tuvo que aprender a leer? (Cuando quiso sacar documentos para manejar.)
28. ¿Qué compró para aprender? (Un silabario.)
29. ¿Quién le ayudó? (Un tío.)
30. ¿Qué más aprendió? (A sumar, restar, dividir, y multiplicar.)
31. Aprendió a leer, sumar, restar, dividir, y multiplicar por libros, pero, ¿cómo aprendió la música? (De oído.)
32. ¿Qué siempre lleva consigo? (La guitarra.)
33. Desde los once años ha sido chófer. ¿Cuáles vehículos ha manejado? (Tractores, camiones, y una carroza fúnebre.)
34. ¿Cómo fue su matrimonio? (Un fracaso.)
35. ¿Quién tuvo la culpa? (Ella.)
36. ¿Por qué lo dejó? (Porque él no tenía dinero y el otro sí.)
37. En las payas radiales ¿a quiénes defendió? (A las mujeres de Santiago—las capitalinas.)

38. Cuando payó con cierto cantor que se sabía versos por libro y de memoria, ganó Campito. ¿Por qué ganó? (Improvisaba sus versos.)
39. El arte de payar está desapareciéndose. Den algunas razones del por qué. (Véase líneas 26–27, página 43.)

EJERCICIOS CREATIVOS. After the students have written exercise 4, page 49, select four students for a dramatization. One will relate the entire incident as though he were Campito. The others will relate what happened to him as they see it, using the third person. Change the subjects to the first person plural and to the third person plural respectively with different students in each role.

ESTRUCTURA: CONJUNCIONES Y CONCORDANCIA DEL SUBJUNTIVO. Expand the drill by first changing the subject of one or both clauses.
1. (Ellos) Lavarán el coche antes de que vengamos.
   Lavaré el coche antes de que vengas.

Then replace the future with the imperfect.

2. Lavaré el coche antes de que vengan.
   Lavaba el coche antes de que vinieran.
3. Jugaré con ellos con tal que no molesten.
   Jugaba con ellos con tal que no molestaran.
4. Dejaré a la niña a menos que llueva.
   Dejaba a la niña a menos que no lloviera.
5. Lo sabré sin que me lo digan.
   Lo sabía sin que me lo dijeran.

CUADRO 3 • EL HEROISMO

Bolívar

NOTAS CULTURALES. Simón Bolívar, «El Libertador,» nació en 1783 y murió en 1830. Recibió su educación en España y viajó por Europa y los Estados Unidos. Volvió a Venezuela en 1810 para tomar parte en la rebelión contra la dominación española. Durante más de trece años continuó la lucha contra el poder de la madre patria. Se retiró del mando en 1830 y murió pocos meses después.

PREGUNTAS PARA LA CLASE.
1. ¿Qué aprendemos acerca de Bolívar en este poema? (Era militar, político, orador, poeta y en todo grande.)
2. Nombren dos cualidades que poseía. (La valentía y la cortesía.)

3. Ultimamente, ¿qué le sucedió? (Fue crucificado.)

Explain that this is the figurative sense. **La gente no aceptó sus ideas y no quería hacerle caso. El tuvo que salir de Venezuela. Murió desterrado.**

INFORME. Ask a student to prepare in advance a report on Bolívar for presentation in class. Supply him with the names of authors and the titles of reference works to be found in the school library. It would be wise to preview his talk. A poorly prepared student report serves only as a bad example. For the first such presentation, choose a student who will do a superior job.

EJERCICIOS CREATIVOS. Assign exercise 1 on page 66 for outside reading in an encyclopedia. Ask for a brief comparison of San Martín and

Bolívar. Other students may do reports on the War of Independence for exercises 2 and 3.

ESTRUCTURA: EL ARTICULO INDEFINIDO CON PREDICADO NOMINAL MODIFICADO. This drill may be advanced to precede **Para la Comprensión** because its vocabulary and structures will be helpful in the subsequent activities.

El Alcázar no se rinde

NOTAS CULTURALES. No hay nada más triste que una guerra civil en la cual se divide una nación a causa de diversas opiniones políticas. ¡Qué tragedia ver a un país dividido en dos facciones, ver a hermanos tomar armas contra hermanos! En 1936 comenzó la Guerra Civil de España después de largos años de descontento. Costó casi un millón de almas y la destrucción parcial o completa de muchas ciudades. Fueron cometidas muchas injusticias sangrientas por los dos partidos. La guerra duró casi tres años, y es, sin duda, la mayor tragedia de la historia de España. Los españoles se dividieron en dos facciones—los republicanos y los nacionalistas. Los republicanos recibieron ayuda de Rusia. Es innegable que había muchos comunistas entre ellos aunque no todos los republicanos eran comunistas. Los nacionalistas fueron ayudados por Hítler y Mussolini. Su jefe era Francisco Franco, quien ha sido el jefe supremo del país desde que terminó la guerra.

Toledo queda aproximadamente a sesenta millas al sur de Madrid. Tiene una historia gloriosa. Durante la ocupación árabe (711–1492) la población se componía de devotos de tres distintas religiones: los cristianos, los judíos y los musulmanes. Vivían en paz y en harmonía a pesar de sus diferencias raciales y religiosas. Durante la Guerra Civil una de las atrocidades más inhumanas ocurrió entre compatriotas donde antes reinaban la harmonía y la buena voluntad.

En la foto en la página 56 se puede ver el Alcázar o fortaleza donde el Coronel Moscardó y los insurgentes fueron sitiados. Por muchos años el Alcázar no fue restaurado después de ser parcialmente destruido por el bombardeo. Hoy día se ve como un nuevo edificio, y es, en efecto, una especie de museo en que se conservan algunas reliquias que son testimonios de los horrores sufridos allí.

Historia de Guernica: En la primavera de 1937 Pablo Picasso, el conocido pintor de Málaga, España, residía entonces en París. El fue comisionado por el Gobierno Español en Exilio a pintar un mural para su pabellón en la Feria Mundial en París. La comisión requería que Picasso expresara en una obra el sentido del drama de su patria violada por los fascistas. Una guerra es un evento largo y complejo que comprende una gran cantidad de circunstancias: hechos estratégicos, políticos, e históricos; visiones de destrucción, del heroísmo y de la muerte. Además, el pintor español poseía conocimientos generales de España—su historia, su paisaje, su gente, su revelación en la literatura y en la pintura. Tenía, también, recuerdos personales, mezclados con sueños y fantasías acerca de su país. Afortunadamente, Picasso vivía en una época que le permitía la libertad de expresión artística y no demandaba que se conformara a los estilos del pasado.

El 26 de abril de 1937, los aeroplanos de Hítler bombardearon la antigua e histórica ciudad de Guernica en la provincia de Vizcaya. Guernica no era un pueblo cualquier porque representaba el espíritu del orgullo y de la libertad de los vascongados. Su destrucción fue completa y total; se calcula que aproximadamente diez mil personas murieron en esa matanza que duró más de tres horas.

Un análisis de la obra de la foto de la página 67 revela que los colores son monocromáticos: de blanco a negro. No hay simbolismo de colores para distraer. Toda la atención se concentra en las figuras. El drama es actuado por mujeres y por sus acciones de gritar, empujar, correr, y caerse. En aquel entonces el pueblo fue poblado casi enteramente por mujeres y niños, los cuales en muchas ocasiones Picasso había representado como la perfección de la humanidad. Así que el ataque sobre mujeres y niños representa un ataque sobre los valores máximos de la humanidad.

La figura de la estatua de un guerrero caído representa la caída de lo pasado y es una base para las otras figuras. El caballo representa la agonía y el sufrimiento. El toro hacia que todos miran representa el valor, el orgullo, y la estabilidad. No mueve. Es firme y parece proteger a la mujer lamentando e implorando con el niño muerto. La paloma, que generalmente representa la paz, aquí se ve espantada y en una actitud de lamento. La mujer con la lámpara de esperanza representa la ansiedad y busca ayuda: parece decir —¿Qué nos está pasando? ¿Qué podemos hacer para salvarnos?— La fugitiva corre hacia el toro implorando socorro. La mujer en pánico cae bajo las ruinas implorando salvación.

Guernica no es una obra que satisface el sentido estético. Nos ofende que algunos quieren destruir a otros, que no existe el amor fraternal.

DRAMATIZACION. After listening to the tape, assign parts—el narrador, el coronel, el hijo, el jefe republicano. Insist on dramatic quality.

DISCUSION. ¿Cuáles rasgos semejantes (y distintos) existen entre la guerra civil de España y la de los Estados Unidos? Keep this discussion objective and based on historical fact.

ESTRUCTURA. Explain that in Spain today the **vosotros** form is used but that in Latin America the plural of **tú** is **Uds.** Since the **vosotros** is common in literature, in religious writings, sermons, hymns, Christmas carols (**villancicos**) and in eloquent oratory, it is good to be familiar with the special command for the plural as well as with the standard indicative forms.

Tú	*Vosotros*
Habla con el jefe.	Hablad con el jefe.
Lee esta descripción.	Leed esta descripción.
Sube al segundo piso.	Subid al segundo piso.

For the irregular commands for the **tú** form have the students learn the following list as if it were a sentence: **di haz ve pon sal se ten ven.**

For the irregular commands for the **tú** form use the following drill expansion. There are no irregularities in the **vosotros** form.

Afirmativo	*Negativo*
Sigue comiendo.	No sigas comiendo.
Haz tu tarea hoy.	No hagas tu tarea hoy.
Oye lo que dice tu amigo.	No oigas lo que dice tu amigo.
Di cómo lo perdiste.	No digas cómo lo perdiste.
Pon tu bolígrafo aquí.	No pongas tu bolígrafo aquí.
Sal en seguida.	No salgas en seguida.
Ven aquí.	No vengas aquí.

Continue the drill expansion by repeating the above, changing from the **tú** to the **Ud.** forms and then to the plural **Uds.**

Héroes de una aventura que glorifica a España

DICCIONARIO. This section is longer than usual. It is important that the vocabulary be learned well so that the class may obtain a high degree of comprehension. The fill-in exercise should be completed partially in class and at home.

EJERCICIOS CREATIVOS. For exercise 12 suggest that the less advanced students clip articles related to heroic deeds or adventures. Remind the class that good newspaper reporting concentrates on: **¿Quién?, ¿Qué?, ¿Dónde?, ¿Cuándo?, y ¿Cómo?**

Assign exercise 10 on page 68 to the more accelerated students. Furnish this material for the introduction and closing: **Damas y caballeros, distinguidos invitados de honor y amables amigos que presencian este acto en que rendimos homenaje a los más recientes héroes de nuestra gloriosa patria . . .** The traditional closing remark of a speech is: **He dicho.**

Exercise 13 on page 68 presents many possibilities for discussion. Assist the student with the introduction: **Si comparáramos el viaje de Colón a un vuelo espacial del astronauta moderno, encontraríamos semejanzas y diferencias. Entre ellos son: objetos principales, período de preparación, tipo de nave, mapas o planes, tripulación, provisiones, obligaciones durante el viaje o vuelo, dificultades o problemas posibles, hacia lo desconocido.** A closing thought might consider: **El espíritu del hombre de explorar e investigar.**

DISCUSION. **El proyecto de Etayo fue tan difícil como el de Colón.** To stimulate active participation, divide the class into teams who will present a formal debate.

ESTRUCTURA: FRASES DE INFINITIVO CON PREPOSICIONES. Introduce this drill with books open. Demonstrate the difference from the English structure of a preposition followed by a gerund. Suggested drill expansion:

Modelo: Estudié. Me acosté.
          Después de estudiar, me acosté.

1. Comió. Salió de la casa.
2. Escribió la orden. Se la dio al capitán.
3. Regresamos a Nueva York. Recibimos el premio.
4. Perdió el periódico. Compró otro.
5. Sufrieron mucho. Fueron encontrados por fin.

Change the pattern from **después de** to **al.**

Modelo: Abría la ventana. Dejé caer mi anillo.
          Al abrir la ventana, dejé caer mi anillo.

6. Leía la revista. Encontré este anuncio.
7. Escuchaba la radio. Oí mi canción favorita.
8. Salía del navío. Se cayó.
9. Contestaba el teléfono. Alguien llegó a la puerta.
10. Terminaba sus estudios. Tuvo que salir.

CUADRO 4 • LA LEYENDA

El lago encantado

NOTAS CULTURALES. Cuando Francisco Pizarro y los españoles llegaron al Perú en 1532, encontraron un imperio grande y riquísimo de indios llamados los incas. Su imperio incluía lo que hoy es el norte de Chile y la Argentina, Bolivia, el Perú y el Ecuador. El centro de su dominio fue Cuzco, la ciudad sagrada donde vivía el Sapa Inca o el jefe. Estos indios habían construido su imperio sobre las ruinas de otras culturas anteriores y establecido un gobierno basado sobre su religión. Construían templos y muros de enormes piedras unidas sin cemento o argamasa. Tenían un buen sistema de caminos, fortalezas y puentes colgantes sobre los ríos. Todo esto sigue sorprendiendo a los arqueólogos porque los indios no tenían medios de transporte, instrumentos de acero, ni sabían usar la rueda. Atahualpa era entonces el Inca, jefe del gobierno y dios adorado por los indios. Creyó que los incas podían derrotar facilmente a los españoles porque había muy pocos de ellos. Además, los consideraba perezosos porque no andaban a pie sino montados en unas ovejas grandes que llamaban «caballos.»

Pizarro tomó a Atahualpa prisionero y los españoles mataron a miles de indios. Pizarro exigió que el Inca le diera grandes cantidades de oro y plata. Atahualpa dio órdenes que los indios llenaran de oro un cuarto que medía veintidós pies de ancho por diecisiete pies de largo. Pero después de recibir el oro, Pizarro mandó que mataran al Inca.

EJERCICIOS DE AUDICION. From time to time the instructor may wish to play the tape of a selection before the students have read or have been introduced to it. Ask short specific questions or design a multiple choice comprehension inventory after the second hearing. For example:

El lago encantado se halla en
a. el norte de Chile.
b. el sur de Venezuela.
c. el norte de la Argentina.

DISCUSION. Algunos personajes legendarios de la historia de los Estados Unidos. (Paul Bunyan, Johnny Appleseed, Ichabod Crane.)

ESTRUCTURA: *NO* + VERBO + *NADA; NO* + VERBO + *QUE.* Review first the Spanish pattern of the double negative.

Maestro: Tengo algo que hacer.
Estudiante: No tengo nada que hacer.

Continue orally with the following drill patterns:

1. Encontraba algo que comer.
2. Tenemos algo que leer.
3. Habrá algo que hacer.
4. Trajiste algo que estudiar.
5. Tenía algo que comprar.
6. Hay algo que corregir.
7. Hallarán algo que envolver.

Now continue with the pattern drill as in the text.

ESTRUCTURA: PRONOMBRE COMO COMPLEMENTO INDIRECTO. Perform the drill as presented in the text and on the tape. Suggested expansion: Substitute other indirect object pronouns for **le** and **me**.

El pirata sin cabeza

EJERCICIOS DE AUDICION. Have the class listen to the tape and read silently in unison with the tape as a guide. Select portions of the story for choral reading and pronunciation practice.

ESTRUCTURA: SUSTANTIVOS MASCULINOS QUE TERMINAN EN A. Remind the students that some sounds ending in **a** and taking the masculine definite article **el** are not in actuality masculine but feminine. The article is used because of the meeting of two a sounds: **el águila, el agua fría.**

Las sirenas del río Ulúa

RESUMENES. This selection includes some difficult vocabulary and long, complicated sentences. Begin by listening to the tape several times and conducting brief **verdad o falso** exercises. After the students have read the selection intensively and have answered the questions of **Para la Comprensión,** conduct a "snowball résumé." Call on one student to begin the story and ask other students to add a sentence or an idea in turn until the basic story has been retold. Repeat this exercise and then call on one or two students to give a complete oral résumé. The student's résumé will be very close to the text at first. The instructor should encourage the use of synonyms and alternate structures.

ESTRUCTURA: VERBOS DE CAMBIO ORTO-GRAFICO (-GER, -GIR); PRESENTE DE IN-DICATIVO Y PRESENTE DE SUBJUNTIVO. By now the students know that language is a means of communication through sound. Hence, we are first concerned with the sound patterns of Spanish. In the case of certain verbs, the graphic symbols have to be altered from their usual pattern in order to preserve the sound system. Perform the pattern practice once without using the texts. Then write the infinitives (basic sound patterns in this case) on the board: **recoger, dirigir, escoger, elegir, corregir, proteger.** The sound of the aspirated *h* must be retained in all parts of the verb. Assign portions of the drill to be written. Continue pattern practice until drills are performed well.

CUADRO 5 • LA SUPERSTICION

NOTAS CULTURALES. Throughout the unit the students will see drawings of the various signs of the zodiac which form the basis for astrology and other types of occultism. The following is a list of the formal and the popular names of these signs:

(1)	Aries	el carnero
(2)	Cáncer	el cangrejo
(3)	Géminis	los gemelos
(4)	Piscis	los peces
(5)	Escorpio	el escorpión
(6)	Acuario	el portador de agua
(7)	Virgo	la virgen
(8)	Tauro	el toro
(9)	Capricornio	la cabra
(10)	Sagitario	el arquero
(11)	Leo	el león
(12)	Libra	la balanza

El trovador

EJERCICIO DE AUDICION. Divide the selection into four equal parts and play each part of the tape. Present a short multiple question comprehension inventory or a **verdad o falso** quiz.

DRAMATIZACION. Assign three students to take the parts of the servants: Guzmán, Jimeno, and Ferrando. Insist on a high degree of dramatic presentation.

ESTRUCTURA: POSICION DEL COMPLE-MENTO INDIRECTO. Introduce the pattern and note the alternative change of position. Also note that the auxiliary and present participle for a verbal unit cannot be separated. The verbal unit is: **está cantando.** The object pronoun may precede the entire verbal unit or follow it, in which case the written form becomes one word and requires a written accent on the stressed syllable of the present participle. For example: **La está cantando** becomes **Está cantándola.**

El tesoro de Buzagá

RESUMENES. After the students read the selection, have them complete the questions of **Para la Comprensión.** Divide the class into four groups and assign one of the following topics to each for a "snowball résumé."

> La pobreza de Badillo.
> El encuentro con la india vieja.
> La decisión de Badillo y el cura.
> El viaje al lugar dónde vivía el mohán.

Then choose one student from each group to present the complete résumé.

DRAMATIZACION. Choose students to play the parts of **el narrador, el mohán, el padre Benito** and **Lope.**

VERDAD O FALSO.
1. Tuvieron que caminar mucho. (*V*)
2. Todos tenían frío. (*F*)
3. El mohán rehuso seguir caminando. (*V*)
4. Lope ofreció llevar al mohán. (*F*)
5. Para decidir quién lo iba a cargar, tiraron una moneda. (*V*)
6. El cura ganó. (*F*)
7. Fue necesario que sólo un hombre lo cargara. (*V*)
8. La cumbre parecía alejarse más y más. (*V*)
9. El mohán dio golpes al cura como si fuera un caballo. (*V*)
10. El mohán dijo que encontrarían oro y diamantes. (*F*)

ESTRUCTURA: EL SUBJUNTIVO: CONCOR-DANCIA DE TIEMPOS. This drill concentrates on the proper order of tenses and provides further practice with the subjunctive. Introduce part one of the pattern practice and continue until mastery has been achieved. Substitute other persons for the third person singular of the subjunctive in the subordinate clause: **Vendrás de la escuela** to **Vendrán de la escuela.** Also substitute other forms for **esperaremos: Felipe esperará a que yo venga . . . a que vengamos,** etc. In the second part of the drill substitute other verb forms as above: **Dijo que esperaría.**

La lechuza

PREGUNTAS PARA LA CLASE. Questions 1 and 2 refer to **Introducción** and **Guía de Estudio.** Questions 3 to 5 refer to the **selección.** These are general questions designed to stimulate class discussion. The instructor should correct all errors of pronunciation, intonation and usage and encourage the use of synonyms and alternates by restating the students opinions in other terms.

1. ¿Por qué es el año 1492 tan importante en la historia de España? (Colón descubrió América; los Reyes Católicos tomaron posesión de Granada; Alejandro Borja, un español, llegó á ser Papa; Antonio Nebrija escribió la primera gramática de la lengua castellana.)

2. En nuestra cultura, ¿qué simboliza la lechuza? (Conocimiento y sabiduría.)
3. ¿Cuál es su impresión de la historia?
4. ¿Le gustó? ¿Por qué?
5. ¿Cuál es el tono general del cuento? (Misterio, terror.)

DISCUSION. Ask the students to recount their first encounter with fear.

ESTRUCTURA: *POR Y PARA.* One of the stumbling blocks in Spanish is the correct use of **por** and **para.** The pattern practice includes two uses of **para:** to indicate direction, and some definite future time. Five uses of **por** are treated here: to indicate some general future time as indicated by the words around or by; direction as indicated by the words through, along or by; and to express for the sake of, in exchange for and to obtain. It may help the students to think of **para** as a one-way street. **Por** on the other hand involves movement in two directions or an exchange.

CUADRO 6 • PRECEPTOS PARA JOVENES HISPANOHABLANTES

Cinco requisitos para ser una novia feliz

PREGUNTAS PARA LA CLASE.
1. ¿Cuáles son los cinco requisitos para ser una novia muy feliz? (Una novia feliz tiene que ser femenina y difícil, conservar fresca su ingenuidad, interesarse por las cosas de su novio, no confesarle que lo ama con locura.)
2. Cítese otros preceptos que se podría añadir a la lista.

ESTRUCTURA: PREPOSICIONES CON COMPLEMENTOS PERSONALES: *CON, PARA, POR SIN, DE.* Conduct pattern practice in usual manner. Call attention to objects of **con,** noting the irregular forms **conmigo, contigo, consigo.**

Drill items 39–46 are choice-answer questions. When practicing with the tape, the second choice must be used. In class, you may indicate which answer you want by holding up one or two fingers.

ESTRUCTURA: MANDATOS DE VERBOS REFLEXIVOS. To initiate this practice, review some of the command forms presented in Cuadro 2. Present models with choral repetition drill. Continue pattern practice without the tape until the desired changes are well understood. It may be

necessary to concentrate only on the subject and verb:

La novia se interesa. ⟶ interésese
Las novias se ríen. ⟶ ríanse
El joven se levanta. ⟶ levántese

When the affirmative commands have been learned, proceed to the negative patterns. For additional practice use examples from the first part.

Abecé del amor

NOTAS CULTURALES. Lope de Vega nació en Madrid en 1562, dos años antes que Shakespeare. Lope vivió con su tío quien era uno de las autoridades supremas de la Inquisición. Era buen estudiante, dedicándose a estudios de gramática, retórica, matemáticas y astronomía. Empezó a escribir poemas cuando todavía era muy joven. Pasó unos años en el servicio militar, pero el resto de su vida lo dedicó a las letras y al teatro.

Se casó dos veces y conoció muchos amores. Su vida sentimental tenía mucho de drama y bastante de comedia. Con los años comenzaron a invadirle el remordimiento y la melancolía, y a pesar de sus acciones libertinas, se decidió a hacerse sacerdote a los cincuenta y dos años de edad. Sin embargo se enamoró una vez más, de una mujer casada. Fue el último y el más trágico de sus amores.

Lope escribió grandes cantidades de obras de todos géneros. Son verdaderos documentos históricos que describen las ideas, costumbres y sentimientos del pueblo español. Todos lo consideran un genio. En sensibilidad, fineza y gustos modernos, ningún dramaturgo del Romanticismo superará al Peribáñez.

EL ABECEDARIO. Before beginning to read the selección, be sure that all of the students know the Spanish alphabet.

a	a	j	jota	r	ere
b	be	k	ca	rr	erre
c	ce	l	ele	s	ese
ch	che	ll	elle	t	te
d	de	m	eme	u	u
e	e	n	ene	v	ve
f	efe	ñ	eñe	w	doble ve
g	ge	o	o	x	equis
h	hache	p	pe	y	i griega
i	i	q	cu	z	zeta

Point out that *k* and *w* are used only in foreign words. It will be of interest to the class to learn that Spanish students do not have spelling courses because of the almost completely phonetic nature of their language. To distinguish between **b** and **v**, Spanish-speaking people often ask ¿*B* de burro o *v* de vaca?

LA POESIA. Have the students listen to the speech by Peribáñez on the tape to get the general idea. Then illustrate to the class how to simplify the reading of poetry: (1) look for the subject and its modifiers; (2) find the verb and its modifiers and complements; (3) read the sentence as it would be spoken under ordinary circumstances. Call to their attention the poet's need to invert sentence structure in order to maintain his meter and rhyme pattern.

EJERCICIOS CREATIVOS. As an introduction to exercise 4, list in alphabetical order the qualities mentioned by Lope.

	Peribáñez	*Casilda*
A	Amar su marido	no has de ser Altanero
B	ser Buena	no has de hacer Burla
C	hárate Cuerda	ser Compañero en mis trabajos
D	ser Dulce y	ser Dadivoso
E	Entendida	Espero regalarte fe

F	ser Firme, Fuerte y de gran Fé	de Fácil trato
G	Grave	Galán
H	Honrada	Honesto
I	Ilustre	sin pensamiento de Ingrato
L	Limpia	Liberal
M	Maestra de tus hijos	el Mejor Marido
N	No a solicitudes locas	no serás Necio
O	(n)O—lo que aprenden pocas	tendrás todas las hOras conmigo
P	Pensativa	ser Padre
Q	bien Quista	Quererme
R	Razón que destierre toda locura excesiva	Regalarme
S	Solícita	Servirme
T	Tal mujer no hay mejor	Tenerme firme
V	Verdadera	Verdadero
X	buena cristiana (Xiana como Xmas)	brazos abiertos así X (+) a recibirme
Z	Zelosa (celosa)	——

For exercise 5, demonstrate in class various patterns the group can utilize:

(1) Begin with the letter: **Mayo, lindo mes de flores . . .** or

(2) Employ a word which begins with the necessary letter within the sentence: **Mes por mayo, el lindo mes de flores.**

(3) End the sentence with the letter: **Siendo buena por la B.**

The first attempts at poetry writing will be less difficult if each student determines a meter and rhyme pattern before he begins. The meter may vary slightly at times, but the rhyme pattern must be consistent. Starting with a name of four or six letters, the pattern may be *aa, bb, cc; a b a b c c; abc abc*. A name with five letters may follow *aa bb cc; ababc*. Have some of the best literary examples of each rhyme pattern copied on the board for discussion and criticism.

ESTRUCTURA: PRONOMBRES RELATIVOS: *QUE, CUAL, QUIEN.* Exercises 1–8 demonstrate how to join two simple ideas that are related in context. These two thoughts are joined with the simple relative **que** (in English: who, which, that). Begin these drills with books open. Later, use the tape with books closed.

Exercises 9–16 demonstrate joining two simple sentences. One sentence contains two related thoughts; the other describes correctly the proper

noun. To do so the more selective **cual** with its various forms, **el cual, la cual, los cuales, las cuales,** is employed. For expanded practice, shift the description to the alternate noun. Omit exercise 3.

Exercises 17–24 demonstrate similar principles, using **de quien, a quien,** and **con quien.** Request several students to write similar exercises.

El arte de decir «no»

EJERCICIOS CREATIVOS. Exercise 6 on page 126 is to be written first, corrected, and memorized for class presentation. Collect the written copy, assign exercise 7 to be written in class while you begin to correct papers to be returned that day. In this way, you will allow a number of students to read how they said "No" skillfully. An alternate idea is to assign students to work in groups of four.

After reading each "solution," the most original or unusual of each category is to be presented to the entire class.

ESTRUCTURA. This exercise is a review of verbs such as **gustar** and **parecer** whose structural usage differs greatly from the English, thus presenting problems to students: the subject in English becomes the indirect object in Spanish and vice versa. Begin this drill with oral practice of the models and the first five pattern sentences. Now substitute for **nos:**

a mí, me	a Ud., le
a él, le	a Uds., les
a ella, le	a ellos, les

Continue with the rest of the drill practice without the tape, then with the tape.

CUADRO 7 • EL INDIO

La yaqui hermosa

PREGUNTAS PARA LA CLASE.

1. ¿Cómo son los yaquis? (Viriles, altos, bellos, duros, indomables para el trabajo, buenos trabajadores y feroces guerreros.)
2. ¿En qué estado viven? (En el estado de Sonora.)
3. ¿Qué idioma hablan? (El cahita.)
4. ¿Qué sucedió en octubre de 1535? (El primer combate entre los españoles y los yaquis.)
5. ¿Quiénes fueron vencidos? (Los yaquis.)
6. ¿Por qué el gobierno federal los cambió de Sonora? (Para dominarlos.)
7. ¿Qué es lo que el yaqui ama más? (Su terruño; su tierra.)
8. ¿Qué hizo el gobierno con los yaquis en Campeche? (Los repartió entre los colonos criollos.)
9. ¿Quiénes eran los criollos? (Hijos nacidos en América de padres europeos.)
10. ¿Por qué se disputaban los colonos sobre los desterrados? (Hubo falta de trabajadores.)
11. ¿Quién recibió más de cien indios? (Un rico terrateniente.)
12. ¿Por qué mandó a cuatro niñas huérfanas a su esposa? (Para domesticarlas. Para que aprendieran a hacer los quehaceres [tareas] domésticos.)
13. Al principio, ¿cómo pasaban las horas? (Acurrucadas en los rincones.)
14. ¿Qué quería hacer una? (Tirarse desde el balcón.)
15. ¿Cómo se comunicaban? (En su intraducible idioma.)
16. ¿Cómo mostraban su descontento? (Callaban horas enteras. Quedaban inmóviles.)
17. ¿Cómo sabemos que quieren a su ama? (Se dejarían matar por ella.)
18. ¿Aprendieron todas el castellano? (No, sólo una vieja.)
19. Cite ejemplos de esto de la bondad del dueño. (El que trabaje ganará lo que quiera. No les prohibe las armas. Lo que maten en la caza es para ellos. Dará a cada uno la tierra que pueda recorrer durante un día.)
20. ¿Quién no le podía creer? (Un indio alto, cenceño y nervioso.)
21. ¿Qué hizo ese indio al día siguiente? (Recorrió varios kilómetros cuadrados y los señaló con piedras.)
22. ¿Cumplió el propietario su promesa? (Sí.)
23. ¿Por qué fue cada día a ver a la indiada? (Para oir sus quejas y aspiraciones o deseos.)
24. ¿En quién se fijó un día? (En una india grande y esbelta.)
25. ¿Por qué tenía la cara llena de barro? (Es bonita y no quiere que los extranjeros la vean.)
26. ¿Qué le prometió el propietario? (Si te portas bien, volverás a ver a tu novio.)

27. ¿Cómo quería el propietario que la trataran? (Mejor que a nadie.)
28. ¿Por cuánto tiempo estuvo ausente de la hacienda? (Por mes y medio.)
29. Al regresar, ¿qué noticias tristes le dieron? (Se había muerto la yaqui hermosa.)
30. ¿Por qué murió? (Rehusó comer o tomar las medicinas.)

EJERCICIOS CREATIVOS. Assign exercise 1 to be written either as a poem or as a poetic description of the life of the **yaqui hermosa.**

ESTRUCTURA: FORMAS Y EXPRESIONES NEGATIVAS. Introduce this pattern practice without the tape. Present the models for repetition practice. Now single out briefly for review:

a veces	nunca
también	tampoco
alguno	ninguno
alguien	nadie
algo	nada

Review use of the double negative.

Ibamos a veces.	No íbamos nunca.
Encontrarán a alguien.	No encontrarán a nadie.
María llevará algo.	María no llevará nada.
Queremos ir también.	No queremos ir tampoco.
Hallarás algún motivo.	No hallarás ningún motivo.

Raza de bronce

PREGUNTAS PARA LA CLASE.
1. ¿Cómo eran algunos de los terratenientes? (Algunos eran buenos; otros malos y crueles.)
2. A consecuencia de maltratar a los indios, ¿que sucedió? (Miles murieron.)
3. ¿Qué han hecho algunos autores latino-americanos? (Se han convertido en defensores de los indios.)
4. ¿De qué escribieron? (Escribieron de las desigualdades del pasado y del presente.)
5. ¿De qué trata el trozo que vamos a leer? (Trata de una situación lastimosa entre el dueño y la servidumbre o los sirvientes.)
6. ¿Para qué ha llegado Pantoja a la estancia? (Para castigar a los indios.)
7. ¿Por qué los va a castigar? (Algunos han participado en un levantamiento.)

PRUEBA. For a pretest of comprehension, give the following quiz. This will reveal how well the students understood the salient features of the selections.

1. ¿Cómo entraban los indios al solar?
   a. Como bestias.
   b. Con las bestias.
   c. En las bestias.
2. ¿Qué hicieron después de entrar?
   a. Trataron de escaparse.
   b. Se pusieron enfermos.
   c. Se pusieron de rodillas.
3. ¿Cómo habló Pantoja a ellos?
   a. Con humildad.
   b. Severamente.
   c. Indiferentemente.
4. ¿Cómo llama Pantoja a los indios?
   a. Asesinos.
   b. Representantes de Dios.
   c. Hipócritos
5. Al principio, ¿cómo contestó el hilacata las preguntas del patrón?
   a. Protestó el maltratamiento del patrón.
   b. Habló muy poco.
   c. Rehusó hablar.
6. Más tarde, cuando el hilacata presentó las quejas de los indios, ¿qué reveló del patrón?
   a. Su generosidad.
   b. Su consideración por ellos.
   c. Su tacañería.
7. Después de oir las quejas, ¿qué decidió Pantoja a hacer?
   a. Castigarlos.
   b. Pagarles más.
   c. Darles más de comer.
8. ¿Con qué castigaron al indio?
   a. Con las manos.
   b. Con el césped.
   c. Con el látigo.
9. ¿Cómo mostraron los indios que estaban unidos contra el patrón?
   a. Rehusaron revelar quién tenía la culpa.
   b. Prometieron obedecer al patrón.
   c. Mataron a Pantoja a azotes.
10. Y los otros patrones presentes, ¿por qué no pusieron fin al castigo cruel?
   a. Creían que Pantoja tenía razón.
   b. No pudieron hacer nada.
   c. Les gustó mirar la crueldad de Pantoja.

¡Quién sabe!

NOTAS CULTURALES. Después de ser maltratados por el hombre blanco, los indios se convirtieron en figuras que parecían sonámbulos. Tenían miedo de los blancos que no los consideraban humanos y los trataban peores que las bestias de trabajo. Solamente algunos curas, grandes humanitarios, los ayudaban. Claro que los indios vivían juntos, separados de los blancos. Aprendieron a quejarse muy poco, y desarrollaron un estoicismo admirable. Se resignaron a vivir en condiciones miserables. Siempre habían sido religiosos y pronto fueron convertidos al cristianismo. Eso no quiere decir que abandonaron completamente sus creencias paganas. A menudo practicaban una curiosa combinación de las dos religiones. Para evitar conflictos, era más fácil y menos peligroso decir sin mostrar ninguna emoción: ¡Quién sabe!

EJERCICIO DE AUDICION. The first readings should be for enjoyment and understanding. Avoid destroying the students' interest by attempting to criticize and analyze before the thoughts expressed in the poem are clear. Begin by playing the tape and listening to the beauty of the language and to the intonation of the reader. Note the words which are stressed more than others. Model each stanza for choral reading. Read aloud with the tape and then dramatize.

EJERCICIOS CREATIVOS. Read the directions for exercise 3, page 145, in class. You may choose to allow students to express their ideas on the four suggested discussion points. Correct any erroneous impressions. Select several of the most outstanding compositions to be read in class.

Ask the students to prepare to report orally on exercise 5 c, d, and e. They should write their opinions and prepare them for presentation without notes. You may choose to divide the assignment over a two or three day span. At this point the student should no longer memorize his oral presentations, but rather rehearse keeping his main points in mind and attempting a more natural approach.

ESTRUCTURA. Contrastes del Presente, del Perfecto, del Imperfecto, y del Pluscuamperfecto. The matter of employing the tense which correctly corresponds to the time element in question will be reviewed and drilled periodically. Perform this drill initially with open text so that the students may see the three tense changes this drill requires. Continue this practice with books closed, changing the subjects of the verbs. The following sentences are for expanded practice.

1. **¿Adónde va Perla?**
2. **¿Quién ve la gaviota?**
3. **El indio labra las tierras.**
4. **El desgraciado responde que sí.**
5. **El chico corre a jugar.**
6. **La sirvienta abre la puerta.**
7. **El soldado sale con el sargento.**
8. **El cura apaga la luz.**
9. **Mi compañero pierde mucho tiempo.**
10. **El viajero pide agua.**

CUADRO 8 • LA LIBERTAD

PREGUNTAS PARA LA CLASE. Questions 1–5 relate to **Preparando la Escena.** Questions 6–15 relate to the **Introducción,** and questions 16–20 relate to the **Guía de Estudio** on page 147.

1. ¿Cuándo se dice que comenzó la lucha?
2. ¿Qué disputaban algunos españoles en el siglo XVI?
3. Nombre dos motivos para la fragmentación de las provincias españolas en América.
4. ¿Qué hicieron algunos hombres extraordinarios?
5. Nombre algunos de aquellos héroes.
6. ¿Quién es «Nuestra Madre Santísima de Guadalupe»? (La Virgen de Guadalupe)
7. ¿Quién era Fernando VII? (El rey de España)
8. ¿Cuándo pronunció Hidalgo este famoso grito? (El 15 de septiembre, 1810)
9. ¿Qué acción inició este grito? (El movimiento revolucionario de México)

10. ¿Dónde pronunció estas palabras? (En la ciudad de Dolores, en México)
11. ¿Qué motivó a los indios? (Querían tierra.)
12. ¿Por qué no tenían tierra para labrar? (Estaba en poder de los ricos y de la Iglesia.)
13. ¿Cómo era la lucha? (Violenta)
14. ¿A qué se debía la violencia? (Al fervor de Hidalgo y a la desesperación de los indios)
15. ¿Cómo lo considera México hoy? (El más grande de sus hijos)
16. ¿Qué le va a sorprender? (La descripción de Hidalgo)
17. ¿Por qué? (Encierra tantos elementos contrarios.)
18. Terminen estos contrastes:
   a. Era cura: era insurgente
   b. Era nieto de españoles: aborrecía la dominación de ellos
19. ¿Qué terrible responsabilidad tuvo que aceptar? (La matanza de españoles indefensos)

20. Nombre las dos cualidades que le hacían capaz de emprender la revolución. (Su gran fé en la causa y su grandeza de ánimo)

Miguel Hidalgo y Costilla

NOTAS CULTURALES. En el mapa de México hállese la ciudad de México, Dolores Hidalgo, San Miguel de Allende, Morelia, Querétaro, Guanajuato, y Celaya. Esta región se llama la cuna de la Independencia. Se conservan allí muchas reliquias y monumentos para conmemorar la lucha para liberarse de la tiranía.

PREGUNTAS PARA LA CLASE.
1. Diga algo de la familia de Hidalgo. (Sus abuelos eran españoles, sus padres eran campesinos, le mandaron a estudiar en Valladolid, Morelia.)
2. ¿A qué edad llegó a ser sacerdote? (A los 34 años)
3. ¿Qué quería hacer para el indio? (Mejorar su vida)
4. ¿Qué hizo después de entrar en la conjuración de Querétaro? (Fabricó armas y buscó auxilio.)
5. Después de recibir el recado de la corregidora, Padre Hidalgo y don Miguel Allende decidieron a comenzar la revolución antes que habían planeado. ¿Cuántos hombres seguían al cura? (Miles o millares)
6. ¿Qué hicieron los mexicanos una vez dentro de los muros de Granaditas? (Mataron sin piedad.)
7. ¿Por qué no podían tomar la ciudad de México? (Por falta de municiones)
8. Nombre dos acciones de Hidalgo que enfurecieron a los españoles y a muchos mexicanos. (1. Ordenó el asesinato de muchos españoles. 2. Dio libertad a los esclavos.)
9. ¿Cómo fue capturado Hidalgo y los otros caudillos? (Un traidor los entregó a los españoles.)
10. ¿Por qué se retractó antes de ser fusilado? (Recordó que el Evangelio prohibía derramar sangre [matar].)

Con días y ollas venceremos

EJERCICIOS DE AUDICION. Introduce by having students listen to the tape while reading along silently. Ask: ¿Qué pasó en el relato? Explíquenme lo que comprendieron. Assign roles for dramatic reading and model sections for choral repetition practice. Listen to the tape and practice reading orally.

EJERCICIOS CREATIVOS. For class discussion of exercise 4, page 165, the two refrains from this selection are:

Con días y ollas venceremos. Where there's a will there's a way.
Quién le dió vela a este entierro? What's it to you?

Introduce other popular refrains and allow the class to guess at their meaning:

Más vale tarde que nunca.
Ganar a veces es perder.
Todo lo que reluce no es oro.

Exercise 5 might be well developed orally in class.

ESTRUCTURA: *QUITARSE* + (ROPA). The first drills are a review of the reflexive pronoun with its corresponding verb and the use of the article of clothing.

For expanded practice, the article is used before parts of the body. Cambie el verbo del singular al plural:

1. Me lavo la cara.
2. Me seco las manos.
3. Me limpio los dientes
4. Me arreglo el pelo.
5. Me pinto las uñas.

Continue in similar fashion in the second and third persons and in the preterite and future tenses.

ESTRUCTURA: El Futuro y el Condicional Perfecto. This exercise presents a third form of expressing supposition or probability. If the condition of probability exists at the present, the future tense is employed; if it refers to probability in the past, the conditional tense is used. Introduce by writing on the board:

Le siguen al fin del mundo.

Now write beneath:

(*Probablemente*) Le habrán seguido al fin del mundo.

(Ahora)

Have the class repeat the model:

Le habrán seguido al fin del mundo.

Now write beneath:

(*Probablemente*) Le habrían seguido al fin del mundo.

(En el pasado)

Continue the drill in the usual manner.

Los dos libertadores

PREGUNTAS PARA LA CLASE. Questions 1–8 refer to the Introducción; 9 and 10 refer to the Guía de Estudio.

1. ¿Cómo se parecían los dos jefes? (Cada uno tenía talento, ambición y valor sin límites.)
2. ¿A qué se dedicaban? (A la libertad)
3. ¿Qué los unió? (Una causa común)
4. ¿Qué los separó? (Sus personalidades serias)
5. ¿Cuántas veces y dónde se encontraron? (Una vez en Guayaquil)
6. ¿De qué hablaron? (No se sabe.)
7. ¿Qué demostró San Martín? (Se interesaba más en la libertad y no en su propia gloria.)
8. ¿Qué hizo San Martín? (Presentó su dimisión y dejó a Bolívar como jefe supremo de todos los ejércitos libertadores.)
9. ¿Cómo se llamaba el autor de la selección? (Bartolomé Mitre)
10. ¿De qué se trata la selección? (De los triunfos de esos jefes y del conflicto entre ellos)

RESUMENES. The student must read each paragraph, consider the ideas expressed and combine them into one thought. The idea of each paragraph may be restated:

(1) La historia reconoce las contribuciones que San Martín y Bolívar hicieron a Sudamérica y a la libertad.

(2) Los dos eran grandes jefes militares, pero fracasaron como políticos.

(3) Todavía después de muchos años siguen destacándose como hombres superiores.

(4) Los dos lucharon por el mismo ideal, pero sufrieron mucho para hacerlo.

(5) Los dos querían la independencia pero tenían distintas ideas políticas.

(6) San Martín condujo los ejércitos del sur a la victoria, pero los dejó en el Perú porque no le fue posible cooperar con Bolívar.

(7) Bolívar triunfó en el norte y después con las tropas del sur garantizó la independencia de todo el continente.

(8) En la vida San Martín no recibió la gloria concedida a Bolívar, pero en la muerte los dos son iguales.

CUADRO 9 • EL CONFLICTO

En el fondo del caño hay un negrito

NOTAS CULTURALES. La foto representa uno de los arrabales infames que existían en Puerto Rico. El gobierno de la isla, en los últimos años, ha promulgado un programa de construcción de viviendas para los pobres. Este programa ofrece a los pobres, viviendas modernas con agua, luz, y otras comodidades. Cada uno paga según lo que puede. Se espera que esto acabará para siempre con los arrabales de antes.

PREGUNTAS PARA LA CLASE.

1. ¿Cómo se llamaba el niño? (Melodía)
2. ¿Cómo andaba de un lugar a otro? (Gateando, como un gato)
3. ¿Cuántas puertas tiene la casucha? (Una)
4. ¿Dónde dormían los padres? (En el piso)
5. ¿Obedeció el niñito las palabras de su padre? (No. Obedeció los gritos.)
6. ¿Qué tenía la mujer cuando se despertó? (Susto)
7. ¿Sintió el hombre tristeza verla asustada? (No, le hacía gracia.)
8. ¿Por qué no puede ella preparar café? (No hay.)
9. ¿Cuándo se acabó el café? (Ayer)
10. ¿Qué comenzó a hacer Melodía? (Llorar)
11. ¿Cuándo tomó el niñito leche—hoy, ayer, o anteayer? (Anteayer)
12. ¿Por qué tiene el hombre que ir en el bote hoy? (La marea [el agua] está alta [o].)
13. ¿Qué pasaban por la carretera? (Automóviles, guaguas [autobuses] y camiones)
14. ¿Cómo miraba la gente que pasaba en los vehículos? (Con extrañeza o con curiosidad)
15. ¿Cómo se sintió cuando no pudo oir más el llanto del negrito? (Mejor)
16. En la primera parte, ¿cómo se sintió el padre delante de su conflicto? (Triste, avergonzado de no poder ofrecer más a su familia)
17. ¿Cómo se decidió resolver su conflicto? (Fue a conseguir un trabajo.)
18. Describa el carácter del hombre.
19. En la segunda parte, ¿cómo expresa su optimismo? (Mañana será otro día.)
20. ¿Cómo muestra su cariño por el niño? (Le compra leche; se pone a caminar más rápido; va a pie para conservar su dinero.)
21. Después de leer la historia, ¿cómo se siente Ud.?

22. ¿Cuáles son algunos contrastes que se encuentran en este cuento?

You may have to assist the class to look for these contrasting ideas.

(1) **Los afortunados** (Los que miran con extrañeza a la gente del caño; las mujeres que viven en mejor sitio y parecen tener más esenciales de la vida)

Los desgraciados (Los pobres forzados a mudarse por la nueva urbanización, y las condiciones miserables bajo las cuales existen)

(2) **El susto de la fuerza física** (La fuerza tangible)

El susto de las palabras de la mujer (La fuerza de la realidad)

(3) **La alegría del niño en tener un nuevo compañero en el caño**

La compasión de los vecinos al verlos forzados a vivir en el caño

(4) **El genio del hombre al salir; al regresar**

(5) **La anticipación de alegría con la tragedia que resultó**

(6) **La desesperación y futilidad con el instinto de sobrevivir**

(7) **El español castizo con el dialecto**

EJERCICIOS CREATIVOS. Exercise 1, page 190, could be presented in two ways: an investigation (interview) by a policeman or a statement dictated by the father. Do not attempt to use dialect.

Exercise 2, page 190, may be written as **Tarea** and read in class or it may be discussed.

ESTRUCTURA. CONCORDANCIA DE TIEMPOS Y FRASES VERBALES. This is a review exercise, but it is a structure that needs constant practice. Begin by writing on the board:

(*Verdad*)	Tengo el dinero. Iré al cine.
(*Posibilidad*)	Si tengo el dinero, iré al cine.
(*Contrario a la verdad*)	Si tuviera el dinero, iría al cine.

Continue exercises 1–10 as a person-number substitution drill. Insist on rapid responses.

Now ask individual students:

¿Qué haría si tuviera cinco mil dólares?

estuviera enfermo?

fuera la maestra de esta clase?

no tuviera que estudiar esta noche?

no pudiera ver bien?

Exercises 11–17 require the pluperfect subjunctive in the subordinate clause and the conditional in the independent clause. Present the model orally and write it on the board. Review the pluperfect subjunctive in a person-number substitution drill. Continue with the pattern practice as usual.

If these drills seem to be difficult, have the students write them and practice until they can perform correctly without pauses. Generalize: Use *si* + imperfecto de subjuntivo en la cláusula subordinada con el condicional en la principal.

Los tres besos

PREGUNTAS PARA LA CLASE. Questions 1–9 relate to **Introducción** and **Guía de Estudio.** The others deal with the **selección.**

1. **En la selección anterior encontramos a un hombre en conflicto con fuerzas que no podía controlar tales como la miseria, el hambre, la pobreza, y la falta de trabajo. En *Los tres besos*, ¿cómo va a ser el conflicto?** (Personal)

2. **¿Qué hemos aprendido de él?** (Es indeciso. Dudaba, vacilaba, y prolongaba la decisión hasta que por fin, encontró que la vida le había pasado.)

3. **¿Quién escribió este cuento?** (Horacio Quiroga)

4. **¿De dónde era?** (Uruguay)

5. **¿Qué clase de cuentos ha escrito?** (Cuentos de horror, de interés psicológico, historias humorísticas, cuentos de exploración de la subsconsciencia, cuentos de la selva, y alegorías)

6. **¿Qué clase de cuento es *Los tres besos*?** (Alegoría)

7. **¿Qué es el propósito del cuento alegórico?** (Para enseñar o explicar)

8. **¿Qué tienen los personajes, las cosas, y los sucesos?** (Tienen otro significado. Son simbólicos.)

9. **Citen algunas fábulas o parábolas que enseñan.** (De la Biblia, Fábulas de Esopo)

10. **¿Qué temía el hombre?** (Morir sin haber amado)

11. **¿Quién apareció cuando se quejaba de su mala suerte?** (Un ángel)

12. **¿Por qué había venido?** (El Señor quiere saber por qué llora.)

13. **¿Qué cree el hombre que el ángel no puede comprender?** (La sed de amar)

14. **¿Con quién fue el ángel a hablar?** (Con el Señor)

15. **¿Puede vivir eternamente para satisfacer su sed?** (No)

16. ¿Qué puede tener? (Tres besos de distintas mujeres, pero con el último morirá)
17. ¿Qué no debe hacer otra vez? (Levantar sus quejas al Cielo)
18. ¿Se quedó el ángel con el hombre? (No, se desapareció.)
19. ¿Qué le pasó poco después del segundo beso? (La muerte cayó sobre él inesperadamente.)
20. ¿Qué pidió el hombre? (Pidió comparecer ante el Señor.)
21. Después de volver a la vida, ¿qué hizo el hombre? (En esta etapa de su vida extendió más el intervalo de sus besos.)
22. ¿Qué volvió a suceder? (El hombre murió otra vez.)
23. ¿Cómo estaba el Señor la tercera vez que el hombre se presentó en el Cielo? (No estaba contento de la visita.)
24. ¿Se arrepienta el hombre de haber cambiado la vida por tres besos? (No)
25. ¿Cómo era el hombre la cuarta vez que subió al Cielo? (No tenía ya en los ojos ni en la voz el calor de las otras ocasiones.)
26. ¿Qué le prometió el Señor esa vez? (Mucho tiempo para encontrar a la mujer)

EJERCICIOS CREATIVOS. Begin exercise 3, page 190, by dividing the class into two or three competitive groups. Each group is to write on the board a résumé of the story. Each student will have one opportunity to go to the board where he may either add a sentence or correct errors. Books must be closed and a time limit should be imposed. Members of competing groups may correct errors and determine if any facts have been omitted.

El día del juicio

Beginning with this **selección**, the instructor can reasonably expect the student to dedicate more time and energy to a study of ideas and form as well as plot or description. Literary analysis of form and interpretation of ideas is the most difficult of skills to master and, at the same time, one of the most meaningful and rewarding in the development of the cultivated mind. Too much emphasis on mechanics can, however, suppress the student's enthusiasm.

If sincere and accurately worded, a student's reaction to ideas should never be rejected. Lack of maturity and inexperience can lead to perfectly valid opinions that vary from those of the critics. The skillful instructor will not say: "No, that is completely incorrect, since according to . . ."; but rather: "Your ideas are interesting, but don't you think that the author . . . ?" It is wise to begin with readily observable characteristics such as similarities or contrasts in ideas, form, and style, keeping in mind that accuracy of expression should never be sacrificed for overenthusiastic profundity.

EJERCICIOS CREATIVOS. Read the instructions for exercise 7, page 190, in class and assign by rows or groups one of the personalities mentioned. Encourage the class to be expressive. Indicate a time limit at the end of which the papers will be circulated around the room so that all may read as many as possible. An open discussion or debate should follow. In exercise 8 the class should follow up the identification of the conflicts in each of the selections with a discussion of the causes, methods of solution, and the meaning of each.

ESTRUCTURA: EL INFINITIVO CON PREPOSICIONES. These drills provide practice with a structure that varies greatly from the English. A rapid translation drill will prove effective.

Instructor: After (before, without)

going	leaving
eating	swimming
reading	running

Student: **Después de (antes de, sin)**

ir	**salir**
comer	**nadar**
leer	**correr**

CUADRO 10 • LA AVENTURA

NOTAS CULTURALES. El Castillo del Morro es un bello ejemplar de las antiguas fortificaciones españolas. Durante la época colonial en todos los puertos de mar los españoles construyeron semejantes fuertes para protegerse de las depredaciones de los piratas.

A la deriva

PREGUNTAS PARA LA CLASE.
1. Si fuera usted víctima de un yararacusú, ¿bebería usted caña? ¿Por qué? (El alcohol aumenta el efecto del veneno.)

2. ¿Qué habría hecho usted para ayudarse? (Abrir la herida con el cuchillo para que salga más sangre y con ella el veneno)
3. ¿Cómo nos da el autor la impresión de terror y fatalidad? (La descripción de los efectos del veneno, los gritos desesperados del hombre, la descripción del Paraná)

ESTRUCTURA. REPASO DE LOS PRONOMBRES REFLEXIVOS. Expand the drill by having the students transform sentences to affirmative and then negative commands.

EJERCICIOS CREATIVOS. After the students have written their summaries, ask them to examine the description of the Paraná and to analyze the contrast between its beauty and the terror it evokes. Some students may imitate the author by describing other beautiful but dangerous locations.

Cuatro mujeres en el ruedo

DISCUSION. Have the class analyze the manner in which the author gives a complete portrait, both physical and psychological, in such brief sketches. The instructor may wish to supply a list of well-known personalities and ask the class to imitate the interview, giving isolated physical characteristics and personality traits.

EJERCICIOS CREATIVOS. The instructor should not miss the opportunity to stimulate a spirited debate on the role of women in professions and occupations usually reserved for men. Playing the devil's advocate, by taking a position to which the student will object, helps since students wishing to prove a point are often less self-conscious about speaking in a foreign tongue. Never allow the heat of the discussion to serve as an excuse for speaking English, however.

La historia de Pedro Serrano

DISCUSION. This story of a shipwreck in the early days of exploration indicates one of many possible parallels between our era, in which space is being explored, and the sixteenth century. Ask the class to suggest other parallels.

1. El descubrimiento de mundos desconocidos.
2. El descubridor como héroe popular.
3. El desarrollo científico.
4. Los cambios en la manera de concebir el universo.

ESTRUCTURA: VERBO + *QUE* + SUBJUNTIVO. Expand the drill by changing the verb from preterite, to imperfect, to pluperfect, to conditional and past conditional, all taking the imperfect or pluperfect subjunctive.

CUADRO 11 • EL AMOR

Varios efectos del amor

The instructor who has experienced the joys of poetry will want to afford his students the opportunity of discovering for themselves the beauties of poetic expression. Too often forced to limit their study to the mechanics and story line of a poem, many students develop a strong distaste for poetry in general yet love certain poems. The instructor will want to have the students follow closely the recommendations of **Guía de Estudio** in the hope of creating an atmosphere most conducive to the appreciation of poetry. Repeated choral readings will provide a feeling for the musical qualities of a poem as well as a comprehension of its meaning.

EJERCICIOS DE RECITACION. After the poem has been read, understood and discussed, the instructor may wish to assign it for memorization. Poetry can be particularly helpful to those students having difficulty in pronunciation and phrasing.

Nothing can destroy the beauty of a poem as rapidly as mechanical memorization; however, the somewhat satirical humor should be felt and expressed in an oral recitation.

OTROS POEMAS. The instructor may wish to select other poems for listening comprehension exercises. Short, nostalgic pieces such as certain **Rimas** of Becquer or the shorter poems of Espronceda or Campoamor will prove successful.

ESTRUCTURA. *QUIEN Y EL QUE* COMO PRONOMBRES RELATIVOS. The greater part of drills 1–26 has the flavor of the **refrán** or **dicho**, the popular saying. Students may enjoy inventing their own. Ask one student to start a sentence, for example, **Quien piensa, poco gasta y . . .** and have another student invent an answer, **. . . mucho ahorra.** Students will become quite skillful at making puns such as **Quien gasta ahora, después no ahorra.**

El sombrero de tres picos

DRAMATIZACION. The instructor may wish to have the students dramatize this scene. It is particularly adaptable to presentation for assembly programs or language festivals. The students will be interested in hearing the music of *El sombrero de tres picos* since it is representative of the Spanish **zarzuela** or musical play of the late 1900s.

ESTRUCTURA: *ESTAR* + **PARTICIPIO PRESENTE.** Students often measure the progressive form by substituting it for the present tense. The compound form is perhaps more readily associated with the English. Students should be taught to develop a feeling for the emphatic sense, the progressive form. **Estaba cantando** places the stress on the act of singing in contrast to **cantaba** which is a mere statement of the action. The point can be demonstrated by a drill expansion, substituting the colloquial use of **ir** as an auxiliary for certain verbs. **Lola estaba cantando una canción española. Lola iba cantando una canción española.**

El abanico

EJERCICIOS CREATIVOS. When discussing exercise 15, page 242, ask the students to refer to the list of qualities discussed in **Cuadro 6.** The instructor may also wish to explain the so-called **novios de verano,** the summertime sweethearts whose romance usually ends as soon as they leave the resort area in which they met, to return to school, to their old friends, and quite often to their true **novio** or **novia.** If available through private persons or museums, the instructor may wish to show the class examples of **abanicos,** black for the widow or married woman, white lace for formal occasions, colorful paper fans for young girls.

DISCUSION. The ending of the story may seem unbelievable to the American student who would probably object to the ideas of the non-romantic concept of the arranged marriage. Keeping in mind the social class, the period of time, and the cultural heritage involved, a comparison of the concept of the family, the role of the parents, and the children in a Spanish-speaking society and in our own society will prove stimulating. The students should avoid stereotypes, however.

ESTRUCTURA: USO ESPECIAL DEL FUTURO Y DEL CONDICIONAL. Explain that the future and the conditional tenses are used here to indicate probability where the future time represents a guess on the part of the speaker. **Será = Quizá es.** The conditional is used as the probable result of an unstated condition. **Llegaría a aborrecer a su marido (si se casara).** Expand the drill by having the students replace the future in sentences 1 to 4 with **Quizá** + present. In sentences 6 to 10, ask the students to prefix possible conditions of which the sentences are a result.

6. (Si se casara,) llegaría a aborrecer a su marido.
7. (Si la invitaran,) me dejaría moribundo en la casa por no perder a una función.
8. (Si pensara asistir a un baile,) no vacilaría en abandonar a su hijo enfermo.
9. (Si fuera tan piadosa,) ninguna enfermedad de la familia le impediría pasar toda la mañana en la iglesia.
10. (Si tuviera que escoger,) no vacilaría entre un sermón de cuaresma y la alcobita de su hijo.

CUADRO 12 • SENTIMIENTOS Y PASIONES

Mi padre

COMPOSICION. After the class has completed the **ejercicios,** the instructor may wish to require **un tema de imitación** in which the students will briefly describe an incident or scene that has revealed to them the true value of a parent, relative, or friend. The students should be cautioned to write a simple, first person narrative, describing the characters and the setting, relating a true incident, and explaining its effect. Remind the students to limit dictionary references and to avoid any attempts to be overly imaginative.

ESTRUCTURA. ORDENES AFIRMATIVAS Y NEGATIVAS. Review the irregular second person commands after completion of these drills. Repeat the commands several times and then ask the students to change them to the negative. Expand the drills with a directed response exercise.

Maestro:	Juan, diga a Pablo que venga acá.
Estudiante:	Pablo, ven acá.
Maestro:	Pablo, diga a María que no ponga los libros en el pupitre.
Estudiante:	María, no pongas los libros en el pupitre.

La pared

EJERCICIOS DE ESTILO. This selection offers an excellent vocabulary and shows to advantage the graphic quality of the imagery for which Blasco Ibáñez is so famous. It can serve as an excellent introduction to a more serious study of the elements of style. As a starting point, ask the following kinds of questions after the passage has been read and discussed and the **Ejercicios Creativos** have been completed.

1. ¿Cuáles son algunos detalles que evocan el aspecto regionalista del cuento? (La importancia del riego en Valencia; el uso de palabras del dialecto valenciano [fill meu, el agüelo])

2. El autor usa muchas expresiones populares de una manera a la vez inesperada y casi cómica para describir acontecimientos o ideas terribles. Cite algunas. (Un Casporra tendió en la huerta de un escopetazo a un hijo del tío Rabosa; consiguió . . . colocarle una bala entre las cejas del matador; un Rabosa o un Casporra camino del cementerio con una onza de plomo dentro del pellejo; los chiquitines salían ya del vientre de sus madres teniendo las manos a la escopeta . . .)

3. ¿Cómo expresaría usted las mismas ideas en palabras de todos los días? (Un Casporra mató a un hijo del tío Rabosa con una escopeta; logró herirle en la frente; le enterraron a un Rabosa o a un Casporra muerto de una herida en la cabeza; los niños nacían tendiendo la mano a la escopeta.)

4. ¿Cuál es la importancia de la diferencia entre las dos maneras de decir la misma cosa? (Las palabras del autor evocan imágenes; son más gráficas.)

5. Dé ejemplos de otras palabras usadas así. (Rencor, africano, la sed de venganza, tiros relampagueaban, un arrugado ídolo, cristalizadas en su odio [Los asustados vecinos experimentaron el mismo asombro que si hubieran visto el campanario marchando hacia ellos; se arrojaron como salamandras en el enorme brasero.])

INFORMES. The instructor can suggest to the more advanced students to read other short stories of Blasco Ibáñez, such as *La barca abandonada* or *Piedra de luna.* The latter is the author's view of Hollywood in the 1920s when he came to the United States for the first film version of *Los cuatro jinetes del apocalipsis.* Other students may be interested in long term reading assignments on which they report to the class. Among Ibáñez's many novels, *La Barraca, Cañas y barro,* and *Entre naranjos* give detailed descriptions of life in the *huerta* of Valencia.

ESTRUCTURA. EL SUBJUNTIVO CON EXPRESIONES IMPERSONALES. These drills on the more commonly used expressions requiring the subjunctive should be used several times during the year as a review. The exercises may be expanded by merely substituting **es preciso, es importante,** or other impersonal expressions without **ser** such as **se puede que, importa que,** and **basta que.**

El potrillo roano

NOTAS CULTURALES. Para Benito Lynch, una de las grandes tragedias de la historia de la Argentina fue la desaparición del verdadero gaucho. En sus muchas novelas nos describe estos hijos de la pampa con realismo intenso y a la vez con cariño. El gaucho de Lynch es un verdadero hombre que goza de la vida y que sufre. Es un tipo heroico que presencia la expansión de la civilización y la destrucción de su manera de vivir. Conocido sobre todo como novelista, Lynch domina también el cuento. *El potrillo roano* muestra admirablemente el realismo descriptivo y la sensibilidad del autor. El niño Mario figura mucho en las otras obras de Lynch.

DISCUSION. After the students have read the selección and answered the questions of **Para la Comprensión** and **Ejercicios Creativos,** the instructor should draw their attention to the admirable qualities of Lynch's style, including economy of words, lack of ornamental description, use of dialog and colloquial expressions to establish local color. Notice the rapidity of the evolution of the plot and the absence of unnecessary explanations. Ask the students to discuss the universal appeal of the sentiments and emotions of the story.

LECTURAS. Suggest to the students interested in reading of life on the **pampa** certain **novelas gauchescas** such as *Los caranchos de la Florida* and *El inglés de los güesos* of Lynch and *Don Segundo Sombra* of Ricardo Güiraldes. For other stories of childhood attachments to animals, suggest *Platero y yo* by the Spanish Nobel Prize-winning poet Juan Ramón Jiménez.

EJERCICIOS CREATIVOS. At one time or another most students have had a pet or have wanted one. In exercise 10, page 267, the students might elect to recall those somewhat painful experiences which are never quite forgotten.

CUADRO 13 • LOS DIAS DE FIESTA

México: regocijo de Navidad

NOTAS CULTURALES. El cuadro de Sorolla, en la página 268, muestra una de las diversas formas de la jota. Cada región tiene su propia versión pero la más famosa es la aragonesa. Los saltos, las vueltas, y los pasos complicados y rápidos de este antiguo baile son dificilísimos de interpretar. Ver una jota bien bailada es una de las delicias de este mundo.

DISCUSION. After reading of Christmas in México, ask the students to compare and contrast our manner of celebrating with that of Spanish-speaking countries.

ESTRUCTURA. ADJETIVOS Y PRONOMBRES DEMOSTRATIVOS. The instructor may wish to explain the idiomatic use of este, ese and aquel meaning this or that (one) representing persons. Note also the frequent position in conversation of aquel after the noun. El hombre aquel me dijo que viniera (el hombre que está allí o de quien hablamos me dijo que viniera).

Semana Santa bajo la Giralda

NOTAS CULTURALES. La Giralda fue construida por los moros y formaba parte de la antigua mezquita de Sevilla. Era la torre desde donde el almuecín o almuédano (un musulmán, oficial de la mezquita) llamaba el pueblo a la oración. Cuando los Reyes Católicos, Fernando e Isabel, reconquistaron la ciudad, destruyeron la mezquita e hicieron construir la catedral. La catedral de Sevilla es la segunda más grande del mundo.

La Giralda se conserva como torre de la catedral y campanario. Se sube a la Giralda por una serie de rampas que se construyeron, según la tradición, para que el rey moro pudiese subir montado a caballo. Desde lo alto se ve toda la ciudad, desde el Alcázar en frente hasta el parque María Luisa. A lo lejos se alzan los picos de la legendaria Sierra Morena. Como dice el refrán: "¡Quién no ha visto a Sevilla, no ha visto maravilla!"

La estatua de la Virgen de la Macarena que vemos en la página 283 es una de las más bellas y ornamentadas del mundo. Vale unos cuatro millones de dólares. La capa y el vestido de la Virgen están adornados de joyas preciosas tales como rubíes, esmeraldas, perlas, y záfiros. Cada lágrima en sus mejillas es un diamante perfecto. La Macarena que se ve en la foto es la Santa Patrona de Sevilla. También es la patrona de los toreros. Esta estatua ocupa un puesto de honor en las procesiones de Semana Santa. Otras imágenes de la Virgen de la Macarena se encuentran en las capillas de las plazas de toros donde suelen ir los toreros para rezar.

El Carnaval en Latinoamérica

EJERCICIOS CREATIVOS. In connection with exercise 7, page 291, encourage the students to discuss holidays and celebrations in this country when masks and disguises are usually worn. With this discussion they may wish to describe personalities which are imitated through costume and disguise. This activity would provide an opportunity for vocabulary expansion and extemporaneous speech.

CUADRO 14 • LA REVOLUCION

American students are often unclear about chronology. The instructor should review briefly with them the period of the wars of independence and the principal heroes, Bolívar, San Martín, and O'Higgins, in order to separate them from the period treated in this unit. Likewise, revolución is often construed to mean a war of independence and not a war bringing about social as well as political change. The word has often been inappropriately used to describe changes of government rather than changes of system. Political and social instability should not be confused.

Una esperanza

EJERCICIOS DE AUDICION. Have students listen to the recording of the entire selection and then read it in class, asking the questions of Para la Comprensión. This passage presents few problems, but the instructor will want to be sure not to pass up the philosophical questions involved.

ESTRUCTURA: REPASO DEL IMPERFECTO. Although this exercise concentrates on a review of the formation of the imperfect, the instructor should reinforce the differences between this essentially descriptive tense and the preterit as a narrative tense. Expand the drill by adding clauses with the preterit to exercises 11–31. Some examples are:

11. Iba a morir cuando entró el sacerdote.
14. Salía por un instante y de repente encontró a su amigo.
31. El sacerdote rezaba con ellos cuando oyeron el grito.

Memorias de Pancho Villa

NOTAS CULTURALES. La historia de México está llena de episodios de heroísmo y de revolución. Todo el siglo diecinueve en México no es nada más que una serie de sublevaciones y guerras. Al curioso intento de Napoleón III de hacer de México el imperio de Maximiliano de Austria, sucedió la fundación de una república bajo el mando de Benito Juárez, él llamado Líncoln de México. Este no logró unir al país y fue derrotado en su torno por el General Porfirio Díaz. Díaz gobernó como dictador desde 1877 hasta 1910. La dictadura de Díaz fue la de la clase privilegiada que poseía más del noventa por ciento de la riqueza del país. El indio vivía oprimido y a la gente rústica faltaba tierra que cultivar porque el gobierno la había dado a unos riquísimos terratenientes. En Chihuahua una familia poseía más de la mitad del estado. En la ocasión de las elecciones presidenciales de 1910 estalló una revolución que inició un período de anarquía que iba a durar más de veinte años. Estos son los años de los caudillos o jefes tales como Madero, Carranza, Zapata, Villa, y Obregón. Bajo este último la vida mexicana comenzó a normalizarse. A pesar de ser romantizados por las novelas y las películas del cine, estos años fueron unos de los más trágicos en la historia del hemisferio.

Arde el Laurel

PREGUNTAS PARA LA CLASE. Ask the following questions in order to acquaint the students with simple techniques of style which they may use in their own composition work.

1. ¿Cómo crea el autor la sensación de que presenciamos a los dos hechos del cuento, la fuga y la muerte de Antonio? (En la primera parte es el autor que nos describe la acción. En la segunda el del «pico flojo» usa también la narración en la primera persona. También el autor se sirve del presente en vez del pasado.)
2. ¿Cómo da la impresión de ansiedad? (Todo lo que dice en la primera parte no es nada más que adivinar según las experiencias pasadas. Usa mucho la expresión «debe ser.»)
3. ¿Por qué usa el autor expresiones populares tales como «pico flojo»? (Para dar el color local y la verosimilitud al cuento)
4. ¿Por qué describe el acto de quemar el cadáver del federal? (Para mostrar gráficamente la furia y la exasperación de la gente al perder todas sus posesiones y también a su líder)

DISCUSION. Ask the students to prepare a panel discussion on the suffering of civilian populations during war. Ask them to cite examples of the suffering and futility of the destruction and death of civilians.

ESTRUCTURA: VOZ PASIVA: *SER* + PARTICIPIO PASADO. English makes greater use of the passive than Spanish and one of the first structures to identify an English-speaking person in Spanish is the excessive use of the passive voice. When possible, passive sentences should be transformed to active sentences or the se construction should be used, reserving the passive for historic narratives.

CUADRO 15 • LA MUERTE

Tránsito

EJERCICIOS DE AUDICION. This selection can be used most effectively as a listening comprehension exercise. Have the students listen to the recording of the complete passage twice and then ask the questions of **Para la Comprensión**. The instructor wishing to acquaint his student with the format of the various standardized testing programs

may wish to design a test in which the students select the correct answer from among three or four possibilities. Two examples follow:

1. ¿Quién examinó la herida?
   a. El cura.
   b. El médico.
   c. La madre de Tránsito.

2. ¿Por qué le trajeron al cura?
   a. Tránsito quería confesarse.
   b. Tránsito iba a morir.
   c. Era íntimo amigo de la familia.

EJERCICIOS CREATIVOS. For exercise 2 on page 341, the instructor might suggest to the students the various burial rites of ancient and primitive societies, and the different colors for mourning in other lands.

Costumbres del día de los difuntos

NOTAS CULTURALES. Al traer al nuevo mundo la civilización occidental, los europeos no lograron suprimir por completo todos los elementos de la civilización indígena. Resulta que todo Latinoamérica es una mezcla de influencias europeas e indias. En las regiones aisladas de la selva o de la sierra se ven todavía ciertos restos de la sociedad precolombina. La mayor parte de la población habla castellano pero muchos indios descendientes de los incas han guardado el antiguo quechua como medio de comunicación. El vestido típico de la América del Sur es el traje europeo pero se puede ver por todas partes el vestido típico indio. También en cuestiones de religión el cristianismo se ha mezclado con los restos de los antiguos ritos y en muchas partes la gente rústica adora a la vez a los dioses de la época precolombina y al Cristo. Mucha gente se extraña que existan todavía estos curiosos restos del pasado, pero no hay que sorprenderse. El desarrollo intelectual y social siempre ha sido así. Tomamos algo del pasado, lo mezclamos con las ideas de hoy.

ESTRUCTURA: EL PARTICIPIO PASADO COMO ADJECTIVO. The instructor should be sure that the use of the past participle as an adjective is not confused with the passive voice. Empha-size the difference by expanding the drill as follows.

| Maestro: | Me acerqué a una ventana. La ventana estaba cerrada. |
| Estudiante: | Me acerqué a una ventana cerrada. Fue cerrada por Miguel. |

EJERCICIOS CREATIVOS. In exercise 4, page 341, ask the students to prepare a panel discussion in which they will present and defend their reasons for choosing the various adjectives.

La muerte de Joselito

ESTRUCTURA: EL SUBJUNTIVO CON *CREER*. Allow the students to hear the two types of sentences and have them explain when the subjunctive is used.

Creo que no tienen hambre.
No creo que tengan hambre.
Creemos que no lo comprenden bien.
No creemos que lo comprendan bien.

Encourage the students to go beyond the grammatical rule so that they may understand the logic of using the subjunctive when there is incredulity or doubt.

EJERCICIOS CREATIVOS. To assist the students with exercises 6 and 7, page 341, have them begin orally describing a situation which has been experienced by all. Encourage them to use the vocabulary they have learned through *La muerte de Joselito*. Each student may add a sentence to the oral composition. As an expansion of exercise 8, the student who is a sports enthusiast may wish to contrast the bullfight with an American sport such as baseball. The student who is interested in ballet may wish to contrast the graceful movements of the dancer with those of the bullfighter.

CUADRO 16 • LA FURIA ESPAÑOLA

Pólvora en fiestas y San Fermín

Since these two selections treat essentially the same theme, the thrilling week of bullfights and celebrating called **sanfermines**, the class may wish to study them at the same time. The instructor may wish to call to the students' attention the great part that Pamplona and the sanfermines have played in the works of Ernest Hemingway. Pamplona is the scene of his novel *The Sun Also Rises* and of much of his series "Dangerous Summer" published in *Life* magazine shortly before his death.

NOTAS CULTURALES. En la página 351 vemos un encierro pamplonés. Cada mañana de los sanfermines, a las seis de la madrugada abren los corrales. Los toros destinados a la corrida del día, juntos con los cabestros, emprenden el recorrido desde los corrales hasta la plaza de toros al otro extremo de la ciudad. Los mozos, con la boina (gorra vasca) y el pañuelo rojo corren delante de los toros. Al entrar en la plaza, los toros son llevados a los toriles. Entonces se suelta una vaquilla. La vaquilla, aunque no tan grande como el toro, tiene toda la fiereza del macho o más. Los jóvenes tratan de torear a la vaquilla y reciben infinidad de golpes. Menos mal que la vaquilla tiene los cuernos embolados.

DISCUSION. Ask several students to consult on bullfighting and to explain and demonstrate the various parts of a fight as well as the passes and equipment that the **torero** uses. The whole idea of the bullfight is a concept strange to American students. Many will be critical of what they consider a brutal act. Ask students to relate these selections with the others in the text which deal with bullfighting and bullfighters. (See **Cuadros 2** and **10**.)

Manolo el intrépido

ESTRUCTURA: EL IMPERFECTO DE SUBJUNTIVO. This drill can serve as a general review of the present subjunctive as well. Ask the students to change the principal verbs of exercises 1–16 and 25–31 to the present and make the appropriate changes in the dependent clauses.

ESTRUCTURA (REPASO). Although five grammatical concepts are reintroduced in this section, the structures are not difficult to understand. The students should be encouraged to think about the concept and explain each briefly.

EJERCICIOS CREATIVOS. Exercises 6 and 7 readily lend themselves to classroom discussion. As preparation for a home assignment the class may give a résumé of *Manolo el intrépido* and lead from this into a discussion of the irony of the story.

CUADRO 17 • EL ALIMENTO

Entrevista con Joaquín de Entrambasaguas

NOTAS CULTURALES. En la página 359 el dueño del restaurante está tomando vino de un porrón. Aunque se encuentra en Levante y sobre todo en Cataluña donde se emplea más, el porrón es de las clases populares y es muy práctico. En vez de comprar copas para todos sólo hay que tener un porrón, llenarlo de vino, y dar la vuelta a la mesa. Cada uno toma lo que quiere y se lo da al próximo. Se levanta el porrón y un fino chorro de vino entra en la boca sin que nadie lo toque con los labios. Es de cristal y es lo más higiénico. La misma teoría se encuentra en el botijo. El botijo es de barro, es mucho más grande que el porrón y con un chorro más gordo. Se llena de agua. La bota es de cuero. Se llena de vino y lo mantiene fresco. El chorro es fino como el del porrón. Tiene la ventaja de ser irrompible.

La cocina y sus vinos

NOTAS CULTURALES. Es costumbre en las bodegas de Jérez de la Frontera que los dignatarios visitantes pongan su firma en un barril. En la foto de la página 368 se pueden reconocer las firmas de Francisco Franco, Alfonso XIII, la reina Victoria Eugenia, y el General Moscardó.

Por lo usual todos los visitantes pueden probar los vinos de la bodega que visitan.

Una comida

After these selections dealing with the food of Spain, the class will no doubt be only too anxious to try some typically Spanish dishes. The instructor may wish to organize a banquet to end the course or for the Spanish club. The girl students can easily consult various cookbooks for recipes, and the boys can prepare the decorations. A typical menu might include:

Entremeses (appetizers)
Aceitunas estofadas (stuffed olives)
Ensaladilla (potato and vegetable salad)
Alcachofas en aceite (artichoke hearts in olive oil)

Primero (first course)
Caldo o Gazpacho (chicken broth or chilled soup)

Segundo (second course)
Paella o Arroz con pollo (paella or rice with chicken)
Ensalada (salad—usually lettuce with vinegar and oil)

Postre (dessert)
Flan, Helado, o Fruta (caramel custard, ice cream, or assorted fruit)

Bebida (beverage)
Café, Té, o Leche (coffee, tea, or milk)

Galería Hispánica

Galería

Hispánica

Robert Lado

Margaret Adey

Louis Albini

Joseph Michel

Hilario S. Peña

McGraw-Hill Book Company

St. Louis   New York   San Francisco   Dallas   Toronto   London   Sydney

The illustration on the cover and the title page, by Volney Croswell, was
inspired by the paintings of Miró, Rivera, and Gris.

ABOUT THE AUTHORS

Robert Lado, Dean of the Institute of Languages and Linguistics at Georgetown University, is a well-known author in the field of linguistics and language teaching. Dr. Lado is the author of *Language Teaching: A Scientific Approach.*

Margaret Adey teaches Spanish at William B. Travis High School in Austin, Texas, where she introduced language laboratory instruction. She is Director of the Spanish Workshop in Monterrey, Mexico, and a past president of the Austin Chapter of the American Association of Teachers of Spanish and Portuguese. Mrs. Adey is co-author of *Learning Spanish the Modern Way.*

Louis Albini is Chairman of the Foreign Language Department at Pascack Hills High School, Montvale, New Jersey. He taught methods and demonstration classes at the University of Puerto Rico for the NDEA Institute for three summers. Mr. Albini has been a pioneer in the use of the language laboratory in New Jersey.

Joseph Michel, Associate Professor of Romance Languages and Curriculum and Instruction at the University of Texas, is director of the Foreign Language Education Research and Development Center at the University of Texas. In 1964–1965 he was a Fulbright lecturer on foreign language teaching at the University of Madrid.

Hilario S. Peña, a teacher of Spanish and French for twenty-two years, is Supervisor of Foreign Language Instruction for the Los Angeles City Schools. He has been Assistant Director of the NDEA Spanish Institute at the University of Southern California for four consecutive years and is a member of the California Advisory Council of Educational Research.

PREFACE

El Prado, the famous museum in the heart of Madrid, houses a collection of art treasures from the entire world. Captured on canvas in vivid hues or sculptured from stone in quiet gray, the creative fancy of the great artists is on display for all the world to see.

The visitor who wanders through the silent exhibition rooms pauses to admire the strength of Goya, the majesty of Velázquez, the sensitivity of El Greco or the warmth of Murillo. On every wall and in every niche, there is an artistic creation that opens the way to a reflection on life, both past and present.

Galería Hispánica also houses a rich collection of pictures from the Spanish-speaking world. The student of Spanish is invited to wander through the "gallery," read the diverse selections, and reflect upon the "pictures" of Hispanic life.

Each theme in *Galería Hispánica* is familiar to all. Love, death, patriotism, adventure, conflict, are aspects of life with which students of all ages can readily identify. As the student reads, not only will he make the acquaintance of modern authors of Spain and Spanish America, but also he will be naturally exposed to the similarities and differences in the cultures of the people who speak the Spanish language.

Included in this Hispanic gallery are selections representing many literary genres. Short stories, excerpts from novels and plays, articles from newspapers and magazines, and poems offer the student an opportunity to increase his ability to read with understanding, gain greater insight into the structure of the Spanish language, appreciate contemporary Spanish writing, and lay the foundation for discussion of style and literary analysis.

As emphasis shifts to reading and writing, it is important that the student maintain and develop his listening and speaking skills. To continue learning Spanish this modern way, there are detailed questions that accompany each selection, structure drills and patterns for oral practice, unique treatment of new vocabulary items, and creative exercises.

Galería Hispánica reproduces for us *cuadros de la vida hispánica.*

This book is designed to carry the student further in his development of the four language skills, while deepening his insights into Hispanic culture through an exposure to the works of modern writers of the Spanish-speaking world.

Each of the seventeen units of *Galería Hispánica* is called a *cuadro* since it presents a picture of a phase of the cultures of Spain, South America, Mexico, or the Caribbean area. Each *cuadro* is composed of three literary selections. Additional poems and songs are provided in some *cuadros* for the students' enrichment and enjoyment.

Vocabulary and points of structure are taught through contextual drills, stimulated by the literary selections.

All *cuadros* are developed in this manner.

Preparando la Escena: The theme of the *cuadro* is presented to the students.

Introducción: A short statement about the literary selection and the author precedes each selection.

Guía de Estudio: A study guide for each selection highlights qualities such as style, versification, and/or ideas which may not be completely apparent to the students.

Palabras Clave: Key words from the literary selection are presented and defined in Spanish so that the students may comprehend the selection without difficulty. Each word is presented in the context in which it is used in the selection which follows. English is used only where necessity dictates.

Selección: The literary pieces are representative of authors of the Spanish-speaking world. Authors of the nineteenth and twentieth centuries predominate the text.

Diccionario: This vocabulary-building section follows each selection. Words and phrases from the selection which are worthy of further study are defined in Spanish and should become a part of the students' active vocabulary. This is an opportunity for the students to use each word or phrase in a sentence and thus to make it part of their active vocabulary.

Para la Comprensión: Questions guide the students to discuss what they have read and provide an effective tool for the teacher to check comprehension.

Estructura: Challenging drills present in an interesting manner the appropriate grammatical concepts encountered in each selection.

Ejercicios Creativos: Each *cuadro* ends with creative exercises which provide challenging written assignments for a variety of ability levels.

In keeping with the title, *Galería Hispánica* contains reproductions of Hispanic art, photographs from all over the Spanish-speaking world and sixteen pages in full color representing Hispanic masterpieces. Biographical notes about the artists are presented on pages 441–442.

The confirmations of all structure drills appear on pages 380–412 so that they may be used for student reference. The confirmations are separate from the drills so that the student will think about the grammatical structure that he is practicing.

The end vocabulary on pages 413–440 and grammatical index on pages 443–446 provide a valuable reference for students who are working on home assignments.

CONTENTS

Contents   ix

"Three Musicians" *por Pablo Picasso* (Philadelphia Museum of Art)

"The Gourmet" *por Pablo Picasso*
(National Gallery of Art, Washington, D.C., Chester Dale Collection)

"Apparition of a Face and Fruit Dish on a Beach" *por Salvador Dalí*
(Wordsworth-Atheneum, Hartford, Connecticut)

"Still Life with Siphon" *por Juan Gris* (Wuppertal City Art Museum)

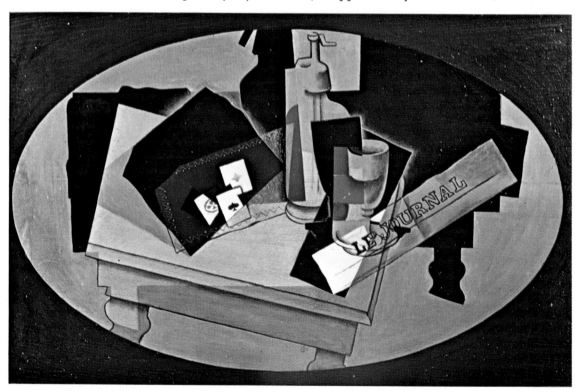

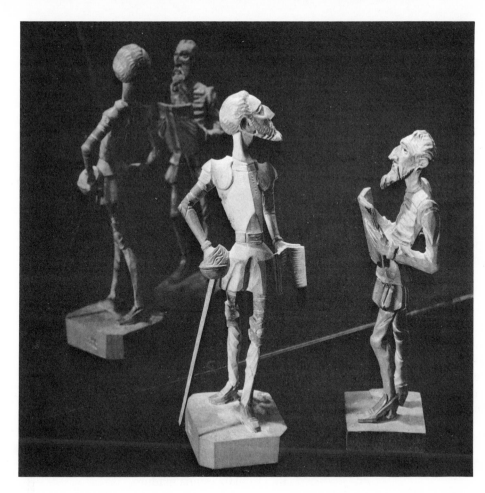

*El Ingenioso
Hidalgo
Don Quijote
de la Mancha*

Cuadro 1 · EL HUMORISMO

Preparando la Escena. Los españoles y los latinoamericanos son muy amantes del humor. Su humorismo es una mezcla de lo chistoso con lo trágico y con lo irónico, como en Don Quijote. Los ricos y los pobres, los nobles y los campesinos, todos tienen una inclinación natural por el humorismo. Por eso Gómez de la Serna, un escritor español, dijo: «Lo que se apoya en el aire claro de España es lo humorista.»

1

UNA CARTA A DIOS

por Gregorio López y Fuentes

Introducción

El cuento que sigue fue escrito por Gregorio López y Fuentes, autor mexicano, y demuestra el humor irónico mexicano. Además del humorismo que se ve en este cuento, se puede ver la fe de un campesino pobre. Es esta fe que sirve de ímpetu para producir *Una carta a Dios*.

Guía de Estudio

El campesino mexicano de este episodio nos revela la sencillez de toda cosa complicada. A la vez podemos comprender con mejor claridad el problema de ganarse la vida con las manos y la ayuda de la naturaleza.

Palabras Clave

1. Un aguacero inundó la calle.

   aguacero: una lluvia fuerte

2. Echó la carta en el buzón.

   buzón: cajón para las cartas

3. La lluvia caía en cortina.

   cortina: lo que cubre y oculta algo, como la tela que cubre la ventana (curtain)

4. La cosecha del maíz es en septiembre.

   cosecha: consiste en recoger los frutos del campo (harvest)

5. Perdone, señor. Yo estoy equivocado.

   equivocado: en error

6. Lencho todavía tenía esperanza de recibir una respuesta.

   esperanza: fe, confianza que ha de pasar una cosa (hope)

7. La carta tenía la firma: Dios.

   firma: el acto de poner su nombre a algo (signature)

8. Hay leche en el fondo del vaso.

   fondo: la parte más baja de una cosa (bottom)

9. Las gotas de agua caen de las nubes.

   gotas: partículas de un líquido (drops)

10. Cayeron granizos muy grandes que destruyeron la cosecha.

    granizos: hielo que cae del cielo, lluvia helada (hail)

11. La huerta estaba llena del aroma de manzanas y peras.

    huerta: lugar donde hay árboles frutales

12. Los empleados no eran ladrones.

    ladrones: los que roban

13. El maíz estaba maduro.

    maduro: listo para comer (ripe)

14. Las cartas necesitan sello.

    sello: estampilla para mandar cartas (postage stamp)

15. Puso la dirección en el sobre.

    sobre: papel doblado dentro del cual se mandan las cartas (envelope)

16. Un fuerte viento comenzó a soplar.

    soplar: hacer viento (to blow)

17. El empleado tenía un sueldo fijo.

    sueldo: lo que se paga por un trabajo, salario

18. Lencho fue a la ventanilla del correo para comprar sellos.

    ventanilla: ventana donde despachan en las oficinas (ticket window)

LA CASA—única en todo el valle—estaba en lo alto de un cerro bajo. Desde allí se veían el río y, junto al corral, el campo de maíz maduro con las flores del frijol que siempre prometían una buena cosecha.

5   Lo único que necesitaba la tierra era una lluvia, o a lo menos un fuerte aguacero. Durante la mañana, Lencho—que conocía muy bien el campo—no había hecho más que examinar el cielo hacia el noreste.

—Ahora sí que viene el agua, vieja.

10   Y la vieja, que preparaba la comida, le respondió:

—Dios lo quiera.

Los muchachos más grandes trabajaban en el campo, mientras que los más pequeños jugaban cerca de la casa, hasta que la mujer les gritó a todos:

15   —Vengan a comer . . .

Fue durante la comida cuando, como lo había dicho Lencho, comenzaron a caer grandes gotas de lluvia. Por el noreste se veían avanzar grandes montañas de nubes. El aire estaba fresco y dulce.

20   El hombre salió a buscar algo en el corral solamente para darse el gusto de sentir la lluvia en el cuerpo, y al entrar exclamó:

—Estas no son gotas de agua que caen del cielo; son monedas nuevas; las gotas grandes son monedas de diez centavos

25   y las gotas chicas son de cinco . . .

Y miraba con ojos satisfechos el campo de maíz maduro con las flores del frijol, todo cubierto por la transparente cortina de la lluvia. Pero, de pronto, comenzó a soplar un fuerte viento y con las gotas de agua comenzaron a caer

30   granizos muy grandes. Esos sí que parecían monedas de plata nueva. Los muchachos, exponiéndose a la lluvia, corrían a recoger las perlas heladas.

—Esto sí que está muy malo—exclamaba mortificado el hombre—ojalá que pase pronto . . .

35   No pasó pronto. Durante una hora cayó el granizo sobre la casa, la huerta, el monte, el maíz y todo el valle. El campo estaba blanco, como cubierto de sal. Los árboles, sin una hoja. El maíz, destruido. El frijol, sin una flor. Lencho, con el alma llena de tristeza. Pasada la tempestad, en medio del

40   campo, dijo a sus hijos:

Lencho: sobrenombre de Lorenzo

Philatelic Center of New York

Philatelic Center of New York

perlas heladas: modo figurativo de decir granizo

—Una nube de langostas habría dejado más que esto . . .
El granizo no ha dejado nada: no tendremos ni maíz ni
frijoles este año . . .

La noche fue de lamentaciones:

5 —¡Todo nuestro trabajo, perdido!

—¡Y nadie que pueda ayudarnos!

—Este año pasaremos hambre . . .

Pero en el corazón de todos los que vivían en aquella casa
solitaria en medio del valle, había una esperanza: la ayuda
10 de Dios.

—No te aflijas tanto, aunque el mal es muy grande. ¡Recuerda que nadie se muere de hambre!

—Eso dicen: nadie se muere de hambre . . .

Y durante la noche, Lencho pensó mucho en su sola
15 esperanza: la ayuda de Dios, cuyos ojos, según le habían
explicado, lo miran todo, hasta lo que está en el fondo de las
conciencias.

Lencho era un hombre rudo, trabajando como una bestia
en los campos, pero sin embargo sabía escribir. El domingo
20 siguiente, con la luz del día, después de haberse fortificado
en su idea de que hay alguien que nos protege, empezó a
escribir una carta que él mismo llevaría al pueblo para
echarla al correo.

No era nada menos que una carta a Dios.

25 «Dios—escribió—si no me ayudas, pasaré hambre con toda
mi familia durante este año. Necesito cien pesos para volver
a sembrar y vivir mientras viene la nueva cosecha, porque
el granizo . . .»

Escribió «A Dios» en el sobre, metió la carta y, todavía
30 preocupado, fue al pueblo. En la oficina de correos, le puso
un sello a la carta y echó ésta en el buzón.

Un empleado, que era cartero y también ayudaba en la
oficina de correos, llegó riéndose mucho ante su jefe, y le
mostró la carta dirigida a Dios. Nunca en su existencia de
35 cartero había conocido esa casa. El jefe de la oficina—gordo
y amable—también empezó a reír, pero muy pronto se puso
serio, y mientras daba golpecitos en la mesa con la carta,
comentaba:

—¡La fe! ¡Ojalá que yo tuviera la fe del hombre que
40 escribió esta carta! ¡Creer como él cree! ¡Esperar con la confianza con que él sabe esperar! ¡Empezar correspondencia
con Dios!

4   *El humorismo*

Y, para no desilusionar aquel tesoro de fe, descubierto por una carta que no podía ser entregada, el jefe de la oficina tuvo una idea: contestar la carta. Pero cuando la abrió, era evidente que para contestarla necesitaba algo más que buena
5 voluntad, tinta y papel. Pero siguió con su determinación: pidió dinero a su empleado, él mismo dio parte de su sueldo, y varios amigos suyos tuvieron que darle algo «para una obra de caridad.»

Philatelic Center of New York

Fue imposible para él reunir los cien pesos pedidos por
10 Lencho, y sólo pudo enviar al campesino un poco más de la mitad. Puso los billetes en un sobre dirigido a Lencho y con ellos una carta que tenía sólo una palabra como firma: DIOS.

Al siguiente domingo, Lencho llegó a preguntar, más temprano que de costumbre, si había alguna carta para él.
15 Fue el mismo cartero quien le entregó la carta, mientras que el jefe, con la alegría de un hombre que ha hecho una buena acción, miraba por la puerta desde su oficina.

Lencho no mostró la menor sorpresa al ver los billetes—tanta era su seguridad—pero se enfadó al contar el dinero . . .
20 ¡Dios no podía haberse equivocado, ni negar lo que Lencho le había pedido!

Inmediatamente, Lencho se acercó a la ventanilla para pedir papel y tinta. En la mesa para el público, empezó a escribir, arrugando mucho la frente a causa del trabajo que
25 le daba expresar sus ideas. Al terminar, fue a pedir un sello, que mojó con la lengua y luego aseguró con un puñetazo.

Tan pronto como la carta cayó al buzón, el jefe de correos fue a abrirla. Decía:

«Dios: del dinero que te pedí, sólo llegaron a mis manos
30 sesenta pesos. Mándame el resto, como lo necesito mucho; pero no me lo mandes por la oficina de correos, porque los empleados son muy ladrones. —Lencho.»

Consulado General de la República Argentina, New York

Diccionario

1. **afligirse:** preocuparse
   Es inútil ( ) tanto, aunque el mal es muy grande.

2. **aguacero:** una lluvia fuerte
   Lencho esperaba que el ( ) pudiera salvar la cosecha de maíz maduro con las flores del frijol.

3. **arrugando (arrugar):** haciendo pliegues (wrinkling)
   Estaba ( ) el papel.

4. **ayuda:** socorro, auxilio
   Dios le da ( ).

5. **buzón:** cajón para las cartas
   Eche Ud. estas tarjetas postales en el ( ), por favor.

6. **cortina:** lo que cubre y oculta algo, como la tela que cubre una ventana (curtain)

   La luz no puede penetrar la ( ) en la sala.

7. **cosecha:** consiste en recoger los frutos del campo (harvest)

   Con bastante lluvia tendremos buena ( ) en el otoño.

8. **darse el gusto:** tomar placer en

   Quiere ( ) de ver a sus niños jugando.

9. **enfadarse:** enojarse

   Al ver poco dinero, Lencho no pudo menos de ( ).

10. **equivocado (equivocar):** en error

    La reunión tendrá lugar el dos de julio, no el tres; yo estaba ( ).

11. **esperanza:** fe, confianza que ha de pasar una cosa (hope)

    Tenemos la ( ) de ver paz en la tierra.

12. **firma:** el acto de poner su nombre a algo (signature)

    Hay que poner su ( ) en el contrato.

13. **fondo:** la parte más baja de una cosa (bottom)

    La llave había caído al ( ) de su bolsillo.

14. **golpecitos:** choques, palmaditas (little taps)

    El jefe dio ( ) con la mano.

15. **gotas:** partículas de un líquido (drops)

    Le gustaba sentir las ( ) de lluvia en la cara.

16. **granizos:** hielo que cae del cielo, lluvia helada (hail)

    Comenzaron a caer ( ) tan grandes como monedas de plata.

17. **huerta:** lugar donde hay árboles frutales

    En su ( ) mi tío tiene perales, manzanos, y cerezos.

18. **ladrones:** los que roban

    La policía encontró a los ( ) que habían robado el banco.

19. **langostas:** insectos como los saltamontes (locusts)

    Las ( ) se comen las hojas.

20. **maduro:** listo para comer (ripe)

    El melón duro no está todavía ( ).

21. **mojar:** humedecer

    Lencho tenía que ( ) el sobre para cerrarlo.

22. **mortificado:** afligido (tormented)

    El campesino se sintió ( ) al ver el granizo.

23. **puñetazo:** acto de pegar con la mano, con el puño

    Lencho cerró el sobre con un ( ).

24. **rudo:** áspero, sin educación

    El hijo del campesino era hombre ( ).

25. **seguridad:** certidumbre (certainty)

    El campesino tenía la ( ) de ser oído.

26. **sello:** estampilla para mandar cartas (postage stamp)

    Para mandar una carta a España hay que poner un ( ) de quince centavos.

27. **sobre:** papel doblado dentro del cual se mandan las cartas

    Escribió en el ( ) «Por Avión».

28. **soplar:** hacer viento (to blow)

    Una brisa fresca comenzaba a ( ) las hojas.

29. **sueldo:** lo que se paga por un trabajo, salario

    El empleado contribuía parte de su ( ) todos los meses a una caridad.

30. **tempestad:** tormenta (storm)

    La ( ) de granizos destruyó la cosecha del campesino.

31. **tristeza:** infelicidad, pena (sadness)

La familia sintió (   ) al ver que la cosecha estaba arruinada.

32. **ventanilla:** ventana donde despachan en las oficinas (ticket window)

Lencho fue a la (   ) del correo.

Para la Comprensión

1. ¿Dónde estaba la casa?

2. ¿Qué se veían desde allí?

3. ¿Qué necesitaba la tierra?

4. ¿Qué hacía la vieja?

5. ¿Cuándo comenzaron a caer grandes gotas de lluvia?

6. ¿Cómo estaba el aire al comenzar la lluvia?

7. ¿Qué parecían monedas de plata nueva?

8. ¿Cuánto tiempo cayó el granizo?

9. ¿Cómo estaban los árboles después de caer el granizo? ¿Y el maíz? ¿Y el frijol?

10. ¿En qué pensó Lencho durante la noche?

11. ¿A quién escribió Lencho una carta?

12. ¿Por qué necesitaba Lencho los cien pesos?

13. ¿Quién mostró la carta al jefe de la oficina?

14. ¿Qué dijo el jefe de la oficina después de leer la carta?

15. ¿Qué idea tuvo el jefe de la oficina?

16. ¿De quiénes pidió dinero?

17. ¿Fue posible reunir todo el dinero pedido por Lencho?

18. ¿En dónde puso los billetes?

19. ¿Cómo reaccionó Lencho al recibir la carta?

20. ¿Qué pidió Lencho a la ventanilla?

21. ¿Dónde escribió Lencho su segunda carta?

22. ¿Cómo mojó Lencho el sello?

23. Según Lencho ¿cómo eran los empleados de la oficina de correos?

Estructura

VERBOS CON PREPOSICIONES

Según el modelo, cambie la oración para emplear el verbo nuevo.

MAESTRO: Comenzó a llover.

ESTUDIANTE: Comenzó a llover.

MAESTRO: granizar

ESTUDIANTE: Comenzó a granizar.

1. nevar
2. soplar
3. helar
4. hacer fresco
5. hacer viento
6. hacer calor

Vengan a comer.

7. escuchar
8. trabajar
9. leer
10. sembrar
11. escribir
12. cenar
13. oir
14. firmar

EL ARTICULO NEUTRO LO

Según el modelo, cambie la oración para emplear la palabra nueva.

MAESTRO: Lo primero me parece interesante.

ESTUDIANTE: Lo primero me parece interesante.

MAESTRO: diferente

ESTUDIANTE: Lo diferente me parece interesante.

1. último
2. fantástico
3. contrario
4. difícil
5. fácil
6. irónico
7. cómico

Según el modelo, haga los cambios necesarios para eliminar la oración subordinada.

> MAESTRO: Dijeron que la calle era angosta.
>
> ESTUDIANTE: Hablaron de lo angosto de la calle.
>
> MAESTRO: Dijeron que el cuento era fantástico.
>
> ESTUDIANTE: Hablaron de lo fantástico del cuento.

8. Dijeron que la comida era espléndida.
9. Dijeron que el libro era interesante.
10. Dijeron que las elecciones eran importantes.
11. Dijeron que la carta era irónica.
12. Dijeron que el adjetivo era apropiado.

EL IMPERFECTO CON *CADA VEZ QUE*

Según el modelo, haga los cambios necesarios al emplear *cada vez que* en lugar de *cuando*.

> MAESTRO: Comimos cuando llegó Juan.
>
> ESTUDIANTE: Comíamos cada vez que llegaba Juan.
>
> MAESTRO: Estudiamos cuando empezó el semestre.
>
> ESTUDIANTE: Estudiábamos cada vez que empezaba el semestre.

1. Hablamos de las películas cuando salió el profesor.
2. Me levanté cuando sonó el timbre.
3. Soñé cuando me dormí.
4. El actor salió cuando le aplaudieron.

EL IMPERFECTO + *CUANDO* + EL PRETERITO

Según el modelo, cambie la oración para emplear el verbo nuevo.

> MAESTRO: Estábamos comiendo cuando llegó Juan.
>
> ESTUDIANTE: Estábamos comiendo cuando llegó Juan.
>
> MAESTRO: estudiando
>
> ESTUDIANTE: Estábamos estudiando cuando llegó Juan.

1. jugando
2. leyendo
3. bailando
4. cocinando
5. escribiendo
6. cantando
7. comiendo
8. trabajando
9. estudiando
10. durmiendo

EL ARTICULO NEUTRO *LO*

Según el modelo, haga los cambios necesarios para eliminar la cláusula subordinada.

> MAESTRO: Trajimos todo lo que era necesario.
>
> ESTUDIANTE: Trajimos todo lo necesario.
>
> MAESTRO: Siempre compro lo que es más barato.
>
> ESTUDIANTE: Siempre compro lo más barato.

1. Comimos lo que era más sabroso.
2. Se fijaron en lo que era más importante.
3. Arregló todo lo que estaba descompuesto.
4. Olvidarás todo lo que sea feo.
5. A veces escogen lo que es más típico.
6. Buscabas lo que era más fresco.

Según el modelo, cambie la oración para emplear la palabra nueva.

> MAESTRO: Nos dieron lo mismo.
>
> ESTUDIANTE: Nos dieron lo mismo.
>
> MAESTRO: malo
>
> ESTUDIANTE: Nos dieron lo malo.

7. mejor
8. más grande
9. típico
10. contrario
11. más feo
12. peor
13. más bonito

LOS TRES CUERVOS

por José Antonio Campos

Introducción

El cuento que sigue demuestra el humorismo latinoamericano y fue escrito por el ecuatoriano José Antonio Campos. En él se burla de la exageración y del militarismo de algunos países de la América Latina. Hasta en los nombres exagerados de los militares se nota el elemento cómico. La conclusión del cuento es una sorpresa. Debe notarse que el cuento está escrito en forma dialogada.

Guía de Estudio

La lección que este cuento nos enseña es que la exageración es peligrosa pero que aún más peligroso es no escuchar.

Palabras Clave

1. La ausencia de su padre le causó tristeza.
   ausencia: acto de no estar presente

2. El cuervo voló al árbol.
   cuervo: pájaro negro (crow)

3. El soldado tenía dolor de cabeza.
   dolor: un malestar, sufrimiento (pain)

4. Venga Ud. en seguida.
   en seguida: inmediatamente, al momento

5. El enfermo fue llevado al hospital.
   enfermo: la persona que no está bien de salud.

6. La morena era muy bonita.
   morena: de pelo negro

7. La novia usaba un velo blanco.
   novia: la prometida

8. ¿Qué hubo de los cuervos en el cuento?
   ¿Qué hubo?: ¿Qué noticias había? (What about?)

9. Vi un accidente. Fui testigo del hecho.
   testigo del hecho: el que presencia una cosa (a witness)

10. El hecho aunque raro era verdadero.
    verdadero: cierto, correcto

11. El enfermo vomitó todo lo que había comido.
    vomitó: echó por la boca el contenido del estómago

—¡Mi general!
—¡Coronel!
—Es mi deber comunicarle que ocurren cosas muy particulares en el campamento.
5 —Diga usted, coronel.
—Se sabe, de una manera positiva, que uno de nuestros soldados se sintió al principio un poco enfermo; luego creció su enfermedad; más tarde sintió un terrible dolor en el estómago y por fin vomitó tres cuervos vivos.
10 —¿Vomitó qué?
—Tres cuervos, mi general.

—¡Cáspita!

—¿No le parece a mi general que éste es un caso muy particular?

—¡Particular, en efecto!

—¿Y qué piensa usted de ello?

—¡Coronel, no sé qué pensar! Voy a comunicarlo en seguida al Ministerio. Conque son . . .

—Tres cuervos, mi general.

—¡Habrá algún error!

—No, mi general; son tres cuervos.

—¿Usted los ha visto?

—No, mi general; pero son tres cuervos.

—Bueno, lo creo, pero no me lo explico. ¿Quién le informó a usted?

—El comandante Epaminondas.

—Hágale usted venir en seguida, mientras yo transmito la noticia.

—Al momento, mi general.

*   *   *

—¡Comandante Epaminondas!

—¡Presente, mi general!

—¿Qué historia es aquélla de los tres cuervos que ha vomitado uno de nuestros soldados enfermos?

—¿Tres cuervos?

—Sí, comandante.

—Yo sé de dos, nada más, mi general; pero no de tres.

—Bueno, dos o tres, poco importa. La cuestión está en descubrir si en realidad había verdaderos cuervos en este caso.

—Claro que había, mi general.

—¿Dos cuervos?

—Sí, mi general.

—¿Y cómo ha sido eso?

—Pues la cosa más sencilla, mi general. El soldado Pantaleón dejó una novia en su pueblo que, según la fama, es una muchacha morena, linda y muy viva. ¡Qué ojos aquéllos, mi general, que parecen dos estrellas! ¡Qué boca! ¡Qué mirada aquélla! ¡Y qué sonrisa!

—¡Comandante!

—¡Presente, mi general!

—Sea usted breve y omita todo detalle innecesario.

—¡A la orden, mi general!

—Y al fin ¿qué hubo de los cuervos?

—Pues bien, el muchacho estaba triste por la dolorosa ausencia de aquélla que sabemos, y no quería comer nada, hasta que cayó enfermo del estómago y . . . de pronto ¡puf!

5 . . . dos cuervos.

—¿Usted tuvo ocasión de verlos?

—No, mi general, pero oí la noticia.

—¿Y quién se la dijo a usted?

—El capitán Aristófanes.

10 —Pues dígale usted al capitán que venga inmediatamente.

—¡En seguida, mi general!

                ❀   ❀   ❀

—¡Capitán Aristófanes!

—¡Presente, mi general!

—¿Cuántos cuervos ha vomitado el soldado Pantaleón?

15 —Uno, mi general.

—Acabo de saber que son dos, y antes me habían dicho que eran tres.

—No, mi general, no es más que uno, afortunadamente; pero sin embargo me parece que basta uno para considerar 20 el caso como extraordinario . . .

—Pienso lo mismo, capitán.

—Un cuervo, mi general, no tiene nada de particular, si lo consideramos desde el punto de vista zoológico. ¿Qué es el cuervo? No lo confundamos con el cuervo europeo, mi 25 general, que es el corvus corax. La especie que aquí conocemos es muy distinta. Me parece que aquí se trata del verdadero y legítimo Sarcoranfus, que se diferencia del vultur papá, del catartus y . . .

corvus corax, Sarcoranfus, catartus: Latin designating species of crow

—¡Capitán!

30 —¡Presente, mi general!

—¿Estamos en la clase de Historia Natural?

—No, mi general.

—Entonces, vamos al caso. ¿Qué hubo del cuervo que vomitó el soldado Pantaleón?

35 —Es positivo, mi general.

—¿Usted lo vio?

—Tanto como verlo, no, mi general; pero lo supe por el teniente Pitágoras, que fue testigo del hecho.

—Está bien. Quiero ver en seguida al teniente Pitágoras.

40 —¡Será usted servido, mi general!

                ❀   ❀   ❀

—¡Teniente Pitágoras!

—¡Presente, mi general!

—¿Qué sabe usted del cuervo?

—Pues, mi general; el caso es raro en verdad; pero ha sido muy exagerado.

—¿Cómo así?

—Porque no fue un cuervo entero, sino parte de un cuervo, nada más. Fue un ala de cuervo, mi general. Yo, como es natural, me sorprendí mucho y corrí a informar a mi capitán Aristófanes; pero parece que él no oyó la palabra ala y creyó que era un cuervo entero; a su vez fue a informar a mi comandante Epaminondas, quien entendió que eran dos cuervos y él se lo dijo al coronel, quien creyó que eran tres.

—Pero . . . ¿y esa ala o lo que sea?

—Yo no la he visto, mi general, sino el sargento Esopo. A él se le debe la noticia.

—¡Ah diablos! ¡Que venga ahora mismo el sargento Esopo!

—¡Vendrá al instante, mi general!

—¡Sargento Esopo!

—¡Presente, mi general!

—¿Qué tiene el soldado Pantaleón?

—Está enfermo, mi general.

—Pero ¿qué tiene?

—Está muy enfermo.

—¿Desde cuándo?

—Desde anoche, mi general.

—¿A qué hora vomitó el ala del cuervo que dicen?

—No ha vomitado ninguna ala, mi general.

—Entonces, imbécil, ¿cómo has relatado la noticia de que el soldado Pantaleón había vomitado un ala de cuervo?

—Con perdón, mi general. Yo desde chico sé un versito que dice:

> Yo tengo una muchachita
> que tiene los ojos negros
> y negra la cabellera
> como las alas del cuervo.
> Yo tengo una muchachita . . .

—¡Basta, idiota!

—Bueno, mi general, lo que pasó fue que cuando vi a mi compañero que estaba tan triste por la ausencia de su novia, me acordé del versito y me puse a cantar . . .

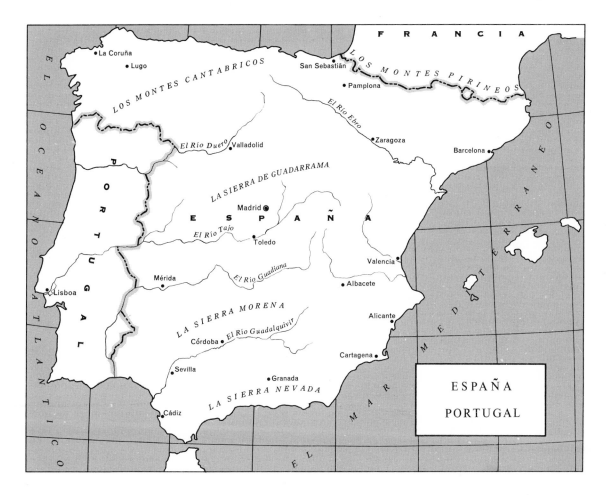

—¡Ah diablos!

—Eso fue todo, mi general, y de ahí ha corrido la historia.

—¡Retírate al instante, imbécil!

Luego se dio el jefe un golpe en la frente y dijo:

5 ¡Pero qué calamidad! ¡Creo que puse cinco o seis cuervos en mi información, como suceso extraordinario de campaña!

Diccionario

1. **ala:** órgano para volar

   El cuervo no puede volar con una (   ) rota.

2. **ausencia:** acto de no estar presente

   A causa de su (   ) no pudo sufrir el examen.

3. **cabellera:** el pelo de una persona

   La niña peina su hermosa (   ) con mucho cuidado.

4. **¡Cáspita!** exclamación de admiración o de sorpresa (gracious!)

   ¡(   )! ¡Qué hecho tan raro!

5. **claro:** por supuesto, por cierto

( ) que el general estaba excitado por el suceso inesperado.

6. **cuervo:** pájaro negro (crow)

El ( ) no es un pájaro bonito.

7. **dolor:** un malestar, sufrimiento (pain)

La herida que había recibido en la guerra le causó mucho ( ).

8. **en seguida:** inmediatamente, al momento

No se preocupe, señora. Su hijo volverá ( ).

9. **enfermo:** la persona que no está bien de salud

El médico fue llevado a ver al ( ).

10. **hágale Ud. venir:** dígale que venga

Si está el capitán, ( ).

11. **lo que sea:** cualquier cosa, expresión que significa *whatever it might be*

Tráigame ( ) para escribir una carta.

12. **ministerio:** agencia del gobierno federal relacionada con el ejército

El general informó al ( ) del suceso.

13. **mirada:** manera de mirar algo, expresión de los ojos (gaze)

La muchacha le dirigió una ( ) ansiosa.

14. **morena:** de pelo negro

La muchacha es alta, delgada y ( ).

15. **¿no le parece?:** ¿no cree Ud.?

¿( ) el cuento un suceso raro?

16. **novia:** la prometida

Anoche mi ( ) y yo hablábamos con sus padres.

17. **ocurren cosas:** pasan cosas

Sí, pero a veces ( ) raras.

18. **¿Qué hubo?:** ¿Qué noticias había? (What about?)

¿( ) del soldado que estuvo enfermo?

19. **será Ud. servido:** será Ud. obedecido

( ) en cualquier cosa que desee.

20. **sonrisa:** acción de sonreír (smile)

La ( ) de la chica era encantadora.

21. **teniente:** grado militar inferior a capitán (lieutenant)

El ( ) Pitágoras vio una ala de cuervo.

22. **testigo del hecho:** el que presencia una cosa (a witness)

El hombre que vio el accidente fue el solo ( ).

23. **vamos al caso:** consideremos el asunto (Let's get to the point)

No diga cosas de poca importancia; ( ).

24. **verdadero:** cierto, correcto

Muchas gracias, Juan. Es Ud. un ( ) amigo.

25. **vomitó (vomitar):** echó por la boca el contenido del estómago

El enfermo ( ) todo lo que había comido.

Para la Comprensión

1. ¿Quiénes empiezan a hablar?

2. ¿Quién está enfermo?

3. ¿Dónde sintió un terrible dolor el soldado?

4. ¿Qué le ocurrió por fin?

5. ¿A quién quería comunicar el suceso el general?

6. ¿Cómo había sabido la noticia el coronel?

7. Mientras venía el comandante Epaminondas, ¿qué hizo el general?

8. ¿Cuántos cuervos había en el cuento del comandante Epaminondas?

9. ¿A qué atribuyeron la enfermedad del soldado? ¿Cómo se llamaba?

10. ¿Cómo era la novia de Pantaleón?

11. ¿Cómo eran sus ojos?

12. ¿De qué color era su pelo?

13. ¿Cuántos cuervos había en el cuento de Aristófanes?

14. ¿Qué clasificación militar tenía Aristófanes?
15. ¿Podía Aristófanes verificar el suceso?
16. Según Pitágoras ¿qué había vomitado Pantaleón?
17. ¿Qué clasificación militar tenía Pitágoras?
18. ¿Pudo Pitágoras verificar el suceso?
19. ¿A quién llamaron en seguida?
20. ¿Había visto él algo?
21. ¿Qué es lo que había dicho el sargento?
22. ¿Por qué recitó el versito?
23. ¿Había dicho mentiras el sargento?
24. ¿Quién comenzó a exagerar?
25. ¿Cuántos cuervos había puesto el general en su informe?

Estructura

EL VERBO IR

Al emplear el sujeto nuevo, haga los cambios necesarios.

MAESTRO: El va a comunicarlo a la oficina.

ESTUDIANTE: El va a comunicarlo a la oficina.

MAESTRO: Yo

ESTUDIANTE: Yo voy a comunicarlo a la oficina.

1. Nosotros
2. Miguel
3. Tú
4. Los soldados
5. Elena
6. Ud.

EJERCICIOS CON EL IMPERFECTO Y EL PRETERITO

Cambie la oración según el modelo.

MAESTRO: Estábamos leyendo cuando llegó Juan

ESTUDIANTE: Estábamos leyendo cuando llegó Juan.

MAESTRO: habló María

ESTUDIANTE: Estábamos leyendo cuando habló María.

1. empezó a llover
2. sonó el teléfono
3. vino mi tía
4. me llamó

Según el modelo, cambie la oración para emplear la expresión nueva.

MAESTRO: Hablamos con Juan hasta que llegó María.

ESTUDIANTE: Hablamos con Juan hasta que llegó María.

MAESTRO: Estuvimos hablando con Juan hasta que llegó María.

ESTUDIANTE: Estuvimos hablando con Juan hasta que llegó María.

MAESTRO: hasta las tres

ESTUDIANTE: Hablamos con Juan hasta las tres. Estuvimos hablando con Juan hasta las tres.

5. toda la mañana
6. hasta que dejó de llover
7. hasta medianoche
8. durante dos horas
9. todo el santo día

Cambie la oración según el modelo.

MAESTRO: Estuvimos escuchando el radio hasta que empezó a llover.

ESTUDIANTE: Estuvimos escuchando el radio hasta que empezó a llover.

MAESTRO: trabajar afuera

ESTUDIANTE: Estuvimos trabajando afuera hasta que empezó a llover.

10. cortar el césped
11. jugar con los niños
12. caminar en el parque
13. comer en el jardín
14. practicar el español
15. bailar en el patio

Al emplear el sujeto nuevo, haga los cambios necesarios.

> MAESTRO: Estuvimos bailando toda la tarde.
>
> ESTUDIANTE: Estuvimos bailando toda la tarde.
>
> MAESTRO: Ellos
>
> ESTUDIANTE: Ellos estuvieron bailando toda la tarde.

16. Juan
17. Juan y María
18. Tu prima
19. Tú
20. Yo

Cambie la oración según el modelo.

> MAESTRO: Estábamos escuchando el radio cuando empezó a llover.
>
> ESTUDIANTE: Estábamos escuchando el radio cuando empezó a llover.
>
> MAESTRO: leer el libro
>
> ESTUDIANTE: Estábamos leyendo el libro cuando empezó a llover.

21. comer
22. esperar a María
23. estudiar
24. hablar del tiempo
25. escribir una carta
26. dormir

IMPORTANCIA DE LOS SIGNOS DE PUNTUACION

Introducción

En la pequeña narración que sigue, el autor anónimo combina la prosa con la poesía para crear un cuento muy entretenido. Nos enseña la importancia de la puntuación y al mismo tiempo mantiene un tono festivo y alegre. La conclusión contiene una sorpresa para el lector y para las tres hermanas del cuento. La décima es una poesía de diez líneas y cada línea tiene ocho sílabas y una rima.

Guía de Estudio

Este cuento puede servir de lección de puntuación pero aún más importante, sirve de lección de diplomacia. ¡Qué listo es el caballero rico! ¡Qué ingeniosas son las tres bellas!

Palabras Clave

1. Cuando había aclarado el accidente lo pude comprender.
   aclarado: explicado

2. El amor propio nos ciega frecuentemente.
   amor propio: aprecio de sí mismo (self-love)

3. Las tres rubias eran bastante hermosas.
   bastante hermosas: bonitas

4. Los bobos fácilmente se meten en dificultades.
   bobos: tontos

5. El joven del cuento era buen mozo.
   buen mozo: guapo, bien parecido

6. La niña ciega vendía flores en la esquina.

   ciega: sin vista

7. Como Miguel no estaba seguro se sentía preso por la duda.

   duda: falta de seguridad, incertidumbre (doubt)

8. La décima estaba puntuada según el secreto deseo de cada persona.

   estaba puntuada: tenía signos de puntuación (was punctuated)

9. Las hermanas exigieron al joven que **dijera** a quién amaba.

   exigieron: demandaron

10. La ortografía es el arte de escribir correctamente.

   ortografía: deletreo (spelling)

11. Si te quiero convencer de eso, necesito probártelo.

   probar: demostrar, enseñar la verdad de una cosa (to prove)

TRES HERMANAS bastante hermosas vivían con sus padres en un pueblecito de la Mancha. Hacía más de dos años que iba a su casa todas las noches de visita un caballero rico, elegante y buen mozo. Este joven había conse-
5 guido conquistar el corazón de las tres hermanas sin haberse declarado a ninguna. Cada una de las tres se creía la preferida. Para salir de dudas, exigieron un día al joven que dijese cuál de las tres era la que él amaba.

    Al ver que no había otro remedio, ofreció declarar en una
10 décima el estado de su corazón con respecto a las tres hermanas. Puso, sin embargo, la condición de que no había de estar puntuada, y autorizó a cada una de las tres jóvenes para que la puntuase a su manera. La décima era la siguiente:

la Mancha: lugar de España de donde era don Quijote

> Tres bellas que bellas son
15 > me han exigido las tres
> que diga cuál de ellas es
> la que ama mi corazón
> si obedecer es razón
> digo que amo a Sotileza
20 > no a Sol cuya gentileza
> no tiene persona alguna
> no aspira mi amor a Bruna
> que no es de poca belleza

Sotileza, que abrió la carta, la leyó para sí y dijo: —Hermanas,
25 yo soy la preferida; escuchen la décima:

> Tres bellas, que bellas son,
> me han exigido las tres
> que diga cuál de ellas es
> la que ama mi corazón.
> Si obedecer es razón,
> digo que amo a Sotileza;
> no a Sol, cuya gentileza
> no tiene persona alguna;
> no aspira mi amor a Bruna,
> que no es de poca belleza.

—Siento mucho desvanecer esa ilusión, querida Sotileza—dijo Sol—pero la preferida soy yo. Para probártelo, escucha cómo se debe puntuar la décima:

> Tres bellas, que bellas son,
> me han exigido las tres
> que diga cuál de ellas es
> la que ama mi corazón.
> Si obedecer es razón,
> ¿digo que amo a Sotileza?
> No; a Sol, cuya gentileza
> no tiene persona alguna;
> no aspira mi amor a Bruna,
> que no es de poca belleza.

—Las dos están equivocadas—dijo Bruna. —Es natural, el amor propio las ciega. Es indudable que la preferida soy yo. La verdadera puntuación de la décima es la siguiente:

> Tres bellas, que bellas son.
> Me han exigido las tres
> que diga cuál de ellas es
> la que ama mi corazón.
> Si obedecer es razón,
> ¿digo que amo a Sotileza?
> No. ¿A Sol, cuya gentileza
> no tiene persona alguna?
> No. Aspira mi amor a Bruna,
> que no es de poca belleza.

Convencida Sotileza de que no habían aclarado nada, dijo:
—Hermanas, ahora estamos en la misma duda que antes. Es necesario que le obliguemos a que diga cuál de las tres ha acertado con la puntuación que él quería.

En efecto, aquella misma noche rogaron al joven que pusiera a la décima la puntuación que él había pensado.

El consintió, y a la mañana siguiente recibieron una carta en la que aparecía la décima con la puntuación siguiente:

5
>Tres bellas, que bellas son,
>me han exigido las tres
>que diga cuál de ellas es
>la que ama mi corazón.
>Si obedecer es razón,
10
>¿digo que amo a Sotileza?
>No. ¿A Sol, cuya gentileza
>no tiene persona alguna?
>No. ¿Aspira mi amor a Bruna?
>¿Qué? No. Es de poca belleza.

15 Las tres hermanas recibieron calabazas pero como ninguna de las tres era la preferida, no se enfadaron.

Este cuento prueba que es verdadero el refrán, «Falta de todos, consuelo de bobos.»

Diccionario

1. **acertar:** adivinar, atinar (to figure out correctly)
   Ninguna de las tres hermanas podía (   ) el secreto del joven.

2. **aclarado (aclarar):** explicado
   Ahora que el problema está (   ) podemos continuar nuestra discusión.

3. **amor propio:** aprecio de sí mismo (self-love)
   El (   ) a veces nos hace olvidar a los otros.

4. **bastante hermosas:** bonitas
   Las actrices de la compañía española son (   ).

5. **bobos:** tontos
   Los que dicen tal cosa son (   ).

6. **buen mozo:** guapo, bien parecido
   El novio de María es inteligente y (   ).

7. **ciega:** sin vista
   La niña era (   ) hasta que la operación le devolvió la vista.

8. **conseguido (conseguir):** logrado (gotten)
   He (   ) un boleto para el juego de fútbol.

9. **declararse:** manifestar los sentimientos personales
   El galán del cuento no quería (   ) a ninguna de las tres hermanas.

10. **desvanecer:** disipar, quitar, hacer desaparecer
    La verdad puede (   ) la duda.

11. **duda:** falta de seguridad, incertidumbre (doubt)
    Sin (   ) él ganará el premio.

12. **estar puntuada:** tener signos de puntuación (to be punctuated)
    La carta que escribe Ud. debe (   ).

13. **exigieron (exigir):** demandaron
    (   ) que asistieran a la fiesta.

14. **gentileza:** encanto, gracia (charm)
    La reina de la fiesta poseía mucha (   ).

15. **ortografía:** deletreo (spelling)
    Antes de escribir una carta, el alumno necesitaba una lección de (   ).

16. **probar:** demostrar, enseñar la verdad de una cosa (to prove)

Si puede Ud. (   ) lo que dice, le creeré.

17. **recibir calabazas:** ser despreciado (to be given a cold shoulder, to be given the gate, by one's romantic attachment)

A las tres hermanas no les gustó (   ), pero no se enojaron.

18. **rogar:** suplicar, pedir, implorar

Los esclavos tenían que (   ) por su vida y por su libertad.

Para la Comprensión

1. ¿Quiénes son los personajes del cuento?

2. ¿Dónde vivían las hermanas?

3. ¿Qué ofreció escribir el joven?

4. ¿Qué tenían que hacer las hermanas?

5. ¿Quién abrió la carta?

6. ¿Qué le dijo Sol a Sotileza?

7. Por fin ¿en qué consintió el joven?

8. Según la puntuación del joven ¿cómo era Bruna?

9. ¿Qué prueba este cuento?

Estructura

EL SUBJUNTIVO CON EXPRESIONES
IMPERSONALES

Repita Ud. las oraciones siguientes.

1. Es preferible que yo hable español.
2. Es preferible que tú hables español.
3. Es preferible que ella hable español.
4. Es preferible que Ud. hable español.
5. Es preferible que él hable español.
6. Es preferible que María hable español.
7. Es preferible que Pepe hable español.
8. Es preferible que nosotros hablemos español.
9. Es preferible que Pepe y yo hablemos español.
10. Es preferible que Uds. hablen español.

11. Es preferible que ellos hablen español.
12. Es preferible que ellas hablen español.

13. Es mejor que yo coma ahora.
14. Es mejor que tú comas ahora.
15. Es mejor que ella coma ahora.
16. Es mejor que Ud. coma ahora.
17. Es mejor que nosotros comamos ahora.
18. Es mejor que María y yo comamos ahora.
19. Es mejor que María coma ahora.
20. Es mejor que ellas coman ahora.
21. Es mejor que Paco y Elena coman ahora.
22. Es mejor que Uds. coman ahora.
23. Es mejor que él coma ahora.

24. Es posible que yo escriba la carta.
25. Es posible que Juan escriba la carta.
26. Es posible que tú escribas la carta.
27. Es posible que ella escriba la carta.
28. Es posible que nosotros escribamos la carta.
29. Es posible que ellos escriban la carta.
30. Es posible que Ud. escriba la carta.
31. Es posible que Uds. escriban la carta.
32. Es posible que Pancho escriba la carta.
33. Es posible que Federico y yo escribamos la carta.

Según el modelo, cambie la oración para emplear la expresión nueva.

MAESTRO: Es necesario que venga Eduardo hoy.

ESTUDIANTE: Es necesario que venga Eduardo hoy.

MAESTRO: bueno

ESTUDIANTE: Es bueno que venga Eduardo hoy.

34. dudoso
35. mejor
36. fácil
37. conveniente
38. difícil
39. preferible
40. raro
41. posible

MAESTRO: Es necesario que Ud. venga.

ESTUDIANTE: Es necesario que Ud. venga.

MAESTRO: ir

ESTUDIANTE: Es necesario que Ud. vaya.

42 oir

43. saber

44. seguir

45. salir

46. venir

MAESTRO: Es dudoso que él lo tenga.

ESTUDIANTE: Es dudoso que él lo tenga.

MAESTRO: ver

ESTUDIANTE: Es dudoso que él lo vea.

47. hacer

48. traer

49. ser

50. dar

51. tener

EJERCICIOS CREATIVOS

UNA CARTA A DIOS

1. Escriba una descripción del campo después de la caída del granizo.

2. Escriba la reacción del empleado al ver la carta de Lencho.

3. Ud. es empleado de correo y recibe la carta de Lencho. Conteste por escrito.

4. Si Ud. fuera Lencho, ¿dónde buscaría Ud. ayuda? Discuta las varias maneras de obtener ayuda que existen hoy día para el campesino o cualquier hombre pobre.

LOS TRES CUERVOS

5. ¿Qué nota Ud. de los nombres de los soldados? ¿Por qué fueron escogidos?

6. ¿Recuerda Ud. una ocasión en que un relato personal fue exagerado tanto que no se podía reconocer al fin? Cuéntelo.

7. Describa la novia del soldado Esopo. Del soldado Pantaleón.

8. Describa un cuervo.

9. Haga una lista de expresiones militares que se usan en el cuento.

IMPORTANCIA DE LOS SIGNOS DE PUNTUACION

10. En sus propias palabras, relate el cuento.

11. Describa a las tres hermanas—su aspecto físico, su carácter, y su personalidad.

12. Cite los elementos humorísticos. Explique el tipo de humor que se explota en cada cuento. ¿Es exagerado? ¿Educado? ¿Irónico?

13. Explique a la clase cuál de las selecciones, a su parecer, es la más graciosa. Justifique su opinión.

Una Gitana
(Spanish
National
Tourist
Office)

Cuadro 2 · TIPOS DEL MUNDO HISPANICO

Preparando la Escena. *El mundo hispánico está poblado de tipos caracte-*
rísticos creados por la cultura hispánica. Son totalmente distintos de los
personajes de otros países y culturas. Los rodea un colorido especial. Usan
un traje que los identifica con su oficio y que es tan típico como el personaje
que lo usa. Así por ejemplo, hallamos al charro y a la china poblana en
México, al roto y al huaso en Chile, al gitano y al torero en España. Un
estudio de algunos de estos tipos del mundo de habla española además de
ser interesante es útil, puesto que revela rasgos importantes de su cultura
y de su vida. Con este fin estudiaremos a tres tipos: el gaucho rastreador, el
torero, y el payador.

EL RASTREADOR

por Domingo Faustino Sarmiento

Introducción

En la Argentina el gaucho corresponde al *cowboy* de los Estados Unidos. Los gauchos tienen distintos oficios especializados como los de domar potros o seguir la pista de animales y personas a través de la pampa. La selección que sigue fue escrita por el argentino, Domingo Faustino Sarmiento, (1811–1888) y describe al gaucho rastreador.

Guía de Estudio

El oficio de rastreador era importante para un pueblo que vivía entre la naturaleza salvaje. El cuento relata varios episodios de la vida de un rastreador y revela el respeto con que la gente le consideraba. Al mismo tiempo describe un oficio que hoy día casi ha desaparecido.

Palabras Clave

1. Si no llueve esta noche, acaso iremos al cine.

   acaso: quizá, tal vez

2. La acequia se utiliza para la irrigación.

   acequia: zanja por donde van las aguas (canal, ditch)

3. Mi abuela hacía pan en una artesa.

   artesa: sirve para hacer pan (trough in which dough of bread is worked)

4. Siempre andaba cabizbajo.

   cabizbajo: con la cabeza inclinada hacia abajo, melancólico

5. Por causa de su delito el hombre se fue.

   delito: violación de la ley, crimen

6. Tenía la reputación de desempeñar sus tareas.

   desempeñar: cumplir con lo que debe uno hacer

7. El vio el poder de su mente desenvolverse.

   desenvolverse: desarrollarse, crecer (to unfold)

8. Cuando llegó a la encrucijada se detuvo un poco.

   encrucijada: punto donde se cruzan varias calles o varios caminos

9. Las lámparas pintadas a colores estaban ennegrecidas por el carbón.

   ennegrecidas: negras (blackened)

10. El gaucho y su caballo eran casi inseparables.

    gaucho: habitante de las pampas argentinas

11. Es difícil distinguir una huella en la arena.

    huella: señal que deja el pie (track, footprint)

12. En la isla de Catalina crían mulitas moras.

    moras: de los moros (Arabian)

13. El guía reconoció la pista del caballo de su amigo.

    pista: huella que deja un animal al pasar por un sitio (trace, the footprint of an animal)

14. El raptor estaba escondido en un ranchito.

    raptor: ladrón (thief)

15. Para ser rastreador es necesario tener buena vista.

    rastreador: uno que sigue el rastro (pathfinder, tracer, follower)

16. El animal herido había dejado su rastro en la tierra.

    rastro: huella, señal que queda (track on the ground, trail)

17. El rastreador no quita la vista del suelo.

    suelo: la superficie de la tierra

18. El ladrón quiso tapar todas las huellas pero no pudo.

    tapar: cubrir

19. El caballo tirado deja una huella diferente.

    tirado: conducido, arrastrado (pulled, drawn)

20. Tuvo que trepar un árbol.

    trepar: subir usando los pies y las manos (to climb)

21. Vimos la tropa de don Luciano.

    tropa: muchedumbre de animales que van de camino, o término militar

TODOS LOS gauchos del interior son rastreadores. En llanuras tan dilatadas en donde las sendas y caminos se cruzan en todas direcciones, y son abiertos los campos en que pacen o transitan las bestias, es preciso saber
5 seguir las huellas de un animal, y distinguirlas de entre mil; conocer si va despacio o ligero, suelto o tirado, cargado o de vacío. Esta es una ciencia casera y popular. Una vez caía yo de un camino de encrucijada al de Buenos Aires, y el peón que me conducía echó, como de costumbre, la vista al suelo.
10 —Aquí va—dijo luego—una mulita mora muy buena . . . ; ésta es la tropa de don N. Zapata . . . , es de muy buena silla . . . , va ensillada . . . , ha pasado ayer . . . Este hombre venía de la sierra de San Luis, la tropa volvía de Buenos Aires, y hacía un año que él había visto por última vez la mulita mora cuyo
15 rastro estaba confundido con el de toda una tropa en un sendero de dos pies de ancho. Pues esto, que parece increíble, es, con todo, la ciencia vulgar; éste era un peón de arrea, y no un rastreador de profesión.

El rastreador es un personaje grave, circunspecto, cuyas
20 aseveraciones hacen fe en los tribunales inferiores. La conciencia del saber que posee, le da cierta dignidad reservada y misteriosa. Todos lo tratan con consideración; el pobre, porque puede hacerle mal, calumniándolo o denunciándolo; el proprietario, porque su testimonio puede fallarle. Un robo
25 se ha ejecutado durante la noche; no bien se nota, corren a buscar una pisada del ladrón, y encontrada, se cubre con algo para que el viento no la disipe. Se llama en seguida al rastreador, que ve el rastro, y lo sigue sin mirar sino de tarde en tarde el suelo, como si sus ojos vieran de relieve esta
30 pisada que para otro es imperceptible. Sigue el curso de las

caía yo de: venía yo de

don N. Zapata: the name of the owner
es de muy buena silla: a good riding animal
va ensillada: it is saddled

peón de arrea: mule driver

de tarde en tarde: from time to time

Sanka, a registered trademark of General Foods Corporation

calles, atraviesa los huertos, entra en una casa, y señalando
un hombre que encuentra, dice fríamente: «¡Este es!» El
delito está probado, y raro es el delincuente que resiste a esta
acusación. Para él, más que para el juez, la deposición del
5 rastreador es la evidencia misma; negarla sería ridículo,
absurdo. Se somete, pues, a este testigo que considera como
el dedo de Dios que lo señala. Yo mismo he conocido a
Calíbar, que ha ejercido en una provincia su oficio durante
cuarenta años consecutivos. Tiene ahora cerca de ochenta
10 años; encorvado por la edad, conserva, sin embargo, un
aspecto venerable y lleno de dignidad. Cuando le hablan de
su reputación fabulosa, contesta: «Ya no valgo nada; ahí
están los niños.» Los niños son sus hijos, que han aprendido
en la escuela de tan famoso maestro. Se cuenta de él que
15 durante un viaje a Buenos Aires le robaron una vez su
montura de gala. Su mujer tapó el rastro con una artesa. Dos

Calíbar: gaucho rastreador famoso

no valgo nada: I'm not worth anything

meses después Calíbar regresó, vio el rastro ya borrado o imperceptible para otros ojos, y no se habló más del caso. Año y medio después Calíbar marchaba cabizbajo por una calle de los suburbios, entra en una casa, y encuentra su
5 montura ennegrecida ya, y casi inutilizada por el uso. ¡Había encontrado el rastro de su raptor después de dos años! El año 1830, un reo condenado a muerte se había escapado de la cárcel. Calíbar fue encargado de buscarlo. El infeliz, previendo que sería rastreado, había tomado todas las precau-
10 ciones que la imagen del cadalso le sugirió. ¡Precauciones inútiles! Acaso sólo sirvieron para perderle; porque, comprometido Calíbar en su reputación, el amor propio ofendido le hizo desempeñar con calor una tarea que perdía a un hombre, pero que probaba su maravillosa vista.

15 El prófugo aprovechaba todas las desigualdades del suelo para no dejar huellas; cuadras enteras había marchado pisando con la punta del pie; trepábase en seguida a las murallas bajas, cruzaba un sitio, y volvía atrás. Calíbar lo seguía sin perder la pista; si le sucedía momentáneamente extraviarse,
20 al hallarla de nuevo exclamaba: «¡Dónde te mi as dir!» Al fin llegó a una acequia de agua en los suburbios, cuya corriente había seguido aquél para burlar al rastreador . . . ¡Inútil! Calíbar iba por las orillas, sin inquietud, sin vacilar. Al fin se detiene, examina unas hierbas, y dice: «¡Por aquí ha salido;
25 no hay rastro, pero estas gotas de agua en los pastos lo indican!» Entra en una viña; Calíbar reconoció las tapias que la rodeaban, y dijo: «Adentro está.» La partida de soldados se cansó de buscar, y volvió a dar cuenta de la inutilidad de la pesquisa. "No ha salido" fue la breve respuesta que sin
30 moverse, sin proceder a nuevo examen, dio el rastreador. No había salido, en efecto, y al día siguiente fue ejecutado. En 1831, algunos presos políticos intentaban una evasión: todo estaba preparado, los auxiliares de afuera prevenidos. En el momento de efectuarla, uno dijo: «¿Y Calíbar?»—«¡Cierto!—
35 contestaron los otros anonadados, aterrados,—¡Calíbar!»

Sus familias pudieron conseguir de Calíbar que estuviese enfermo cuatro días contados desde la evasión, y así pudo efectuarse sin inconveniente.

¿Qué misterio es éste del rastreador? ¿Qué poder micros-
40 cópico se desenvuelve en el órgano de la vista de estos hombres? ¡Cuán sublime criatura es la que Dios hizo a su imagen y semejanza!

cadalso: gallows

«¡Dónde te mi as dir!» ¡Dónde te me has de ir!

Diccionario

1. **acaso:** quizá, tal vez
   ( ) podamos visitar a la familia Gómez esta noche.

2. **acequia:** zanja por donde van las aguas (canal, ditch)
   La ( ) llevaba agua cristalina.

3. **anonadado:** humillado, abatido (humbled)
   Estaba ( ) por la victoria de la otra escuela.

4. **artesa:** sirve para hacer pan (trough in which dough of bread is worked)
   Mi abuelo hizo una ( ) del tronco de un árbol.

5. **aseveración:** acción de afirmar
   La ( ) de su amigo terminó la disputa.

6. **aterrado (aterrar):** espantado (terrified)
   Quedó ( ) por la noticia.

7. **borrado (borrar):** hecho desaparecer (erased)
   El número estaba ( ).

8. **burlar:** engañar, frustrar
   El hombre trató de ( ) a la policía.

9. **cabizbajo:** con la cabeza inclinada hacia abajo, melancólico
   El alumno quedó ( ) cuando perdió su libro.

10. **casera:** doméstica
    Una ciencia ( ) no se aprende en la escuela.

11. **cuadra:** grupo de casas (a block of houses)
    Yo vivo a una ( ) de la escuela.

12. **delito:** violación de la ley, crimen
    No es un ( ) dormir tarde.

13. **desempeñar:** cumplir con lo que debe uno hacer
    El sabe ( ) bien sus obligaciones.

14. **desenvolverse:** desarrollarse (to unfold)
    Su talento pudo ( ) en el arte plástico.

15. **dilatada:** extensa, espaciosa
    La pampa de los Andes es muy ( ).

16. **encorvado:** doblado por la edad
    El viejo tenía el cuerpo ( ) por el peso de los años.

17. **encrucijada:** punto donde se cruzan varias calles o varios caminos
    Se perdió porque no había luz en la ( ).

18. **ennegrecidas (ennegrecer):** negras (blackened)
    Las camisas estaban ( ) por el polvo de la mina.

19. **es preciso:** es necesario
    Siempre ( ) que el rastreador preste atención a las huellas.

20. **fallar:** condenar
    El juez tiene que ( ) al hombre después de este testimonio.

21. **gaucho:** habitante de las pampas argentinas
    Yo quisiera ser ( ) para montar a caballo y comer mucha carne.

22. **huella:** señal que deja el pie (track, footprint)
    El elefante deja una ( ) más grande que el ratón.

23. **huerto:** campo o jardín pequeño de legumbres o árboles frutales
    En mi casa tenemos un ( ) muy fértil.

24. **inútil:** que no sirve para nada
    Es ( ) seguir este camino.

25. **juez:** magistrado (judge)
    El ( ) le permitió volver a su casa.

26. **ligero:** rápido
    El caballo joven es más ( ).

27. **llanura:** superficie del terreno extensa (a vast tract of level ground, a prairie)
    El vivía en la ( ) del río Juli-Guli.

28. **montura:** cabalgadura (saddle)
    El gaucho tenía una ( ) muy bonita.

29. **mora:** de los moros (Arabian)

Yo tengo una mulita ( ) llamada Granada.

30. **muralla:** pared, tapia

La ( ) de su casa era de adobe.

31. **pacer:** comer hierba el ganado en prados (to graze)

Yo llevaba la vaca a ( ) en el rancho del señor Tónsul.

32. **pesquisa:** investigación, búsqueda (search)

Al fin de la ( ) todos estaban cansados.

33. **pisada:** huella que deja el pie al pisar (footprint)

La lluvia había borrado la ( ) del camino.

34. **pista:** huella que deja un animal al pasar por un sitio (trace, the footprint of an animal)

Un buen guía puede distinguir la ( ) de diferentes animales.

35. **prófugo:** el que corre de la justicia, fugitivo

El rastreador encontró al ( ) en una cueva.

36. **raptor:** ladrón (thief)

El juez castigó al ( ) por su delito.

37. **rastreador:** uno que sigue el rastro (pathfinder, tracer, follower)

El oficio de ( ) paga bien.

38. **rastro:** huella, señal que queda (track on the ground, trail)

El indio encontró el ( ) del animal.

39. **reo:** acusado, culpado (offender, culprit)

En la pampa el ( ) no se escapa del rastreador.

40. **senda:** camino estrecho (trail)

El gaucho conoce bien cada ( ) de la pampa.

41. **suelo:** la superficie de la tierra

Muchas veces el campesino duerme en el ( ).

42. **tapar:** cubrir

La madre quería ( ) al niño, pero él no la dejaba.

43. **tapia:** pared, cerca

Una ( ) de piedra rodeaba la casa.

44. **tirado (tirar):** conducido, arrastrado (pulled, drawn)

Un caballo ( ) se mueve con menos libertad que uno suelto.

45. **trepar:** subir usando los pies y las manos (to climb)

Cuando camina uno por las sierras es necesario ( ) rocas grandes.

46. **tropa:** muchedumbre de animales que van de camino, o término militar

Hace tiempo que no vemos la ( ) de don Luciano.

47. **vacío:** sin carga (unloaded)

El caballo ( ) es más ligero que el cargado.

Para la Comprensión

1. ¿Son rastreadores los gauchos del interior?

2. ¿Por qué es necesario ser rastreador en esas llanuras?

3. ¿Es una ciencia académica la del rastreador?

4. ¿Saben algo de esta ciencia los peones de arrea?

5. Dé una evidencia de ello.

6. Describa un rastreador de profesión.

7. ¿Qué efecto tiene en el rastreador la conciencia del saber que posee?

8. ¿Cómo trata la gente al rastreador?

9. ¿Por qué lo trata así?

10. Cuando ocurre un robo durante la noche ¿qué es lo primero que hacen para poder coger al ladrón?

11. ¿Qué hace el rastreador cuando va en busca de un ladrón?

12. ¿Resisten muchos delincuentes la acusación del rastreador? ¿Por qué?

13. ¿Quién era Calíbar? Descríbalo.

14. ¿Aprendieron los hijos de Calíbar el arte de su padre?

15. Relate algo de cuando le robaron la montura a Calíbar.

16. Cuando se escapó de la cárcel el reo condenado, ¿qué precauciones tomó?

17. ¿Fueron útiles sus precauciones?

18. ¿Qué hizo para no dejar huellas?

19. ¿Lo encontró Calíbar? ¿Dónde?

20. ¿Cómo lograron escaparse los presos políticos en 1831?

TRIPTICO CRIOLLO

El Charro

Viste de seda: alhajas de gran tono;
pechera en que el encaje hace una ola,
y bajo el cinto, un mango de pistola,
que él aprieta entre el puño de su encono.

Piramidal sombrero, esbelto cono,
es distintivo en su figura sola,
que en el bridón de enjaezada cola
no cambiara su silla por un trono.

Siéntase a firme; el látigo chasquea;
restriega el bruto su chispeante callo,
y vanidosamente se pasea . . .

Dúdase al ver la olímpica figura
si es el triunfo de un hombre en su caballo
o si es la animación de una escultura.

El Llanero

En su tostada faz algo hay sombrío:
tal vez la sensación de lo lejano,
ya que ve dilatarse el océano
de la verdura al pie de su bohío.

El encuadra al redor su sembradío
y acaricia la tierra con su mano.
Enfrena un potro en la mitad de un llano
o a nado se echa en la mitad de un río.

El, con un golpe, desjarreta un toro:
entra con su machete en el boscaje
y en el amor con su cantar sonoro,

porque el amor de la mujer ingrata
brilla sobre su espíritu salvaje
como un iris sobre una catarata . . .

El Gaucho

Es la Pampa hecha hombre; es un pedazo
de brava tierra sobre el sol tendida.
Ya a indómito corcel pone la brida,
ya lacea una res: él es el brazo.

Y al son de la guitarra, en el regazo
de su «prenda», quejoso de la vida,
desenvuelve con voz adolorida
una canción como si fuera un lazo . . .

Cuadro es la Pampa en que el afán se encierra
del gaucho, erguido en actitud briosa,
sobre ese gran cansancio de la tierra;

porque el bostezo de la Pampa verde
es como una fatiga que reposa
o es como una esperanza que se pierde.

José Santos Chocano

Estructura

MODISMO: *VOLVER A* + INFINITIVO

Según el modelo, cambie las oraciones para emplear la expresión *volver a*. Cuidado con los tiempos del verbo.

MAESTRO: Hablaremos otra vez con el profesor.

ESTUDIANTE: Volveremos a hablar con el profesor.

MAESTRO: Leímos de nuevo el periódico.

ESTUDIANTE: Volvimos a leer el periódico.

1. No viajamos otra vez en tren.
2. Veremos nuevamente esa película.
3. Suena otra vez el teléfono.
4. Irán otra vez a la tienda.
5. Comí otra vez huevos con jamón.
6. Revelaste otra vez el secreto.

EL PLUSCUAMPERFECTO

Repita Ud. después del modelo.

MAESTRO: Dijeron que yo había comprado la casa.

ESTUDIANTE: Dijeron que yo había comprado la casa.

1. Dijeron que tú habías comprado la casa.
2. Dijeron que María había comprado la casa.
3. Dijeron que ella había comprado la casa.
4. Dijeron que él había comprado la casa.
5. Dijeron que Ud. había comprado la casa.
6. Dijeron que Pablo y yo habíamos comprado la casa.
7. Dijeron que nosotros habíamos comprado la casa.
8. Dijeron que ellos habían comprado la casa.
9. Dijeron que Uds. habían comprado la casa.

Según el modelo, cambie las oraciones para emplear el pluscuamperfecto. Cuidado con la concordancia de los tiempos del verbo.

> MAESTRO: Dicen que él ha salido para Europa. (Dijeron)
>
> ESTUDIANTE: Dijeron que él había salido para Europa.
>
> MAESTRO: Dicen que ellas han cosido todos esos vestidos. (Dijeron)
>
> ESTUDIANTE: Dijeron que ellas habían cosido todos esos vestidos.

10. Dicen que no hemos visto la mejor parte. (Dijeron)
11. Dicen que Elena no ha lavado la ropa. (Dijeron)
12. Dicen que el caballo ha tirado la carreta calle abajo. (Dijeron)
13. Dicen que tú no has estudiado la lección. (Dijeron)
14. Dicen que Uds. han viajado mucho. (Dijeron)
15. Dicen que yo no he pagado la cuenta. (Dijeron)
16. Dicen que Pablo y Paco se han perdido en la muchedumbre. (Dijeron)
17. Dicen que tú y yo hemos colaborado con el enemigo. (Dijeron)

MODISMO: *HACER* + EXPRESION DE TIEMPO

Según el modelo, haga los cambios necesarios al emplear *hacía* en lugar de *hace*.

> MAESTRO: Hace un año que trajo la mulita.
>
> ESTUDIANTE: Hacía un año que había traído la mulita.
>
> MAESTRO: Hace dos meses que fuimos al cine.
>
> ESTUDIANTE: Hacía dos meses que habíamos ido al cine.

1. Hace una hora que vino mi hermana.
2. Hace tres semanas que lo vi.
3. Hace cinco días que escogieron el modelo.
4. Hace media hora que te desayunaste.
5. Hace varios días que llegó.

Haga los cambios necesarios para eliminar *que*.

> MAESTRO: Hace dos semanas que compraron la maleta.
>
> ESTUDIANTE: Compraron la maleta hace dos semanas.
>
> MAESTRO: Hace meses que fuiste a Guadalajara.
>
> ESTUDIANTE: Fuiste a Guadalajara hace meses.

6. Hace dos años que quitamos el letrero.
7. Hace un mes que José vendió el piano.
8. Hace tres días que nos invitó a cenar.
9. Hace mucho tiempo que recibí su carta.

MODISMO: *DARSE CUENTA (DE)*

Cambie la oración según el modelo.

> MAESTRO: Nos dimos cuenta del incendio.
>
> ESTUDIANTE: Nos dimos cuenta del incendio.
>
> MAESTRO: la cita
>
> ESTUDIANTE: Nos dimos cuenta de la cita.

1. su cumpleaños
2. la fiesta
3. la función
4. el juego
5. el peligro
6. la ventaja
7. la sorpresa

Cambie la oración según el modelo.

> MAESTRO: El pronto se dará cuenta del problema.
>
> ESTUDIANTE: El pronto se dará cuenta del problema.
>
> MAESTRO: Tú
>
> ESTUDIANTE: Tú pronto te darás cuenta del problema.

8. Nosotros
9. Yo
10. Ellas
11. Ella
12. Maruja
13. Paco y yo

EL MATADOR

por Luis Taboada

Introducción

De todos los personajes del mundo hispánico el torero es el más famoso. En importancia ocupa el mismo lugar que el jugador de béisbol o la estrella de cine en los Estados Unidos. Es un ídolo nacional. En una corrida de toros el torero principal es el que mata al toro y por eso se le llama el matador. La siguiente selección por Luis Taboada es un estudio de lo que piensa y siente el matador durante una tarde de toros. Nos da a conocer a otro personaje del mundo hispánico pero en una vena humorística.

Guía de Estudio

Esta descripción del matador es muy humana: revela al torero como un ser con emociones como el miedo y la vanidad. Note todas las palabras especiales que forman parte del vocabulario taurino.

Palabras Clave

1. Juan es aficionado a la guitarra.

   aficionado: uno que cultiva un arte sin tenerlo por oficio

2. El capitán del equipo recibió la alabanza de los alumnos.

   alabanza: aprobación (praise, commendation, glory)

3. La capa tenía unos alamares de oro puro.

   alamares: adornos, botones

4. El torero llevaba su capote con el orgullo de su profesión.

   capote: capa que lleva el torero al entrar en la plaza

5. Cuando Jorge era joven él formaba parte de la cuadrilla en la plaza de toros.

   cuadrilla: cuatro o más personas que cooperan en una misma cosa

6. El papel del toro es embestir al torero.

   embestir: atacar

7. El torero mata al toro con el estoque.

   estoque: espada angosta, espada de toreo (bullfighter's sword)

8. En la vida del teatro se oye mucha lisonja.

   lisonja: aprobación afectada, adulación

9. La mejor localidad en la plaza de toros está en la sombra.

   localidad: lugar, cada uno de los asientos

10. La montera de Antonio era de seda y lana.

    montera: sombrero del torero

11. La paletilla es un lugar débil del toro.

    paletilla: hueso del hombro (shoulder blade)

12. El quite extraordinario produjo una sensación.

    quite: acción con que se aleja al toro del picador caído (the act of taking away)

13. A veces el redondel es demasiado pequeño cuando el toro es bravo.

    redondel: espacio donde el toro y el torero se encuentran

14. En el orden de la fiesta brava, el segundo espada es inferior al matador.

    segundo espada: torero que ayuda al matador

15. Mi amigo Pancho es un taurómaco muy entusiasta.

    taurómaco: aficionado a los toros (one fond of bullfighting)

La Risa por Rufino Tamayo (Private Collection)

"The Bullfight" *por Francisco de Goya* (The Metropolitan Museum of Art, Wolfe Fund, 1922)

EL MATADOR desciende del carruaje a la puerta de la Plaza, con la majestad propia de los Césares y de los espadas de cartel.

espadas de cartel: first-rate bull-fighters

Los amigos salen a su encuentro y le estrechan la mano con efusión: él sonríe, saluda a todos, y contesta a las lisonjas que se le dirigen con frases que no acusan una modestia excesiva, porque al pobrecillo le han vuelto loco a fuerza de alabanzas.

—Hoy vamos a ver la verdad—le dicen con entusiasmo sus devotos fervientes.

—Gracias, señores—contesta él pavoneándose.

—Es necesario que le quites los moños a alguno. Porque tú eres el primero aquí y en todo el mapamundi.

quites los moños a alguno: put someone in his place

—Ahora se va a ver—replica el matador.

La hora se acerca; amigos y admiradores estrechan la mano del héroe y van a ocupar sus localidades. Las cuadrillas hacen el paseo.

He aquí el monólogo del matador desde el momento en que pisa el redondel.

—¡Olé! ¡Viva mi gracia! ¡Cuántas mujeres bonitas estarán en estos momentos contemplando mis hechuras y mis andares!

—Así, así; el brazo izquierdo sujetando el capote; el derecho en forma de arco para que se vean bien los alamares de la chaquetilla. Ahora a saludar al Presidente con toda la gracia y todo el aquel de mi tierra. Buenas tardes, caballeros. ¿A quién le daría yo este capote? . . . ¡Ah, sí! Allí veo al vizconde de la Talega. Cuanto más elevada sea la persona, mejor. ¡Eh! ¡Allá va el capote! Ya me está dando gracias con la cabeza. No se cambiaría ahora ese chico por todos los reyes del mundo. ¡Qué honra para él! (Suena el clarín, y aparece en la arena el primer toro.) ¡Cáscaras, qué puntas tiene! ¡Vaya unos pies! Coloquémonos cerca del caballo a ver si puedo hacer un quite de lucimiento . . . ¡Ea, valor! Dios te salve, Reina y Madre . . .

todo el aquel: all the style; all the what-have-you

¡Cáscaras, qué puntas tiene! Gosh, what horns!

—Embiste, grandísimo tonto, que me quiero lucir. ¡Nada! No quiere tomar varas. Da un pasito más . . . ¡María Santísima! ¡Qué cabeza tiene! ¡Olé ya! (Aplausos.) ¡Bendita sea mi madre, y mi persona, y mi gracia torera!

—Aquí no mete el capote nadie más que yo, porque el torito es de mazapán, y hay que lucirse a su costa. Oye tú,

me quiero lucir: I want to display my ability
No quiere tomar varas: He does not want to take the thrusts

Conejo, si vuelves a soltar el trapo, te arrimo dos bofetadas delante de todo el mundo.

—¡Otra vara! ¡Bravo! Aquí estoy yo para llevarme el toro. ¡Y no me aplauden! ¡Qué brutos! Creo en Dios Padre Todopoderoso . . . ¡el toro me persigue y viene oliéndome la taleguilla! . . . ¡Al callejón de cabeza! . . . ¡Ay! Creí que me cogía. ¡De buena me he escapado! ¿Por qué silba el público? ¿Pues qué querían ustedes? ¿Que me dejase enganchar? No he visto gente más poco considerada. Vamos al redondel otra vez, a ver si puedo hacer otro quite con gracia. ¡Por vida de mi abuelo! ¿Pues no le aplauden al segundo espada? ¿Qué ha hecho? ¿Sacar al toro con un recorte? ¡Qué público éste! No, pues me vais a aplaudir a mí también . . . ¡Brrr! ¡Toro! Ya lo tengo. Ya se arranca. (Aplausos.) ¿No decía yo? ¡Si no hay quien pueda competir conmigo en los quites!

¿Han tocado a banderillas? Vamos a coger los avíos. Creo que el toro no está bastante castigado. Ese maldito Besugo se empeña en picar en los rubios, y eso que le tengo encargado que pique en la paletilla, para quitarle al toro pies y coraje. Cuando me toca un toro completamente desencuadernado, me luzco siempre. ¡Ay! Cada vez que tengo que coger la muleta, me entran unos sudores . . . Pero hay que sonreír para engañar a los aficionados. Vaya una cara serena que llevo. ¡Si pudieran verme por dentro! . . .

Brindo por usted y por toda la gente aficionada y por el coraje de los hombres de vergüenza, y ¡olé! vamos a matar al toro.

No hay quien tire la montera con esta gracia. (Aplausos.) Ya he entusiasmado al público . . . Santa María, Madre de Dios, ruega por nosotros . . .

¡Dios mío! ¡Qué cuernos! ¡Y cómo me mira! Vamos a tentarle con un telonazo. ¡Zape! Por poco se me cuela. Ahora un pase por alto. ¡Ajajá! Este ha salido bien; otro de pecho; ¡bravo! ¿Por qué no me aplaudirán? ¡Si se cuadrara! Pues no se cuadra. ¡A ver si dándole un pase en redondo! Toma, maldito, toma, para que te canses y humilles y me dejes meter el brazo . . . ¡Socorro! (Silba.) Me silban porque he tomado el olivo. ¡Pero si el toro se venía encima! ¿Me había de dejar coger? ¡Qué cosas tiene el público! ¿Adónde habrá ido a parar la espada? ¡Ah! Ya me la trae Conejo . . .

Vamos allá otra vez. Anda, torito, por la memoria de tu madre, déjate matar. ¡Si esto no vale nada! Ya verás qué

Conejo: nickname of one of his helpers
soltar el trapo: let out the cape

¡Al callejón de cabeza! Head-first into the passageway around the ring

¿Sacar al toro con un recorte? Dodge the bull?

¿Han tocado a banderillas? Have they played the signal for the banderillas?
Vamos a coger los avíos: Let's get the necessary instruments.
rubios: center back of the bull

Vamos a tentarle con un telonazo: Let's test him with a flourish of the cape.

¡Si se cuadrara!: If he would only hold still!

he tomado el olivo: taken cover in passageway around ring

pronto despacho, y cómo me tocan las palmas. Voy a darte un pasecito de pitón a pitón; embiste, pero no me busques el bulto, que me puedes lastimar. Perfectamente; ahora necesito que levantes la cabeza. ¿Sabes? Un poquito más; así, basta
5 . . . Estáte quieto, que te voy a meter el estoque. ¡Ay, Virgen de las Angustias! ¡Qué vela te voy a regalar si me proteges! . . . Ea, a tirarse. ¡Uf! He dado en un hueso: torito, ven acá. Mira que tengo familia. (Aplausos.) ¡Viva mi mérito y mi arte! . . . Así, así, aplaudid, que eso es lo que me da la guita.
10 ¡Si supierais el canguelo que tengo en la parte interior! Ya está cuadrado otra vez. Sea lo que Dios quiera. Santa María, Madre de Dios . . . ¡Pum!

No sé dónde la he metido, ni cómo, ni cuándo. (Aplausos.) Debe de ser una gran estocada, porque la aplauden. Yo
15 juraría que le sale la punta por el lado contrario. ¿A ver? No;

me tocan las palmas: they applaud me

me da la guita: means money
canguelo: fear

El matador 35

ha resultado buena por casualidad. Pues me daré tono; miraré a los tendidos con aire de triunfo.

¡Viva yo, y mi madre, y mi novia, y toda mi familia!

Mañana le pido al empresario mil pesetas más por corrida.

5 Estoy deseando verme en el café, para recibir las felicitaciones de los aficionados. Hay hombre que si pudiera, me elevaba una estatua en la Puerta del Sol. ¿Y las mujeres? . . . (Continúan los aplausos.) Así, así; aplaudid, infelices, que esto es lo que me conviene. ¡Si supierais cuántas fatigas he 10 pasado para matar este toro!

La Puerta del Sol: a famous plaza in Madrid

El público aplaude entusiasmado; caen al redondel sombreros y puros; un taurómaco vehemente arroja la chaqueta y las botas, y quiere arrojar también la camisa, pero no lo dejan.

15 Y entretanto el joven matador saluda al público con el estoque, y dice para sus adentros:

Así, así; aplaudid, brutos. Muchos aplausos y muchos sombreros, aunque las estocadas resulten por casualidad . . . Todo esto es guita.

Diccionario

1. **aficionado:** uno que cultiva un arte sin tenerlo por oficio

   Mi amigo es (   ) a la pintura.

2. **alabanza:** aprobación (praise, commendation, glory)

   Yo necesito un poco de (   ) de vez en cuando.

3. **alamares:** adornos, botones

   Las muchachas usan faldas con muchos (   ).

4. **brindar:** beber a la salud de uno (to drink a toast)

   José se levantó de su silla para (   ) con sus amigos.

5. **capote:** capa que lleva el torero al entrar en la plaza, o capa ancha con mangas

   Mi abuelo siempre llevaba un (   ) negro de lana.

6. **carruaje:** coche, vehículo, carro

   El alcalde salió en su (   ).

7. **colarse:** filtrarse, pasarse

   No es fácil (   ) entre la multitud en la plaza de toros.

8. **coraje:** ánimo, valor

   Un golpe en la cabeza le quita el (   ) al toro.

9. **cuadrilla:** cuatro o más personas que cooperan en una misma cosa

   Juan es uno de la (   ) que decoró el salón.

10. **desencuadernado (desencuadernar):** descompuesto, desarreglado

    El libro está (   ) y no sirve para nada.

11. **embestir:** atacar

    El toro va a (   ) al torero.

Picador por Pablo Gargallo
(Collection, The Museum
of Modern Art, New York;
Gift of A. Conger Goodyear)

12. **empresario:** persona que dirige cualquier operación
Mi amigo, el señor González, es un gran ( ) de teatro.

13. **estoque:** espada angosta, espada de toreo
Sin el ( ), el matador no puede matar al toro.

14. **hechuras y andares:** tipo y modo de andar (figure and way of walking)
La gente contempla sus ( ) cuando entra en la plaza.

15. **lisonja:** aprobación afectada, adulación
La ( ) no se practica entre amigos verdaderos.

16. **localidad:** lugar, cada uno de los asientos
Una buena ( ) en el Teatro Maya cuesta dos dólares.

17. **mapamundi:** mapa que representa la superficie entera de la tierra
Mi amiga María tiene un ( ) en su recámara.

18. **mazapán:** pasta de almendra y azúcar cocida al horno (a sweet paste of almonds)
A mí me gustan las tartas de ( ).

19. **montera:** sombrero del torero
El torero ofreció su ( ) al público.

20. **paletilla:** hueso del hombro (shoulder blade)
Se dio un golpe en la ( ) derecha.

21. **pavonearse:** presumir, exhibirse, hacerse propaganda (to strut)
A él le gusta ( ) delante de la gente.

22. **pitón:** cuerno (horn)
El toro de mi tío tenía un ( ) corto y uno largo.

23. **puro:** cigarro
Un ( ) es un cigarro, no un cigarrillo.

24. **quite:** acción con que se aleja al toro del picador caído (the act of taking away)
En el arte taurino, el ( ) es un acto de mucha importancia.

25. **redondel:** espacio donde el toro y el torero se encuentran (a circle, bull ring)

En el (   ) es donde se llega el momento de la verdad.

26. **segundo espada:** torero que ayuda al matador

A veces el (   ) es tan bueno como el matador.

27. **silba (silbar):** produce un ruido con la boca que a veces indica disfavor o disgusto (whistle)

El público (   ) al ver a un torero que tiene miedo.

28. **taleguilla:** calzón de torero (the breeches that the bullfighters wear)

Manolete tenía una (   ) dorada.

29. **taurómaco:** aficionado a los toros (one fond of bullfighting)

El (   ) arrojó su sombrero al redondel.

30. **tendidos:** galería próxima a la barrera en la plaza de toros

Uno puede ver bien de los (   ) aunque haga sol.

31. **vela:** candela (candle)

Le prometió a la Virgen ponerle una (   ) en el altar.

32. **¡zape!:** exclamación de represión (exclamation of aversion)

(   ) Por poco saco una «D.»

Para la Comprensión

1. ¿Quién desciende del carruaje a la puerta de la Plaza?

2. ¿Cómo desciende él?

3. ¿Quiénes salen a su encuentro?

4. ¿Cómo lo reciben?

5. ¿De qué manera reacciona él a esta recepción?

6. ¿Qué efecto han tenido en el matador las alabanzas?

7. ¿Qué es lo primero que le dicen sus devotos?

8. ¿Contesta él de una manera humilde?

9. ¿Qué hacen sus admiradores antes de ocupar sus localidades?

10. ¿Le gusta al matador que lo miren las mujeres?

11. ¿Con quién habla el matador la mayor parte del tiempo mientras torea?

12. Mencione algunas de las cosas que se dice él.

13. ¿Por qué quiere que embista el toro?

14. ¿Cómo trata el matador a sus ayudantes?

15. ¿Qué hace cuando lo sigue el toro?

16. ¿Por qué silba el público?

17. ¿Qué opinión tiene el matador de sus *quites?*

18. ¿Qué le ha encargado el matador a Besugo?

19. Describa las emociones del matador.

20. ¿Qué cara presenta al público?

21. ¿Cómo sabe el matador que ha entusiasmado al público?

22. ¿Puede matar al toro fácilmente?

23. ¿Por qué no quiere que el toro le busque el bulto?

24. ¿A quién le promete el matador una vela?

25. ¿Por qué se la promete?

26. ¿Qué clase de estocada logra meterle al toro? ¿Cómo lo sabemos?

27. ¿Qué piensa decirle al empresario? ¿Por qué?

28. ¿Por qué quiere irse al café después de matar al toro?

29. Describa la última escena de la corrida.

30. ¿Por qué arroja un taurómaco su chaqueta y sus botas?

31. ¿Qué reacción tiene el publico al final?

Estructura

EL SUPERLATIVO CON -ISIMO

Según el modelo, cambie el adjetivo a la forma absoluta del superlativo.

MAESTRO: Su casa tiene un jardín muy grande.

ESTUDIANTE: Su casa tiene un jardín grandísimo.

MAESTRO: José tiene una hermana muy gorda.

ESTUDIANTE: José tiene una hermana gordísima.

1. El camino es muy largo.
2. Tú eres muy guapa.
3. Los cuartos son muy pequeños.
4. Esta agua es muy pura.
5. Las nubes se ven muy blancas.
6. Estoy muy cansado.

SUBJUNTIVO: CONCORDANCIA DE TIEMPOS

Escuche el modelo. Cambie la oración empleando *me dice* primero y *me dijo* después. Cuidado con la concordancia del tiempo del verbo.

MAESTRO: ¡Sal pronto!

ESTUDIANTE: Me dice que salga pronto. Me dijo que saliera pronto.

MAESTRO: ¡Trae los periódicos!

ESTUDIANTE: Me dice que traiga los periódicos. Me dijo que trajera los periódicos.

1. ¡Ven a las tres!
2. ¡Ayuda a María!
3. ¡Busca la corbata roja!
4. ¡No vuelvas tarde!
5. ¡Lleva la carta al profesor!
6. ¡Come la sopa!

CAMPITO, PAYADOR DE PACHACAMA

Introducción

Una fiesta en el campo, sin música y canciones y baile, no es fiesta. En la América del Sur el personaje que va de pueblo en pueblo cantando y divirtiendo a la gente se llama el payador. El payador es el trovador hispanoamericano. Es un personaje de mucho colorido y muy en demanda cuando se acerca una fiesta. Está dotado de extraordinaria habilidad musical y poética. La historia de Luis Humberto Campos es la historia de un payador moderno que también canta por la radio, muy distinto del payador antiguo que cantaba en el campo debajo de los árboles y que viajaba de lugar a lugar montado en su fiel caballo.

Guía de Estudio

El relato de Campito, el payador, es un reportaje hecho para una revista. Los sucesos son actuales y se refieren a la vida del payador moderno en Santiago, capital de Chile.

El verso que cantan los payadores es espontáneo y por eso le falta la perfección del verso elaborado pero no la gracia. Compare el estilo de este reportaje con el estilo de los cuentos.

Palabras Clave

1. Juan es cargadito a la ternura.

   cargadito: inclinado (a little heavy on the side of, leans toward)

2. Antonio pertenece a la cofradía de su vecindad.

   cofradía: hermandad, fraternidad

3. Pancho es el contendor que luchó contra el campeón.

   contendor: uno que contiende, que lucha, que batalla

4. El Presidente Roosevelt murió de un derrame cerebral.

   derrame cerebral: hemorragia (brain hemorrhage)

5. Un alumno empecinado que quiere aprender, aprende.

   empecinado: terco (stubborn, determined)

6. El campeón olímpico vino a la entrega de las medallas.

   entrega: acción de entregar, de dar (delivery, act of awarding)

7. Mi hermano trabaja en la hojalatería.

   hojalatería: arte de o tienda de objetos de hojalata (the art of making tin plate, or utensils of it; tin shop)

8. Casi todo buen artista ha tenido su mecenas.

   mecenas: protector, caballero romano, conocido protector de los literatos (a Roman nobleman, protector of the arts; now used as patron)

9. Parecía que la nube trataba de opacar el sol.

   opacar: hacer opaco, obscurecer.

10. El guitarrista chileno hace una paya en un momento.

    paya: composición poética que improvisan y acompañan con la guitarra los payadores

11. Yo nunca he oído a un payador.

    payador: campesino que improvisa canciones o payas que acompaña con la guitarra

12. Hoy día es raro el programa radial que no tenga anuncios comerciales.

    radial: de radio

13. La radioemisora KALI es una de las más populares.

    radioemisora: estación de radio

14. En nuestras escuelas no usamos el silabario.

    silabario: libro para enseñar a leer con sílabas sueltas

15. Muchos artistas iban a la tertulia.

    tertulia: reunión de personas (club, circle, evening or afternoon party)

16. La dama está sentada en el último vagón del tren.

    vagón: carruaje de ferrocarril, coche

DE LA noche a la mañana, Luis Humberto Campos (Campito para sus amigos y conocidos) 32 años, soltero, vecino de Pachacama, se convirtió en cotizado artista radial. Después de algunas actuaciones, recibió dos invita-
5 ciones para viajar al extranjero: del Embajador de México y del Agregado Cultural de la Embajada del Brasil.

Llegó a Santiago en un momento muy especial. Los directivos de la Feria de Arte popular buscaban un contendor

Luis Humberto Campos
(*Revista Ercilla*, Santiago,
Chile)

para el payador sureño Críspulo Gándara sin **encontrar** a
nadie. Ya daban por irrealizable el *match* de payas del
programa, cuando apareció Campito. Lo traía el folklorista
y exdirector del Instituto Pedagógico de Valparaíso, Juan
5 Uribe Echeverría.

DE CAMIONERO A ESTRELLA

La Feria se clausuró, pero a Campito le quedó gustando
la vida capitalina, que jamás había conocido. Vivió de fiesta
en fiesta y de comida en comida, siempre sin desmedirse, y
10 con esa dignidad típica del campesino. De camionero de
campo, pasó a ser el centro de las tertulias santiaguinas,
alternando con artistas, bohemios e intelectuales.

Muy pronto Campito se aburrió de esa vida y partió de
regreso a casa de su madre, con la que ha vivido siempre.
15 Trató de adaptarse nuevamente a su ambiente, y buscó trabajo. Volvió a Santiago, y fue contratado por Radio Portales,

santiaguinas: referring to Santiago, capital of Chile

donde se le paga más de lo que ganaba manejando camiones: 20 escudos por actuación. Pero como solamente lo ocupan los domingos, el payador sigue empeñinado en buscar trabajo como chófer:

20 escudos por actuación: about $7 for a performance

5 —No quiero estar de ocioso. No me hago a la idea de ser un artista. Mi profesión es la de camionero.

Uno de los mecenas de Campito es Lorenzo Berg, director del Museo de Arte Moderno. En su casa se aloja con frecuencia. Contó:

10 —Es cargadito a la ternura. En la Feria se le conocieron muchas enamoradas, pero él siguió impasible y como si las cosas le resbalaran. Incluso, venía una dama a buscarlo en auto, al que subía con la misma indiferencia y actitud, como si fuera una carreta. Muchas lo encontraron parecido a Frank 15 Sinatra, y lo apodaron «el Sinatra del campo.» Es miembro de una cofradía de chinos, en la que dirige los bailes y cantos durante sus fiestas religiosas.

Campito es tímido, y no le gusta estar rodeado de mucha gente:

20 —La primera vez que fui invitado a payar a Valparaíso, para sentirme importante, me instalé en el tren que viaja de La Calera al puerto. Elegí el último vagón, donde no había pasajeros, para que no me molestara la gente. Pasó el rato y yo leyendo el diario. Cuando terminé de leer, me asomé a la 25 ventanilla: ni luces de la locomotora. Era un vagón que no estaba conectado al tren que ya había salido hacía mucho rato.

«EL SINATRA»

Campito nació payando:

30 —Hacía mis payas desde que era niñito. Tengo diez canciones propias. Nunca estudié en colegio. Aprendí solito. En tres días sabía leer. Cuando quise sacar documentos para manejar, me dijeron que tenía que saber leer y escribir. Compré un silabario, y le pedí a un tío mío que me dijera el 35 nombre de las letras y el sonido. Me las aprendí. Después mi tío me dijo cómo juntarlas, y al tercer día yo ya sabía leer correctamente. No le diré que leía rápido, pero leía. Después aprendí, solo, también, a sumar, restar, dividir y multiplicar. Música sé solamente de oído. Yo improviso con mi guitarra. 40 Cuando no la tengo conmigo, me siento como «pilucho,» como que me faltara alguna cosa.

pilucho: naked

A los once años, Campito debutó como tractorista, y a los dieciséis, principió a manejar camiones. También fue conductor de carroza fúnebre. Es separado y padre de una hija. Se dice soltero. Sobre su fracaso matrimonial payó:

carroza fúnebre: hearse

5 El matrimonio es una estrella.
La culpa la tuvo ella,
porque ella misma me dejó.
Su padre le aconsejó:
le dijo que yo era pobre
10 y que el otro tenía unos cobres,
que ahora se le acabó.

En sus presentaciones radiales lucha contra otro colega a paya limpia. Su contendor cantó en defensa de las mujeres de Valparaíso, y Campito «sacó pecho» por las capitalinas.
15 El payador porteño aseguró que las santiaguinas eran poco serias, porque subían al San Cristóbal a pololear. Campito le respondió:

sacó pecho: stuck up for, supported
porteño: from the port city, that is, from Valparaíso
pololear: to flirt

Se suben al morro
pero no ponen el gorro,
20 como las mujeres del puerto.

ponen el gorro: annoy, bore

Un día, Campito fue invitado a enfrentarse con un cantor:
—El se sabía versos por libro y de memoria. Yo improvisaba. Payamos una noche y un día, sin parar, hasta que el cantor comenzó a repetir los versos que se sabía. Lo mío es
25 una cuestión interminable. Para quedarme callado, tiene que darme un derrame cerebral o una enfermedad a la garganta.
El arte popular en Chile está desapareciendo. La fabricación en serie de brillantes fantasías pretende opacar la platería indígena, que huele a historia y a esfuerzo humano.
30 Los *disc jockeys* trabajan sin descanso, esforzándose a diario por asesinar el buen gusto del público con los *hits* del momento. Los avisos cantados pueblan las radioemisoras, tratando de vencer por cansancio la resistencia del auditor a la compra de un producto. Dentro de esta ofensiva, hombres
35 como Campito, sus payas y cantos reviven lo auténtico y espontáneo de nuestro folklore.

PREMIO AL PAYADOR

Por unanimidad, los regidores de la Municipalidad de Talcahuano acordaron la semana pasada otorgar el premio

Críspulo Gándara (Revista Ercilla, Santiago, Chile)

«Municipalidad de Arte» al payador Críspulo Gándara. El premio se confiere por primera vez, y consiste en una guitarra. Don Críspulo vino a Santiago para escogerla. Eligió una española de doscientos cincuenta escudos. Contó:

5   Cumplí 77 años. Hace cuarenta que vivo en Talcahuano trabajando. La Municipalidad es clienta mía hace mucho tiempo, pero siempre me conocían sólo como industrial en hojalatería. Gracias a la entrevista que me publicó *Ercilla*, cuando me trajeron a la Feria, me conocieron como artista.

10   Don Críspulo improvisó una paya de agradecimento a *Ercilla*, que cantará la próxima semana en la entrega del premio:

doscientos cincuenta escudos: about $85

Revista que hace furor,
lo tengo que declarar,
está ayudando a triunfar
a un anciano payador.
Ayudando a mi persona
esta gran revista *Ercilla*
en forma noble y sencilla
me colocó las hormonas.
Del magnate al palomilla,
el puerto de Talcahuano
me ha tendido la mano
para mi paya sencilla.
Mil gracias a esta revista,
lo declaro y muy sincero;
la gratitud de un chorero
mientras el cuero resista.

palomilla: common man

chorero: one who protests

Diccionario

1. **aburrirse:** cansarse, molestarse (to become bored)
   Es fácil (   ) de la música monótona.

2. **ambiente:** lo que rodea (environment)
   El vivía en un (   ) intelectual.

3. **asomarse:** mirar por, empezar a mostrarse (to look out of, to begin to appear)
   Es peligroso (   ) a la ventana de un piso alto.

4. **camionero:** una persona que conduce un camión
   El salario de un (   ) no se compara al de un artista.

5. **cansancio:** fatiga
   El (   ) lo dominó y se quedó dormido.

6. **cargadito:** inclinado (a little heavy on the side of, leans toward)
   Juan es un poco (   ) al sentimiento.

7. **clausurar, clausurarse:** cerrar, terminar
   El ministro vino a (   ) el año escolar.

8. **cofradía:** hermandad, fraternidad
   Todo muchacho americano tiene una (   ) favorita a la cual quisiera pertenecer.

9. **contendor:** uno que contiende, que lucha, que batalla
   Mi primo fue (   ) una vez en un programa de aficionados.

10. **cotizado:** de valor, aclamado
    Miguel Aceves Mejía es un (   ) artista radial.

11. **derrame cerebral:** hemorragia (brain hemorrhage)
    Una persona que sufre un (   ) queda en muy mal estado.

12. **desmedirse:** excederse
    Aunque tiene mucho dinero, siempre trata de no (   ) en la compra de su ropa.

13. **empecinado:** terco (stubborn)
    Tomás Edison fue un hombre (   ) en la investigación.

14. **entrega:** acción de entregar, de dar (act of rewarding, delivery)

Yo estuve presente en la (   ) de los premios.

15. **garganta:** parte anterior del cuello (throat)
Cuando le duele la (   ), no canta.

16. **hojalatería:** arte de o tienda de objetos de hojalata (the art of making tin plate, or utensils of it; tin shop)
Los indios del Perú han cultivado la (   ).

17. **improvisar:** hacer pronto y sin preparación
Algunos alumnos son buenos para (   ) poesías.

18. **manejar:** guiar (to drive)
Yo sé (   ) mi auto.

19. **mecenas:** protector, caballero romano, conocido protector de los literatos (a Roman nobleman, protector of the arts; now used as patron)
El (   ) se interesa en ayudar al escritor joven y cuidar sus intereses.

20. **ocioso:** que no trabaja
Juanito no es (   ) pero le gusta descansar.

21. **opacar:** hacer opaco, obscurecer
Con un poco de carbón se puede (   ) un cristal.

22. **otorgar:** dar, conferir
Mañana van a (   ) el premio a Juan Alacrán.

23. **paya:** composición poética que improvisan y acompañan con la guitarra los payadores
Campito improvisó una (   ) en un minuto.

24. **payador:** campesino que improvisa canciones o payas que acompaña con la guitarra
Anoche escuchamos un (   ) en el teatro argentino.

25. **platería:** arte del platero o tienda donde se vende plata (trade of the silversmith or his shop)
La (   ) indígena es muy antigua.

26. **radial:** de radio
La NBC es una compañía (   ) de mucho poder.

27. **radioemisora:** estación de radio
Cerca de mi casa hay una (   ).

28. **resbalarse:** deslizarse (to slip, to slide)
Hay peligro de (   ) en el hielo.

29. **silabario:** libro para enseñar a leer con sílabas sueltas
El padre de mi abuelo aprendió a leer con un (   ).

30. **soltero:** uno que no está casado (bachelor)
El (   ) se encuentra muy en demanda en las fiestas.

31. **sureño:** del sur
Un natural de Oaxaca es un (   ) de México.

32. **ternura:** cariño, afecto, dulzura, afección (tenderness, fondness)
El niño necesita la (   ) de su madre más que la de otra persona.

33. **tertulia:** reunión de personas (club, circle, evening or afternoon party)
Durante la primera década de este siglo, la (   ) figuró mucho en el desarrollo de la literatura de México.

34. **vagón:** carruaje de ferrocarril, coche
Campito se quedó solo en el (   ).

Para la Comprensión

1. ¿Cómo se llamaba Campito?

2. ¿Cuántos años tenía?

3. ¿Cuándo lo invitaron a visitar al extranjero?

4. ¿Quiénes enviaron las invitaciones?

5. ¿Cuándo llegó a Santiago?

6. ¿Qué buscaban los directivos de la Feria de Arte popular?

7. ¿Cómo se llamaba el payador sureño?

8. ¿Cuándo apareció Campito?

9. ¿Quién lo traía entonces?

10. ¿Le gustó la vida capitalina a Campito?

11. ¿Cómo vivió allí?

12. ¿Por qué regresó Campito a la casa de su madre?

13. Al volver a su hogar materno ¿qué hizo?

14. ¿Quién lo contrató cuando volvió a Santiago?

15. ¿Dónde ganaba más?

16. ¿Cuánto recibía por actuación?

17. ¿Le gustaba a Campito estar de ocioso?

18. Según él ¿cuál era su profesión?

19. ¿Quién era uno de los mecenas de Campito?

20. ¿Cómo describe Lorenzo Berg a Campito?

21. ¿A quién le encuentra parecido la gente?

22. ¿Le gusta a Campito estar rodeado de gente?

23. ¿Qué le pasó cuando fue a Valparaíso por primera vez?

24. ¿Desde cuándo comenzó a hacer payas?

25. ¿Cuánto tardó en aprender a leer?

26. ¿Cómo aprendió?

27. ¿Le gusta a Campito andar sin su guitarra?

28. ¿Cómo se siente sin ella?

29. Describa la lucha de Campito contra el payador de Valparaíso.

30. Describa su encuentro con el cantor.

31. ¿Cómo ayudan los hombres como Campito a la industria radial?

32. Relate lo de la entrega del «Premio al payador.»

33. ¿Qué hizo don Críspulo para mostrar su gratitud a la revista *Ercilla*?

34. ¿En qué consiste el premio «Municipalidad de Arte»?

35. ¿Cómo le conocía la población a don Críspulo?

Estructura

EL SUBJUNTIVO CON *PARA QUE*

Según el modelo, cambie la oración para emplear el subjuntivo. Cuidado con la concordancia de los tiempos de los verbos.

MAESTRO: Traeré los libros para estudiar.
ESTUDIANTE: Traeré los libros para estudiar.
MAESTRO: tú
ESTUDIANTE: Traeré los libros para que estudies.

1. ellos
2. nosotros
3. ella
4. él

Arregló la cama para acostarse.
5. yo
6. nosotros
7. ella
8. Juan
9. tú
10. él

Compraremos un jabón para bañarnos.
11. tú
12. ella
13. yo
14. ellos
15. él
16. María y Rosa

Cantaron en la fiesta para no enfadarse.
17. nosotros
18. tú
19. él
20. yo
21. Uds.
22. ellos

Tocan los discos para divertirse.
23. nosotros
24. tú
25. ella
26. yo
27. él
28. ellos

Llevaste un cuchillo para cortar la carne.
29. nosotros
30. él
31. ellos
32. yo
33. María
34. Juan y Paco
35. ella
36. ellas
37. Juan y yo
38. Pablo

EL SUBJUNTIVO CON OTRAS CONJUNCIONES + QUE

Según el modelo, cambie la oración para emplear el verbo nuevo.

> MAESTRO: Traeremos el libro para que lean.
>
> ESTUDIANTE: Traeremos el libro para que lean.
>
> MAESTRO: divertirse
>
> ESTUDIANTE: Traeremos el libro para que se diviertan.

1. repetir la lección
2. comprender mejor
3. escoger un modelo
4. fijarse en los nombres

Compraré el coche antes de que te vayas.
5. pintar la casa
6. arreglar el jardín
7. gastar el dinero
8. acabar el curso
9. pagar la cuenta

Arreglarán la puerta con tal (de) que ayudemos.
10. escoger la pintura
11. olvidar lo que pasó
12. pagar pronto
13. comprar otra cortina
14. estar contentos

No arreglarán la puerta a menos que ayudemos.
15. escoger la pintura
16. olvidar lo que pasó
17. pagar pronto
18. comprar otra cortina
19. estar contentos

CONJUNCIONES Y CONCORDANCIA DEL SUBJUNTIVO

Emplee la forma apropiada del subjuntivo según el tiempo del verbo de la oración principal.

> MAESTRO: Lavaré el coche antes de que vengan.
>
> ESTUDIANTE: Lavé el coche antes de que vinieran.
>
> MAESTRO: Juego con ellos con tal que no molesten.
>
> ESTUDIANTE: Jugaba con ellos con tal que no molestaran.

1. Dejo a la niña a menos que llueva.
2. Volveré pronto con tal que me esperen.
3. Me quedaré en caso de que llamen por teléfono.
4. Los baño antes de que se acuesten.

EJERCICIOS CREATIVOS

EL RASTREADOR

1. Se está produciendo una película que trata del gaucho tradicional de la Argentina. Escriba Ud. una escena que trate de un robo o de otro crimen en la cual tienen que llamar a un rastreador para encontrar al delincuente. No se olvide que esta escena tiene que ser en forma dialogada y con adecuadas instrucciones para los actores y el director.

2. ¿Qué rasgos tenían en común el rastreador y el *scout* del Oeste (de los Estados Unidos)? ¿Cómo se diferenciaban? Prepárese a hablar sobre estas ideas en clase.

EL MATADOR

3. En algunas profesiones u oficios algunos creen que para lograr algo es necesario ser dramático, jactancioso, y hasta ridículo. Para éstos la modestia significa timidez y debilidad. Nombre algunas personas de varios campos de actividades, bien sea los deportes, el cine, la política, el teatro, etc., que se han portado algo como el matador del cuento—arrogantes, altivas, dramáticas, que hacen poco caso a otros,[1] etc.

CAMPITO, PAYADOR DE PACHACAMA

4. Prepare una composición sobre Campito. Incluya detalles acerca de su vida, su educación, su oficio, y por fin, su éxito como payador.

5. Escriba un párrafo describiendo el arte del payador. ¿En qué consiste su talento?

6. Los santiaguinos le apodaron «el Sinatra del campo.» ¿Cómo se diferencian los dos hombres?

7. Siga Ud. con esta conversación, basándola en la anécdota de la página 42.

EMPRESARIO: ¡Hola, Campito! Por fin has llegado. Creía que ibas a perder la función de esta noche. Dime, hombre, ¿qué te pasó?

CAMPITO: Pues, me sucedió algo muy inesperado.

EMPRESARIO: ¿Qué sería? Mandé a Fulano a la estación para buscarte, pero no estabas.

CAMPITO: . . . .

---

[1] **hacen poco caso a otros:** pay little attention to others

Carlos Etayo
(*Mundo Hispánico*,
Madrid, Spain)

Cuadro 3 · EL HEROISMO

Preparando la Escena. *En la literatura universal hay miles de cuentos que tratan de la conducta heroica y las hazañas valientes. Estos cuentos pasan por los años, aumentando en popularidad, no sólo porque son muy emocionantes sino que también tienen valor inspirativo.*

En los anales del heroísmo uno puede encontrar muchos nombres españoles. Inmortalizados en canción y cuento son los hechos heroicos del Cid, las atrevidas aventuras de Pizarro, Cortés, y los demás conquistadores quienes abrieron las puertas al Nuevo Mundo. Célebres son las titánicas luchas de Bolívar y San Martín en el movimiento independentista de la América del Sur.

Y mientras que algunos han ganado la fama mundial a causa de su valor y de su coraje, otros, igualmente valerosos, han muerto en la oscuridad, desconocidos, los olvidados de nuestros días.

BOLÍVAR

por Luis Llorens Torres

Introducción

Entre los hombres más heroicos del mundo hay que señalar a Simón Bolívar ... hombre de sueños, de ideales, de ambiciones, y de hazañas incomparables en la lucha por la independencia sudamericana. Uno lo llamó «el primer ciudadano del mundo»; otro, «la gloria del Nuevo Mundo»; aún otros lo nombraron «el gran libertador,» y alguien ha dicho que Bolívar fue «supereminente sobre todos los héroes que viven en el Templo de la Fama.»

Luis Llorens Torres (1878–1944), poeta central del modernismo puertorriqueño, lo ha inmortalizado en la poesía. Nos dice que Bolívar fue en todo, grande.

Guía de Estudio

Este poema nos presenta varios aspectos de la personalidad de Bolívar. La primera línea indica que tenía varias profesiones. Además de ser un soldado valeroso, Bolívar también fue caballero.

Palabras Clave

1. Está prohibido arrojar papeles fuera de la ventana.

   arrojar: lanzar, tirar (to throw)

2. El arrojo que tiene contribuye mucho al éxito de la campaña.

   arrojo: atrevimiento, intrepidez, determinación (daring)

3. El joven nos habló con cortesía.

   cortesía: atención y respeto

4. Me gustan los cuentos de capa y espada.

   espada: arma blanca, recta, de punta y filo, con empuñadura (sword)

5. Sería difícil determinar la hazaña más famosa del Cid.

   hazaña: hecho ilustre o célebre (deed)

6. Nacer en el siglo veinte es vivir en un mundo de grandes avances científicos.

   nacer: venir al mundo (to be born)

7. Con gritos de—¡Viva la patria!—los patriotas empezaron la batalla.

   patria: lugar donde se ha nacido (fatherland)

8. Ese soldado es veterano de la segunda guerra mundial.

   soldado: el que sirve en el ejército de una nación (soldier)

9. La valentía de los soldados aseguró la victoria.

   valentía: valor, ánimo (courage)

Político, militar, héroe, orador y poeta.
Y en todo, grande. Como las tierras
   libertadas por él,
por él, que no nació de patria alguna,
sino que muchas patrias nacieron
   hijas de él.

5

Simón Bolívar (Bolivarian
Society of the United States)

Tenía la valentía del que lleva una espada.
Tenía la cortesía del que lleva una flor.
Y entrando en los salones arrojaba la espada;
y entrando en los combates arrojaba la flor.

5   Los picos del Ande no eran más, a sus ojos,
que signos admirativos de sus arrojos.
    Fue un soldado poeta, un poeta soldado,
y cada pueblo libertado
era una hazaña del poeta y era un poema
10   del soldado.
Y fue crucificado . . .

Diccionario

1. **arrojar:** lanzar, tirar (to throw)
   Es peligroso (   ) piedras cerca de la escuela.

2. **arrojo:** atrevimiento, intrepidez, determinación (daring)
   Entrar en la batalla sin armas fue signo de su (   ).

3. **cortesía:** atención y respeto
   Los niños deben hablar con (   ) a sus padres.

4. **crucificado:** mortificado o sacrificado
   Bolívar fue (   ) en el sentido figurado de la palabra.

5. **espada:** arma blanca, recta, de punta y filo, con empuñadura (sword)
   El torero mató al toro con la (   ).

6. **hazaña:** hecho ilustre o célebre (deed)
   Cruzar los Alpes con elefantes fue una (   ) increíble.

7. **libertadas:** puestas en libertad, libradas, salvadas
   Una de las tierras (   ) por Bolívar lleva su nombre.

8. **nacer:** venir al mundo (to be born)
   Las naciones como las personas tienen que (   ) para vivir.

9. **patria:** lugar donde se ha nacido (fatherland)
   Lucharon para conservar la independencia de la (   ).

10. **picos:** cúspides de una montaña, montañas puntiagudas (peaks)
    Aún en el verano los (   ) de esa cordillera están cubiertos de nieve.

11. **signo:** indicio, señal (sign)
    Lo consideran un (   ) de buena suerte.

12. **sino:** pero, conjunción en sentido adversativo
    No fue María quien lo hizo (   ) Juan.

13. **soldado:** el que sirve en el ejército de una nación (soldier)
    Un (   ) guardaba cada entrada de la fortaleza.

14. **valentía:** valor, ánimo (courage)
    Bolívar tenía la (   ) de un héroe.

Para la Comprensión

1. Además de ser un gran héroe ¿qué fue Bolívar?

2. ¿Cómo lo compara el autor con las tierras que libertó?

3. Según la primera estrofa ¿qué patria produjo a Bolívar?

4. ¿Cuántas patrias nacieron hijas de él?

5. ¿Qué símbolo de valentía emplea el autor?

6. ¿Qué símbolo de cortesía emplea el autor?

7. Repita las líneas que nos dicen que Bolívar sabía cuándo ser caballero y cuándo ser soldado.

8. ¿Qué hacía Bolívar al entrar en combate?

9. ¿Qué hacía al entrar en un salón?

10. ¿Cuáles son las líneas que nos indican que aún la grandeza de las montañas se sometía a la grandeza del hombre?

11. A la vista de Bolívar ¿qué eran los picos del Ande?

12. ¿Fue poeta o soldado Bolívar?

13. ¿Qué era cada pueblo libertado?

14. ¿Qué fin tuvo Bolívar según este poema?

Estructura

EL ARTICULO INDEFINIDO CON PREDICADO
NOMINAL MODIFICADO

Cambie la oración según el modelo.

MAESTRO: Su padre es político. (listo)

ESTUDIANTE: Su padre es un político listo.

1. Ese hombre es poeta. (famoso)
2. Mi amigo es profesor. (bueno)
3. Bolívar fue militar. (célebre)
4. Tu hermano es soldado. (valiente)

5. Quiere ser orador. (conocido)
6. Juan es español. (alto)
7. Ese señor es catalán. (orgulloso)
8. Ese joven es colombiano. (simpático)
9. El caballero es venezolano. (rico)

Cambie la oración según el modelo.

MAESTRO: Su padre es un político listo.

ESTUDIANTE: Su padre es político.

10. Mi tío es un comerciante rico.
11. Bolívar fue un militar famoso.
12. Mi hermano es un carpintero excelente.
13. Quiere ser un artista conocido.
14. El amigo de Juan es un soldado valiente.
15. Pedro es un vasco alto.
16. Es un torero arrogante.
17. Ese viejo es un peruano célebre.
18. Don Ramón es un mexicano gracioso.

EL USO DE *SINO*
Repita Ud. las oraciones siguientes.

1. No comen carne sino legumbres.
2. No beben agua sino vino.

3. No usan lápiz sino pluma.
4. No fuman puros sino cigarrillos.
5. No llevan abrigos sino chaquetas.
6. No bailan el merengue sino el chachachá.
7. No quieren rosas sino azucenas.
8. No leen periódicos sino revistas.
9. No hablan inglés sino español.
10. No sirven helado sino pastel.

Cambie la oración según el modelo.

MAESTRO: No lápiz, pluma.

ESTUDIANTE: No quiero lápiz sino pluma.

MAESTRO: No libro, cuaderno.

ESTUDIANTE: No quiero libro sino cuaderno.

11. No pesos, dólares.
12. No camisa, suéter.
13. No leche, agua.
14. No pastel, helado.
15. No café, chocolate.
16. No enemigos, amigos.
17. No una novela francesa, una novela española.
18. No un radio, un televisor.

EL ALCÁZAR NO SE RINDE

por Carlos Ruiz de Azilú

Introducción

Durante la Guerra Civil en España las fuerzas republicanas se habían apoderado de la ciudad de Toledo. Asediados en el Alcázar de Toledo había algunos insurgentes quienes se habían negado a entregar el armamento y las municiones de este centro militar a los republicanos. El contingente, bajo el comandante militar, coronel Moscardó, había jurado morir si fuera preciso antes que rendirse.

Guía de Estudio

Para ser héroe, muchas veces es necesario sacrificar algo. Hay dos héroes identificados en este cuento del Alcázar de Toledo. ¿Quiénes son? ¿Por qué lo son?

Palabras Clave

1. ¿Cuántos soldados hay en el alcázar?

   alcázar: fortaleza (fortress)

2. El aparato no funciona.

   aparato: instrumento; en este caso, teléfono

3. Los soldados saludaron al coronel.

   coronel: oficial que manda un regimiento

4. El coronel trabajaba en su despacho.

   despacho: oficina, lugar donde se trabaja

5. Capturaron al ladrón y lo van a fusilar.

   fusilar: matar con una descarga de pistola o escopeta (to shoot)

6. ¿Quién es el jefe de la milicia?

   jefe: superior o principal de un cuerpo o asociación, líder

7. Prefieren morir antes que rendirse.

   rendirse: entregarse, sujetarse al dominio de otros (to surrender)

E

RAN APROXIMADAMENTE las diez de la mañana del día 23 de julio de 1936 cuando sonó el teléfono del despacho del coronel Moscardó. Se hallaba éste rodeado de varios de los jefes del Alcázar y otros oficiales, organizando
5 la defensa exterior y la acomodación del personal refugiado. Pausadamente se levantó el coronel y se dirigió al teléfono.

La conversación de aquella llamada telefónica ha de contarse entre los diálogos más heroicos de nuestros días:

—¿Quién está al aparato?

10 —Soy el jefe de las milicias socialistas. Tengo la ciudad en mi poder, y si dentro de diez minutos no se ha rendido usted, mandaré fusilar a su hijo Luis, que lo he detenido, y para que vea que es así, él mismo le hablará. «A ver, que venga Moscardó.»

15 En efecto, el padre oye a su hijo Luis, que le dice tranquilamente por el aparato:

—Papá, ¿cómo estás?

—Bien, hijo mío. ¿Qué te ocurre?

—Nada de particular. Que dicen que me fusilarán si el
20 Alcázar no se rinde, pero no te preocupes por mí.

—Mira, hijo mío; si es cierto que te van a fusilar, encomienda tu alma a Dios, da un ¡Viva Cristo Rey! y otro ¡Viva España!, y muere como un héroe y mártir. Adiós, hijo mío; un beso muy fuerte.

25 —Adiós, papá; un beso muy fuerte.

personal refugiado: refugee personnel

ha de contarse: has to be considered

El Alcázar de Toledo (Spanish National Tourist Office)

A continuación se oye nuevamente la voz del jefe de milicias, preguntando:

—¿Qué contesta usted?

El coronel Moscardó pronuncia estas sublimes palabras:

5 —¡Que el Alcázar no se rinde y que sobran los diez minutos!

A los pocos días fue asesinado vilmente don Luis Moscardó Guzmán, joven de diecisiete años, nuevo mártir de la Cruzada.

10 Cuando el coronel Moscardó colgó el auricular, un silencio impresionante que nadie se atrevía a romper, reinaba en su

colgó el auricular: hung up the receiver

despacho. Todos comprendían la magnitud del sacrificio ofrecido a la Patria y la singular heroicidad del gesto. Intensamente pálido y con los ojos entristecidos por la angustia de su drama interior, el coronel Moscardó rompió el silencio, dirigiéndose a sus colaboradores:

—Y bien, señores, continuemos. . . .

Diccionario

1. **alcázar:** fortaleza (fortress)
   Asediados en el ( ) había muchos hombres.

2. **angustia:** dolor moral profundo (anguish)
   Todos podían comprender la ( ) que sentía el padre del hijo muerto.

3. **aparato:** instrumento para ejecutar una cosa
   ¿Dónde está el ( ) de radio?

4. **beso:** acción de besar (kiss)
   Mamá me dio un ( ) y dijo:—Eres un buen niño.

5. **colgar:** suspender una cosa en otra (to hang)
   Voy a ( ) mi abrigo en este clavo.

6. **coronel:** oficial que manda un regimiento
   Hay tres oficiales allí . . . un teniente, un capitán y un ( ).

7. **despacho:** oficina, lugar donde se trabaja
   El coronel escribía en su ( ) cuando recibió la noticia.

8. **detener:** parar, arrestar (to detain, arrest)
   Van a ( ) al asesino hasta que vengan los demás.

9. **encomendar:** recomendar, confiar (to entrust)
   —Tienes que ( ) tu alma a Dios,—dijo el padre.

10. **entristecidos (entristecer):** tristes, causado por la tristeza (saddened)
    Tenía los ojos ( ) por la profunda emoción que sentía.

11. **fusilar:** matar con una descarga de pistola o escopeta (to shoot)
    Creo que van a ( ) a los culpables.

12. **gesto:** ademán, demostración (gesture)
    Con un ( ) de impaciencia repitió las instrucciones.

13. **jefe:** superior o principal de un cuerpo o asociación, líder
    ¿Sabes quién es el ( ) del partido republicano en estos días?

14. **mandar:** ordenar una cosa
    El que debe ( ) aquí es el general, no el coronel.

15. **rendirse:** entregarse, sujetarse al dominio de otros (to surrender)
    Los asediados en el Alcázar no querían ( ).

16. **romper:** quebrar, hacer pedazos una cosa, interrumpir (to break)
    Nadie quería ( ) el silencio de aquel momento dramático.

17. **sobrar:** exceder, estar una cosa de más, haber más de lo necesario de una cosa
    Veo por la lista de los invitados que van a ( ) los hombres.

18. **sonar:** hacer ruido una cosa (to sound, ring)
    Creo que van a ( ) la campana en diez minutos.

19. **vilmente:** de una manera vil, despreciable
    El hijo del coronel Moscardó fue asesinado ( ).

Para la Comprensión

1. ¿Quién es el coronel Moscardó?
2. ¿Quién le llamó por teléfono?
3. ¿Qué le dijo?
4. ¿Con quién habló el coronel entonces?
5. ¿Qué consejo le dio a su hijo el coronel?
6. ¿Con quién volvió a hablar el coronel?
7. ¿Qué le dijo?
8. ¿Qué pasó a los pocos días?
9. Cuando el coronel Moscardó colgó el auricular, ¿qué reinaba en su despacho?
10. ¿Qué comprendían los que habían escuchado la conversación entre padre e hijo?
11. ¿Quién rompió el silencio por fin?
12. ¿Qué dijo él?
13. ¿Por qué podemos llamarles héroes al coronel y a su hijo?

Estructura

FORMAS DEL IMPERATIVO

Cambie el verbo del singular al plural.

MAESTRO: Mire Ud. al profesor.
ESTUDIANTE: Miren Uds. al profesor.
MAESTRO: Pida Ud. un vaso de agua.
ESTUDIANTE: Pidan Uds. un vaso de agua.

1. Cante Ud. en voz alta.
2. Busque Ud. un libro nuevo.
3. Camine Ud. despacio.
4. Responda Ud. en español.
5. Toque Ud. la campana.
6. Duerma Ud. en esa cama.
7. Vaya Ud. al centro.
8. Arroje Ud. el papel.

Cambie el verbo a la forma negativa.

MAESTRO: Mire Ud. al profesor.
ESTUDIANTE: No mire Ud. al profesor.

9. Pida Ud. un vaso de agua.
10. Cante Ud. en voz alta.

11. Busque Ud. un libro nuevo.
12. Camine Ud. despacio.
13. Responda Ud. en español.
14. Toque Ud. la campana.
15. Duerma Ud. en esa cama.
16. Vaya Ud. al centro.
17. Arroje Ud. el papel.

Cambie los imperativos del singular al plural según el modelo.

MAESTRO: Mira al profesor.
ESTUDIANTE: Mirad al profesor.

18. Lee en español.
19. Escribe en la pizarra.
20. Da un grito.
21. Habla con entusiasmo.
22. Busca por todas partes.
23. Abre las ventanas.
24. Cierra las ventanas.
25. Come despacio.

Cambie la oración al negativo según el modelo.

MAESTRO: Mira al profesor.
ESTUDIANTE: No mires al profesor.

26. Lee en español.
27. Escribe en la pizarra.
28. Da un grito.
29. Habla con entusiasmo.
30. Busca por todas partes.
31. Abre las ventanas.
32. Cierra las ventanas.
33. Come despacio.

Cambie la oración según el modelo.

MAESTRO: Y bien, señores, continuemos.
ESTUDIANTE: Y bien, señores, vamos a continuar.

34. Respondamos en español.
35. Sigamos este camino.
36. Escribamos la carta juntos.
37. Comamos ahora mismo.
38. Miremos al maestro.
39. Preparemos una buena comida.

40. Juguemos al béisbol.
41. Repitamos las oraciones en coro.
42. Leamos de la vida de Bolívar.

SUBJUNTIVO COMO MANDATO INDIRECTO

Repita Ud. las oraciones siguientes.

1. Que venga Moscardó
2. Que vengan ellos.
3. Que lo haga él.
4. Que lo hagan los demás.
5. Que entre María.
6. Que entren los jóvenes.
7. Que Dios te proteja.
8. Que vuelva mañana.
9. Que salgan todos.
10. Que lo pague Juan.

Cambie la oración del singular al plural según el modelo.

MAESTRO: Que venga ella.
ESTUDIANTE: Que vengan ellas.

11. Que entre la chica.
12. Que lo lea el alumno.
13. Que lo escriba el joven.
14. Que descanse en paz.
15. Que sufra el culpable.
16. Que lo haga el amigo de Juan.
17. Que lo recite él.
18. Que nos visite ella.
19. Que salga la criada.

Haga los cambios necesarios para formar el mandato indirecto.

MAESTRO: María quiere entrar.
ESTUDIANTE: Que entre María.

20. Ellos quieren salir.
21. Los alumnos quieren leer.
22. El obrero quiere descansar.
23. Los hombres quieren levantarse.
24. El perezoso quiere trabajar.
25. La chica quiere cantar.
26. Rosa quiere bailar.
27. El quiere responder.
28. Los niños quieren acostarse.

HEROES DE UNA AVENTURA QUE GLORIFICA A ESPAÑA

Introducción

Presentemos al señor Carlos Etayo, teniente de navío, quien por su voluntad y audacia ha introducido otra página gloriosa en la historia de España y merece consideración como héroe de nuestros días. El artículo que sigue apareció en *La Prensa*, periódico de Nueva York, martes, el 29 de enero de 1963.

Guía de Estudio

Tenemos muchas experiencias por los ojos de otras personas. Supongamos, sin embargo, que en realidad usted va a reconstruir un suceso tan singular como un viaje de Cristóbal Colón. Piense un poquito en la organización necesaria y lea Ud. como Etayo cumplió su empresa. ¡No es extraño que se le considere un héroe moderno!

Palabras Clave

1. Se habla del viaje colombino en muchos libros de historia.

   colombino: relativo a Cristóbal Colón (Columbian, relating to Christopher Columbus)

2. El hecho nos indica la correa que tiene el capitán.

   correa: paciencia, fuerza, resistencia

3. El faro sirve de guía a los marineros.

   faro: torre alta en las costas, con luz en la parte superior (lighthouse, beacon)

4. Piensan llevar a cabo un plan extraordinario dentro de ocho semanas.

   llevar a cabo: concluir, ejecutar (to carry through)

5. Construyeron una casa de madera y adobe.

   madera: substancia dura de los árboles (wood)

6. Las naves de Cristóbal Colón no eran muy grandes cuando se las compara con los navíos modernos.

   naves: barcos

   navíos: barcos grandes

7. Entre las labores más penosas estaba la construcción de la nave.

   penosas: trabajosas, difíciles.

8. Quiero saber todos los pormenores de la fiesta.

   pormenores: detalles

9. ¿Quién sufriría un riesgo tan grande?

   riesgo: contingencia de un daño (risk)

10. El teniente dio las órdenes del día.

    teniente: oficial de grado inmediatamente inferior al de capitán

11. Toda la tripulación se preparaba para un viaje largo.

    tripulación: conjunto de los marineros que lleva una embarcación (crew)

LAS GRANDES hazañas de los descubrimientos, conquistas y colonizaciones españolas, fueron obras de unos señores que no les concedieron importancia alguna, de ahí que ni las escribieran ni las contaran. Esta reserva no
5 nos la ha perdonado la historia. Ahora, otro español legendario, Carlos Etayo, teniente de navío, navarro, ha introducido otra página gloriosa en la historia de España, repitiendo con su «Niña II» la hazaña colombina. Su descripción, con naturalidad y sencillez, sin conceder mayor
10 importancia a los riesgos ni a los peligros encontrados, que fueron muchos, ni a la trascendencia del viaje, nos deja admirados, inspirándonos un profundo respeto.

Este joven y apuesto pamplónico revela la correa de aquellos grandes navegantes de origen hispano que compusieron el Mapamundi. Claro que le hemos pedido que no
15 se limite en su silencio, que escriba esta historia que para España sí tiene importancia.

de ahí que: hence

Esta reserva . . . historia: History has not forgiven us for this modesty. (That is, for not attaching importance to such events)
trascendencia: importance

apuesto pamplónico: elegant person from Pamplona

Porque el proceso de este histórico viaje, desde que fue concebido hasta su terminación, es otra prueba del espíritu que anima a un pueblo al que se le consideraba viejo y cuya vitalidad quisieran otros más jóvenes y poderosos.

5 La idea nació en Etayo cuando se proyectó la construcción de las reproducciones de las tres naves colombinas que llegarían a Santo Domingo, para participar en las ceremonias de la inauguración del gran faro de Colón. El duque de Veragua mandaría la «Santa María» y Etayo la «Niña.» El
10 proyecto no se llevó a cabo pero al quedar clavado en el alma de nuestro teniente de navío, decidió éste realizarlo, aunque fuera en parte, todo por su cuenta.

PASOS INICIALES

Durante dos años Etayo visitó archivos y bibliotecas,
15 estudiando detenidamente los pormenores de los viajes de Colón y las características de las tres naves. Compró la mejor madera de roble de Oyarzún, de pino de Vizcaya y el abeto de Navarra para los palos y las arboladuras, y se puso a construir la réplica exacta de la «Niña» en Fuenterrabía.

los palos y las arboladuras: masts and spars

20 Terminada la construcción en un año, Etayo decidió contratar la tripulación, todo lo cual no resultaba sin dificultades ya que las grandes aventuras despiertan recelos y escepticismo en las gentes.

Tampoco en ésta podría faltar el buen padre y aunque
25 sin experiencia marinera alguna, allá estaba don Antonio Sagaseta, amigo y paisano de Etayo, teniente de artillería, ingeniero industrial y finalmente, sacerdote, movido por las injusticias sociales. Como todos, él prestó su mano en las labores más penosas de la navegación y él fue quien pescó
30 el primer tiburón cuyo lomo vino a reforzar la dieta de la tripulación ya bastante limitada.

Porque desde su salida de Las Palmas, la disciplina amistosa impuesta por el capitán se reflejaba también en el régimen comestible y bebestible de la nave, gracias a la cual

el régimen comestible y bebestible: the eating and drinking rules

35 no faltaron por completo no obstante haberse prolongado la travesía 76 días desde su salida del puerto canario, 40 más que Colón, debido a las calmas prolongadas y a los vientos contrarios encontrados.

POCA COMIDA

40 Todos soportaron valientemente el régimen alimenticio aunque era extremadamente exiguo puesto que el desayuno

exiguo: scarce, meager

individual consistía en dos tortas de harina cocidas con aceite
y agua de mar, y queso, con una bota de vino para todos.
Otras dos tortas y un plato de arroz con lentejas, habas o
garbanzos con dos botas de vino para el almuerzo, y dos
5 tortas con higos y pasas y sardinas, arenques o tajadas de
tiburón, cuando la había, con otra bota de vino, para la cena.
Además, un par de copas de ron servían para templar el
cuerpo cuando el tiempo no era benigno, sobre todo durante
los temporales que encontraron, frecuentemente al comienzo
10 de la travesía.

    A excepción de la de los timoneles que era de una hora,
todos los tripulantes hacían guardia de dos horas, y hasta
que a los 51 días les localizó el avión de la armada americana
que salió en su búsqueda desde Puerto Rico, solamente
15 vieron unos cuantos barcos al iniciar el viaje desde Las Palmas.

    Se ha dicho erróneamente que cuando fue hallada por el
avión pilotado por el comandante Anderson, la «Niña II» se
encontraba perdida y también, que se pasó del puerto de
destino impensadamente por lo que tuvo que ser remolcada.

20   La verdad es que si se encontraba distanciada de su ruta
era debido a los procedimientos primitivos que utilizaban
para orientarse, al extremo de que la velocidad de la nave la
calculaban según el tiempo que tardaba en llegar a popa una
tabla lanzada al mar desde la proa. El avión les permitió
25 reorientarla, ahorrándoles así unos cuantos días.

lentejas: lentils

higos y pasas: figs and raisins
arenques o tajadas de tiburón:
  herring or slices of shark meat

timoneles: helmsmen

impensadamente: unexpectedly
remolcada: towed

en llegar a popa: in reaching
  the stern

Mundo Hispánico, Madrid, Spain

El heroísmo

Y en cuanto a su llegada a San Salvador, refiere, como llegaron a esta isla de noche y como el puerto de destino no tiene faro, Etayo se vio obligado a continuar navegando hasta lograr localizarlo por tanteo.

⁵

REGRESO A NUEVA YORK

Etayo regresará a Nueva York después de recibir la condecoración que le prenderá el Embajador de España en Wáshington, don Antonio Garrigues, porque está estudiando las ofertas de compra de la «Niña II» que recibe, y en espera ¹⁰ de la publicación del reportaje que en exclusiva publicará *The Saturday Evening Post*. El es el héroe máximo de esta nueva y gran gesta española puesto que además de proyectarla y de capitanearla, la ha financiado íntegramente.

A excepción del norteamericano Robert Marx, los siete ¹⁵ tripulantes restantes: el padre Sagaseta; Michelle Vialars, veterinario francés; José Valencia Salsamendi, de Pasajes, el vigía que dio el grito de «¡Tierra!»; Antonio Aguirre, de Fuenterrabia; Nicolás Bedoya, del Ferrol; José Ferrer y Manuel Darmande, de Huelva, saldrán próximamente de ²⁰ Nassau donde ahora se encuentran para regresar a España donde se les tributará el recibimiento que se reserva a los valientes que han sabido honrar a la Patria ante el mundo entero.

hasta lograr localizarlo por tanteo: until he succeeded in locating it by approximate calculation

vigía: lookout

Diccionario

1. **abeto:** árbol siempre verde de la familia de las coníferas (fir tree)
   El (   ) abunda en los Pirineos y su madera sirve para construcciones.

2. **ahorrar:** usar menos tiempo, menos trabajo
   Con la ayuda de los otros fue posible (   ) muchas horas de trabajo sin mucha molestia.

3. **arroz:** cereal blanco y harinoso (rice)
   Me gusta comer (   ) con pollo.

4. **bota:** cuero pequeño para guardar el vino (small leather wine bag)
   Para apagar la sed, cada hombre llevaba una (   ) de vino.

5. **búsqueda:** busca (search)
   Tras una (   ) de cuatro horas, encontraron la bolsa perdida.

6. **colombino:** relativo a Cristóbal Colón (Columbian, relating to Christopher Columbus)
   Durante el viaje (   ) muchos creyeron que nunca llegarían al Nuevo Mundo.

7. **correa:** paciencia, fuerza, resistencia
   El jefe revelaba la (   ) de sus ilustres antepasados.

8. **detenidamente:** con detención o cuidado (carefully)
   Estudió el mapa (   ).

9. **faro:** torre alta en las costas, con luz en la parte superior (lighthouse, beacon)

Durante la noche la luz del ( ) ilumina el agua.

10. **garbanzos:** frutos comestibles de la planta leguminosa del mismo nombre (chickpeas)
Esta sopa de ( ) es riquísima.

11. **habas:** legumbre, planta de la familia de las leguminosas, de semilla comestible (bean similar to the lima bean)
Para la cena hay carne, papas fritas, ( ), y ensalada.

12. **llevar a cabo:** concluir, ejecutar (to carry through)
Será difícil ( ) el proyecto durante el tiempo que les queda.

13. **madera:** materia dura de los árboles (wood)
La calidad de la ( ) que se usa para la construcción de un barco debe ser buena.

14. **naves:** barcos
Las ( ) de Colón se llamaban la Niña, la Pinta, y la Santa María.

15. **navíos:** barcos grandes
Nunca he visto ( ) de guerra.

16. **penosas:** trabajosas, difíciles
Un amigo ayudó en las labores más ( ) de la navegación.

17. **pescar:** coger peces con redes o cañas (to fish, to catch)
¿Prefieres ( ) en el río o en el océano?

18. **pino:** árbol de la familia de las coníferas, de follaje siempre verde (pine)
Nuestro árbol de Navidad este año será un ( ).

19. **por su cuenta:** con sus propios recursos (on his own)
Cada persona resolverá el problema ( ).

20. **pormenores:** detalles
¿Quién me contará los ( ) del viaje?

21. **prender:** fijar, poner, sujetar (to pin on)
El embajador le va a ( ) una medalla.

22. **proa:** parte delantera del barco (prow)
Algunos barcos antiguos tienen figuras en la ( ).

23. **riesgo:** peligro, contingencia de un daño (risk)
Los marineros se sometieron a un ( ) muy grave.

24. **roble:** árbol cupulífero (oak)
La madera del ( ) es muy dura.

25. **ron:** bebida alcohólica bastante fuerte que se saca de la melaza (rum)
Esta bebida se hace con ( ).

26. **sacerdote:** ministro, hombre ordenado para celebrar el sacrificio de la misa (priest)
Los viajeros recibieron la bendición del ( ).

27. **sencillez:** calidad de sencillo (simplicity)
El teniente narró su aventura con naturalidad y ( ).

28. **templar:** poner en tensión, o temperatura moderada
Los marineros tomaban café para ( ) el cuerpo.

29. **temporal:** tempestad (storm)
No sabían si la nave podía aguantar un ( ) fuerte.

30. **tiburón:** pez marino (shark)
Ese ( ) mide más de cuatro metros de largo.

31. **tortas:** pasteles de masa que tienen varios ingredientes
Me gustan las ( ) de maíz con sal y mantequilla.

32. **travesía:** viaje por mar (sea crossing)
La ( ) del Atlántico en un barco moderno dura pocos días.

33. **tripulación:** conjunto de los marineros que lleva una embarcación (crew)
Terminada la construcción de la nave, el teniente decidió contratar la ( ).

"Starfish" *por Roberto Montenegro* (Private Collection)

Paisaje por David Alfaro Siqueiros (Private Collection)

Para la Comprensión

1. ¿Quién es Carlos Etayo?

2. ¿En qué parte de España vive?

3. ¿Qué ha hecho?

4. ¿Cuándo nació la idea en Etayo?

5. ¿Cómo se llamaban las tres naves de Colón?

6. En el plan original ¿quién iba a mandar la «Niña II»?

7. ¿Se llevó a cabo el proyecto original?

8. ¿Qué hizo Etayo primero?

9. ¿Cuánto tiempo pasó estudiando los pormenores de los viajes de Colón?

10. ¿Qué clase de madera compró Etayo?

11. ¿Dónde se puso a construir Etayo la réplica de la «Niña»?

12. ¿Cuánto tiempo pasó construyendo la nave?

13. ¿Qué hizo Etayo entonces?

14. ¿Fue fácil contratar una tripulación? ¿Por qué?

15. ¿Quién es Don Antonio Sagaseta y por qué se puede decir que es un hombre de diversos talentos?

16. ¿De dónde salió la expedición?

17. ¿Cuánto tiempo se prolongó la travesía? ¿Cuánto tiempo se había prolongado el mismo viaje por Colón?

18. ¿Por qué tardó tanto Etayo?

19. ¿Qué comía la tripulación para el desayuno? ¿Para el almuerzo? ¿Para la cena?

20. ¿Qué bebían los hombres en cada comida?

21. ¿Qué reforzaba la dieta básica de la tripulación?

22. ¿Durante qué parte del viaje había muchos temporales?

23. ¿Cuánto tiempo duraba la guardia de los timoneles? ¿Las demás?

24. ¿Qué ocurrió a los cincuenta y un días?

25. ¿Cómo calculaban la velocidad de la nave?

26. ¿A dónde llegó por fin la nave?

27. Según el artículo ¿qué recibirá Etayo del Embajador de España en Wáshington?

28. ¿En qué revista aparecerán los pormenores del viaje de la «Niña II»?

29. ¿Por qué es Etayo el héroe máximo de esta aventura?

30. ¿Quién dio el grito de «Tierra»?

Estructura

ADVERBIOS TERMINADOS EN -MENTE

Repita Ud. las siguientes oraciones fijándose en las palabras que terminan en -mente.

1. Estudió detenidamente los pormenores.
2. Fue teniente, ingeniero, y finalmente, sacerdote.
3. Todos soportaron valientemente el régimen alimenticio.
4. Era extremadamente exiguo.
5. Encontraron temporales frecuentemente.
6. Solamente vieron unos cuantos barcos.
7. Eso se ha dicho erróneamente.
8. Se pasó del puerto de destino impensadamente.
9. Etayo la financió íntegramente.
10. Saldrán próximamente de Nassau.

Repita las oraciones siguientes añadiendo el adverbio formado de la palabra sugerida.

MAESTRO: Hizo el trabajo. (cuidadoso)

ESTUDIANTE: Hizo el trabajo cuidadosamente.

MAESTRO: El soldado luchó. (valiente)

ESTUDIANTE: El soldado luchó valientemente.

11. El coronel se levantó. (pausado)
12. Les habló. (tranquilo)
13. Cruzaron el río. (penoso)
14. Se encontraron. (frecuente)
15. Estudió la lección. (detenido)

16. Eran las diez. (aproximado)
17. Salió de la clase. (rápido)
18. La niña cantó. (dulce)

MODISMO: *CLARO QUE*
Repita Ud. las oraciones siguientes.

1. ¡Claro que es mi amigo!
2. ¡Claro que sí!
3. ¡Claro que no!
4. ¡Claro que lo hemos hecho!
5. ¡Claro que viene!
6. ¡Claro que puede hacerlo!
7. ¡Claro que van a casarse!
8. ¡Claro que es necesario!
9. ¡Claro que estudio mucho!
10. ¡Claro que la echo de menos!
11. ¡Claro que me voy!
12. ¡Claro que lo compré!
13. ¡Claro que te quiero!

FRASES DE INFINITIVO CON PREPOSICIONES
Repita Ud. y fíjese en el uso del infinitivo en las frases siguientes.

1. . . . sin conceder mayor importancia a los riesgos . . .
2. . . . al quedar clavado en el alma . . .
3. . . . al iniciar el viaje desde Las Palmas.
4. . . . hasta lograr localizarlo por tanteo.
5. . . . después de recibir la condecoración . . .
6. . . . además de proyectarla y de capitanearla . . .

Repita Ud. las oraciones siguientes.

7. Al salir de la clase, vi a mi amigo.
8. Al abrir la puerta, dejé caer mi libro.
9. Al oir la noticia, los alumnos aplaudieron.
10. Después de comer, estudiaré.
11. Después de estudiar, iré de compras.
12. Después de hacer el trabajo, descansaré.
13. Sin tomar la medicina, se curó.
14. Sin estudiar mucho, no puedo aprender.
15. Sin pensar, respondí al profesor.
16. Antes de escribir el ejercicio, hay que estudiar.
17. Antes de hablar es necesario levantar la mano.
18. Antes de morir, quieren confesarse.
19. En vez de preparar las lecciones, Juan jugó al fútbol.
20. En vez de dormir, miré la televisión.
21. En vez de tomar leche, tomo agua.

EJERCICIOS CREATIVOS

BOLIVAR

1. Otro gran héroe de la América del Sur fue San Martín. Compare Ud. a Bolívar y a San Martín desde el punto de vista de:
   a. las circunstancias de la familia
   b. la educación
   c. los éxitos militares
2. ¿Qué contribución hicieron los siguientes hombres al movimento independentista?
   a. José Antonio de Sucre
   b. Bernardo O'Higgins
   c. José Martí
   d. Padre Miguel Hidalgo
   e. Francisco de Miranda
   f. José Gaspar Francia
   g. José Artigas
3. Coloque Ud. en un mapa de Sudamérica los sitios de las siguientes batallas:
   a. Nueva Granada
   b. Carabobo
   c. Ayacucho
   d. Chacabuco
   e. Maipú
4. Escriba Ud. un breve párrafo explicando por qué llaman a Bolívar el Jorge Wáshington de Sudamérica.

EL ALCAZAR NO SE RINDE

5. Una guerra civil casi siempre resulta en tragedia. En un párrafo en español explique Ud. por qué.

6. Para discutir con madurez e inteligencia la Guerra Civil en España, hay que comprender ciertos términos. Identifique Ud. los siguientes:
   a. Las Cortes Constituyentes
   b. El Frente Popular
   c. La Falange
   d. Los republicanos
   e. Los nacionales (franquistas)
   f. Generalísimo Franco
   g. José Antonio Primo de Rivera

7. Hay varios libros que nos hablan de la revolución, el terror, y las atrocidades que ocurrieron durante la Guerra Civil en España. Busque usted detalles y prepare usted un informe para leer a la clase:

   Nicholson B. Adams, *España, introducción a su civilización:* Capítulo XXV—El Camino del Infortunio (en español)

   James Cleugh, *Spain in the Modern World,* Secciones 24 y 25 (en inglés)

   Martha E. Gellhorn, *Face of War* (en inglés)

   Ernest Hemingway, *For Whom the Bell Tolls* (en inglés)

   George Orwell, *Homage to Catalonia* (en inglés)

   Robert Payne, *The Civil War in Spain, 1936–1939* (en inglés)

   Hugh Thomas, *The Spanish Civil War* (en inglés) Este libro también da una bibliografía amplia de otras lecturas en las páginas 644–699.

8. Haga Ud. un estudio de la pintura de la destrucción de Guernica por Pablo Picasso. Descríbala en algunos párrafos.

HEROES DE UNA AVENTURA QUE GLORIFICA A ESPAÑA

9. Escriba Ud. un breve párrafo resumiendo:
   a. pasos iniciales de Etayo
   b. alimentación de la tripulación

Guernica por Pablo Picasso (On extended loan to The Museum of Modern Art, New York, from the artist)

Héroes de una aventura que glorifica a España   67

10. Imagine que Ud. es el Embajador de España en Wáshington. Prepare usted el discurso que va a hacer al entregar la condecoración mencionada.

11. Lea Ud. selecciones del libro *Kon-Tiki* por Thor Heyerdahl, y prepare una composición en español describiendo el viaje heroico que hizo él. Incluya datos sobre las preparaciones, las dificultades, y la alimentación.

12. Imagine que usted es redactor de un periódico. Escoja un suceso heroico y prepare el artículo que va a publicar describiendo el héroe, su psicología, y el ambiente.

13. Compare Ud. una exploración en los días de Colón con una de las aventuras exploradoras de un astronauta moderno. Vocabulario adicional:

cohete: rocket
cohete de cuatro etapas: four-stage rocket
el espacio: space
el espacio exterior: outer space
satélite: satellite
proyectil: projectile
nave espacial: space ship
la plataforma de lanzamiento: launch pad
cápsula: capsule
en órbita: in orbit
traje espacial: space suit

El Alcázar de Segovia
(Messrs. García Garrabella,
Editors, San Sebastian,
Spain)

Cuadro 4 · LA LEYENDA

Preparando la Escena. *Las leyendas son narraciones en las que se mezcla un poco de verdad con grandes dosis de ficción. La imaginación y la fantasía hacen un papel muy importante en las leyendas, puesto que lo que comenzó como historia acaba por perder de vista la realidad.*

Las leyendas tratan de hechos de un pasado remoto y los personajes son héroes dotados de cualidades notables. Frecuentemente son personajes históricos.

Algunas leyendas son tristes, otras trágicas, otras pintorescas, otras alegres, pero todas tienen elementos de belleza, de ensueño, y de encanto que capturan la imaginación y el corazón.

Las tres leyendas que siguen son del mundo hispánico, pero el tema de cada una de ellas es distinto. Sólo el tema de la tercera pertenece a la literatura universal. Las leyendas son productos de la tradición, y por consiguiente no tienen autor, sino alguien que las colecciona. En este caso el compilador se llama Alejandro Sux.

EL LAGO ENCANTADO

Introducción

La primera leyenda viene del Perú y se refiere a los incas, una de las tribus indias del Nuevo Mundo, cuya riqueza y cultura son muy famosas. Algunos de los personajes son históricos y otros ficticios. El conflicto que surge entre conquistadores e indios es un relato poético de la conquista con todas sus hazañas, trágicas y nobles.

Guía de Estudio

Lea esta leyenda y deléitese con su belleza. Luego fíjese en cuáles de los personajes son históricos y cuáles son probablemente legendarios. Examine la narración para ver si reconoce los hechos históricos y los lugares geográficos que verdaderamente existen. La leyenda presenta la conquista bajo un aspecto diferente de la que fue en la realidad, porque, como todas las leyendas, quiere filtrar los acontecimientos a través de la fantasía.

Palabras Clave

1. Adela cree que es mal agüero encontrarse con un gato negro en el camino.
   agüero: anuncio, señal, pronóstico

2. Pedro corrió tras de Juan y Elías, pero no los alcanzó por que ellos corrían demasiado de prisa.
   alcanzó: cogió, sobrepasó

3. Cuando el presidente habló en la escuela, atrajo a mucha gente.
   atrajo: trajo hacia él (attracted, drew)

4. Un general famoso volvió a las Islas Filipinas para cumplir una promesa que había hecho.
   cumplir: guardar, efectuar, satisfacer

5. Don Abel Trejo es el curaca de Matlapa.
   curaca: jefe, cacique

6. El sobrino del curaca era chasqui del pueblo.
   chasqui: indio que sirve de correo (postboy, messenger)

7. Los hijos del tío Pedro caminaron por la sierra desafiando los elementos, hasta que llegaron a su destino.
   desafiando: afrentando, confrontando

8. El soldado disimuló su temor y siguió en marcha, obedeciendo a su capitán.
   disimuló: ocultó, escondió

9. En vez de huir, todos se prepararon para pelear.
   huir: escaparse

10. La familia Marcos tiene una casa en un paraje selecto en la costa de Acapulco.
    paraje: lugar, terreno

11. En las civilizaciones indígenas, cuando perecía una dinastía, nacía otra.
    perecía: moría, sucumbía, expiraba

12. La quebrada de Acapulco es uno de los lugares más pintorescos de la costa.
    quebrada: abertura estrecha entre dos montañas, cañón

13. Cuando uno está en la quebrada, a lo lejos se oye el rumor de las olas del mar.
    rumor: murmullo, ruido

EN EL norte de la república Argentina hay un lago tranquilo, circular y rodeado de montañas cubiertas de vegetación. Los habitantes de aquella región lo llaman el Lago Encantado. El paraje sólo es accesible por una estrecha
5 quebrada.

Durante gran parte del día el lago queda en las sombras. Sólo por pocos minutos llegan los rayos del sol a la superficie del agua.

Muchos años antes de la conquista española habitaban
10 aquellas regiones unas tribus de indios, vasallos de los incas. En aquel tiempo vivía un «curaca» muy rico, respetado y querido por su pueblo. Poseía objetos de oro, trabajos de plumas y otras muchas cosas de valor inestimable.

Entre sus tesoros había una urna de oro que uno de los
15 reyes incas había regalado a su abuelo en señal de gratitud por un importante servicio. La urna tenía maravillosas virtudes: mientras estaba en poder de esa nación, los curacas gobernaban en paz y el pueblo vivía tranquilo y feliz; pero si caía en manos enemigas, perecía la dinastía y reinarían
20 poderosos conquistadores.

Todos los años en la gran Fiesta del Sol, la urna sagrada era puesta en exhibición. De todas partes venían los indios para adorarla.

❋   ❋   ❋

Las razas indias tenían una tradición común. Era que un
25 día debían llegar al continente hombres de lengua desconocida, de piel blanca y de costumbres extrañas. Estos extranjeros iban a conquistar a los indios. Según unos, un dios iba a anunciar su llegada; según otros, un espíritu malo iba a traer consigo la muerte. Los pueblos que vivían cerca
30 del mar esperaban a los forasteros del otro lado del mar; para las naciones del interior, los forasteros iban a venir de allende las montañas, de los desiertos o de las selvas. El fondo de la leyenda era siempre el mismo.

Los años pasaron y la antigua leyenda se convertía en
35 realidad. Los forasteros pisaban las costas del continente. Hombres atrevidos cruzaban las selvas, desafiando todos los obstáculos.

forasteros: extranjeros

selvas: bosques (woods, forest)

Carl Levin Associates, New York

Cierto día un «chasqui» del Cuzco llevó la noticia que del norte venían hombres de aspecto nunca visto.

En el país hubo un sordo rumor de inquietud. Los habitantes ofrecieron sacrificios humanos al Sol para aplacar su ira.

5 Poco después se supo que el Inca Atahualpa había caído prisionero en poder de los invasores. Todo el país estaba en conmoción y los guerreros marchaban a defender a su rey.

＊　　＊　　＊

La esposa del curaca se llamaba Ima. El noble amaba a Ima con ternura y pasión. Cuando se recibieron las primeras
10 noticias del Cuzco acerca de los invasores, la frente de la joven india se nubló, tuvo sueños de mal agüero.

—Tú estás inquieta—le dijo su marido—la mala noticia te ha alarmado, pero de todas partes llegan guerreros y pronto el Inca estará libre de los invasores.

15 —Yo he soñado que las hojas de los árboles caían—contestó Ima—y eso significa desgracia.

—Los sueños engañan muchas veces, mi querida, no todos son enviados por los dioses.

engañan: hacen caer en un error (deceive)

—Pero éste sí, esposo mío—insistió Ima. —Y ayer, vi una
20 bandada de pájaros que volaba hacia el norte. Un sacerdote me explicó que eso también indica calamidad.

72　　*La leyenda*

El curaca disimuló su propia inquietud y se preparó a partir con sus tropas. Antes de partir llamó a Ima, y dándole la urna sagrada, le dijo:

—Antes de dejarla caer en manos de los enemigos, arrójala
5 al lago sombrío, oculto en medio de la sierra.

Ima prometió hacer lo que mandaba su esposo. A los pocos días el curaca partió con sus guerreros.

❈   ❈   ❈

Un día llegaron a la lejana provincia unos veloces chasquis. Anunciaron que el Inca Atahualpa había prometido al jefe
10 de los invasores en cambio de su libertad, una sala llena de oro, y dos piezas más pequeñas llenas de plata. En todas partes del imperio mandaron recoger todos los metales preciosos.

Nadie rehusó, nadie murmuró cuando vino la orden de
15 entregar los tesoros para rescatar al Hijo del Sol. Caravanas de riquezas maravillosas cruzaban el país por bosques, montañas, desiertos y ríos. Una de las caravanas paró en casa del curaca, donde recibió muchos objetos de oro y de plata.

El jefe que recogía los objetos de valor notó que Ima
20 apartaba la urna. Como nunca había estado en aquella región, ignoraba las propiedades maravillosas de la urna sagrada.

—¿Por qué aparta usted eso?—preguntó a la mujer del curaca.
25 Ima le explicó el motivo por qué guardaba la urna. Al guerrero no le interesó eso. El había recibido orden de recoger todos los objetos de oro y de plata.

—Lo que usted dice no me importa—dijo a Ima—¡déme la urna!
30 —No; tome todo lo demás para el rescate del Inca, nuestro señor. Pero la urna he prometido no entregarla jamás.

—En nombre del Inca, ¡déme la urna!

—¡Jamás!

Viendo que Ima no consentía, el guerrero quiso quitarle el
35 objeto sagrado por la fuerza. Los criados de la casa acudieron y hubo una lucha. El ruido del combate atrajo gente que tomó parte en favor de Ima. En la confusión del combate, Ima se escapó con el tesoro; iba a cumplir su promesa de arrojar la urna al lago y no dejarla caer en manos de los
40 forasteros.

entregar: dar, poner en poder de otro
rescatar: libertar pagando (to ransom)

acudieron: vinieron en socorro (came to the aid of)

El lago encantado   73

El jefe había visto huir a Ima y la siguió. Esta corría con tal velocidad a través del valle que su perseguidor varias veces la perdió de vista. Luego apareció a los ojos del jefe indio la superficie lisa y opaca del lago encantado.

5   Allí alcanzó a Ima cuando ésta levantaba los brazos con la urna. Los dos lucharon unos instantes. La mujer del curaca que no podía sostener con éxito una lucha desigual, tomó una resolución suprema. Con un movimiento repentino se libró de las manos del guerrero, y alzando la urna sagrada, se
10 arrojó con ella al agua.

   El agua se agitó con un rumor de voces bajas y excitadas. El lago se iluminó pronto con una luz color de oro. El mágico espectáculo duró algunos instantes. El resplandor se apagó   **se apagó:** se extinguió, murió
y el guerrero vio otra vez el lago tranquilo en la sombra.
15 Tenía por cierto que el fenómeno extraordinario provenía de la urna sagrada, y que los dioses iban a castigarle. Lleno de espanto, olvidando su altivez de guerrero, volvió la espalda al lago misterioso, y huyó como un loco a través de las selvas.

   Al día siguiente hallaron el cuerpo sin vida del indio . . .
20 Y la urna no cayó en manos de los conquistadores.

Diccionario

1. **agüero:** anuncio, señal, pronóstico
Los vientos fuertes comenzaron a traer el mal (   ) de que venía la tempestad.

2. **alcanzó (alcanzar):** cogió, sobrepasó
El caballo blanco (   ) al caballo negro y llegó primero.

3. **allende:** al otro lado, del lado de allá
José vino de (   ) la montaña a vivir en el pueblo.

4. **atrajo (atraer):** trajo hacia él (attracted, drew)
La maestra de español (   ) a todos los alumnos buenos.

5. **atrevido (atrever):** audaz, intrépido (daring, bold)
Don Ramón era un hombre muy (   ) cuando era joven.

6. **cumplir:** guardar, efectuar, satisfacer
El agente que vendió el automóvil viejo no quería (   ) su promesa.

7. **curaca:** jefe, cacique
Cuando don Abel era el (   ) del pueblo, todos lo querían mucho.

8. **chasqui:** indio que sirve de correo (post-boy, messenger)
Cuando los incas reinaban en el Perú, ser (   ) del Inca era un gran honor.

9. **demás:** lo otro (the rest, the remainder)
María dejó la carta y el regalo, pero se llevó lo (   ).

10. **desafiando (desafiar):** confrontando, afrentando
Juan se echó al lago para salvar a la niña, (   ) el peligro.

11. **disimuló (disimular):** ocultó, escondió

Alfredo ( ) saber algo del accidente, y no dijo nada durante toda la interrogación.

12. **huir:** escaparse

El que causó el accidente trató de ( ) pero no pudo.

13. **lisa:** sin aspereza (smooth)

La superficie del agua en la piscina estaba ( ).

14. **oculto:** escondido

En la Sierra Madre hay un lago ( ) que contiene grandes tesoros.

15. **opaca:** no transparente

El agua del lago Sulinqui es ( ).

16. **paraje:** lugar, terreno

A la orilla del lago Sulinqui hay un ( ) muy verde, lleno de flores hermosas.

17. **perecía (perecer):** moría, sucumbía, expiraba

En la ley de los indígenas aztecas, cuando ( ) el curaca del pueblo, su hijo le reemplazaba.

18. **quebrada:** abertura estrecha entre dos montañas, cañón

Los tíos de Carlos tienen una casa cerca de la ( ).

19. **rumor:** murmullo, ruido

De la casa se oye el ( ) de las personas en la calle.

20. **sordo:** que hace muy poco ruido, que no oye u oye mal

En el pueblo se oía un ( ) murmullo de ansiedad y temor.

21. **vasallos:** siervos, esclavos, servidores

En un tiempo los mayas tuvieron otros indios como ( ).

22. **veloces:** rápidos

Los incas tenían chasquis muy ( ) que llevaban los mensajes al Inca.

Para la Comprensión

1. ¿De qué trata esta leyenda?
2. Describa el lago y el paraje donde se encuentra.
3. ¿Cómo se llega a ese paraje?
4. Antes de la conquista española ¿quiénes habitaban esa región?
5. ¿Cómo era el curaca de ese pueblo?
6. ¿Qué objeto especial tenía él entre sus tesoros?
7. ¿De dónde vino esa urna?
8. ¿Tenía alguna virtud esa urna?
9. ¿Por qué era necesario cuidar mucho esa urna?
10. ¿Cuándo se exhibía la urna?
11. Cuente algo de la tradición común que tenían las razas indias.
12. ¿Qué diferencia había entre la leyenda de los indios que vivían cerca del mar y los que vivían en las montañas?
13. ¿Qué noticia llevó cierto día un chasqui?
14. ¿Cómo reaccionó el pueblo a esta noticia?
15. ¿Qué le pasó a Atahualpa poco después de esto?
16. ¿Cómo se llamaba la esposa del curaca?
17. ¿Cómo afectaron las noticias del Cuzco a Ima?
18. Relate algo del diálogo que tuvieron ellos sobre los sueños.
19. Antes de partir el curaca ¿qué le dijo a Ima?
20. ¿Cuánto valuaba Atahualpa su libertad?
21. ¿Qué hicieron los incas para rescatar al Hijo del Sol?
22. ¿Qué sucedió cuando llegó una de las caravanas a la casa del curaca?
23. ¿Por qué se dirigió el jefe de la caravana a Ima?

24. ¿Qué orden había recibido el guerrero?

25. Viendo que Ima no consentía en darle la urna, ¿qué hizo el guerrero?

26. ¿Por qué se escapó Ima? ¿Qué iba a hacer?

27. ¿Quién la vio huir?

28. ¿Qué hizo él?

29. ¿Dónde alcanzó el jefe a Ima?

30. ¿Qué resolución suprema hizo ella?

31. Describa lo que ocurrió en el lago cuando se arrojó Ima en el agua.

32. ¿Cómo afectó todo esto al guerrero?

Estructura

MODISMOS: *NO + VERBO + NADA;*
NO + VERBO + QUE

Cambie la oración según el modelo.

MAESTRO: No encontraba nada que comer.

ESTUDIANTE: No encontraba qué comer.

MAESTRO: No tenemos nada que leer.

ESTUDIANTE: No tenemos qué leer.

1. No habrá nada que hacer.
2. No llevaré nada que tomar.
3. No trajiste nada que estudiar.
4. No tenía nada que comprar.
5. No hay nada que corregir.
6. No hallarán nada que envolver.

PRONOMBRE COMO COMPLEMENTO
INDIRECTO

Según el modelo, cambie la oración para emplear el verbo nuevo.

MAESTRO: Trató de quitarle la urna.

ESTUDIANTE: Trató de quitarle la urna.

MAESTRO: robar

ESTUDIANTE: Trató de robarle la urna.

1. conseguir
2. dar
3. ofrecer
4. entregar
5. prestar
6. dejar

Me prestaron el libro de historia.
7. conseguir
8. dar
9. robar
10. ofrecer
11. entregar
12. quitar
13. dejar

LA VOZ PASIVA CON *SE*

Según el modelo, haga los cambios necesarios para emplear la voz pasiva.

MAESTRO: Iluminaron el lago.

ESTUDIANTE: Se iluminó el lago. El lago se iluminó.

MAESTRO: Comerán la carne.

ESTUDIANTE: Se comerá la carne. La carne se comerá.

1. Harán el trabajo.
2. Pintaron la casa.
3. Venden el coche.
4. Cortan el césped.
5. Lavaron el traje.
6. Comprarán la medicina.

Según el modelo, cambie la oración del singular al plural.

MAESTRO: Se corrigió el ejercicio.

ESTUDIANTE: Se corrigieron los ejercicios.

MAESTRO: Se aprecia mucho la blusa de seda.

ESTUDIANTE: Se aprecian mucho las blusas de seda.

7. Se cierra el banco los domingos.
8. Se contestó la carta ayer.
9. Se sabrá la noticia mañana.
10. Se llenó la canasta.
11. Se rompió el plato.
12. Se repetirá la lección.

EL PIRATA SIN CABEZA

Introducción

Al mismo tiempo que se desarrollaba la labor de la conquista, se verificó una lucha marítima entre los españoles y los ingleses. Uno de los personajes más conocidos de esta guerra nunca declarada fue Francisco Drake. Para los españoles fue un corsario, mientras que los ingleses lo consideraron como un héroe. La Reina Isabel le dio el título de «Sir Francis Drake.»

Guía de Estudio

Al leer esta selección note los personajes históricos de la leyenda, los lugares geográficos, y los hechos que son ciertos. Trate de determinar los acontecimientos que son imaginarios. ¿Qué aspecto del carácter de Sir Francis Drake se ve en esta leyenda?

Palabras Clave

1. Tres barcos anclaban en el puerto, cuando llegó Roberto de España.

    anclaban: echaba la nave el ancla para quedar fija en un punto (anchored)

2. Los barcos se saludaron por medio de andanadas de los cañones.

    andanadas: descargas, descarga de la batería de un buque (broadside, salvos, naval salutes)

3. Después de haber avistado el puerto, decidieron acercarse a la costa.

    avistado: visto (sighted)

4. Julián dice que el viejo que vive en la cueva es un bellaco.

    bellaco: hombre malo, villano

5. Los marineros se llevaron un rico botín del puerto.

    botín: despojos de guerra, tesoro (booty)

6. El capitán Montenegro constituyó una escuadra marina invencible.

    constituyó: formó

7. El soldado no tardó en desenfundar su espada para defender a su compañero herido.

    desenfundar: sacar de su cubierta (to take out of the holster, sheath)

8. Los piratas volvieron a la isla para desenterrar el tesoro dejado allí mucho tiempo antes.

    desenterrar: excavar, sacar de la tierra

9. Don Manuel compró una pulsera que le costó doscientos ducados.

    ducados: moneda de oro española antigua que llegó a valer siete pesetas

10. El capitán andaba embriagado de tanto alcohol que había tomado.

    embriagado: borracho (drunk)

11. Don José de la Luz salió de su pueblo empeñando su palabra de honor que volvería.

    empeñando: prometiendo, jurando

12. Los novios se besaron a guisa de saludo.

    guisa: forma, manera, modo

13. El capitán hizo proa hacia el puerto para evitar la tempestad.

    hizo proa: se dirigió (término marinero)

14. El lobo se comió las gallinas y luego se internó en el bosque para que no lo vieran.

    internóse: se metió

15. El capitán daba las órdenes intimando obediencia a sus soldados.

    intimando: decretando, mandando

16. Víctor Manuel fue mordido por la serpiente de la ambición.

mordido: resultado de clavar los dientes en una cosa (bitten)

17. La reina le dio a Drake patentes de corsario.

patentes: privilegios, ventajas

18. Las peripecias de su vida de marinero no le quitaron su amor al mar.

peripecias: cambios de fortuna

19. El pirata Drake se hizo famoso por su arte en el pillaje.

pillaje: robo, hurto, saqueo.

20. Las recuas de los incas estaban llenas de oro.

recuas: cabañas

21. Drake cometió muchas tropelías contra los pueblos de la América Latina.

tropelías: abusos, injusticias, violencias

22. Carlos tropezó con un amigo que hacía muchos años no había visto.

tropezó: se encontró

23. El puerto de Venado tiene nombre de un animal cuadrúpedo.

venado: ciervo (deer)

E N UN lugar denominado Venado, en la costa colombiana, cerca de Cartagena, dicen los vecinos y viajeros, que en mitad del camino y a intervalos desiguales, se aparece un hombre decapitado que hace señales con los brazos como
5 si quisiera indicar un sitio determinado a donde quisiera conducirlos para revelarles algo de importancia. Se aparte de su ruta el viajero o insista en continuarla, el aparecido le sigue un trecho y luego se desvanece como nube de polvo.

¿Quién es y de dónde sale semejante fantasma?
10 La leyenda nos lo revela.

Francisco Drake, hijo de Londres, sobrino de Juan Achit, pirata profesional que intentó en vano apoderarse de Cartagena de Indias, fue paje de la Duquesa de Feria, en España, pero mordido por la víbora de la ambición y embriagado por
15 el alcohol de la aventura, reunió algún dinero, compañeros sin escrúpulos y barcos, y se hizo a la vela decidido a conquistar fortuna y gloria o perecer en la empresa. Rumbo a las Indias Occidentales, a mitad de camino, tropezó con un colega francés con quien concertó alianza después de haber
20 cambiado media docena de andanadas a guisa de saludo.

Drake se transformó en el almirante de la escuadra corsaria, y al frente de ella saqueó Las Cruces, camino de Panamá, y saqueó las recuas cargadas de plata y oro del Perú en Nombre de Dios, ciudad en la que se embarcaban las
25 barras de los preciosos metales en los galeones de España.

se hizo a la vela: set sail
rumbo a: on the way to

al frente de ella: as the leader

Después de esas hazañas, su socio, el francés, se retiró a la vida decente y sosegada, y Drake hizo proa hacia Inglaterra en donde logró asociarse nada menos que con la Reina Isabel a la que obsequió la mayor parte de su botín, contra
5 un título, patentes de corsario y una flota armada como para una guerra en regla, que le convirtió en el más poderoso de los piratas de su tiempo.

obsequió: regaló, dio

Con tales medios de acción, hasta entonces nunca vistos, Drake se dirigió a Lima intentando desembarcar en El Ca-
10 llao, lo que no consiguió debido a la resistencia heroica de sus defensores. Entonces continuó rumbo hacia Panamá, pero habiendo avistado un galeón español atestado de barras metálicas, lo alcanzó apoderándose de su cargamento, valuado en un millón. Volvió a Londres, entregó su parte a
15 la Reina, compró tierras, privilegios y más títulos nobiliarios, y con ayuda de la soberana constituyó otra escuadra corsaria más grande que la anterior. Con ella se dirigió a Santo Domingo conquistándola y saqueándola a fondo, y luego a Cartagena de Colombia.
20 El Miércoles de Ceniza, el nueve de febrero de 1586, veinticinco barcos anclaban en la Punta del Judío, para facilitar el desembarco de mil corsarios dispuestos a todo. La pelea fue larga y encarnizada en lo que hoy se llama

Carl Levin Associates, New York

El pirata sin cabeza   79

Castillogrande, mientras Drake personalmente, al frente de
un centenar de lanchas bien equipadas, echaba pie a tierra
en La Caleta intimando rendición a sus defensores, los que
obedecieron sin chistar, convencidos de que no les quedaba

rendición: surrender

5 otro remedio. A la mañana siguiente toda Cartagena estaba
en poder del corsario oficial de Su Majestad la Reina Isabel
de Inglaterra. El pillaje fue minucioso, y además se amenazó
con el incendio de la ciudad si no se pagaba una suma de
600,000 ducados por su rescate.

se amenazó: threatened

10 Los negociadores del Gobernador y los civiles, después de
algunos días de discusiones, y del incendio de algunas casas
por orden de Drake para apresurar la decisión, llegaron a un
acuerdo por el cual el corsario recibió, entre monedas, barras,
joyas, esclavos, artillería, buques, etc. algo más de 400,000
15 ducados.

Llevando en sus bergantines un riquísimo botín, Drake
sólo pensó en volver a Londres, pero le asaltó una tormenta
y debió volver a Cartagena para reparar los daños, sin cometer nuevas tropelías, empeñando su palabra de honor de que
20 respetaría todas las cláusulas del convenio firmado por él.

Hízose a la mar de nuevo, y temerosos de encontrar en su
ruta a una escuadra española que andaba en su busca,
desembarcó su tesoro en un lugar llamado Venado. Un
puñado de hombres le acompañaron. Internóse en el bosque
25 e hizo enterrar todo cuanto llevaba. Entonces reunió al grupo
de acompañantes y preguntó:

—¿Alguno de vosotros se atrevería a permanecer en este
sitio para cuidar el tesoro?

Uno de ellos respondió:

30 —¡Yo . . . mi señor capitán!

Oir esas palabras y desenfundar su machete fue todo uno.
De un machetazo hizo volar la cabeza del marinero. A los
otros les ordenó que volvieran a bordo.

machete: especie de cuchillo
grande

Ninguno de los que le ayudaron a esconder su tesoro llegó
35 a Londres. Uno a uno fueron muriendo envenenados por el
propio Drake.

El gran corsario llegó a Londres; la operación del reparto
del botín se efectuó como de costumbre, y como de costumbre
volvió a salir con una nueva escuadra para repetir sus
40 hazañas. Naturalmente, nada dijo a la soberana del tesoro
que había dejado enterrado en Venado.

Después de muchas peripecias, afortunadas y adversas,
Drake llegó a Portobelo, gravemente enfermo de disentería,

pero deseoso de llegar a Venado para desenterrar su tesoro. So pretexto de curarle, uno de sus marineros de confianza le administró veneno en una enema, cuyos efectos fueron rápidos y pavorosos. Ya en el paroxismo del dolor y las ansias

⁵ de la agonía, señalaba algo que nadie veía, y gritaba despavorido:

so: bajo

—¡Sí . . . sí! . . . Ya voy a reunirme contigo! . . . ¡Te reconozco, hombre sin cabeza! . . . ¡Yo te la corté por bellaco! . . . ¡Querías robarme! . . . ¡ja, ja, ja! . . . Ya estamos iguales

¹⁰ . . . Ninguno de los dos tenemos nada . . .

Y Francisco Drake, el gran corsario inglés, favorecido por la Reina Isabel de Inglaterra expiró sin agregar palabra, llevándose consigo el secreto del lugar de Venado en donde enterró su cuantiosa fortuna en joyas. El único que conoce

¹⁵ el lugar es el Pirata sin Cabeza que todavía, de cuando en cuando, aparece en el camino que va desde la Punta de Mestizos hasta la boca de la Balsa, más allá de la Punta de Tortugueros, no muy lejos de la gloriosa Cartagena de Indias, en la República de Colombia.

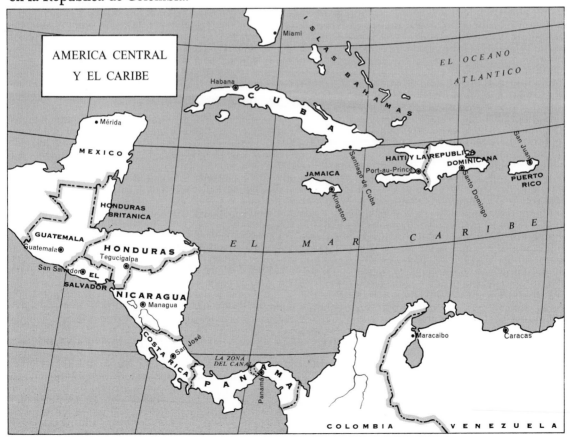

El pirata sin cabeza 81

Diccionario

1. **anclaban (anclar):** echaba la nave el ancla para quedar fija en un punto (anchored)
   Uno de los barcos que (   ) en el puerto cuando llegamos, era de don Calistro.

2. **andanadas:** descargas, descarga de la batería de un buque (broadside, salvos, naval salutes)
   Los buques se saludan en alta mar por medio de (   ).

3. **avistado (avistar):** visto (sighted)
   Aunque habían (   ) la costa, no pararon; siguieron navegando.

4. **bellaco:** hombre malo, villano
   Todos los muchachos creían que don Lauterio era un (   ), pero en realidad era un buen hombre.

5. **bergantines:** buques de dos palos y vela cuadrada (brigs, brigantines)
   Drake llevaba un gran tesoro en sus (   ).

6. **botín:** despojos de guerra, tesoro (booty)
   Los piratas se hicieron ricos con el (   ) que les robaron a las naciones indefensas.

7. **cargadas:** llenas
   Las cabañas estaban (   ) de oro y plata.

8. **constituyó (constituir):** formó
   El capitán (   ) una escuadra de doce bergantines.

9. **daños:** destrucción, males
   Drake causó muchos (   ) en todos los puertos de Sudamérica.

10. **desenfundar:** sacar de su cubierta (to take out of the holster, sheath)
    El soldado no pudo (   ) la espada a tiempo para defenderse.

11. **desenterrar:** excavar, sacar de la tierra
    El pirata quería (   ) el tesoro sin que nadie lo viera.

12. **ducados:** monedas de oro españolas antiguas que llegaron a valer siete pesetas
    Una mantilla de Sevilla costaba más de cien (   ).

13. **embriagado:** borracho (drunk)
    A Pancho no le permitieron entrar al baile porque iba (   ).

14. **empeñando (empeñar):** prometiendo, jurando
    Se fue del baile (   ) su palabra que volvería sobrio el día siguiente.

15. **encarnizada:** feroz, sangrienta (cruel)
    La guerra civil fue larga y (   ).

16. **enterrar:** sepultar, poner en la tierra (to bury)
    Van a (   ) el cadáver en este lugar.

17. **guisa:** forma, manera, modo
    Loretito movía la cabeza a (   ) de confirmar o negar las acusaciones que le hacían.

18. **hizo proa:** se dirigió (término marinero)
    Cristóbal Colón (   ) al oeste, y llegó a Santo Domingo.

19. **internóse (internarse):** se metió
    (   ) Margarita en su recámara, y no salió hasta que se fue Gregorio.

20. **intimando (intimar):** decretando, mandando
    El capitán levantó la voz (   ) que era mejor que los marineros escucharan cada palabra.

21. **mordido (morder):** resultado de clavar los dientes en una cosa (bitten)
    Benito se encontraba (   ) por la envidia y el celo.

22. **patentes:** privilegios, ventajas
    El secretario del presidente recibió muchos (   ) como recompensa de su largo servicio a la nación.

23. **pavorosos:** terribles, horribles, fieros
    Los efectos del veneno fueron (   ).

24. **peripecias:** cambios de fortuna

Las ( ) de su vida de marinero le quitaron el deseo de viajar.

25. **pillaje:** robo, hurto, saqueo

El ( ) siempre ha sido considerado un acto deshonesto cuando otros lo cometen.

26. **recuas:** cabañas

Los incas tenían muchas ( ) llenas de oro y plata.

27. **sosegada:** tranquila, serena, pacífica

El tío Pancho vive una vida muy ( ) en su ranchito.

28. **trecho:** distancia

El ( ) de Valles a Jalpilla es largo.

29. **tropelías:** abusos, injusticias, violencias

Los piratas de los siglos pasados cometían muchas ( ) dondequiera que llegaban.

30. **tropezó (tropezar):** se encontró

Alfredo ( ) con Manuel después de dos años de no verlo.

31. **venado:** ciervo (deer)

Nadie sabe por qué llamaron la isla, la isla del ( ).

32. **víbora:** serpiente (snake)

El veneno de la ( ) lo mató.

Para la Comprensión

1. ¿Dónde se aparece el pirata?
2. ¿Quiénes le han visto?
3. ¿Qué señales hace el pirata decapitado?
4. ¿Quién era Francisco Drake?
5. ¿Qué le causó salir al mar a buscar fortuna?
6. ¿Con quién tropezó rumbo a las Indias Occidentales?
7. Al transformarse Drake en almirante corsario ¿qué hizo él?
8. ¿Dónde encontró recuas cargadas de oro?
9. ¿Con quién se asoció Drake en Inglaterra?
10. ¿Qué consiguió de ella?
11. ¿Hacia dónde se dirigió después?
12. ¿Por qué no pudo desembarcar en El Callao?
13. ¿Qué encontró rumbo a Panamá?
14. ¿Cuánto valía el cargamento del galeón español?
15. ¿Qué hizo Drake con ese tesoro?
16. ¿A dónde se dirigió con su nueva escuadra?
17. Relate lo que sucedió el Miércoles de Ceniza de 1586.
18. ¿Cuántos ducados pidió Drake por el rescate de Cartagena?
19. ¿Qué consiguió?
20. ¿Qué le hizo regresar a Cartagena?
21. ¿Por qué desembarcó su tesoro en el lugar llamado Venado?
22. ¿Quiénes le acompañaron a enterrar el tesoro?
23. ¿Por qué decapitó al pirata?
24. ¿Cuántos de los que le ayudaron a esconder el tesoro llegaron a Londres?
25. ¿Cómo murieron ellos?
26. ¿Qué le dijo Drake a la Reina del tesoro que había escondido?
27. ¿Cómo llegó Drake a Portobelo?
28. ¿Quién le administró el veneno?
29. Cuando se estaba muriendo Drake, ¿qué gritaba?
30. ¿Quién es el único que conoce el lugar donde está el tesoro?

Estructura

SUSTANTIVOS MASCULINOS QUE
TERMINAN EN A

Según el modelo, cambie la oración del singular al plural.

MAESTRO: ¿Cuál es el planeta?

ESTUDIANTE: ¿Cuáles son los planetas?

MAESTRO: ¿Cuál es el mapa?

ESTUDIANTE: ¿Cuáles son los mapas?

1. ¿Cuál es el cometa?
2. ¿Cuál es el problema?
3. ¿Cuál es el sistema?
4. ¿Cuál es el síntoma?
5. ¿Cuál es el tema?
6. ¿Cuál es el emblema?
7. ¿Cuál es el pirata?
8. ¿Cuál es el colega?

ADJETIVOS POSESIVOS

Según el modelo, cambie la oración para emplear las otras formas del adjetivo posesivo.

MAESTRO: Ten mi libro.

ESTUDIANTE: Ten el libro mío. Ten los libros míos.

1. Tráeme mi guitarra.
2. Toma tu cuadro.
3. Vete a tu amiga.
4. Dame su retrato.
5. Mira su corbata.
6. Lee nuestro artículo.
7. Ven a nuestra fiesta.

PRONOMBRES POSESIVOS

Según el modelo, cambie la oración para emplear el pronombre posesivo.

MAESTRO: Aquí está mi traje.

ESTUDIANTE: ¿Dónde está el mío? ¿Dónde están los míos?

MAESTRO: Aquí está mi llave.

ESTUDIANTE: ¿Dónde está la mía? ¿Dónde están las mías?

1. Aquí está mi firma.
2. Aquí está mi radio.
3. Aquí está nuestro general.
4. Aquí está nuestra huella.
5. Aquí está tu caballo.
6. Aquí está tu carta.
7. Aquí está su compañero.
8. Aquí está su bota.

LAS SIRENAS DEL RIO ULUA

Introducción

Las sirenas son una creación imaginaria de las literaturas antiguas como la griega y la romana. También existen en la literatura de otros países europeos, como España, Francia y Alemania. En esta leyenda aparecen en el Nuevo Mundo vistas por tres conquistadores españoles en Honduras. El final feliz de esta leyenda está en contraste con la conclusión triste de *El lago encantado* y con la terminación dramática de *El pirata sin cabeza*.

Guía de Estudio

Al leer esta leyenda note los elementos que tiene en común con las dos anteriores. ¿En cuál se encuentran menos hechos históricos? ¿En cuál predomina el elemento ficticio? ¿Qué lección se propone dar esta leyenda?

Palabras Clave

1. El marinero ve a la sirena cuando se agacha a levantar su compás.
   agacha: inclina

84   *La leyenda*

2. Al gato de Pamelita le gusta arañar la puerta.

   arañar: rascar con las uñas (to scratch)

3. Beatriz esperaba que el fuego ardiera toda la noche, para que no tuvieran frío los niños.

   ardiera: quemara (would burn)

4. Los marineros miraban a las sirenas con asombro.

   asombro: admiración, sorpresa

5. La tía de Carlos era una mujer avarienta.

   avarienta: avariciosa, ambiciosa de dinero

6. El árbol estaba a siete brazadas de la fuente.

   brazadas: distancia del largo de un brazo, medida de distancia

7. Los hondureños son marineros denodados.

   denodados: audaces, intrépidos, bravos

8. La desembocadura del río Amazonas es muy ancha.

   desembocadura: sitio donde el río entra al mar o a otro río

9. Los indios se paseaban en canoas en los ríos que se deslizaban por el centro de la selva.

   deslizaban: fluían

10. En el sur de México dicen que los de Monterrey no son muy desprendidos.

    desprendidos: generosos, liberales, magnánimos

11. Las sirenas tenían escamas de oro sobre sus cuerpos.

    escamas: membranas córneas (fish scales)

12. Los soldados del general Zapata tenían un fortín en la sierra.

    fortín: un fuerte pequeño (fort)

13. A la corona del rey le han incrustado diez diamantes, tres esmeraldas, y doce rubíes.

    incrustado: adherido, imbutido (inlaid)

14. Los exploradores encontraron pepitas de oro en la arena a la orilla del río.

    pepitas: pedacitos de metal nativo

15. Las pepitas rutilantes eran de oro puro.

    rutilantes: brillantes, resplandecientes

SANTIAGO, PERO, y Gonzalo eran aventureros españoles que andando en busca de frutos, después de abandonar el fortín de Triunfo de la Cruz, a su cuenta y riesgo, llegaron a la desembocadura del actual río Ulúa, y
5 allí contemplaron jubilosos, pero llenos de asombro, a tres sirenas de oro y piedras preciosas que jugueteaban sobre las arenas blancas de los bancos que forman la barra. La belleza de las tres era deslumbrante, más aún para jóvenes conquistadores que soñaban con riquezas fabulosas, ya que las tres
10 tenían las escamas de la cola que empezaba en el nacimiento de lo que debían ser piernas, de esmeraldas y topacios, la cabellera de filamentos de oro, el cuerpo femenino de perlas

frutos: oro, riqueza

a su cuenta y riesgo: on their own account, risk

la cola: the tail

y piedras-lunas, y los senos de alabastro. La codicia les hizo jurar «que no retornarían a tierras de cristianos, hasta no haber conquistado a los tres tesoros vivos.»

Las sirenas esperaron a los hispanos; cuando estuvieron 5 éstos a pocas brazadas, se echaron a las aguas y nadaron lentamente; los iberos hicieron lo propio.

Gonzalo, Pero, y Santiago siguieron infatigablemente y con vigor extraordinario a las tres sirenas a través de ríos que se deslizaban mansamente iluminados por la luz del cielo, y 10 de otros que corrían como desbocados por subterráneos obscuros y tétricos.

Cada sirena estaba enamorada de uno de los rubios y blancos aventureros, y cada uno de ellos de una de las rutilantes y doradas sirenas. Ellas les fueron mostrando todo 15 el sistema de aguas fluviales que como una red de arterias corre por sobre o por debajo de las tierras de la bella Honduras, haciendo escalas en lagos y lagunas, donde lo mismo levantan el vuelo millones de garzas, que se deslizan como sombras millones de lagartos.

20 Los jóvenes aventureros admiraban todas las bellezas naturales que les mostraban las hermosísimas sirenas, pero siempre desde una distancia tal que jamás podían oirlas, aunque se daban cuenta de que ellas les hablaban.

Una vez, nadando displicentemente en aguas del actual 25 río Copán, uno de los jóvenes hizo un esfuerzo sobrehumano para aproximarse a una de las sirenas, y ya cerca de ella, le gritó en tono de súplica:

—¡Oh, hada de las aguas, deteneos y escuchad a este pobre mortal que sólo desea estar un poco más cerca de vos, 30 para extasiarse en vuestra belleza y poder contar a los suyos que sus ojos, como los de sus compañeros, tuvieron la infinita dicha de contemplar las tres maravillas más maravillosas de estas tierras de América!

Las sirenas accedieron al parecer, y disminuyeron la rapi- 35 dez de sus movimientos natatorios, y una de ellas respondió:

—Vosotros habéis venido a estas tierras primero, a estas aguas después, tras un ideal que os era desconocido pero que llevábais dentro de vuestro corazón. Porque yo y mis hermanas os queremos bien, desearíamos, por vuestro bene- 40 ficio, que ese ideal no fuera alcanzado muy pronto, porque es de hombres mortales desear siempre más cuando se ha logrado lo que parecía la culminación de las aspiraciones.

los senos: the breasts or bosom
la codicia: greed

una red: a network, net

escalas: steps, ladder
garzas: herons
lagartos: lizards

El discurso de la sirena dejó asombrados a los jóvenes aventureros. En verdad de verdad, poco comprendieron de él, y se miraron interrogativamente. Se consultaron en voz baja, y en nombre de todos habló Gonzalo de esta manera:

5 —No entendemos vuestro discurso; el ideal que perseguimos se llama «oro,» y como vosotras parecéis ser del precioso metal al que se han incrustado las más hermosas gemas jamás vistas, sois vosotras la personificación de nuestro «ideal.» Si no queréis desposarnos, pues nosotros sí, y pronta-
10 mente si es posible, indicad el camino, fluvial o terrestre, que nos llevará al país del oro.

También las sirenas tuvieron su coloquio secreto. Cuando terminó, una de ellas tomó la palabra, y dijo:

—Hay oro en las arenas del río Guayape, y son de oro
15 también las montañas que lo rodean; no hay vida de hombre suficientemente larga para extraer el oro que el río arrastra junto con cristales de cuarzo, ni el de las vetas montañosas que van de océano a océano. Y no hay hombre que jamás haya podido recoger una pepita y proseguir su camino en
20 pos de la felicidad; el que una vez se agacha para levantar un poco de metal rubio, ya no puede enderezarse más: queda condenado a excavar y a arañar la tierra hasta su muerte. . . . La mayor parte se convierte en estatuas de oro, relucientes, frías, inertes. ¿Cuál de vosotros es suficientemente insensato
25 para seguir hasta el río Guayape? El que desee la esclavitud eterna por el privilegio de llegar hasta el río de las arenas de oro, y a las montañas de ricas vetas de oro, quedará satisfecho. Una de nosotras le llevará hasta él.

Gonzalo levantó el brazo:
30 —Yo quiero ir hasta el río Guayape.

Una de las sirenas le acompañó y le dejó solo con las manos abiertas como garras de bestia, metidas en las arenas áureas del río. Pero y Santiago dominaron la pasión avarienta y regresaron al punto de partida, siguiendo a las sirenas, una
35 de las cuales, la que acompañó a Gonzalo, se hundió en las aguas de la Laguna Quemada, que un día ardiera milagrosamente; las dos llegaron hasta las arenas blancas de los bancos que forman la barra del río Ulúa, y allí se transformaron en dos hermosísimas indias que los españoles desposaron, siendo
40 los cuatro muy felices durante muchos años, y dando a la tierra hondureña muchos hijos denodados, desprendidos y generosos.

el discurso: speech, discourse

desposarnos: to marry us

el coloquio: talk, chat

cuarzo: quartz
las vetas: seams, veins

en pos de: in pursuit of
enderezarse: straighten up

garras de bestia: claws of a wild animal

se hundió: sank, submerged

Diccionario

1. **agacha (agachar):** inclina

   El tío Alvaro se (   ) siempre que pasa por debajo de una escalera.

2. **al parecer:** según lo que se puede ver o juzgar

   Nadie ha llegado todavía; (   ) llegarán tarde.

3. **arañar:** rascar con las uñas (to scratch)

   El gato ya no puede (   ) porque le cortaron las uñas.

4. **ardiera (arder):** quemara, incendiara (would burn)

   María quería que (   ) el fuego en la chimenea toda la noche.

5. **asombro:** admiración, sorpresa

   El padre de la novia vio al novio con (   ) porque venía sin zapatos.

6. **avarienta:** avariciosa, ambiciosa de dinero

   La vieja de la tienda era una mujer muy (   ).

7. **barra:** banco de arena en la boca de un río

   La arena blanca de la (   ) parecía cristal fino.

8. **brazadas:** distancia del largo de un brazo, medida de distancia

   El patio de su casa mide doce (   ) de cada lado.

9. **denodados:** audaces, intrépidos, bravos

   Los compañeros de Pedro son muchachos (   ) que no tienen ningún temor.

10. **desembocadura:** sitio donde un río entra al mar o a otro río

    Los muchachos esperaban el barco cerca de la (   ) del río.

11. **deslizaban (deslizar):** fluían

    Las aguas del río se (   ) por los valles fértiles de la región.

12. **deslumbrante:** que ofusca la vista con su luz muy viva (dazzling)

    La hermosura de las sirenas era (   ).

13. **desprendidos:** generosos, magnánimos

    Los habitantes de Cuchimeca son muy (   ).

14. **displicentemente:** perezosamente

    A Jacobo le gusta nadar (   ) en el río.

15. **escamas:** membranas córneas (fish scales)

    Las (   ) protegen al pez.

16. **fluviales:** perteneciente a los ríos

    Las aguas (   ) del Amazonas desembocan en el Océano Atlántico.

17. **fortín:** un fuerte pequeño (fort)

    Los oficiales mayores se quedaban en el (   ) mientras los soldados peleaban.

18. **incrustado:** adherido, imbutido (inlaid)

    La corona tenía (   ) un diamante muy costoso.

19. **mansamente:** lentamente, despacio

    El río se deslizaba (   ) por el valle imperial.

20. **pepitas:** pedacitos de metal nativo (comunmente oro)

    Don Ramón se hizo rico con las (   ) que se hallaban a la orilla del río.

21. **rutilantes:** brillantes, resplandecientes

    La pulsera estaba cubierta de gemas (   ).

22. **tétricos:** fúnebres, melancólicos

    En la caverna había túneles (   ) y oscuros, que nadie había explorado.

Para la Comprensión

1. ¿Cómo se llamaban los aventureros españoles de esta leyenda?

2. ¿Cuándo llegaron a la desembocadura del río Ulúa?

3. ¿Qué encontraron al llegar?

4. ¿Qué hacían estas sirenas allí?

5. Describa la belleza de las sirenas.

6. ¿Qué juraron los aventureros al ver las sirenas?

7. ¿Se escaparon las sirenas?

8. ¿Las siguieron los jóvenes aventureros?

9. ¿Por dónde?

10. ¿Se enamoraron las sirenas?

11. Describa las aguas fluviales que las sirenas mostraron a los jóvenes.

12. ¿Qué animales habitaban allí?

13. ¿Lograron acercarse los jóvenes a las sirenas?

14. Cuente lo que sucedió un día en el río Copán.

15. ¿Qué le dijo la sirena al joven aventurero?

16. ¿Cómo afectó el discurso de la sirena a los jóvenes?

17. ¿Quién habló en nombre de los aventureros?

18. Según Gonzalo, ¿qué buscaban ellos?

19. ¿Qué les pidió a las sirenas?

20. ¿Dónde había oro?

21. Relate lo que dijo la sirena de la región del río Guayape.

22. ¿Qué oferta les hizo la sirena?

23. ¿Quién se dio de voluntario para ir al río Guayape?

24. ¿Qué le sucedió a Gonzalo?

25. Cuente la buena fortuna de Pero y Santiago—¿qué fin tuvieron ellos?

Estructura

VERBOS DE CAMBIO ORTOGRAFICO (-ger, -gir)
PRESENTE DE INDICATIVO Y PRESENTE
DE SUBJUNTIVO

Según el modelo, conteste afirmativamente.

MAESTRO: ¿Corriges los ejercicios de los alumnos?

ESTUDIANTE: Sí, siempre los corrijo.

MAESTRO: ¿Recoges las cuentas para el dueño?

ESTUDIANTE: Sí, siempre las recojo.

1. ¿Escoges los alamares para los vestidos?
2. ¿Eliges las lecciones?
3. ¿Diriges los bailes?
4. ¿Corriges las acciones de los niños?
5. ¿Proteges las plantas en el invierno?
6. ¿Exiges los trabajos bien hechos?

Al emplear el sujeto nuevo, haga los cambios necesarios.

MAESTRO: Quiero que tú recojas las cartas.

ESTUDIANTE: Quiero que tú recojas las cartas.

MAESTRO: Juan

ESTUDIANTE: Quiero que Juan recoja las cartas.

7. nosotros
8. ellos
9. María
10. mis amigos
11. ella

¿Quieres que él corrija a los niños?
12. nosotros
13. yo
14. Elisa
15. mis tíos
16. mi tío y yo

Juan quiere que yo proteja los documentos.
17. mi tío y yo
18. tú
19. Marta
20. ellas
21. Jorge

Queremos que María escoja el postre.
22. tú
23. él
24. ellos
25. Juan
26. Marta y Juan

Quieren que yo lo dirija.
27. tú
28. él
29. nosotros
30. ellos

Según el modelo, cambie las oraciones para emplear la expresión *quizá*. Cuidado con el tiempo del verbo.

MAESTRO: Elena recogerá las flores.

ESTUDIANTE: Quizá recoja Elena las flores.

MAESTRO: Dirigiremos la función del sábado.

ESTUDIANTE: Quizá dirijamos la función del sábado.

31. Juan protegerá al niño.
32. Escogerán los colores para las cortinas.
33. Marta corregirá el trabajo.
34. Elegiremos un nuevo presidente.
35. Dirigirán el negocio de su tío.
36. Pedro escogerá el menú para mañana.
37. Lo recogeremos antes de la fiesta.

(Este ejercicio se puede repetir usando «TAL VEZ» en lugar de «QUIZA».)

EJERCICIOS CREATIVOS

EL LAGO ENCANTADO

1. Prepare Ud. un informe en español sobre la vida de los incas antes de la conquista, como se ve en esta leyenda.
2. ¿Qué personajes son verdaderamente históricos?
3. ¿Qué personajes son ficticios?
4. ¿A qué sucesos históricos se refiere la leyenda?
5. Mencione Ud. algunos personajes legendarios de nuestra propia historia describiendo sus hazañas.

EL PIRATA SIN CABEZA

6. Según esta leyenda ¿qué clase de hombre era Sir Francis Drake?
7. Describa Ud. el papel que hicieron los piratas en la conquista del Nuevo Mundo.
8. ¿Puede Ud. mencionar otros corsarios famosos?

9. Escriba Ud. una nueva conclusión para esta leyenda comenzando así: Era de noche cuando se puso en camino Drake. Al acercarse al lugar donde había enterrado el botín, vio de repente . . .
10. Si Ud. fuera Drake y quisiera alistar a hombres para sus expediciones ¿qué descripción les daría de los atractivos del Nuevo Mundo?

LAS SIRENAS DEL RIO ULUA

11. ¿Qué moraleja o lección nos da esta leyenda?
12. ¿Qué elementos tiene en común esta leyenda con las otras?
13. ¿Qué leyenda le gustó más? ¿Por qué?
14. ¿Qué características tenían en común los conquistadores de estas tres leyendas?
15. ¿Había en nuestra propia historia conquistadores o aventureros? Discuta el tema.

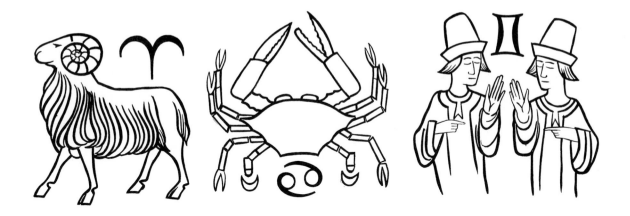

Cuadro 5 · LA SUPERSTICION

Preparando la Escena. *Un gato negro que cruza delante de uno . . . un espejo hecho pedazos . . . un paraguas abierto dentro de la casa . . . ¡presagios de desastre!*

Tales creencias y concepciones han sido populares desde tiempo inmemorial. Nacen de la ignorancia, del miedo, y de la incomprensibilidad. Y a pesar de la evidencia de lo contrario son nociones muy comunes.

¿Sabe usted que en el estado de Maine una nuez moscada suspendida del cuello en un cordel previene los furúnculos, el crup, y la neuralgia?[1]

¿Sabe usted que hay una creencia entre los cubanos que la lluvia de mayo tiene cualidades singularmente beneficiosas?

Y el español al embarcar nunca pisa primero con el pie izquierdo. ¡Hacerlo sería invitar un desastre!

Las supersticiones del mundo se incorporan en muchas formas literarias. Diviértase con las siguientes selecciones, y acuérdese . . . «¡El martes, ni te cases ni te embarques!»

[1] **una nuez moscada . . . neuralgia:** a nutmeg pierced and hung on a string around the neck prevents boils, croup, and neuralgia

EL TROVADOR

por Antonio García Gutiérrez

Introducción

El trovador, drama romántico en cinco jornadas, sirvió de inspiración para la ópera más popular de Giuseppe Verdi *(Il Trovatore).*

Aunque es una obra de amor tierno, otra pasión . . . la venganza . . . añade una nota melodramática.

Como conviene a una obra trágica, la escena empieza en un ambiente de misterio y de suspensión. Los criados del Conde de Luna esperan a que se despierte su amo. Para pasar el tiempo Jimeno relata la historia de la niñez del Conde y el secuestro de su hermano.

Guía de Estudio

La brujería existía entre todas las razas primitivas. Las brujas derivaban su poder del diablo a cambio de sus almas como recompensa. Para que pudieran evitar la cárcel, se suponía que las brujas tenían el poder de convertirse en animales (gatos, ratones, lechuzas, y otros). Además, varios espíritus personales les servían. Muchos creían que se podía espantar a las brujas haciendo la señal de la cruz o pronunciando el nombre de Jesús.

El cuervo negro, pájaro muy astuto e inteligente, ha formado parte del folklore de muchas naciones desde el tiempo más remoto. Su color negro lo ha hecho un presagio de desastre y de muerte para los supersticiosos. Entre otros que lo han usado como tal símbolo se puede citar a William Shakespeare *(Macbeth);* a Edgar Allan Poe *(The Raven);* y al colombiano Jorge Isaacs *(María).*

Palabras Clave

1. En el café nos sirvieron el pan achicharrado.

   achicharrado: tostado, frito, o asado demasiado, quemado

2. Don Policarpio dijo que él nunca apostaría en las carreras de caballos.

   apostaría: haría una apuesta (would bet)

3. El aya del niño era una mujer muy buena y sabia.

   aya: persona encargada de criar o educar a un niño (governess, instructress)

4. En la noche de Todos los Santos se quedó dormida la bruja.

   bruja: mujer que se ocupa en lo supersticioso y lo diabólico (witch)

5. Dicen que el buho es muy sabio.

   buho: ave nocturna (owl)

6. El niño dio un chillido cuando se cogió la mano en la puerta.

   chillido: grito muy agudo (screech, scream)

7. ¿Dónde diantre estará mi libro?

   diantre: diablo (exclamation)

8. Hoy día todo el mundo quiere enflaquecer.

   enflaquecer: hacerse delgado, perder peso, ponerse flaco

9. María canta una hora cada noche como ensayo para el día del programa.

   ensayo: práctica, prueba, experimento

10. Se le erizó el pelo al gato cuando vio al perro.

    erizó: se le levantó

11. El profesor López encontró un esqueleto en la tumba del templo azteca.

    esqueleto: armadura de huesos del cuerpo humano (skeleton)

12. La bruja quería hechizar a doña Petra.

    hechizar: preparar maleficio contra una persona (to bewitch, to injure by witchcraft)

13. La lechuza hace guerra activa a los insectos pequeños.

lechuza: ave nocturna (barn owl)

14. Angelina se peina de un modo diferente cada día.

modo: manera, forma

15. En la fiesta de ayer, asaron la carne a la parrilla.

parrilla: rejilla de horno, instrumento que sirve para asar y tostar (broiler, grating, grill)

16. Polita debe sacudir su abrigo antes de ponérselo.

sacudir: golpear, agitar en el aire

17. En Sevilla se ven muchas vagabundas por las calles cuando hay fiesta.

vagabundas: mujeres sin domicilio fijo que andan por las calles

JORNADA PRIMERA
Zaragoza: sala corta en el palacio de la Aljafería

ESCENA PRIMERA
Guzmán, Jimeno, y Ferrando (criados del Conde), sentados

JIMENO: Nadie mejor que yo puede saber esa historia; como que hace muy cerca de cuarenta años que estoy al servicio de los Condes de Luna.

FERRANDO: Siempre me lo han contado de diverso modo.

5 GUZMAN: Y como se abultan tanto las cosas . . .

Y como se abultan tanto las cosas: And since things get so exaggerated

JIMENO: Yo os lo contaré tal como ello pasó por los años de 1390. El Conde don Lope de Artal vivía regularmente en Zaragoza, como que siempre estaba al lado de su Alteza. Tenía dos niños: el uno que es don Nuño, nuestro muy

10 querido amo, y contaba entonces seis meses, poco más o menos, y el mayor, que tendría dos años, llamado don Juan. Una noche entró en la casa del Conde una de esas vagabundas, una gitana con ribetes de bruja, y sin decir una palabra se deslizó hacia la cámara donde dormía el mayorcito.

15 Era ya bastante vieja . . .

ribetes: earmarks

FERRANDO: ¿Vieja y gitana? Bruja sin duda.

JIMENO: Se sentó a su lado, y le estuvo mirando largo rato, sin apartar de él los ojos ni un instante; pero los criados la vieron y la arrojaron a palos. Desde aquel día empezó a

20 enflaquecer el niño, a llorar continuamente, y por último, a los pocos días cayó gravemente enfermo; la pícara de la bruja le había hechizado.

la pícara de la bruja: the malicious witch

GUZMAN: ¡Diantre!

JIMENO: Y aún su aya aseguró que en el silencio de la

25 noche había oído varias veces que andaba alguien en su

habitación, y que una legión de brujas jugaban con el niño a la pelota, sacudiéndole furiosas contra la pared.

FERRANDO: ¡Qué horror! Yo me hubiera muerto de miedo.

JIMENO: Todo esto alarmó al Conde, y tomó sus medidas
5 para pillar a la gitana; cayó efectivamente en el garlito, y al otro día fue quemada públicamente, para escarmiento de viejas.

GUZMAN: ¡Cuánto me alegro! ¿Y el chico?

JIMENO: Empezó a engordar inmediatamente.

10 FERRANDO: Eso era natural.

JIMENO: Y a guiarse por mis consejos, hubiera sido también tostada la hija, la hija de la hechicera.

FERRANDO: ¡Pues por supuesto! . . . Dime con quién andas . . .

15 JIMENO: No quisieron entenderme, y bien pronto tuvieron lugar de arrepentirse.

GUZMAN: ¿Cómo?

JIMENO: Desapareció el niño, que estaba ya tan rollizo que daba gusto verle; se le buscó por todas partes, ¿y sabéis
20 lo que se encontró? Una hoguera recién apagada en el sitio donde murió la hechicera, y el esqueleto achicharrado del niño.

FERRANDO: ¡Cáspita! ¿Y no la atenaceàron?

JIMENO: Buenas ganas teníamos todos de verla arder por
25 vía de ensayo para el infierno; pero no pudimos atraparla, y sin embargo si la viese ahora . . .

GUZMAN: ¿La conoceríais?

JIMENO: A pesar de los años que han pasado, sin duda.

FERRANDO: Pero también apostaría yo cien florines a que
30 el alma de su madre está ardiendo ahora en las parrillas de Satanás.

GUZMAN: Se entiende.

JIMENO: Pues . . . mis dudas tengo en cuanto a eso.

GUZMAN: ¿Qué decís?

35 JIMENO: Desde el suceso que acabo de contaros no ha dejado de haber lances diabólicos . . . Yo diría que el alma de la gitana tiene demasiado que hacer para irse tan pronto al infierno.

FERRANDO: ¡Jum! . . . ¡Jum! . . .

40 JIMENO: ¿He dicho algo?

FERRANDO: Preguntádmelo a mí.

GUZMAN: ¿La habéis visto?

pillar: to catch
el garlito: the trap
para escarmiento: as a warning

Dime con quién andas [y te diré quién eres]: An old Spanish proverb equivalent to "Birds of a feather flock together."

rollizo: chubby

¿Y no la atenacearon? And didn't they torture her?

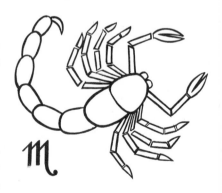

Jum: hm or hum; a Spanish equivalent of the sound made with closed lips to express contempt or surprise

FERRANDO: Más de una vez.

GUZMAN: ¿A la gitana?

FERRANDO: ¡No, qué disparate; no . . . ! Al alma de la
gitana; unas veces bajo la figura de un cuervo negro; de
5 noche regularmente en buho. Ultimamente, noches pasadas,
se transformó en lechuza.

GUZMAN: ¡Cáspita!

JIMENO: Adelante.

FERRANDO: Y se entró en mi cuarto a sorberse el aceite de   sorberse el aceite: to sip the oil
10 mi lámpara; yo empecé a rezar un *Padre nuestro* en voz baja
. . . ni por ésas; apagó la luz y me empezó a mirar con unos
ojos tan relucientes; se me erizó el cabello; tenía un no sé
qué de diabólico y de infernal aquel espantoso animalejo.
Ultimamente, empezó a revolotear por la alcoba . . . yo sentí   revolotear: to flutter
15 en mi boca el frío beso de un labio inmundo, di un grito de   inmundo: filthy, unclean
terror exclamando: «¡Jesús!» y la bruja espantada lanzó un   ¡Jesús! Such exclamations are
prolongado chillido, precipitándose furiosa por la ventana.   frequent in Spanish and do
                                                                    not have the offensive tone
GUZMAN: Me contáis cosas estupendas. Y en pago del   which they do in English.
buen rato que me habéis hecho pasar, voy a contaros otras   Translate by some mild excla-
20 no menos raras y curiosas, pero que tienen la ventaja de ser   mation.
más recientes.

EL NUMERO «7»

De cabales 7 días
se compone la semana;
los artículos son 7,
7 infantes tuvo Lara
Grecia contó 7 sabios
según la historia relata:
7 son las musicales
notas que tiene el pentagrama
hasta 7 se clavaron
en el Egipto las plagas
y 7 son las cabrillas
que nunca llegan a cabras.
En el pecho de la Virgen
vemos siempre 7 espadas,
los 7 inmensos dolores
que su corazón traspasan.
Los sagrarios 7 son
y 7 son las semanas

El trovador   95

que componen cuaresma.
La Madre Iglesia nos manda
la observación de los 7
Sacramentos que señala.
Los pecados capitales
a 7 también alcanzan
y contra estos 7 vicios
7 virtudes se hallan.
7 son los gozos. 7
colores forman la faja
que llamamos arco iris;
fueron 7—según fama
los durmientes que hubo en Roma
y si la historia no marra,
7 niños hubo en Ecija
de malísima calaña
y todos 7 mesinos.
La codorniz enjaulada
7 golpes llega a dar
y si de los 7 pasa
no es codorniz, es fenómeno:
y aquí este romance acaba.
¡Demonio! pues no me he hecho
un 7 a la americana.

Diccionario

1. **achicharrado:** tostado, frito, o asado demasiado, quemado

   A mí no me gusta el pan (   ).

2. **apostaría (apostar):** haría una apuesta (would bet)

   Don Luciano no (   ) en el juego por miedo de perder su dinero.

3. **aya:** persona encargada de criar o educar a un niño (governess, instructress)

   Cuando Miguelito iba al parque, su (   ) siempre iba con él.

4. **bruja:** mujer que se ocupa en lo supersticioso y lo diabólico (witch)

   Según se dice, esa vieja es una (   ) y sabe hechizar.

5. **buho:** ave nocturna (owl)

   El (   ) duerme todo el día y vuela de noche.

6. **chillido:** grito muy agudo (screech, scream)

   La niña dio un (   ) cuando le quitaron la muñeca.

7. **diantre:** diablo (exclamation)

   ¿Cómo (   ) se abre la puerta del garage?

8. **enflaquecer:** hacerse delgado, perder peso, ponerse flaco

   Toña quería (   ), pero no podía dejar de comer.

9. **ensayo:** práctica, prueba, experimento

   Todos los días había (   ) para la fiesta.

10. **erizó (erizarse):** levantarse el cabello a alguien

    El cabello se le (   ) desde el momento que empezó la música extraña.

11. **espantoso:** terrorífico, horrible, horroroso

    En la cueva de Juan López Portillo encontraron un animal (   ).

12. **esqueleto:** armadura de huesos del cuerpo humano (skeleton)

En la oficina del médico tenían un (   ) en una caja de vidrio.

13. **florín:** moneda de plata

Esta pintura no vale ni un (   ).

14. **gitana:** vagabunda (gypsy)

La (   ) le dijo su fortuna.

15. **hechizar:** preparar maleficio contra una persona (to bewitch, to injure by witchcraft)

En los tiempos antiguos había personas que podían (   ) a una persona.

16. **lechuza:** ave nocturna (barn owl)

En el parque zoológico tienen una (   ) que en realidad es una ave muy dócil.

17. **legión:** multitud

En la calle, andaba una (   ) de gitanas cantando y bailando.

18. **mayorcito:** el más grande, que tiene más edad

De los hijos, el (   ) tenía catorce años.

19. **modo:** manera, forma

En el norte de México se cocina la carne de un (   ), en el sur, de otro.

20. **palos:** golpes, pedazos de madera (blows given with a stick)

Echaron al perro a (   ) de la casa.

21. **parrilla:** rejilla de horno, instrumento que sirve para asar y tostar (broiler, grating, grill)

En el norte cocinan la carne a la (   ).

22. **precipitarse:** echarse, tirarse, arrojarse

El prisionero quería (   ) por la ventana.

23. **sacudir:** golpear, agitar en el aire

El perro se puso a (   ) la muñeca de la niña.

24. **vagabunda:** mujer sin domicilio fijo que anda por las calles

Las hermanas del Sagrado Corazón recogieron a la (   ) por unos días.

Para la Comprensión

1. ¿En qué palacio se registra esta escena?
2. ¿Quiénes son Guzmán, Jimeno, y Ferrando?
3. ¿A quién servía Jimeno?
4. ¿Por cuánto tiempo?
5. ¿Cuándo pasó lo que contaba Jimeno?
6. ¿Dónde vivía por lo regular don Lope de Artal?
7. ¿Por qué vivía allí?
8. ¿Cuántos hijos tenía?
9. ¿Quién era el mayor?
10. ¿Qué edad tenía el menor?
11. Describa a la bruja que entró en la casa del Conde.
12. ¿Hasta dónde se deslizó?
13. ¿Qué pensó Ferrando de la vieja gitana?
14. ¿Qué hizo la gitana cuando entró a la recámara de don Juan?
15. ¿La dejaron allí los criados?
16. ¿Qué le sucedió al niño desde aquel día?
17. ¿Qué aseguraba el aya de don Juan?
18. ¿Qué hizo el Conde acerca de todo esto?
19. ¿Cogieron a la gitana?
20. ¿Y qué le hicieron a ella?
21. ¿Cuándo comenzó a engordar el chico?
22. ¿Qué quería Jimeno que hicieran con la hija de la gitana?
23. ¿Qué sucedió con el niño después de un tiempo?
24. ¿Se escapó la hija de la gitana?
25. ¿La olvidó Jimeno?
26. ¿Qué estaba dispuesto a apostar Ferrando?
27. ¿Qué piensa Jimeno del alma de la gitana?
28. ¿Ha visto Ferrando el alma de la gitana?
29. Relate lo que Ferrando dice acerca de eso.
30. ¿Cuándo salió la bruja de la alcoba de Ferrando?

Estructura

POSICION DEL COMPLEMENTO INDIRECTO

Cambie la oración según el modelo.

> MAESTRO: Está cantándole una canción mexicana.
>
> ESTUDIANTE: Le está cantando una canción mexicana.
>
> MAESTRO: Está cosiéndomelo para la fiesta.
>
> ESTUDIANTE: Me lo está cosiendo para la fiesta.

1. Están friéndolos para la cena.
2. Estoy buscándolo en el periódico.
3. Estabas preparándolo cuando llegamos.
4. Estaban arreglándoselo ayer.
5. Estábamos haciéndole burla.

ADVERBIOS TERMINADOS EN -MENTE

Cambie la oración según el modelo.

> MAESTRO: Ultimamente los muchachos no comen mucho.
>
> ESTUDIANTE: Ultimamente los muchachos no comen mucho.
>
> MAESTRO: regular
>
> ESTUDIANTE: Regularmente los muchachos no comen mucho.

1. general
2. reciente
3. efectivo
4. continuo

Estudian tres horas diariamente.

5. general
6. continuo
7. preciso
8. detenido

¿Escribes correctamente el inglés?

9. diario
10. perfecto
11. continuo
12. general

MODISMO: RECIEN + PARTICIPIO

Según el modelo, haga los cambios necesarios.

> MAESTRO: Este teatro se inauguró recientemente.
>
> ESTUDIANTE: Este teatro está recién inaugurado. Es un teatro recién inaugurado.
>
> MAESTRO: El niño nació recientemente.
>
> ESTUDIANTE: El niño está recién nacido. Es un niño recién nacido.

1. Este hombre se casó recientemente.
2. Esas flores se cortaron recientemente.
3. Esta casa se pintó recientemente.
4. Ese libro se publicó recientemente.
5. El piano se compró recientemente.

EL TESORO DE BUZAGA

por Enrique Otero D'Costa

Introducción

Mientras exista la creencia de que hay un tesoro al extremo del arco iris, habrá quienes lo busquen. El hombre está siempre deseoso de mejorar su fortuna.

Este es un cuento que habla de dos hombres en busca de tesoro: el uno, un humilde empedrador llamado Lope Badillo; el otro, cura de la santa iglesia de Tunja. Es un cuento guarnecido con superstición, misterio y brujería.

De su vasto conocimiento de leyenda y de folklore, el autor nos ha presentado tipos memorables de la Colombia rural.

Guía de Estudio

El mohán es un monstruo fantástico que hace un papel típico en la leyenda colombiana. Es una especie de demonio lleno de malignidad que se hace sentir por sus diabluras. Tiene forma de indio cabezón con piernas cortas y con aletas[1] de pez en las espaldas.

Note usted las señales y las referencias supersticiosas que contribuyen al misterio . . . tesoro oculto; lugares solitarios; la vieja india que guía solamente hasta cierto lugar; la llegada de los viajeros en día favorable de luna nueva; y la risa diabólica del mohán.

Palabras Clave

1. El hermano Tónsul, aunque era clérigo, también era muy aficionado a las cosas buenas de la vida.

   aficionado: amante

2. Pepe se agarraba de la mano de su tío al cruzar el camino.

   agarraba: cogía

3. El padre Camilo quedó asombrado cuando vio al mago hacer desaparecer a la muchacha.

   asombrado: desconcertado, sorprendido, confundido

4. El camino en la montaña es muy áspero.

   áspero: desigual, rugoso (rough)

5. Antonio hizo burla de su hermanito.

   burla: abuso, ridículo, engaño

6. De la cumbre de la montaña, se ve todo el valle.

   cumbre: pico, cresta, altura

7. Don Luciano era el mejor empedrador de su pueblo.

   empedrador: el que tiene por oficio cubrir las calles con piedras (stone paver)

8. El trabajo de la iglesia ennoblecía el alma del cura Padilla.

   ennoblecía: enriquecía, dignificaba, engrandecía

9. Elena salió del cine con los ojos espantados después de ver la película de horror.

   espantados: asustados

10. El elástico se ha estirado demasiado.

    estirado: extendido, prolongado, alargado

11. Don Benito sabe que eso va a hacer daño a la gente.

    hacer daño: causar mal

12. Pedro y Juan vieron dos hechiceros cerca del pueblo.

    hechiceros: magos, brujos (witches)

13. La armada inglesa era la más temida.

    temida: que inspira temor (feared)

14. Los jugadores tiraron una moneda para ver cuál equipo recibiría la pelota.

    tiraron una moneda: echaron a suertes con una moneda (flipped a coin)

ＥN LA muy noble y leal ciudad de Tunja vivía cierto honrado vecino llamado Lope Badillo, empedrador de oficio. Decir empedrador es decir pobre, y el hombre de mi cuento era tan pobre que tenía solamente una vieja camisa.

[1] **aletas:** fins

Cuando su buena mujer se la lavaba tenía que quedarse en cama esperando a que el sol la secara.

La pobreza en que se hallaba Lope no había matado su espíritu ni su ambición. Al contrario, el deseo de hacer
5 fortuna era muy fuerte, y así pasaba las horas pensando en el mejor medio de salir de necesidades, sin que esta meditación tuviera en muchos años ningún resultado tangible.

Pero a nadie le falta la ayuda de Dios. Cierto día Lope Badillo tuvo la buena suerte de hablar de su pobreza a una
10 india vieja, que sabía muchos secretos antiguos del país, y ella ofreció ayudarle, poniéndole en contacto con un mohán que guardaba un tesoro oculto y que vivía en un lugar solitario que ella le mostraría.

mohan: sacerdote de los antiguos chibchas (indios de Colombia)

Badillo, muy alegre ante esta perspectiva, comunicó su
15 secreto a don Benito de Laserna, cura de la santa iglesia de Tunja, hombre virtuoso en todo sentido, aunque bastante aficionado al dinero.

perspectiva: prospect

Badillo buscaba la ayuda no menos que el consejo del cura, porque temía que pudiera haber cosa mala en un
20 asunto de santuarios y mohanes. Mas el cura tranquilizó sus escrúpulos y convino en ayudarle mediante un pago de la mitad del tesoro.

mediante: in return for

Así salieron de Tunja con gran secreto una mañana, guiados por la vieja india, y después de caminar mucho
25 tiempo, llegaron a unas verdes cumbres. Desde allí, la india les mostró el lejano sitio donde vivía el mohán. La india no quiso acompañarlos más adelante porque tenía miedo de morir si se acercaba más al misterioso lugar. Y tuvieron que dejarla volver a la ciudad.

30 Nuestros peregrinos continuaron caminando con mucha dificultad hasta descubrir entre la maleza el bohío de su mohán. Al penetrar por la puerta vieron al fondo de la habitación a un indio viejo, seco y flaco sentado reposadamente en el suelo. Sus ojillos brillantes y picarescos observa-
35 ron con gravedad a los visitantes y había un ligero temblor en sus labios sin sangre. ¡Aquel viejo era el mohán!

la maleza: the underbrush
el bohío: the hut

Los peregrinos se acercaron bastante turbados, porque los mohanes eran personas muy temidas, mitad hechiceros, mitad demonios. Pero en esta ocasión, en lugar de la ira y tempestad
40 que creían hallar, los caminantes encontraron un viejecillo que muy cortésmente les preguntó en qué podía servirles.

—Será muy poco, señor mohán—le dijo Lope Badillo. —Ya lo sospechará al vernos buscándole por estos caminos . . .

—Je, je—rió el viejecillo—o mucho me equivoco o queréis hallar el santuario de Buzagá . . .

—Eso mismo, señor mohán.

—Serán satisfechos, como han venido en día favorable.
5 Tenemos luna nueva, y en el valle canta el alcaraván.

Después de largo caminar por montes, valles, y llanuras llegaron muy cansados a una cuesta abrupta. Hacía mucho sol, y el camino se hacía muy áspero. De pronto el mohán se paró y declaró que no podía seguir adelante. Estaba muy
10 viejo y las fuerzas le faltaban. Se sentó en una gran piedra, resuelto a no dar un paso más.

El cura y Badillo se miraron aguardando cada uno a que el otro se ofreciera para cargar con el indio. Mas el sol estaba caliente, la cuesta larga y áspera. . . . Finalmente el empedra-
15 dor habló proponiendo llevar el viejo a cuestas por iguales turnos.

—No puede ser así—dijo el mohán—porque no me gustan estos cambios. Echadlo a la suerte, y veremos . . .

Y siguiendo el consejo del hechicero, tiraron una moneda
20 . . . El cura perdió, y tuvo que cargar con el indio. Y siguieron caminando.

¡Diablos! ¡El sucio viejo pesaba más que una montaña! ¡Qué fatiga! Hasta los dientes le sudaban al cura subiendo por aquella cuesta, que parecía prolongarse sin fin.
25 Lope Badillo, viendo las agonías de su compañero, ofreció relevarle, pero el mohán, cuando oyó que querían hacer un cambio, gritó:

—¡Mal, mal! Eso hará daño a la empresa. Porque es preciso, para hallar este tesoro, que un solo hombre me trans-
30 porte continuamente, sin tomar descanso, ni parar en el camino. Como el padre Benito me tomó en sus hombros, en hombros del padre es preciso llegar al santuario.

El padre Benito lanzó una desolada mirada por todo lo largo de la senda, dio un suspiro de resignación y continuó
35 el ascenso. Pero a los ojos espantados del cura, la cumbre, en vez de acercarse, parecía alejarse más y más.

—Me parece que esta cuesta se alarga hasta lo infinito.

—Esas son ideas suyas—decía Badillo para consolarle.

—Paciencia, que muy pronto llegaremos al fin del camino
40 y principio de nuestra dicha. ¿Verdad, viejo mohán?

—Ji, ji, ji—reía el mohán. —Ya llegaremos, ahorita llegaremos, y cuando toméis el oro a puñadas, os creeréis bien servidos.

el alcaraván: the bittern, a bird

una cuesta abrupta: a steep slope

a cuestas: on their backs

Echadlo a la suerte: Toss for it

a puñadas: in fistfuls

Y se agarraba con mayor fuerza de la cabeza de su paciente conductor, y golpeándole con los talones como si fuera caballo, le espoleaba alegremente: —¡Ji, ji, ja, ja! ¡Orito, orito, y algunas esmeralditas! ¡Ji, ji! ¡Ya lo veréis, ya lo veréis! ¡Ji, ji!

5 Lo que el padre vio en aquel momento fue que la cumbre ya no se veía. El camino se había estirado, estirado como por encanto. Y el padre Benito comprendió, al fin, sin duda por inspiración del cielo, que aquel viaje tenía algo diabólico. Lleno de irritación y de alarma, le dijo de pronto al viejo
10 que bajara.

Pero el mohán siguió riendo y golpeándole con los talones:

—¡Arre, arre, su merced, que ya vamos llegando! Es aquí cerca, cerquita. ¡Arre, su merced! ¡Ji, ji, ja, ja!

El padre Benito le gritó a Badillo que viniera a ayudarle y
15 éste, muy asombrado, tomó una piedra y la echó a la cabeza del mohán, tratando de derribarle.

¡San Miguel nos valga! En lugar del esperado efecto, la piedra volvió como una pelota de caucho y dando contra Lope Badillo, le arrojó al suelo, los ojos llenos de chispas.
20 Badillo se escapó exclamando a grandes voces:

—¡Padre, padre! ¡Este viejo indio . . . creo que es el diablo mismo!

¿El diablo? No faltaba más. Y sacando un frasco de agua bendita que llevaba en el bolsillo, la echó sobre el mohán,
25 invocando al mismo tiempo al Santísimo Sacramento. Santo remedio; el indio se cayó al suelo como un leño seco y fue rodando montaña abajo hasta sepultarse en el fondo con un ruido de truenos.

El cura y su compañero quedaron maravillados y dando
30 gracias a Dios por haberse escapado tan milagrosamente. Cuando bajaron al fondo, vieron asombrados que aquel cuerpo no era el de un hombre que acababa de morirse sino de un hombre muerto hacía muchos, muchísimos años. El diablo había tomado este cuerpo para su vivienda, y dentro
35 de él hacía todas las cosas malas que acostumbra hacer para perdición y ruina de la raza humana.

¡Ayayay! El cura y Badillo volvieron hacia el camino, lamentándose el primero de la burla que le había hecho el demonio, y lamentándose el segundo de haber perdido la
40 fortuna al momento de tenerla en las manos. Y con estas experiencias volvieron a Tunja, alegrándose en medio de todo de haberse escapado del camino infernal por donde los había querido conducir el diablo mismo.

le espoleaba: spurred him on
orito: "nice gold"

Arre: Giddap!

San Miguel nos valga: (May) Saint Michael help us.

un frasco de agua bendita: a flask of holy water

como un leño seco: like a log

Y llegaron a casa; Lope, a seguir empedrando calles, y el padre Benito, curado por la mano de Dios de andar buscando tesoros, muy contento de seguir diciendo su misa temprana, oficio que le ennoblecía el alma y le aseguraba la comida.

Diccionario

1. **agarraba (agarrar):** cogía
   (   ) la fruta del árbol cuando su mamá no lo miraba.

2. **asombrado (asombrar):** desconcertado, sorprendido, confundido
   Alfredo quedó (   ) cuando supo que le había tocado el premio gordo en la lotería.

3. **áspero:** desigual, rugoso (rough)
   El tronco de ese árbol es (   ) y feo.

4. **burla:** abuso, ridículo, engaño
   Doña Antonia le perdonó a José la (   ) que le había hecho a su hermanito.

5. **caucho:** goma elástica (India rubber)
   Los muchachos juegan al tenis con una pelota de (   ).

6. **cumbre:** pico, cresta, altura
   Yo fui el único que no pudo subir hasta la (   ).

7. **cura:** ministro católico, sacerdote
   El padre Juan es (   ).

8. **empedrador:** el que tiene por oficio cubrir las calles con piedras (stone paver)
   El (   ) de mi pueblo es un hombre muy anciano.

9. **ennoblecía (ennoblecer):** enriquecía, dignificaba, engrandecía
   Manuelito (   ) su vida con el estudio.

10. **espantados:** asustados
    Parecía que estaban (   ) todos los pollitos, porque andaba el coyote cerca de allí.

11. **estirado (estirar):** extendido, prolongado, alargado

María dijo que el elástico se había (   ) tanto que ya no servía.

12. **hacer daño:** causar mal
    Trató de ayudar a María sin (   ) a Lupita.

13. **hechicero:** mago, brujo (witch)
    El (   ) era gitano.

14. **milagrosamente:** maravillosamente (miraculously)
    María se salvó (   ) cuando el tren chocó con su auto.

15. **temida:** que inspira temor (feared)
    La serpiente es más (   ) que cualquier otro animal.

16. **tiraron una moneda (tirar):** echaron a suertes con una moneda (flipped a coin)
    (   ) para ver quien comería el dulce.

Para la Comprensión

1. ¿Dónde vivía Lope Badillo?
2. ¿Qué oficio tenía?
3. ¿Son ricos los empedradores?
4. Cuando su mujer le lavaba la camisa, ¿qué hacía Lope?
5. ¿En qué pensaba por largas horas?
6. ¿A quién le habló de su pobreza?
7. ¿Cómo le ayudó la india vieja?
8. ¿A quién le comunicó Badillo su secreto?
9. ¿Quién era don Benito de Laserna?
10. ¿Por qué buscó Badillo la ayuda de don Benito?
11. Relate el viajecito que hicieron Badillo y don Benito con la india.
12. ¿A quién encontraron entre la maleza?

13. ¿Cómo era el mohán?

14. ¿Por qué era favorable aquel día?

15. ¿Qué hizo el mohán después de mucho caminar?

16. ¿Por qué no quería caminar más?

17. ¿Cómo resolvieron el problema?

18. ¿Quién tuvo que cargar al indio?

19. ¿Qué ofreció hacer Badillo?

20. ¿Por qué no lo permitió el mohán?

21. ¿Por qué se espantó el cura?

22. ¿Qué le decía Badillo?

23. Y el mohán ¿qué hacía?

24. Cuando ya no se veía la cumbre, ¿qué sucedió?

25. ¿Qué sucedió cuando Badillo quiso pegarle al indio con la piedra?

26. ¿Qué gritó Badillo?

27. ¿Cómo venció el cura al mohán?

28. ¿Qué le pasó al indio?

Estructura

EL SUBJUNTIVO: CONCORDANCIA
DE TIEMPOS

Según el modelo, cambie la oración.

MAESTRO: María vendrá de la escuela.

ESTUDIANTE: Esperaremos a que venga María de la escuela.

MAESTRO: Juan los llamará.

ESTUDIANTE: Esperaremos a que Juan los llame.

1. Los muchachos llegarán con el coche.
2. Mi hermano traerá los helados.
3. Mis amigas las escribirán.
4. Tu tío nos lo regalará.
5. Los jóvenes les hablarán.
6. Carlos irá pronto.
7. Tendrás más tiempo.

Según el modelo, cambie la oración.

MAESTRO: María vino de la escuela.

ESTUDIANTE: Dijo que esperaría a que viniera María de la escuela.

MAESTRO: Juan les llamó.

ESTUDIANTE: Dijo que esperaría a que Juan les llamara.

8. Llegaron los muchachos.
9. Trajeron los helados.
10. Lalo las escribió.
11. Me llamaste por teléfono.
12. Lope pasó por la casa.
13. Tuvimos que salir.

LA LECHUZA

por Alberto Gerchunoff

Introducción

El argentino Alberto Gerchunoff emplea las tradiciones hebreas y la vida de la colonia judía de la Argentina como tema de muchos cuentos suyos. A veces trágicos y misteriosos como en *La lechuza*, estos cuentos nos revelan el gran poder dramático de Gerchunoff. También, el autor ha captado en prosa la tristeza y la desesperación del pueblo judío que ha sufrido tantas pérdidas y tanta persecución durante los años.

Guía de Estudio

En 1492 la reina Isabel mandó expulsar de España a los moros y a los judíos. Eso trajo consecuencias trágicas no sólo para los desterrados sino también para España, porque los desterrados eran de la gente más culta, más ingeniosa, y más industriosa del país.

En esta selección la lechuza, frecuentemente nocturna en sus hábitos, es el símbolo de la tragedia.

Palabras Clave

1. Le trajeron comida a la afligida mujer, pero no comió.

   afligida: triste, inconsolable, angustiada

2. Ese astro parece más brillante que aquel astro.

   astro: estrella, planeta, sol

3. En el rancho de don José de la Luz se oye a los perros aullar de noche.

   aullar: gritar un lobo o un perro con voz quejosa y prolongada (to howl)

4. María se comprometió con el novio de su niñez.

   comprometió: dio palabra, se obligó (became engaged)

5. El ranchero espoleó al caballo para hacerlo correr más aprisa.

   espoleó: picó con la espuela al caballo (spurred)

6. Se estremeció con el frío de la nieve al abrir la puerta.

   estremeció: tembló

7. Dicen que en el cementerio hay fantasmas que salen de noche.

   fantasmas: espíritus visibles, apariciones

8. A lo lejos se oía el ladrido de los perros, el mugir de las vacas, y el graznido de las lechuzas.

   graznido: grito de algunas aves como el cuervo y la lechuza

9. Joselito cogía las ranas al lado del canal.

   ranas: género de animal acuático de sangre fría (frogs)

10. El reflejo del sol penetraba por la ventana.

    reflejo: luz reflejada, reflexión de luz

JACOBO PASO en su caballo ante la casa de Reiner, saludando en español. La vieja contestó en judío, y la muchacha le preguntó si había visto a Moisés, que había partido en la mañana en busca del tordillo.

el tordillo: the gray horse

5   —¿Moisés?—preguntó el muchacho. —¿Se fue en el caballo blanco?

—En el blanco.

—¿Salió por el camino de Las Moscas?

—No—respondió Perla—tomó el camino de San Miguel.

10   —¿De San Miguel? No lo he visto.

La vieja se lamentó, con voz que revelaba su inquietud:

—Ya se hace tarde y mi hijo partió tan sólo con unos mates; no llevó revólver . . .

—No hay cuidado, señora; se pueden recorrer todos los alrededores sin encontrar a nadie.

—Dios te oiga—añadió doña Eva—dicen que cerca de los campos de Ornstein hay bandidos.

El diálogo terminó con una palabra tranquilizadora de Jacobo; espoleó al caballo, obligándolo a dar un salto, para lucir su habilidad de jinete en presencia de Perla.

El sol declinaba y la tarde de otoño se adormecía bajo el cielo rojo. El tono amarillo de las huertas, el verde pálido del potrero quebrado por el arroyo obscuro daban al paisaje una melancolía dulce, como en los poemas hebraicos en que las pastoras retornan con el rebaño sonámbulo bajo el cielo de Canaán.

Se sumergían en obscuridad las casas de la colonia y en los tejidos de alambre brillaban en reflejos vivaces los últimos rayos del sol.

—Es tarde, hija mía, y Moisés no llega . . .

—No hay temor, madre, no es la primera vez. ¿Te acuerdas, el año pasado, en vísperas de Pascua, cuando fue con el carro al bosque de San Gregorio? Vino con la leña al día siguiente.

—Sí, recuerdo; pero llevaba revólver, y además, cerca de San Gregorio hay una colonia. . . .

Un silencio penoso siguió a la conversación. En los charcos cantaban las ranas y de los árboles próximos venían ruidos confusos.

Una lechuza voló sobre el corral, graznó lúgubremente y se posó en un poste.

—¡Qué feo es aquel pájaro!—dijo la muchacha.

Graznó otra vez la lechuza, y miró a las mujeres, en cuyo espíritu sus ojos hicieron la misma triste impresión.

—Dicen que es de mal agüero.

—Dicen así, pero no creo. ¿Qué saben los campesinos?

—¿No decimos nosotros, los judíos, que el cuervo anuncia la muerte?

—¡Ah, es otra cosa!

La lechuza voló hasta el techo, donde lanzó un graznido y tornó al poste, sin dejar de mirar a las mujeres.

En el extremo del camino lleno de sombra resonaron las pisadas de un caballo. La chica miró, haciendo visera de las manos. Desengañó a la madre.

—No es blanco.

De las casas el viento traía el eco de un canto, uno de esos cantos monótonos y tristes que lamentan la pérdida de

para lucir su habilidad de jinete: in order to show off his horse-manship

el verde pálido . . . arroyo obscuro: the pale green of the pasture broken up by the dark ravine

las pastoras . . . sonámbulo: the shepherdesses return with their drowsy flock

tejidos de alambre: wire fences

graznó lúgubremente y se posó: hooted mournfully and lit

las pisadas: the steps (hoof-beats)

visera: shield

Jerusalén y exhortan a las hijas de Sion, «magnífica y única,» a llorar en la noche para despertar con sus lágrimas la piedad del Señor. Maquinalmente, Perla repitió en voz baja:

Llorad y gemid, hijas de Sion. . . .

Después, con voz más fuerte, cantó la copla de los judíos de España, que le había enseñado en la escuela el maestro don David Ben-Azán:

Hemos perdido a Sion,
hemos perdido a Toledo.
No queda consolación. . . .

Como la madre había continuado inquietándose, la muchacha, para distraerla, continuó la conversación anterior.

—¿Tú crees en los sueños? Hace unos días, doña Raquel contó algo que nos dio miedo.

La vieja contó a su vez una historia espantosa.

Una prima suya, hermosa como un astro, se comprometió con un vecino de la aldea. Era carretero muy pobre, muy honrado y muy temeroso de Dios. Pero la moza no lo quería, por ser contrahecho. En la noche del compromiso, la mujer del rabino . . . una santa mujer . . . vio un cuervo.

carretero: wagon driver

contrahecho: deformed
rabino: rabbi

El novio vendió un caballo y con el dinero compró un misal, que regaló a la novia. Dos días antes del casamiento se anuló el compromiso y la moza se casó al año siguiente con un hombre muy rico del lugar.

El recuerdo del suceso causó honda impresión en el ánimo de doña Eva. Su cara se alargó en la sombra y, en voz baja, contó el milagroso acontecimiento. Se casó la muchacha, y uno a uno fueron muriendo sus hijos. ¿Y el primer novio? El buen hombre había muerto. Entonces el rabino de la ciudad, consultado por la familia, intervino. Examinó los textos sagrados y halló en las viejas tradiciones un caso parecido.

Aconsejó a la mujer que devolviera al difunto su lujoso misal. Así recobraría la tranquilidad y la dicha.

—Llévalo—le dijo—bajo el brazo derecho, mañana, a la noche, y devuélveselo.

Nada respondió la afligida. Al otro día, al salir la luna, misal bajo el brazo, salió. Una lluvia lenta le golpeaba el rostro, y sus pies, débiles por el miedo, apenas si podían avanzar sobre la dura nieve. En los suburbios ya, muerta de fatiga, se guareció junto a una pared; pensaba en los hijos muertos y en el primer novio, cuyo recuerdo había desapare-

se guareció: she took refuge

cido de su memoria durante tanto tiempo. Lentamente hojeaba el misal, de iniciales frondosas y rosas, de estilo arcaico, que le gustaba contemplar en las fiestas de la sinagoga, mientras recitaba en coro las oraciones.

 De pronto sus ojos se obscurecieron, y al recobrarse vio en su presencia al carretero, con su cara resignada y su cuerpo deforme . . .

—Es tuyo este misal y te lo devuelvo—le dijo.

El fantasma, que tenía tierra en los ojos, extendió una mano de hueso y recibió el libro.

Entonces la mujer, recordando el consejo del rabino, añadió: —Que la paz sea contigo, y ruega por mí; yo pediré a Dios por tu salvación.

Perla suspiró. La noche cerraba, tranquila y transparente. A lo lejos, las luciérnagas se agitaban como chispas diminutas y llevaban al espíritu de la anciana y de la chica un vago terror de fantasmas. Y allí sobre el palenque, la lechuza continuaba mirándolas con sus ojos de imán, lucientes y fijos.

Obsesionada por un pensamiento oculto, la niña continuó:

—Pero si el gaucho dice tales cosas del pájaro, bien pudiera ser. . . .

Doña Eva miró el palenque y luego hacia el fondo negro del camino y con voz temblorosa, casi imperceptible, murmuró:

—Bien pudiera ser, hija mía. . . .

Un frío agudo la estremeció, y Perla, con la garganta oprimida por la misma angustia, se acercó a la viejecita. En esto se oyó el eco de un galope. Las dos se agacharon para oir mejor, tratando de ver en la densa obscuridad. Su respiración era jadeante, y los minutos se deslizaban sobre sus corazones con lentitud opresiva. Aullaron los perros de la vecindad. El galope se oía cada vez más precipitado y claro, y un instante después vieron el caballo blanco que venía en enfurecida carrera. Se pararon madre e hija, llenas de espanto, y de sus bocas salió un grito enorme, como un alarido. El caballo, sudoroso, se detuvo en el portón, sin el jinete, con la silla ensangrentada. . . .

hojeaba: she leafed through

las luciérnagas . . . diminutas: the fireflies fluttered like tiny sparks
palenque: stockade
de imán: magnetic

jadeante: panting

Diccionario

1. **afligida:** triste, inconsolable, angustiada
   Don Lauterio se quedó con la (   ) mujer para consolarla.

2. **astro:** estrella, planeta, sol
   Júpiter es un (   ) muy brillante del firmamento.

"Owl" *por Pablo Picasso*
(Collection, The Museum
of Modern Art, New York;
Curt Valentin Bequest)

3. **aullar:** gritar un lobo o un perro con voz quejosa y prolongada (to howl)

   A algunos perros les gusta (   ) de noche.

4. **comprometió (comprometerse):** dio palabra, se obligó (became engaged)

   Juanita no se (   ) con Miguel porque quería más a José.

5. **charco:** agua estancada en un hoyo en el suelo (puddle)

   Pedro se metió en el (   ) con zapatos.

6. **espoleó (espolear):** picó con la espuela al caballo (spurred)

   Elenita no (   ) al caballo porque tenía las piernas muy cortas.

7. **estremeció (estremecer):** tembló

   Se (   ) con el frío del agua.

8. **fantasma:** espíritu visible, aparición

   En el cuarto del tesoro hay un (   ) que cuida el dinero.

9. **frondosa:** que está llena de hojas y ramas espesas

   El jardín tenía una palma muy (   ).

10. **graznido:** grito de algunas aves como el cuervo y la lechuza

La lechuza 109

La lechuza dio un (   ).

11. **maquinalmente:** automáticamente
    La niña repetía todo lo que oía (   ).

12. **reflejo:** luz reflejada, reflexión de luz
    El (   ) le cegó por un momento.

13. **vago:** sútil, indeterminado
    Me cogió un dolor (   ).

14. **vivaz:** brillante, vívido o vívida
    La luz del farol es (   ).

Para la Comprensión

1. ¿Quién pasó por la casa de Reiner?
2. ¿En qué iba?
3. ¿Saludó en español Jacobo?
4. Y la vieja ¿en qué idioma le contestó?
5. ¿Qué le preguntaron a Jacobo?
6. ¿Dónde andaba Moisés?
7. ¿Qué camino había tomado él?
8. ¿Por qué temían que le pasara algo?
9. ¿Por qué espoleó Jacobo al caballo?
10. Describa el paisaje del potrero.
11. ¿Por qué se preocupaba la vieja?
12. ¿Qué diferencia había entre este viaje de Jacobo y el que hizo al bosque de San Gregorio?
13. Hable del silencio que siguió a la conversación.
14. ¿Qué dijo la muchacha cuando vio la lechuza?
15. ¿Qué hizo la lechuza?
16. Diga algo del diálogo que surgió al llegar la lechuza.
17. ¿Qué se oyó venir del extremo del camino?
18. ¿Era blanco el caballo que venía de la sombra?
19. ¿Qué traía el viento de las casas?
20. ¿Cómo quiso distraer la muchacha a la madre?
21. ¿Quién contó una historia espantosa?
22. Describa la pareja que se comprometió, según la historia.
23. ¿Qué vio la esposa del rabino la noche del compromiso?
24. Relate algunos de los incidentes que ocurrieron después de esto.
25. ¿Qué papel tiene el misal en esta historia?
26. ¿A quién le dio la afligida mujer el misal?
27. ¿Por qué comenzaron Perla y la anciana a pensar en fantasmas?
28. ¿Cómo se encontraban Perla y la anciana cuando oyeron el eco de un galope?
29. Describa esta última escena.
30. ¿Por qué gritaron la madre y la hija?

Estructura

POR Y PARA

Cambie la oración según el modelo.

MAESTRO: Salimos hacia Guadalajara.
ESTUDIANTE: Salimos para Guadalajara.
MAESTRO: Se fueron hacia la escuela.
ESTUDIANTE: Se fueron para la escuela.

1. Venían hacia la casa.
2. Caminaba hacia el centro.
3. Viajan hacia Europa.
4. Corría hacia la tienda.

Cambie la oración según el modelo.

MAESTRO: Volverán en julio.
ESTUDIANTE: Volverán para julio.

5. Lo traerán en diciembre.
6. Lo veremos en Navidad.
7. Iremos en su cumpleaños.
8. Estará terminado en 1980.
9. Lo tendremos en enero.

Cambie la oración según el modelo.

MAESTRO: Volverán aproximadamente en julio.
ESTUDIANTE: Volverán por julio.

10. Lo traerán aproximadamente en diciembre.
11. Lo veremos aproximadamente en Navidad.
12. Iremos aproximadamente en su cumpleaños.
13. Estará terminado aproximadamente en 1980.
14. Lo tendremos aproximadamente en enero.

Cambie la oración según el modelo.

> MAESTRO: Nos paseamos en el centro.
>
> ESTUDIANTE: Nos paseamos por el centro.

15. Caminó en el parque.
16. Estuvieron en el bosque.
17. Caminamos en la escuela.
18. Anduvimos en la selva.
19. Los vio en la playa.

Cambie la oración según el modelo.

> MAESTRO: Lo hizo Juan en lugar de Marta.
>
> ESTUDIANTE: Lo hizo Juan por Marta.

20. Yo lo llevé al centro en lugar de Pedro.
21. Fuimos al mercado en lugar de María.
22. ¿Hiciste la cena en lugar de tu mamá?
23. Escribió la carta en lugar de su hermano.
24. Hizo el viaje en lugar del presidente.

Cambie la oración según el modelo.

> MAESTRO: Me dieron un vestido a cambio de los zapatos.
>
> ESTUDIANTE: Me dieron un vestido por los zapatos.

25. Les ofrecí un peso a cambio del boleto.
26. ¿Me das tu libro a cambio de mi pluma?
27. Nos prometió uno nuevo a cambio del viejo.
28. Te daría todo mi dinero a cambio de tu tocadiscos.
29. Pidió un suéter rojo a cambio del verde.

Cambie la oración según el modelo.

> MAESTRO: Fuimos a la tienda a traer leche.
>
> ESTUDIANTE: Fuimos a la tienda por leche.

30. Iré al campo a recoger las flores.
31. Fue a Acapulco a traer a su mamá.
32. Entremos a la tienda a comprar unos dulces.
33. ¿Cuándo vas a la escuela a traer los libros?
34. Quisiéramos ir a la ciudad a traer a mi hermano.
35. Entraron a la casa a traer su abrigo.

EJERCICIOS CREATIVOS

EL TROVADOR

1. Según la creencia popular, ¿cómo puede uno vencer al diablo? ¿Qué otros modos hay de evitar lo que se considera «mala suerte»?
2. Escriba una anécdota de alguna superstición. Exprésela en sus propias palabras.
3. Si le ha gustado la primera jornada, lea el drama entero y prepare un resumen para presentar a la clase.
4. Escuche algunas arias de *Il Trovatore* de Giuseppe Verdi y discuta cómo refleja la música el espíritu original del drama.

EL TESORO DE BUZAGA

5. Escriba un resumen de este episodio.

6. Haga una lista de los elementos que contribuyen a la popularidad de las supersticiones. Ya se han citado la ignorancia, la incomprensibilidad y el miedo.
7. Mencione algunas supersticiones no mencionadas y explique su significado.

LA LECHUZA

8. Mencione Ud. ciertos animales o pájaros que se ven en estos cuentos y que se consideran «mal agüero.» Explique por qué. En nuestra propia tradición ¿qué animales tienen esta reputación?
9. ¿Cuál de los tres cuentos le gustó más? Defienda su opinión.

El Castillo del Morro, San Juan, Puerto Rico (Carl Levin Associates, New York)

Cuadro 6 • PRECEPTOS PARA JOVENES HISPANOHABLANTES

Preparando la Escena. *Como las costumbres en cada país son distintas, y los puntos de vista cambian, por consiguiente, lo que se espera de los jóvenes de diferentes naciones también varía.*

Sin embargo, las reglas de comportamiento y los consejos que da la madre a sus hijos son esencialmente los mismos. En este cuadro se pintan los requisitos para que una novia sea feliz, lo que el marido quiere hallar en su mujer, y lo que la mujer busca en un buen marido. El cuadro termina con un pequeño artículo sobre el arte de decir «No.» La comparación de preceptos y costumbres nos revela en qué nos parecemos al hispanohablante y en qué somos distintos.

CINCO REQUISITOS PARA SER UNA NOVIA FELIZ

Introducción

De gran interés para todo joven es la manera en que se tratan los muchachos y las muchachas de otros países. No sólo es cuestión de costumbres sino de psicología. En el juego del amor el novio debe saber cómo tratar a la novia y viceversa. Lea los requisitos que siguen, y examine cuáles son costumbres y cuáles reglas psicológicas. Piense si se deben observar o no.

Guía de Estudio

El vocabulario usado en esta selección es muy sencillo. Aprenda las palabras *valla* y *guapo*. Luego dedíquese a determinar si los requisitos aciertan verdaderamente.

Palabras Clave

1. Cada madre ama a sus hijos.
   ama: tiene amor, estima

2. Es mejor que Juan ceda a los deseos de su papá si quiere usar el automóvil.
   ceda: obedezca, cumpla con, no resista

3. Un día José gozará del dinero de su padre.
   gozará: encontrará satisfacción, se deleitará

4. El joven es muy guapo.
   guapo: lindo, bonito, bien parecido (good-looking)

5. Los alumnos tuvieron un debate sobre la igualdad de los hombres y las mujeres.
   igualdad: semejanza, relación entre dos cosas iguales (equality)

6. Los dueños deben interesarse en las actividades de sus empleados.
   interesarse: tener interés por una persona o cosa.

7. Estela no permitió que su amiga pusiera una valla entre ella y su novio.
   valla: barrera, pared, cerco

AQUI ESTAN los cinco requisitos para ser una novia feliz.

1. Sepa ser femenina. Para ser femenina no es necesario que una mujer sea bella. El hombre quiere que sea muy femenina, aunque esto vaya en contra de la corriente moderna. Esa superficial igualdad entre hombres y mujeres, lo único que trae consigo es hacer a la novia menos

mujer . . . y al novio menos hombre. Y de esa manera no se va a ninguna parte, mucho menos a un matrimonio bien construido.

2. Mientras sea novia, sea siempre difícil. Este es un consejo que no admite excepciones: nunca ceda.

3. Conserve fresca su ingenuidad. No tema que su novio tenga que explicarle muchas cosas y que se ría de sus preguntas. Su novio, porque la ama, gozará siendo, además de su novio, su maestro.

4. Interésese desde el principio por las cosas de su novio. Pero eso sí: sinceramente. Nada de hipocresías que se descubren, y entonces resultan una valla entre los dos. Desde el principio piense que lo más importante para usted es él. Si su novio estudia algo como ingeniería mecánica, debe usted interesarse en sus clases, en sus exámenes, en su trabajo.

Nada de hipocresías que se descubren: None of this being a hypocrite because you'll be found out

5. No le importe que sea guapo o feo, que sea rico o pobre, que sea un gran hombre o sólo un ente cualquiera. Ah, pero nunca le confiese que lo ama con locura, porque entonces, mi amiga, está usted irremediablemente perdida . . . Porque ellos . . . ¡Ellos son así!

un ente cualquiera: an ordinary human being

Diccionario

1. **ama (amar):** tiene amor a personas o cosas, estima

   El niño (   ) a los padres.

2. **ceda (ceder):** obedezca, cumpla con, no resista

   A veces es necesario que el profesor (   ) a los caprichos de los alumnos.

3. **consejo:** sugestión, recomendación, advertencia

   Esto no es solamente un (   ), es una orden.

4. **corriente:** dirección, tendencia

   En contra de la (   ) moderna, mi hermana compró un traje de baño de una sola pieza.

5. **gozará (gozar):** encontrará satisfacción, se deleitará

   Al recibir su herencia, el señor Gutiérrez (   ) de la vida.

6. **guapo:** lindo, bonito, bien parecido (good-looking)

   Carlos es inteligente, (   ), y muy popular con las chicas.

7. **igualdad:** semejanza, relación entre dos cosas iguales (equality)

   En los países donde no se conoce la democracia, no hay (   ) entre los grupos sociales.

8. **ingeniería:** la ciencia del ingeniero (engineering)

No sé si estudia la (   ) mecánica o la eléctrica.

9. **ingenuidad:** inocencia, sencillez, simplicidad

   La novia demostraba la (   ) de una muchacha de catorce años.

10. **interesarse:** tener interés por una persona o cosa

    Un buen político debe (   ) en el gobierno municipal y federal.

11. **irremediablemente:** sin remedio (hopelessly)

    Si declaras tus opiniones públicamente, estarás (   ) perdido.

12. **locura:** privación de la razón, algo contrario a la razón (madness)

    Fue una (   ) luchar contra cuatro hombres a la vez.

13. **valla:** barrera, pared, cerco

    Una (   ) de gente rodeaba la plaza.

Para la Comprensión

1. ¿Cuántos requisitos hay para ser una novia feliz?
2. ¿Cuáles son?
3. ¿Es necesario ser bella para ser femenina?
4. ¿Le gustan al hombre las mujeres femeninas?
5. ¿Qué trae la superficial igualdad entre hombres y mujeres?
6. ¿Qué se necesita para que el matrimonio sea un matrimonio bien construido?
7. ¿Será bueno que la novia sea siempre difícil?
8. ¿Admite excepciones este consejo?
9. ¿Cómo debe conservar la novia su ingenuidad?
10. ¿Será malo que el novio tenga que explicarle muchas cosas?

11. ¿Será bueno que la novia se interese en **las** cosas del novio?
12. ¿Por qué debe ser sincera la novia?
13. ¿Qué debe ser lo más importante para la novia?
14. ¿Será necesario que el novio sea guapo o rico?
15. ¿Por qué no es bueno que la novia confiese que lo ama con locura?

Estructura

PREPOSICIONES CON COMPLEMENTOS PERSONALES: *CON, PARA, POR, SIN, DE*

Repita Ud. las oraciones siguientes.

1. Yo llevaré los sellos conmigo.
2. Llevarás los sellos contigo.
3. Eduardo llevará los sellos consigo.
4. Ud. llevará los sellos consigo.
5. Llevaremos los sellos con nosotros.
6. Los vendedores llevarán los sellos consigo.
7. Uds. llevarán los sellos consigo.

Según el modelo, haga los cambios necesarios empleando la forma correcta del verbo y del complemento.

MAESTRO: Mario llevará el premio consigo.

ESTUDIANTE: Mario llevará el premio consigo.

MAESTRO: Nosotros

ESTUDIANTE: Nosotros llevaremos el premio con nosotros.

8. Tú
9. Ud.
10. Roberto
11. Felipe y Luis
12. Yo
13. Nosotros
14. Uds.

Repita Ud. las oraciones siguientes.

15. Lorenzo quiere hablar conmigo.
16. Tengo que ir contigo.

Cinco requisitos para ser una novia feliz   115

17. El general se enojó con Ud.
18. Olga sale con él.
19. Hablaremos con ella.
20. Mi abuelo quiere vivir con nosotros.
21. Vamos a cantar con Uds.
22. Miré el programa con ellos.
23. Mañana iré con ellas.

Según el modelo, cambie la oración para emplear la forma correcta del pronombre.

> MAESTRO: Quieren ir con ella.
> ESTUDIANTE: Quieren ir con ella.
> MAESTRO: conmigo
> ESTUDIANTE: Quieren ir conmigo.

24. con Ud.
25. contigo
26. con nosotros
27. con él
28. con Uds.
29. conmigo
30. con ellos

Repita Ud. las oraciones siguientes.

31. Ese regalo es para mí.
32. Voy a comprarlo para ti.
33. Vamos sin Ud.
34. Salió sin nosotros.
35. Pasaré por Uds.
36. Lo hago por ellos.
37. Hablaron de ellas.
38. Mi madre está lejos de mí.

Según el modelo, conteste la pregunta empleando la segunda forma de respuesta.

> MAESTRO: ¿Es este oro para Ud. o para él?
> ESTUDIANTE: Es para él.
> MAESTRO: ¿Hablaron de ella o de Ud.?
> ESTUDIANTE: Hablaron de mí.

39. ¿Salieron sin ti o sin ella?
40. ¿Pasan por Juan o por mí?
41. ¿Es este regalo para nosotros o para ellos?
42. ¿Está cerca de él o de ti?

43. ¿Fueron con él o con Uds.?
44. ¿Son estas cartas para Juan o para nosotros?
45. ¿Están lejos de Ud. o de mí?
46. ¿Se fue sin Uds. o sin ellos?

MANDATOS DE VERBOS REFLEXIVOS

Cambie las oraciones según el modelo.

> MAESTRO: La novia se interesa por las cosas de su novio.
> ESTUDIANTE: Interésese por las cosas de su novio.
> MAESTRO: Los novios se ríen de las preguntas.
> ESTUDIANTE: Ríanse de las preguntas.

1. El joven se levanta al entrar la señora.
2. Alicia se sienta con sus compañeras.
3. La vieja se mueve con cuidado.
4. Las sirenas se miran en el agua.
5. El torero se quita el sombrero.
6. El matador se pone el traje de luces.
7. La india se baña en el lago.
8. Los niños se lavan las manos.

Según el modelo, exprese los mandatos en la forma negativa.

> MAESTRO: Ríase de sus preguntas.
> ESTUDIANTE: No se ría de sus preguntas.
> MAESTRO: Levántese temprano.
> ESTUDIANTE: No se levante temprano.

9. Siéntese cerca de mí.
10. Muévase ahora.
11. Mírense en el espejo.
12. Pónganse los calcetines.
13. Quítese la chaquetilla.
14. Báñense esta noche.
15. Lávese las manos con jabón.
16. Acuéstense a las diez.

Según el modelo, cambie los mandatos a la forma familiar o íntima.

> MAESTRO: Interésese en las cosas de su novio.

ESTUDIANTE: Interésate en las cosas de tu novio.

MAESTRO: Ríase de su error.

ESTUDIANTE: Ríete de tu error.

17. Párese delante del espejo.
18. Quédese en el coche.
19. ¡Imagínese un torero!
20. Cállese o me voy.
21. Acuérdese de las direcciones.
22. Tómese la medicina.
23. Considérese afortunado.
24. Cálmese, no hay peligro.
25. Cómase su sopa.

Según el modelo, cambie los mandatos a la forma negativa.

MAESTRO: Interésate en aquellas cosas.

ESTUDIANTE: No te intereses en aquellas cosas.

MAESTRO: Ríete de las faltas.

ESTUDIANTE: No te rías de las faltas.

26. Quédate a ver el programa.
27. Cállate. Lo vas a olvidar.
28. Acuérdate de nuestra promesa.
29. Siéntate aquí a mi lado.
30. Levántate para ofrecerle la silla.
31. Ponte la camisa nueva.

ABECE DEL AMOR

por Lope de Vega Carpio

Introducción

Lope de Vega fue un dramaturgo español del Siglo de Oro. Sobre la materia del amor fue experto, y escribió cosas muy bellas. La escena que sigue es un diálogo entre Peribáñez y Casilda, esposo y esposa recién casados. Cada uno le dice al otro lo que espera de él en su nueva vida.

Guía de Estudio

El diálogo está tomado de un drama titulado *Peribáñez y el Comendador de Ocaña*. Lope de Vega se vale del alfabeto para revelar lo que los nuevos esposos quieren mutuamente de sí. El diálogo está en verso y tiene rima. Esta forma de poesía se llama acróstico. ¿Están todas las letras del alfabeto? ¿Por qué?

Palabras Clave

1. Margarita no quiere a Juan porque es muy altanero.

   altanero: arrogante, insolente

2. El castigo que le dieron no lo hizo sufrir mucho.

   castigo: pena impuesta por delito o falta (punishment)

3. Dice Casilda que el amor es el mayor caudal de la vida.

   caudal: tesoro, fortuna

4. Tú cobras mucho por el trabajo que haces.

   cobras: demandas, exiges

5. Ella quiere a José porque es muy dadivoso.

   dadivoso: liberal, generoso

6. El valor de Eduardo hace que él destierre todo temor de su corazón.
   destierre: expulse, excluya

7. Don Máximo nunca se duele de sus errores.
   se duele: se arrepiente (regrets, repents of)

8. Luisa es una muchacha muy entendida.
   entendida: sabia, culta, erudita

9. Es un hijo ingrato el que no honra a sus padres.

ingrato: desagradecido, infiel, egoísta

10. El marido debe proteger a su mujer.
    marido: esposo, hombre casado (husband)

11. Era muy necio pero todos lo querían porque era guapo.
    necio: tonto, inepto

12. Mi abuela es una señora solícita en todo lo que hace.
    solícita: atenta, cuidadosa, diligente

PERIBAÑEZ: Amar y honrar su marido
es letra deste abecé,
siendo buena por la *B*,
que es todo el bien que te pido.

deste abecé: de este abecé (of this alphabet)

5 Haráte cuerda la *C*,
la *D* dulce, y entendida,
la *E*, y la *F* en la vida
firme, fuerte y de gran fe.

haráte cuerda: te hará cuerda (will make you wise)

La *G* es grave y, para honrada
10 la *H*, que con la *I*
te hará ilustre, si de ti
queda mi casa ilustrada.

Limpia serás por la *L*,
y por la *M*, maestra
15 de tus hijos, cual lo muestra
quien de sus vicios se duele.

La *N* te enseña un no
a solicitudes locas;
que este no, que aprenden pocas,
20 está en la *N* y la *O*.

La *P* te hará pensativa,
la *Q* bien quista, la *R*
con tal razón, que destierre
toda locura excesiva.

quista: querida

25 Solícita te ha de hacer
de mi regalo la *S*,
la *T* tal que no pudiese
hallarse mejor mujer.

La *V* te hará verdadera,
la *X* buena cristiana,
letra que en la vida humana
has de aprender la primera.

Por la *Z* has de guardarte
de ser zelosa; que es cosa
que nuestra paz amorosa
puede, Casilda, quitarte.

CASILDA: Pues escucha y ten paciencia.

La primera letra es *A,*
que altanero no has de ser;
por la *B* no me has de hacer
burla para siempre ya.

La *C* te hará compañero
en mis trabajos; la *D*
dadivoso, por la fe
con que regalarte espero.

La *F* de fácil trato,
la *G* galán para mí,
la *H* honesto, y la *I*
sin pensamiento de ingrato.

Por la *L* liberal,
y por la *M* el mejor
marido que tuvo amor,
porque es el mayor caudal.

Por la *N* no serás
necio, que es fuerte castigo;
por la *O* sólo conmigo
todas las horas tendrás.

Por la *P* me has de hacer obras
de padre; porque quererme
por la *Q,* será ponerme
en la obligación que cobras.

Por la *R* regalarme,
y por la *S* servirme,
por la *T* tenerme firme,
por la *V* verdad tratarme;

zelosa: celosa

de fácil trato: easy to get along with

por la X con abiertos
brazos imitarla ansí
y como estamos aquí   **ansí:** así
estemos después de muertos.

Diccionario

1. **altanero:** arrogante, insolente
   Dio las órdenes en un tono (   ) y despectivo.

2. **castigo:** pena impuesta por delito o falta (punishment)
   El reo no recibió el (   ) que merecía.

3. **caudal:** tesoro, fortuna
   Ese comerciante es un hombre de mucho (   ).

4. **celosa:** que tiene celos (jealous)
   María está (   ) de todos los honores que su hermano ha recibido.

5. **cobras (cobrar):** demandas, exiges
   Tú siempre (   ) demasiado por tu mercancía.

6. **dadivoso:** liberal, generoso
   Cuando cobran dinero para los pobres, hay que ser (   ).

7. **destierre (desterrar):** expulse, excluya
   Es posible que el dictador lo (   ) por no estar de acuerdo con sus ideas políticas.

8. **se duele (dolerse):** se arrepiente (regrets, repents of)
   Felipe hace cosas violentas, pero luego (   ) de lo que hace y se pone triste.

9. **entendida:** sabia, culta, erudita
   Josefina es una muchacha (   ) y por eso, todos la estiman.

10. **honrada:** honesta, honorable
    Es una mujer tan (   ) que nadie desconfía de ella.

11. **ilustre:** famoso, notable, distinguido
    Bolívar fue un soldado (   ).

12. **ingrato:** desagradecido, infiel, egoísta
    El novio de Dolores es un hombre (   )

13. **limpia:** que no está sucia (clean)
    Póngase ropa (   ) antes de salir de la casa.

14. **marido:** esposo, hombre casado (husband)
    Le regaló una camisa nueva a su (   ) el día de su santo.

15. **necio:** tonto, inepto
    Todos dicen que Lencho es (   ) porque siempre anda riéndose solo.

16. **pensativo:** profundamente absorto (pensive)
    El profesor estaba tan (   ) que no oía el ruido en la clase.

17. **solícita:** atenta, cuidadosa, diligente
    ¿Quién es la alumna más (   ) de la clase?

18. **solicitudes:** atenciones, afecciones
    Adela no les dio importancia a las (   ) de Juan.

Para la Comprensión

1. ¿Qué letra hace buena a la mujer?
2. ¿Qué bien pide Peribáñez?
3. ¿Qué letras harán a Casilda dulce y entendida?
4. Mencione las tres efes de la vida.
5. Si la «I» hace ilustre a Casilda, ¿cómo quedará su casa?
6. ¿De quién será maestra ella?
7. ¿Qué enseñanza recibe de la «N»?
8. ¿Qué letra destierra toda locura excesiva?

9. ¿Será ella solícita del regalo de Peribáñez?

10. ¿Qué letra debiera ella aprender la primera? ¿Por qué?

11. ¿Qué le aconsejó por último Peribáñez?

12. ¿Qué dice Casilda al empezar su «abecé»?

13. ¿Qué no ha de ser Peribáñez?

14. ¿Teme ella que le haga burla él?

15. ¿En qué será Peribáñez su compañero?

16. ¿Qué le promete Casilda a Peribáñez por sus dádivas?

17. ¿Cómo debe de tratarla él a ella?

18. Según Casilda ¿cuál es el mayor caudal?

19. Según Casilda ¿qué es un fuerte castigo?

20. ¿Con quién quiere Casilda compartir el tiempo de Peribáñez?

21. ¿Qué clase de obras requiere de él?

22. Relate todas las atenciones que quiere Casilda que le dé Peribáñez.

23. ¿Cómo quiere que estén después de muertos?

Esta es K: los
españoles
no la solemos poner
en nuestra lengua jamás.
Usanla mucho alemanes y
flamencos.

Lope de Vega, «La dama boba»

Estructura

PRONOMBRES RELATIVOS: *QUE, CUAL, QUIEN*

Según el modelo, haga los cambios deseados, combinando las oraciones con el relativo *que.*

MAESTRO: Eres buena. Es todo lo que te pido.

ESTUDIANTE: Eres buena que es todo lo que te pido.

MAESTRO: Te enseño un no. Aprenden pocas mujeres.

ESTUDIANTE: Te enseño un no que aprenden pocas mujeres.

1. Vivirás en esta casa. Es mi hogar.
2. Sabes la primera lección. Es amar y honrar a tu marido.
3. Todas no aprenden el no. Es una lección importante.
4. Acepta este regalo. Es mi corazón.
5. En el parque hemos visto a los jóvenes. Son novios.
6. Estoy en la casa de Consuelo. Tiene unas revistas nuevas.
7. Fuimos a Santiago. Cuenta con muchos lugares bellos.
8. Leímos de Lima. Conserva sus tradiciones antiguas.

Haga los cambios según el modelo, empleando el relativo *cual* para combinar las dos oraciones.

MAESTRO: Vi al mexicano y a la española. Ella es guapa.

ESTUDIANTE: Vi al mexicano y a la española, la cual es guapa.

MAESTRO: Leyeron el artículo y las novelas. Las novelas les gustaron.

ESTUDIANTE: Leyeron el artículo y las novelas, las cuales les gustaron.

9. Pasaron por la sala y por el comedor. El comedor es grande.

10. Me habló de las costumbres del país. Las costumbres son interesantes.
11. Nos dio la llave del edificio. La llevo aquí.
12. Le dieron el libro. Era muy pequeño.
13. Dará exhibiciones en el museo. A ellas ha invitado a sus amigos.
14. Nos dijo los detalles de las cartas. Eran chistosos.
15. Me mostró los documentos y las cartas. Los encontré interesantes.
16. En la isla había oro. Lo llevaron consigo.

Haga los cambios según el modelo, combinando las oraciones con el relativo *quien* o *quienes.*

> MAESTRO: He visto al doctor. Hablamos de él ayer.
>
> ESTUDIANTE: He visto al doctor de quien hablamos ayer.
>
> MAESTRO: Allá están los señores. Cené con ellos.
>
> ESTUDIANTE: Allá están los señores con quienes cené.
>
> MAESTRO: No ha llegado el jefe. Me recomendaste a él.
>
> ESTUDIANTE: No ha llegado el jefe a quien me recomendaste.

17. ¿Llegó la señora? Compré mi coche de ella.
18. Ha venido Pablo. Te escribí de él.
19. Conozco a tus padres. Fui con ellos a la corrida.
20. Saqué fotos del torero. Seguí platicando con él.
21. Esperamos a Vicente. Llamamos a él hace poco.
22. Pronto entró Aurora. La saludamos cordialmente.
23. Estos son mis vecinos. Recibí una tarjeta postal de ellos.
24. Se rieron de los espectadores. Vieron a ellos en la plaza.

EL ARTE DE DECIR «NO»

Introducción

En la vida moderna toda persona tiene que hacer numerosas decisiones y muchas de ellas tienen que ser negativas. Es más fácil decir «Sí.» Saber decir «No» sin enfadar a la gente es un verdadero arte. El artículo que sigue apareció en una revista de Uruguay. El estilo es muy distinto del de las dos selecciones anteriores.

Guía de Estudio

Note las numerosas ocasiones que el artículo señala en las que se tiene que decir «No» firme y decisivamente. Examine si Ud. está de acuerdo con el autor del artículo, y determine si verdaderamente es necesario saber decir «No.»

Palabras Clave

1. No hay que avergonzarse de la verdad.
   avergonzarse: sentir vergüenza (to feel ashamed)

2. Las vacaciones cambian el vivir cotidiano por completo.
   cotidiano: diario, acostumbrado, ordinario

3. La desdicha de Juan fue no haber terminado la escuela.

   desdicha: miseria

4. Julio hizo algo muy elogiable. Entregó a la policía el dinero que había hallado en la calle.

   elogiable: digno de aplauso (praiseworthy)

5. La vieja de la panadería es muy grosera con los muchachos de la vecindad.

   grosera: descortés

6. El general impone la orden de no fumar en su presencia.

   impone: da

7. Muchas veces es necesario rechazar a los vendedores que llaman a la puerta.

   rechazar: resistir, obligar a retroceder, no aceptar

8. Hay seres en las regiones indígenas que nunca han visto un automóvil.

   seres: personas

E
S MUY probable que usted sea una de esas personas que están continuamente envueltas en situaciones embarazosas, simplemente porque no saben decir «No.» No hay que avergonzarse de admitirlo, porque se debe no tanto a debilidad de carácter, sino al temor de herir los sentimientos de los demás. Aun así, es necesario solucionar este problema, porque aprender a decir «No» es importante, tanto para las pequeñas cosas del vivir cotidiano como para las decisiones trascendentales que afectan toda nuestra vida, nuestra felicidad, las relaciones que tenemos con los demás.

trascendentales: serious, of great importance

Probablemente está usted cada día en la situación imposible de decirle «No» a un vendedor que le sirve cortésmente. Por no saber decir «No» tal vez compra usted muchas cosas que no necesita y no le gustan. Es preciso aprender a mostrarse firme en ocasiones semejantes sin ser descortés.

A toda muchacha le gusta tener muchos amigos, pero las atenciones de aquellas personas que nos resultan molestas, nos significan una pérdida de tiempo. Sin mostrarse grosera, en estos casos se impone la sílaba de orden: «No.»

Hay circunstancias más graves aún. Son muchas las chicas que terminan hasta casándose con un muchacho porque no saben «como rechazar.» Esto puede resultar muy serio; puede hacer la desdicha de dos seres, y todo porque en el momento preciso no se tuvo el valor para decir francamente «No.»

La decisión es elogiable en todos los casos, y recomendable en todas las circunstancias. Apréndase las diversas maneras de decir, con resolución amable, «No.»

Diccionario

1. **avergonzarse:** sentir vergüenza (to feel ashamed)
   Si Ud. siempre dice la verdad, no tiene que (   ).

2. **casándose (casarse):** uniéndose en matrimonio (getting married)
   Son muchas las chicas que terminan (   ) antes de llegar a los veinte años.

3. **cotidiano:** diario, acostumbrado, ordinario
   Ese pobre gana el pan (   ) vendiendo periódicos y billetes de lotería.

4. **desdicha:** miseria
   Casarse por dinero puede resultar en la (   ) de los esposos.

5. **elogiable:** digno de aplauso (praiseworthy)
   El esfuerzo que Juan hizo en el juego fue un acto (   ).

6. **embarazosas:** que embarazan, desconciertan o estorban (embarrassing)
   La gente que compra cosas en crédito a veces se halla en situaciones (   ).

7. **grosera:** descortés
   Carolina nunca es (   ) con su hermana.

8. **herir:** dar un golpe que hace daño o que ofende
   Algunas veces una palabra insignificante puede (   ) los sentimientos de otra persona.

9. **impone (imponer):** da
   Cuando el jefe (   ) la orden, todos obedecemos.

10. **molestas:** que causan molestia, que irritan
    Las atenciones de algunas personas nos resultan (   ) a veces.

11. **rechazar:** resistir, obligar a retroceder, no aceptar
    Quiero comprar un traje nuevo pero voy a (   ) la tentación.

12. **semejantes:** parecidos
    Estos vasos son muy (   ) aunque no los compré en la misma tienda.

13. **seres:** personas
    Después del incendio, entraron en el edificio y encontraron a dos (   ) vivos.

14. **temor:** miedo (fear)
    Después del accidente manejaba su auto con cierto (   ).

Para la Comprensión

1. ¿Será un arte saber decir «No»?

2. ¿Por qué se encuentran algunas personas en situaciones embarazosas?

3. ¿A qué se debe que muchos no sepamos decir «No»?

4. ¿Por qué es necesario aprender a decir «No»?

5. ¿Afectará nuestra felicidad esta palabrita?

6. Relate lo que puede suceder si no le decimos «No» al vendedor.

7. ¿Será necesario ser firme y descortés a la vez?

8. ¿Les gusta a las muchachas tener muchos amigos?

9. ¿Cuáles personas nos resultan molestas a todos?

10. Cuando nos hacen perder tiempo, ¿qué debemos hacer?

11. En cuanto a las muchachas ¿cuáles circunstancias son las más graves?

12. ¿Por qué se ven a veces dos seres viviendo miserablemente?
13. ¿Piensa Ud. que se necesita valor para decir «No»?
14. ¿Cuándo es elogiable la decisión?
15. ¿Cuándo es recomendable?
16. ¿Cuál es la última recomendación del autor?

Estructura

EJERCICIOS DE SUSTITUCION CON LOS PRONOMBRES REDUNDANTES

Haga los cambios según el modelo.

MAESTRO: Esas atenciones nos gustan muchísimo.

ESTUDIANTE: Esas atenciones nos gustan muchísimo.

MAESTRO: resultan molestas

ESTUDIANTE: Esas atenciones nos resultan molestas.

1. resultan graves
2. resultan serias
3. resultan ridículas
4. resultan incómodas
5. resultan una pérdida de tiempo

Según el modelo, haga los cambios necesarios.

MAESTRO: Nos resultan molestas estas noticias.

ESTUDIANTE: Nos resultan molestas estas noticias.

MAESTRO: A mí

ESTUDIANTE: A mí me resultan molestas estas noticias.

6. A ti
7. serias
8. A Uds.
9. graves
10. A Pablo
11. incómodas
12. A los interesados

MAESTRO: Me significa una pérdida de tiempo.

ESTUDIANTE: Me significa una pérdida de tiempo.

MAESTRO: A ella

ESTUDIANTE: A ella le significa una pérdida de tiempo.

13. A ti
14. una inconveniencia
15. A los padres
16. un honor
17. A mí
18. una catástrofe
19. A nosotros
20. una maravilla

MAESTRO: Me gusta este cuento muy dramático.

ESTUDIANTE: Me gusta este cuento muy dramático.

MAESTRO: estos cuentos muy dramáticos.

ESTUDIANTE: Me gustan estos cuentos muy dramáticos.

21. la feria
22. las tertulias
23. hacer compras en esta tienda.
24. los toros
25. el letrero

MAESTRO: Nos gusta esa película

ESTUDIANTE: Nos gusta esa película.

MAESTRO: A Enrique

ESTUDIANTE: A Enrique le gusta esa película.

26. A mí
27. A los estudiantes
28. A ti
29. A Ud.
30. A él
31. A Uds.
32. A ellos
33. A María

EJERCICIOS CREATIVOS

CINCO REQUISITOS PARA SER UNA NOVIA FELIZ

1. La selección dice «El hombre quiere que sea muy femenina, aunque esto vaya en contra de la corriente moderna.» ¿Qué quiere decir esta idea? Cite ejemplos.

2. ¿Está Ud. de acuerdo con todos los requisitos? ¿Cuáles omitiría Ud.? ¿Añadiría otros?

3. Estos requisitos son para una novia. Prepare una selección parecida para un novio. Después será interesante hacer una comparación entre las dos listas de requisitos.

ABECE DEL AMOR

4. Este poema dialogado fue escrito por uno de los mejores autores de España, y sería inútil tratar de imitar a Lope de Vega. Pero vamos a considerar la idea de su poema: un análisis de lo que uno desea en su compañero conyugal. Haga Ud. una lista alfabética de adjetivos que describan las cualidades que Ud. considera necesarias o deseables en un matrimonio.

5. Entre los hispanos es muy común escribir acrósticos. Trate Ud. de escribir uno elogiando a su madre, a su padre, o a un amigo. (Sugestión: Escoja un nombre corto para comenzar, y emplee las letras del nombre para comenzar cada renglón.)

EL ARTE DE DECIR «NO»

6. ¿Ha tenido Ud. alguna experiencia embarazosa porque no pudo decir «No»? Prepárese para relatarla a la clase.

7. ¿Cómo diría Ud. «No» en estas ocasiones?
   a. Ud. queda invitado a una fiesta que no le llama la atención. No es la primera vez que esta persona le invita, pero antes había conflictos legítimos.
   b. El consejo estudiantil le pide ser jefe del comité para mejorar la disciplina en los pasillos entre clases. Ud. teme que esto no vaya a ser popular con los otros estudiantes.
   c. Su tía le pregunta si le gusta su sombrero nuevo que en realidad le queda muy mal. Ud. no quiere ofenderla.
   d. Algunos amigos insisten en que vaya con ellos a un sitio prohibido por sus padres. No quiere que le llamen cobarde.

"Maya Women" *por Roberto Montenegro* (Collection, The Museum of Modern Art, New York; Gift of Nelson A. Rockefeller)

Cuadro 7 · EL INDIO

Preparando la Escena. *Es difícil definir al indio. Es un enigma que desafía cualquier esfuerzo a clasificarlo. ¿Pobre? ¿Sufrido? ¿Humilde? ¿Melancólico? ¿Rico? ¿Afortunado? ¿Orgulloso? ¿Feliz?*

Hoy día el indio puede ser el primitivo que vive como vivían sus antecesores, o el educado quien ha logrado éxito en la sociedad moderna. Quizás es descendiente castizo¹ de una civilización bien desarrollada; quizás la sangre de muchas razas corre en sus venas.

Sin hacer caso de su herencia, hay una atracción misteriosa al considerar su historia . . . una historia tan antigua que mucha de ella se saca de la tierra misma.

¹ **castizo:** of noble descent, pure blooded

LA YAQUI HERMOSA

por Amado Nervo

Introducción

En el estado de Sonora, México, viven los indios yaquis. Después de ser conquistados por los españoles, muchos de ellos fueron explotados. Los colonos criollos los usaban en las faenas[2] agrícolas. Algunos de los indios se adaptaron fácilmente a la vida nueva; algunos resistieron hasta la muerte.

El cuento que sigue nos indica la reacción de «la yaqui hermosa.» Fue escrito por el mexicano, Amado Nervo (1870–1919).

Guía de Estudio

El yaqui es viril y orgulloso. Siempre se ha dedicado a la guerra. El conquistador español también era viril y orgulloso. Imagínese el choque de culturas cuando estos dos grupos, uno vencedor, el otro vencido, trataron de vivir juntos, adaptándose a una vida nueva.

En este cuento la yaqui hermosa representa el espíritu indomable de la raza.

El *cuento corto* se divide básicamente en tres partes: la exposición, el desarrollo, y el desenlace.

a. *La exposición* (o introducción) presenta al lector la información necesaria para comprender lo que sigue. Generalmente hay información sobre algunos personajes, el tiempo y el lugar, y sucesos anteriores a la acción.

b. *El desarrollo* consiste en el desenvolvimiento progresivo de la acción hasta llegar al punto culminante (clímax).

c. *El desenlace* es sencillamente la solución, o cómo se resuelven los problemas y los conflictos.

[2] **faenas:** work, labor

Después de leer *La yaqui hermosa* trate usted de dividir el cuento en sus tres partes fundamentales.

Palabras Clave

1. Aún hoy, algunas mujeres se dan tratamientos de barro en la cara.

   barro: masa que forma la tierra con agua (clay, mud)

2. Mi amigo va a la caza de león montañés en el estado de Sonora.

   caza: acción de cazar (hunt)

3. Los indios son buenos cazadores.

   cazadores: personas que cazan

4. Los colonos no son nativos del país.

   colonos: habitantes de una colonia

5. Mi tío Francisco es de la comarca de Taninul.

   comarca: región, territorio, provincia

6. En México hay descendientes de criollos.

   criollos: los españoles nacidos en América

7. Los indígenas tenían que ser duros para el oficio de cargador.

   duros: fuertes, resistentes

8. Las faenas del hogar de la madre son muchas.

   faenas: trabajo (labor)

9. La fiereza de los indígenas es el producto de la región donde habitan.

   fiereza: ferocidad, salvajismo, bestialidad

10. Juan quiere jugar al béisbol, pero ni siquiera tiene una pelota.

    ni siquiera: conjunción negativa (not even)

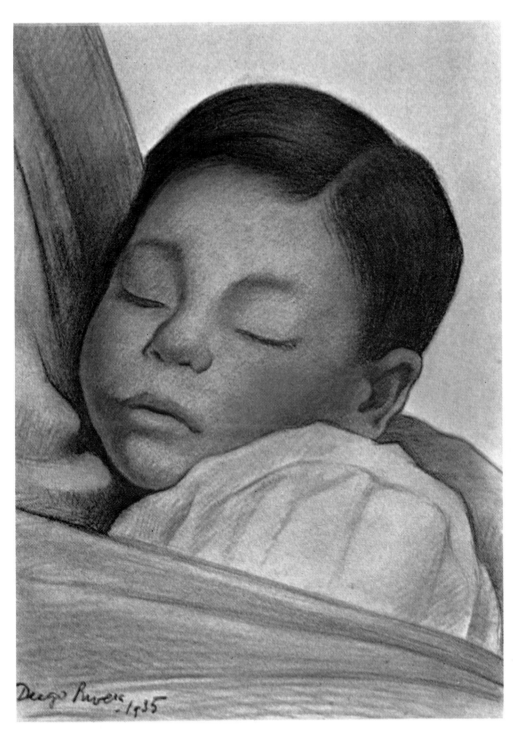

"Sleeping Baby" *por Diego Rivera* (Private Collection)

"A City on a Rock" *por Francisco de Goya* (The Metropolitan Museum of Art, Bequest of Mrs. H. O. Havemeyer, 1929, The H. O. Havemeyer Collection)

11. En esa escuela hay alumnos que nunca tienen una queja.

queja: lamento, protesta, clamor

12. La sala de clase tiene por lo menos cuatro rincones.

rincones: ángulo entre dos paredes (corners)

13. El alumno estudió tenazmente toda la noche, y aprendió la lección.

tenazmente: determinadamente, inflexiblemente, firmemente

14. Mi padre es un terrateniente del pueblo donde yo vivo.

terrateniente: dueño de mucha tierra

LOS INDIOS yaquis . . . casta de los más viriles entre los aborígenes de México . . . habitan una comarca fértil y rica del estado de Sonora; hablan un raro idioma que se llama el «cahita»; son altos, muchas veces
5 bellos, como estatuas de bronce, duros para el trabajo, buenos agricultores, cazadores máximos . . . y, sobre todo combatientes indomables siempre.

Su historia desde los tiempos más remotos puede condensarse en esta palabra: guerra.
10 Jamás han estado en paz con nadie. Acaso en el idioma cahita ni existe siquiera la palabra «paz.»

No se recuerda época alguna en que los yaquis no hayan peleado.

De ellos puede decirse lo que de Benvenuto Cellini se
15 dijo: «que nacieron con la espuma en la boca,» la espuma de la ira y del coraje.

La historia nos cuenta que Nuño de Guzmán fue el conquistador que penetró antes que nadie en Sinaloa y Sonora, y llevó sus armas hasta las riberas del Yaqui y del Mayo. El
20 primer combate que los yaquis tuvieron con los españoles fue el 5 de octubre de 1535. Comandaba a los españoles Diego Guzmán, y fueron atacados por los indios, que esta vez resultaron vencidos, pero tras un combate muy duro. Los españoles afirmaron después que nunca habían encon-
25 trado indios más bravos.

Recientemente el Gobierno federal inició nueva acción contra las indomables tribus, y para dominar su tenacidad bravía, casi épica, hubo de recurrir a medidas radicales: descepar familias enteras de la tierra en que nacieron, y
30 enviarlas al otro extremo de la república, a Yucatán y

yaquis: an Indian tribe named after the Yaqui River in the state of Sonora in northern Mexico

Benvenuto Cellini: an Italian Renaissance goldsmith, sculptor, and author, who was famous for his escapades and quarrels

la espuma de la ira y del coraje: like the foam at the mouth of a mad dog.

para dominar . . . medidas radicales: in order to tame their fierce, almost epic tenacity, had to resort to extreme measures

descepar: uproot

La yaqui hermosa   129

Campeche especialmente. Lo que el Yaqui ama más es su terruño. La entereza de raza se vio, pues, sometida a durísima prueba.

la entereza: the integrity

En Campeche los desterrados fueron repartidos entre
5 colonos criollos, que se los disputaban ávidamente, dada la falta de brazos de que se adolece en aquellas regiones para las faenas agrícolas.

dada la falta . . . se adolece: owing to the shortage of help they suffered from

Un rico terrateniente amigo mío recibió más de cien indios de ambos sexos.

10 Separó de entre ellos cuatro niñas huérfanas y se las envió a su esposa, quien hubo de domesticar a fuerza de suavidad sus fierezas. Al principio las yaquitas se pasaban las horas acurrucadas en los rincones. Una quería tirarse a la calle desde el balcón. Negábanse a aprender el castellano, y
15 sostenían interminables y misteriosos diálogos en su intraducible idioma, o callaban horas enteras, inmóviles como las hoscas piedras de su tierra.

acurrucadas: huddled up

hoscas: dark-colored, gloomy

Ahora se dejarían matar las cuatro por su ama, a la que adoran con ese fiel y conmovedor culto del indígena por
20 quien lo trata bien.

ese fiel y conmovedor culto del indígena: that faithful and moving respect that the Indian has

Entre los ciento y tantos yaquis, sólo una vieja hablaba bien el castellano. Era la intérprete.

Cuando mi amigo les recibió, hízolos formar en su hacienda, y dirigióse a la intérprete en estos términos:
25 —Diles que aquí el que trabaje ganará lo que quiera. Diles también que no les tengo miedo. Que en otras haciendas les prohiben las armas; pero yo les daré carabinas y fusiles a todos . . . porque no les tengo miedo. Que la caza que maten es para ellos. Que si no trabajan, nunca verán un solo peso.
30 Que el Yaqui está muy lejos, muy lejos, y no hay que pensar por ahora en volver. . . . Que por último, daré a cada uno la tierra que quiera: la que pueda recorrer durante un día.

—¿De veras me darás a mí toda la tierra que pise en un día?—preguntó adelantándose un indio alto, cenceño, ner-
35 vioso, por medio de la intérprete.

cenceño: lean, thin

—¡Toda la que pises!—le respondió mi amigo.

Y al día siguiente, en efecto, el indio madrugó, y cuando se apagaba el lucero, ya había recorrido tres kilómetros en línea recta, y en la noche ya había señalado con piedras
40 varios kilómetros cuadrados.

cuando se apagaba el lucero: by the time the morning star was gone

—¡Todo esto es tuyo!—le dijo sencillamente el propietario, que posee tierras del tamaño de un pequeño reino europeo.

130   *El indio*

El indio se quedó estupefacto de delicia.

Diariamente iba mi amigo a ver a la indiada, y la intérprete le formulaba las quejas o las aspiraciones de los yaquis.

Un día, mi amigo se fijó en una india, grande, esbelta, que
5 tenía la cara llena de barro.

—¿Por qué va esa mujer tan sucia?—preguntó a la intérprete.

Respondió la intérprete:

—Porque es bonita; dejó al novio en su tierra y no quiere
10 que la vean los «extranjeros.»

La india, entretanto, inmóvil, bajaba obstinadamente los ojos.

—¡A ver!—dijo mi amigo—que le laven la cara a ésta. ¡Traigan agua!
15 Y la trajeron y la intérprete le lavó la cara.

Y, en efecto, era linda como una salambó.

Su boca breve, colorada como la tuna; sus mejillas mate, de una carnación deliciosa; su nariz sensual, semiabierta; y, sobre todo aquello, sus ojos relumbrosos y tristes, que no
20 acababan nunca, negros como dos noches lóbregas.

El colono la vio, y enternecido le dijo:

—Aquí todo el mundo te tratará bien, y si te portas como debes, volverás pronto a tu tierra y verás a tu novio.

La india, inmóvil, seguía tenazmente mirando al suelo, y
25 enclavijaba sus manos sobre el seno.

Mi amigo dio instrucciones para que la trataran mejor que a nadie. Después partió para México.

    ❋   ❋   ❋

Volvió a su hacienda de Campeche al cabo de mes y medio.

—¿Y la yaqui hermosa?—preguntó al administrador.
30 —¡Murió!—respondió éste.

Y luego, rectificando:

—Es decir, se dejó morir de hambre. No hubo manera de hacerla comer. Se pasaba los días encogida en un rincón, como un ídolo. No hablaba jamás. El médico vino. Dijo que
35 tenía fiebre. Le recetó quinina. No hubo forma de dársela. Murió en la quincena pasada. La enterramos allí.

Y señalaba un sitio entre unas peñas, con una cruz en rededor de la cual crecían ya las amapolas.

---

la indiada: the crowd of Indians (working for him)

salambó: a character of exceptional beauty in a novel
tuna: prickly pear or Indian fig

que no acababan nunca: which never ended (She had very big, dark eyes.)
lóbregas: murky
si te portas como debes: if you behave as you should

enclavijaba sus manos sobre el seno: clasped her hands over her bosom

encogida: shrunk, curled up

Le recetó quinina: He prescribed quinine for her.
la quincena pasada: the last half month

Diccionario

1. **amapolas:** flores rojas (poppies)
   Me gustan las ( ) de tu jardín.

2. **barro:** masa que forma la tierra con agua (clay, mud)
   La olla está hecha de ( ).

3. **caza:** acción de cazar (hunt)
   Sin rifle no puedo ir a la ( ) de conejos.

4. **cazadores:** personas que cazan
   Los ( ) gastan mucho dinero en rifles.

5. **colonos:** habitantes de una colonia
   Los ( ) se establecieron aquí.

6. **comarca:** región, territorio, provincia
   La gente de esa ( ) es muy amigable.

7. **criollos:** los españoles nacidos en América
   Los mestizos no son ( ).

8. **duro:** fuerte, resistente
   El azteca es muy ( ) para la labranza de la tierra.

9. **enternecido (enternecer):** movido por la compasión (moved to compassion)
   El hombre ( ) ayudó al niño perdido.

10. **esbelta:** bien formada, grácil
    La muchacha ( ) fue nombrada reina de la fiesta.

11. **faena:** trabajo (labor)
    La ( ) del rancho mantenía ocupado al dueño.

12. **fiereza:** ferocidad, salvajismo, bestialidad
    La gente de la ciudad no sabe nada de la ( ) de la gente de la selva.

13. **huérfano:** que ha perdido a sus padres
    Joselito quedó ( ) durante la guerra.

14. **madrugó (madrugar):** se levantó temprano
    El indio ( ) el lunes pero se quedó dormido el martes.

15. **negábanse (negarse):** rehusaban hacer algo (literary style)
    ( ) los niños a comer las legumbres.

16. **ni siquiera:** conjunción negativa (not even)
    Ese niño no tiene ( ) siete años.

17. **peleado (pelear):** contendido, luchado, combatido
    Los indios han ( ) entre sí desde hace muchos años.

18. **peñas:** piedras grandes, rocas
    En la sierra hay muchas ( ).

19. **queja:** lamento, protesta, clamor
    De noche se oye la ( ) de los animales que tienen frío.

20. **recorrer:** caminar, andar
    El indio pudo ( ) diez millas en un día.

21. **relumbroso:** brillante
    La novia llevaba un diamante ( ).

22. **ribera:** margen de un río, borde, orilla
    Don Luciano descansó en la ( ) del río Juli-Guli.

23. **rincón:** ángulo entre dos paredes (corner)
    La maestra me sentó en el ( ).

24. **sucia:** que no está limpia
    La yaqui hermosa tenía la cara ( ) porque no quería que vieran su hermosura.

25. **tamaño:** dimensión
    El señor Ordóñez tiene una casa del ( ) de un hotel.

26. **tenazmente:** determinadamente, inflexible-mente, firmemente
    El indio trabajó ( ) hasta que acabó su tarea.

27. **terrateniente:** dueño de una tierra
    En señor López es el ( ) más rico de mi comunidad.

28. **terruño:** tierra natal, patria chica
    Todos nosotros amamos nuestro ( ).

29. **vencidos (vencer):** conquistados, domina-dos
    Los indígenas fueron ( ) por los es-pañoles.

Para la Comprensión

1. ¿Dónde habitan los yaquis?
2. ¿Qué idioma hablan los yaquis?
3. Describa usted a los yaquis.
4. ¿En qué palabra puede condensarse la historia de los yaquis?
5. ¿Quién fue el primer conquistador que penetró la tierra de los yaquis?
6. ¿Hasta dónde penetró él?
7. ¿Cuándo fue el primer combate que tuvieron los yaquis con los españoles?
8. ¿Qué hizo el gobierno federal contra los yaquis?
9. ¿A dónde mandaron a los pobres yaquis?
10. ¿Fue fácil para el yaqui este cambio?
11. ¿Qué hizo el gobierno con los yaquis en Campeche?
12. ¿A cuántos indios recibió el rico terrateniente?
13. ¿Qué hizo él con cuatro niñas huérfanas?
14. ¿Qué hacían las yaquitas al principio?
15. ¿Cuántos de los yaquis hablaban bien el castellano?
16. ¿Quién servía de intérprete?
17. Relate las cosas que les prometió el terrateniente por medio de la intérprete.
18. ¿Qué le preguntó al rico el indio alto?
19. ¿Qué le respondió el terrateniente?
20. ¿Qué hizo el indio al día siguiente?
21. ¿Cumplió su promesa el proprietario?
22. ¿Cada cuándo iba el proprietario a ver a la indiada?
23. ¿En quién se fijó un día?
24. ¿Por qué andaba sucia la india?
25. ¿Qué ordenó el proprietario?
26. Describa a la yaqui hermosa.
27. ¿Qué instrucciones dejó el terrateniente al salir para México?
28. ¿Por quién preguntó al regresar a la hacienda?
29. ¿Cómo murió la yaqui hermosa?
30. Describa el lugar donde la enterraron.

Estructura

FORMAS Y EXPRESIONES NEGATIVAS

Según el modelo, cambie la oración a la forma negativa.

> MAESTRO: A veces comemos en el jardín.
> ESTUDIANTE: Nunca comemos en el jardín.
> MAESTRO: También me gustan los tamales.
> ESTUDIANTE: Tampoco me gustan los tamales.
> MAESTRO: Alguno de los alumnos vendrá con el profesor.
> ESTUDIANTE: Ninguno de los alumnos vendrá con el profesor.
> MAESTRO: Alguien olvidó su saco.
> ESTUDIANTE: Nadie olvidó su saco.
> MAESTRO: Algo le pasó a Pedro en el accidente.
> ESTUDIANTE: Nada le pasó a Pedro en el accidente.

1. Alguna de las mujeres dejó su bolsa.
2. A veces tengo dolor de cabeza.
3. A alguien le gustará este libro.
4. Yo también compré boletos para la función.
5. Algo llegará en el correo de hoy.
6. Algún periódico publicará esta noticia.
7. A veces vamos a nadar al río.
8. Alguien me ofreció un refresco.
9. También nos lo sirvieron frío.
10. Algo fantástico pasó en el teatro.

Según el modelo, cambie la oración a la forma negativa.

> MAESTRO: Ibamos a veces al museo.
> ESTUDIANTE: No íbamos nunca al museo.
> MAESTRO: Con seguridad encontrarán a alguien allí.
> ESTUDIANTE: Con seguridad no encontrarán a nadie allí.

MAESTRO: María llevará algo.

ESTUDIANTE: María no llevará nada.

MAESTRO: Queremos ir al cine también.

ESTUDIANTE: No queremos ir al cine tampoco.

MAESTRO: Hallarás a algún amigo.

ESTUDIANTE: No hallarás a ningún amigo.

11. Iba a venir alguien a la casa.
12. Compramos también limonadas.
13. Quería hablar con alguna maestra.
14. En mi pueblo hace mucho calor a veces.
15. Jorge quiere tomar algo.
16. Vamos de vacaciones a veces en el invierno.
17. Encontraré algún buen restorán.
18. Llamará a alguien por teléfono.
19. Van a vender también el coche.
20. Le contó algo a su mamá.

Según el modelo, cambie la oración a otra forma negativa.

MAESTRO: Mis hermanos no juegan nunca al fútbol.

ESTUDIANTE: Mis hermanos nunca juegan al fútbol.

MAESTRO: No quiso nadie el chocolate.

ESTUDIANTE: Nadie quiso el chocolate.

MAESTRO: ¡No hay nada para comer!

ESTUDIANTE: ¡Nada hay para comer!

MAESTRO: No necesitan tampoco zapatos.

ESTUDIANTE: Tampoco necesitan zapatos.

MAESTRO: No mide ninguno de los alumnos más de dos metros.

ESTUDIANTE: Ninguno de los alumnos mide más de dos metros.

21. No te ofrezco nada para tomar porque no tengo.
22. No nos visita nadie los lunes.
23. No nos acostamos nunca después de las diez.
24. No vieron tampoco a tu prima en la Avenida Juárez.
25. No arregló ninguno su cuarto.
26. No aprendí nada ayer.

MODISMO: *NEGARSE A*

Cambie la oración según el modelo.

MAESTRO: No quiso ir a la escuela esta mañana.

ESTUDIANTE: Se negó a ir a la escuela esta mañana.

MAESTRO: No quiero estudiar francés.

ESTUDIANTE: Me niego a estudiar francés.

1. Juan no quería lavar el coche.
2. No queremos caminar al centro.
3. ¿No quieres hacer el viaje?
4. No quiere ser médico.
5. Eduardo no quiere regalar su perro.
6. No quise servir los refrescos en botella.

RAZA DE BRONCE

por Alcides Arguedas

Introducción

No todos los terratenientes eran tan amables como el de quien acaba de leer. Algunos eran administradores muy crueles y maltrataban a los indios. En consecuencia, miles de éstos murieron.

Varios autores de la América Latina se han convertido en defensores de los indios, revelando con la pluma las desigualdades del pasado y del presente. Entre ellos se destaca el boliviano Alcides Arguedas. En su novela *Raza de bronce* (1919) se presenta una situación lastimosa entre el dueño y la servidumbre.

En el trozo que sigue el rico terrateniente Pantoja ha llegado a su estancia para castigar a los indios. Algunos de ellos han participado en un levantamiento.

Guía de Estudio

Se puede comparar esta escena con una en las plantaciones del sur de los Estados Unidos hace unos cien años. Algunos de los administradores eran buenos, otros eran crueles.

Al leer esta selección, fíjese en los siguientes detalles:

a. la sencillez infantil del indio en su manera de hablar
b. el miedo y el respeto que sentían los indios por el patrón
c. el vocabulario exclusivamente «indio»

Palabras Clave

1. El padre le dio una azotaina al muchacho, por desobediente.

   azotaina: paliza, golpes dados como castigo (whipping)

2. La madre también le dio unos azotes.

   azotes: golpes (lashes or blows)

3. El dueño de la hacienda trataba a los indios como bestias.

   bestias: animales

4. El niño cabalgaba por el corral.

   cabalgaba: montaba o viajaba a caballo (rode on horseback)

5. El gato miraba el pedazo de queso fijamente, esperando al ratón.

   fijamente: inmóvil, atentamente, cuidadosamente

6. Desde lejos se oía el gemido del niño golpeado.

   gemido: lamento, clamor

7. El patrón de los indios era un hombre malo.

   patrón: dueño (boss)

8. Cuando mi perro se porta mal, le pego.

   pego: doy un golpe

9. Todos los niños buenos saben respetar a sus mayores.

   respetar: tener respeto, honrar, considerar

ENTRABAN AL solar los indios temblando como bestias enfermas, con los ojos fugitivos, y poniéndose de rodillas besaban la mano del patrón con rendida humildad y ciega hipocresía.

al solar: on the lot

5 Se llenó pronto el patio. Entonces, Pantoja, con severo continente y acento de profundo rencor, increpó a la consternada servidumbre:

increpó: scolded

—Malagradecidos, yo nunca les he ocasionado ningún mal y han intentado matarme . . . Son ustedes unos desalmados; 10 no saben respetar al patrón, que es el representante de Dios en la tierra, después de los curas . . . ¿Qué motivos de queja les he dado para que no estén contentos conmigo? ¿Les obligo acaso a trabajar como otros patrones?

Y dirigiéndose al viejo hilacata, que estaba allí, en primera fila, pálido y miedoso, le increpó:

5 —Di, tú, Choquehuanka, que eres el más racional de estos asesinos, ¿de veras soy malo con ustedes?

El indio levantó la cabeza por un segundo y clavó sus ojos, cansados de contemplar la tristeza de esa tierra, en los ojos del patrón. Luego abarcó el grupo tembloroso de sus iguales 10 y volviendo a bajar la cabeza, repuso con acento balbuciente:

—No, tata, no eres malo.

—¿Es que les pego sin motivo?

El viejo guardó silencio; estaba grave, y su rostro, como los demás, permanecía rígido e inmóvil. Pantoja, ante el 15 silencio del viejo, volvió a repetir su pregunta. Choquehuanka tornó a mirar a los suyos y contestó con el mismo tono:

—No, tata; sólo nos pegas cuando tenemos culpa . . .

—¿Y de qué están descontentos entonces?

Tampoco habló el hilacata. Con los brazos cruzados sobre 20 el pecho, en humilde postura, y los ojos bajos, miraba el suelo fijamente, sin moverse, duro como una estatua, igual a los otros. Todos guardaban el más profundo silencio, y hasta allí llegaban los menores ruidos del campo: una gaviota que crotoraba siguiendo las curvas del río, el lejano castañe-25 tear de las gallinetas o el bufido de un toro.

—Di: ¿por qué se quejan?—insistió Pantoja, medio irritado ante el silencio del viejo.

Entonces, éste, con voz más firme, habló:

—Bueno, señor, te lo he de decir . . . Cuando estos tus 30 hijos—señalando con un gesto de la mano a la peonada—van de pongos a la ciudad, dicen que no les das bastante de comer y que la señora y los niños los castigan. Los huevos los compramos nosotros a dos por medio para dártelos a ti por tres. En tiempos de siembras o cosechas, jamás nos 35 regalas, como otros patrones, con licor, coca y merienda, y el avío nos lo ponemos nosotros, sin merecerte nada a ti; cuando faltan semillas o tenemos la desgracia de cometer cualquier error, nos castigas enviándonos a los valles, donde atrapamos males que a veces matan, y nuestras bestias se 40 malogran, sin que haya quien nos indemnice de tanto daño.

. . . Esto nos apena el corazón, pues pase que nos pegues, que tu mujer y tus hijos nos rompan la cabeza o nos maltra-

hilacata: the Indian foreman on the estate (The word also signifies the chief of an Indian village.)

tata: "daddy," a childish term, showing the Indians' submissiveness

una gaviota que crotoraba: a gull that cried
las gallinetas: the sandpipers (birds)
el bufido: the snorting

la peonada: the gang of laborers
pongos: errands for the family or business of the estate

coca: a leaf with narcotic properties often chewed by the Indians of South America
el avío: food needed while performing the "pongo"
sin merecerte nada a ti: without being indebted to you
sin que haya quien nos indemnice: without anyone compensating us

ten las espaldas; pero no nos obligues a perder nuestras bestias y a gastar nuestro dinero. . . .

Se puso a sollozar, y los otros le imitaron. Y del grupo se levantó un gemido doloroso y profundo. Pantoja, que creyó
5 que el miedo iba a atar la lengua de los cuitados, al ver revelada su tacañería a los ojos de sus amigos, se indignó de veras . . .

Eso merecía un castigo ejemplar . . .

Hizo una señal al sargento. Este, de antemano ya instruído,
10 llamó a dos soldados, y juntos arrastraron por los pies a uno de los que Pantoja señaló como principal cabecilla. Le desnudaron por completo y le tendieron sobre el césped chamuscado del patio, cogiéndole cada uno por un brazo, mientras que el sargento cabalgaba en el cuello del peón,
15 manteniendo inmóvil la cabeza bajo el peso de su cuerpo.

Entonces, uno de los cabos desligóse de la cintura su látigo rematado en la punta por una porra de estaño, y comenzó la azotaina, haciendo silbar su cuerda con fruición y hasta con entusiasmo.

20 —¡Ya no más, tata; te vamos a querer y a respetar siempre! ¡Ya no más! . . . seguían gimiendo los otros, que sentían vehementes deseos de escapar para librarse del horroroso espectáculo. Mas ninguno abrigaba la más remota intención de hablar y delatar a los compañeros; primero se harían
25 matar todos a azotes, antes que traicionar a los suyos.

Así lo comprendió Pantoja. Y en vez de deponer su encono a la vista de la sangre y de las lágrimas, sintióse más enfurecido todavía y renovó su orden a los cabos, recomendándoles extremasen el rigor de sus músculos. . . .
30 Todo el día duró la azotaina; y el día entero también permanecieron los patrones como testigos exasperados pero impotentes de la crueldad del agraviado y vengativo Pantoja.

los cuitados: the unfortunate ones
su tacañería: his stinginess

cabecilla: ringleader
el césped chamuscado: the scorched grass

uno de los cabos . . . de estaño: one of the corporals unfastened from his belt a whip finished off at the end with a tin tip

delatar: to inform against

en vez de deponer su encono: instead of putting aside his ill will

recomendándoles . . . sus músculos: recommending that they really put their muscles to the test

Diccionario

1. **abarcó (abarcar):** incluyó a todos en una mirada
   La maestra (   ) con la mirada a toda la clase, luego bajó la cabeza.

2. **abrigaba (abrigar):** guardaba, tenía
   Ninguno de los alumnos (   ) la idea de copiar la lección de su vecino.

3. **agraviado (agraviar):** ofendido, injuriado
   El niño se sentía (   ) porque sus hermanos no le ayudaban.

4. **antemano:** con anticipación
   La maestra anunció el examen de (   ).

5. **apena (apenar):** causa pena, aflige, atormenta

Al padre le (   ) no poder prestarle el auto a su hijo.

6. **arrastraron (arrastrar):** llevaron a una persona o cosa por el suelo, tirando de ellos (dragged)
Los hombres (   ) la carga de piedras una milla.

7. **azotaina:** paliza, golpes dados como castigo (whipping)
El niño recibió una (   ) por no obedecer.

8. **azotes:** golpes (lashes with a whip)
Le dieron unos (   ) en las piernas.

9. **balbuciente:** articular dificultosamente
José respondió con acento (   ) a la pregunta del director.

10. **bestias:** animales
Donde yo vivo no hay (   ) de ninguna especie.

11. **cabalgaba (cabalgar):** montaba o viajaba a caballo (was mounted or rode on horseback)
El jefe (   ) en línea recta.

12. **cuerda:** hilos de alguna materia flexible torcidos juntos (rope, whip)
Los hacendados golpeaban a los indios con una (   ).

13. **culpa:** falta, causa, responsabilidad (guilt)
La justicia pone al ladrón en la carcel cuando tiene (   ).

14. **fijamente:** atentamente, cuidadosamente
Estaba mirando (   ) el reloj, esperando que sonara la campana.

15. **fila:** línea, columna
Los que están en la primera (   ) reciben el primer premio.

16. **gastar:** expender, emplear dinero en algo
A mí me gusta (   ) mi dinero en ropa.

17. **gemido:** lamento, clamor
El alumno dejó salir un (   ) cuando vio la nota.

18. **malagradecido:** ingrato
El novio de Lupita es muy (   ).

19. **se malogran (malograrse):** se frustran, se pierden
Las cosechas (   ) con las tempestades.

20. **merienda:** comida ligera que se toma por la tarde
En los Estados Unidos la (   ) puede ser el "coffee break."

21. **patrón:** dueño (boss)
En mi trabajo, yo tengo un (   ) muy amable.

22. **pecho:** parte del cuerpo humano que está entre el cuello y el vientre (chest)
Es costumbre de los indios cruzarse los brazos en el (   ).

23. **pego (pegar):** doy golpes
Yo nunca le (   ) a un muchacho más chico que yo.

24. **rendida:** excesivamente sumisa
Los esclavos sentían una (   ) sumisión hacia sus dueños.

25. **respetar:** tener respeto, honrar, considerar
En la escuela, Juan aprendió a (   ) el derecho de otros.

26. **siembra:** la acción de esparcir semilla en la tierra para que germine (planting)
El tiempo de (   ) es la primavera.

27. **sollozar:** llorar (to sob)
De la recámara nuestra se oía a alguien (   ) en el otro cuarto.

28. **vengativo:** vindicativo, vengador
El hacendado era un hombre (   ).

Para la Comprensión

1. ¿A dónde entraban los indios?

2. ¿Cómo entraban al solar?

3. ¿Qué hacían de rodillas?

4. ¿Quién era Pantoja?

5. ¿Qué clase de hombre era?

6. Cuando se llenó el patio, ¿cómo les habló a los indios?

7. Según Pantoja ¿quién era él?

8. ¿Qué preguntas les hizo Pantoja a los indios?

9. ¿Quién le respondió?

10. Describa las acciones de Choquehuanka al responder.

11. Cuando el viejo guardó silencio, ¿qué hizo Pantoja?

12. ¿De qué estaban descontentos los indios?

13. ¿Eran justas las quejas de los indios?

14. ¿Cómo se sentían los indios por estos agravios?

15. Cuando comenzó a sollozar el viejo, ¿qué hicieron los otros?

16. ¿Por qué se indignó Pantoja?

17. Según Pantoja ¿qué merecía eso?

18. ¿A quién dio la orden para que castigaran al cabecilla?

19. ¿Cómo lo sacaron del grupo?

20. Describa la escena del castigo.

21. ¿Qué prometían los indios para que no le pegaran más al cabecilla?

22. ¿Qué clase de lealtad tenían los indios para su grupo?

23. ¿Por qué renovó Pantoja la orden de que extremasen el rigor del castigo?

24. ¿Cuánto duró la azotaina?

25. ¿Permanecieron allí los patrones?

26. ¿Era Pantoja un hombre perdonador?

Estructura

MODISMOS: *PONERSE DE PIE;*
PONERSE DE RODILLAS
Cambie la oración según el modelo.

MAESTRO: Se arrodilló ante el altar.

ESTUDIANTE: Se puso de rodillas ante el altar.

MAESTRO: Se levantaron cuando oyeron su nombre.

ESTUDIANTE: Se pusieron de pie cuando oyeron su nombre.

1. Se arrodillaron para besarle la mano.
2. Te levantaste en seguida.
3. María se arrodilla para lavar el piso.
4. Me levantaré para darle mi asiento.

MODISMO: *PONERSE* + ADJETIVO
Según el modelo, cambie la oración para emplear la palabra nueva.

MAESTRO: María se puso pálida cuando oyó la noticia.

ESTUDIANTE: María se puso pálida cuando oyó la noticia.

MAESTRO: alegre

ESTUDIANTE: María se puso alegre cuando oyó la noticia.

1. triste
2. roja
3. contenta
4. feliz
5. enojada

Jorge se puso pálido cuando oyó la noticia.
6. alegre
7. triste
8. rojo
9. contento
10. feliz
11. enojado

Mis hermanos se pusieron pálidos cuando oyeron la noticia.
12. alegres
13. tristes
14. rojos
15. contentos
16. felices
17. enojados

María y Carmen se pusieron pálidas cuando oyeron la noticia.

18. alegres
19. tristes
20. rojas
21. contentas
22. felices
23. enojadas

MODISMO: *PONERSE A* + VERBO
Cambie la oración según el modelo.

MAESTRO: Empezaron a cantar a las ocho de la noche.

ESTUDIANTE: Se pusieron a cantar a las ocho de la noche.

MAESTRO: Empezaremos a comer cuando lleguen.

ESTUDIANTE: Nos pondremos a comer cuando lleguen.

1. Empezó a contestar las cartas.
2. Siempre empiezas a trabajar muy temprano.
3. Nunca empezaban a estudiar antes de la cena.
4. ¡Qué pronto empezaste a sembrar!
5. Ya empecé a enseñarles inglés.
6. ¿Cuándo empiezan a preparar los postres?

MODISMO: *DE VERAS*
Cambie la oración según el modelo.

MAESTRO: ¿Es verdad que te gusta la música moderna?

ESTUDIANTE: ¿De veras te gusta la música moderna?

MAESTRO: Es verdad que es muy barata la entrada.

ESTUDIANTE: De veras es muy barata la entrada.

1. Es verdad que está bueno el cuento.
2. Es verdad que olvidé el libro.
3. ¿Es verdad que acabaron el helado?
4. Es verdad que sabemos bailar muy bien.
5. ¿Es verdad que está enfermo tu hijo?
6. Es verdad que están estudiando español.

MODISMO: *AL* + INFINITIVO
Cambie la oración según el modelo.

MAESTRO: Cuando lleguemos a México, les llamaremos por teléfono.

ESTUDIANTE: Al llegar a México, les llamaremos por teléfono.

MAESTRO: Cuando oyeron la noticia, se pusieron a llorar.

ESTUDIANTE: Al oir la noticia, se pusieron a llorar.

1. Cuando terminamos de cantar, nos aplaudieron.
2. Cuando abriste la puerta, viste a tu amiga.
3. Cuando se despierten, llámennos.
4. Cuando salimos de la casa, tomamos un taxi.
5. Cuando encuentre el libro, se pondrá a estudiar.
6. Cuando te levantaste de la mesa, tiraste la leche.

MODISMO: *EN VEZ DE*
Según el modelo, cambie la oración para emplear la expresión nueva.

MAESTRO: Fueron al teatro. No fueron al cine.

ESTUDIANTE: Fueron al teatro en vez de al cine.

MAESTRO: Los encontré en el parque. No los encontré en la plaza.

ESTUDIANTE: Los encontré en el parque en vez de en la plaza.

1. Salió con María. No salió con Elisa.
2. Vamos a la ciudad. No vamos al rancho.
3. Compré zapatos. No compré botas.
4. Nos vieron en el hotel. No nos vieron en el cine.
5. Tomaremos leche. No tomaremos café.
6. Tráenos helados. No nos traigas dulces.

Según el modelo, cambie la oración para emplear la expresión nueva.

MAESTRO: Fueron al baile. No estudiaron.

ESTUDIANTE: Fueron al baile en vez de estudiar.

MAESTRO: Lavaste el coche. No arreglaste la casa.

ESTUDIANTE: Lavaste el coche en vez de arreglar la casa.

7. Compró una casa. No salió de vacaciones.
8. Contestó la carta. No leyó el cuento.
9. Nos acostamos temprano. No esperamos a Marta.
10. Viajaremos en coche. No tomaremos el avión.
11. Nadaban en la piscina. No jugaban al béisbol.
12. Les daré este juguete. No compraré otro regalo.
13. Me quedaré en casa. No me iré al cine.

¡QUIEN SABE!

por José Santos Chocano

Introducción

José Santos Chocano (peruano, 1875–1934) es una de las fuerzas épicas de la literatura hispanoamericana. Su poesía, tanto como su vida, era brillante, tempestuosa, y combativa. Por su interés en la América y en el indio de las Américas lo han llamado "el poeta de América."

En *¡Quién sabe!* Chocano pinta al indio y su espíritu.

Guía de Estudio

El título *¡Quién sabe!* (who knows?) también quiere decir "perhaps." En este poema significa la respuesta del indio . . . vaga, evasiva, misteriosa.

Con excepción del refrán, el poema se compone de líneas alternativas de versos *llanos* de nueve sílabas y versos *agudos* de ocho sílabas. Todos los versos agudos y el refrán riman en *asonancia*.

Explicación:

llanos: acentuados en la penúltima sílaba

agudos: acentuados en la última sílaba

asonancia: la rima asonante consiste en igualdad de vocales a partir de la última vocal acentuada, pero las consonantes son distintas

Palabras Clave

1. La maestra quiere que Juan apague el fuego del calentador.

   apague: extinga, sofoque, disipe

2. Si te escondes detrás de la puerta, nadie te verá.

   escondes: ocultas, cubres, guardas

3. Al coger la rosa, se picó la mano con una espina.

   espina: punta aguda que tienen algunas plantas (thorn)

4. Si tú no labras tu jardín, no tendrás flores.

   labras: cultivas, trabajas

5. El orgullo del indio es incomparable.

   orgullo: arrogancia, amor propio, infatuación, vanidad

6. La maestra de español es una mujer sabia.

   sabia: versada, sapiente (wise)

El Comercio, Quito, Ecuador

7. El mestizo tiene sangre indígena y española.

   sangre: líquido que circula en las venas del cuerpo humano (blood)

8. El indio gana la comida con el sudor de la frente.

   sudor: transpiración, secreción (sweat)

9. El indio tiene mucho sueño hoy porque trabajó toda la noche.

   sueño: deseo de dormir

10. Desde lejos se oían los suspiros de la muchacha enamorada.

    suspiros: aspiración lenta y prolongada que denota alguna emoción

Indio que asomas a la puerta
de esa tu rústica mansión:
¿para mi sed no tienes agua?
¿para mi frío, cobertor?
¿parco maíz para mi hambre?
¿para mi sueño, mal rincón?
¿breve quietud para mi andanza?
       —¡Quién sabe, señor!

Indio que labras con fatiga
tierras que de otros dueños son:
¿ignoras tú que deben tuyas
ser, por tu sangre y tu sudor?
¿ignoras tú que audaz codicia,
siglos atrás, te las quitó?
¿ignoras tú que eres el Amo?
       —¡Quién sabe, señor!

Indio de frente taciturna
y de pupilas sin fulgor:
¿qué pensamiento es el que escondes
en tu enigmática expresión?
¿qué es lo que buscas en tu vida?
¿qué es lo que imploras a tu Dios?
¿qué es lo que sueña tu silencio?
       —¡Quién sabe, señor!

¡Oh, raza antigua y misteriosa,
de impenetrable corazón,
que sin gozar ves la alegría
y sin sufrir ves el dolor:
eres augusta como el Ande,
el Grande Océano y el Sol!
Ese tu gesto que parece
como de vil resignación,
es de una sabia indiferencia
y de un orgullo sin rencor . . .

Corre en mis venas sangre tuya,
y, por tal sangre, si mi Dios
me interrogase qué prefiero,
cruz o laurel, espina o flor,

cobertor: covering, blanket

andanza: wandering

audaz codicia: bold greediness (on the part of the conquering Spaniard)

de frente taciturna: of silent, melancholy expression
fulgor: luster, life

rencor: rancor, animosity

¡Quién sabe!   143

beso que apague mis suspiros
o hiel que colme mi canción,
responderíale dudando:
  —¡Quién sabe, señor!

hiel que colme: bitterness that fills to the brim

Diccionario

1. **amo:** dueño, posesor, poseedor, propietario
   Don Luciano es el (   ) del cafetal de Matlapa.

2. **apague (apagar):** extinga, sofoque, disipe
   No permitas que Juan (   ) el fuego, porque tenemos frío.

3. **augusta:** respetable, venerable, majestuosa, admirable
   Moctezuma pertenecía a la raza (   ) de los aztecas.

4. **escondes (esconder):** ocultas, cubres, guardas
   Si (   ) el libro debajo de la mesa, Juan no lo verá.

5. **espina:** punta aguda que tienen algunas plantas (thorn)
   La rosa que le di a la maestra no tenía ni una (   ).

6. **labras (labrar):** cultivas, trabajas
   Si (   ) toda tu tierra vas a tener una cosecha muy grande.

7. **orgullo:** arrogancia, amor propio, infatuación, vanidad
   Casi todos tenemos un poco de (   ).

8. **parco:** escaso, limitado, mesurado
   La familia sufría hambre porque sólo tenía (   ) maíz para comer.

9. **quietud:** reposo, calma, descanso
   El indio deseaba un momento de (   ) antes de seguir su camino.

10. **sabia:** versada, sapiente (wise)
    María ejercía una preferencia (   ) al escoger a sus amigos.

11. **sangre:** líquido que circula en las venas del cuerpo humano (blood)
    Una gota de (   ) salió de la herida.

12. **sudor:** transpiración, secreción
    Todos sufren con el (   ) en los países tropicales.

13. **sueño:** deseo de dormir
    El niño se durmió porque tenía mucho (   ).

14. **suspiro:** aspiración lenta y prolongada que denota alguna emoción
    La muchacha dio un (   ) cuando vio a su novio bajar del avión.

Para la Comprensión

1. ¿Cuál es el título de este poema?
2. ¿Qué clase de mansión tiene el indio?
3. ¿Dónde está el indio al principiar el poema?
4. ¿Qué se necesita para satisfacer la sed?
5. ¿Qué se necesita para protegerse del frío?
6. En la primera estrofa ¿quién habla con el indio?
7. ¿Qué le pide el viajero?
8. ¿Cómo labra el indio las tierras?
9. ¿Son suyas las tierras que labra el indio?
10. ¿Por qué debieran ser del indio esas tierras?
11. ¿Por qué las perdió?
12. ¿Cómo es el indio de la tercera estrofa?
13. ¿Qué le pregunta el interrogador al indio?
14. ¿Qué responde él?
15. ¿Qué clase de raza es la del indio?

16. ¿Tiene el corazón abierto?

17. ¿A qué la compara el autor?

18. Describa el gesto del indio.

19. ¿En las venas de quién corre la sangre del indio?

20. ¿En qué dilema se encuentra el autor por tener sangre indígena?

21. ¿Qué contrasta el autor al beso que apague sus suspiros?

22. Si Dios le interrogase, ¿qué respondería él?

Estructura

TIEMPOS Y FRASES VERBALES

Según el modelo, cambie la oración para emplear la palabra o frase nueva.

MAESTRO: ¿Qué es lo que estudias?

ESTUDIANTE: ¿Qué es lo que estudias?

MAESTRO: has estudiado

ESTUDIANTE: ¿Qué es lo que has estudiado?

MAESTRO: estudiabas

ESTUDIANTE: ¿Qué es lo que estudiabas?

MAESTRO: era

ESTUDIANTE: ¿Qué era lo que estudiabas?

MAESTRO: habías estudiado

ESTUDIANTE: ¿Qué era lo que habías estudiado?

1. es
2. traes
3. has traído
4. traías
5. habías traído
6. comes
7. necesitas
8. has comido
9. leías
10. habías llevado
11. vendes
12. has leído
13. llevabas
14. habías vendido
15. era
16. comías

EJERCICIOS CREATIVOS

LA YAQUI HERMOSA

1. Escriba un poema breve en que Ud. relata la vida de la yaqui hermosa.

RAZA DE BRONCE

2. Escriba un párrafo en que contrasta Ud. el terrateniente de *La yaqui hermosa* con Pantoja.

¡QUIEN SABE!

3. Escriba un análisis de ¡*Quién sabe!* Incluya en su discusión:
   a. el significado del título
   b. los sentimientos del poeta hacia los indios
   c. lo que aprende Ud. de la vida, historia, y del carácter del indio
   d. la universalidad del poema

4. Para conocer al indio, haga una lista de las varias cualidades del carácter o del temperamento del indio que se encuentran en las tres selecciones. Haga otra lista que lo describa físicamente.

5. Discuta:
   a. La acción del gobierno al trasladar a los yaquis a otras tierras desconocidas.
   b. La verdadera causa de la muerte de la yaqui. ¿Sería la fiebre, el hambre, la tristeza, la nostalgia, la vergüenza u otra causa?
   c. La razón por la que Pantoja (y otros) fueron tan injustos con los indios.
   d. La historia o el tratamiento del indio por los conquistadores.
   e. El tratamiento del indio hoy día.

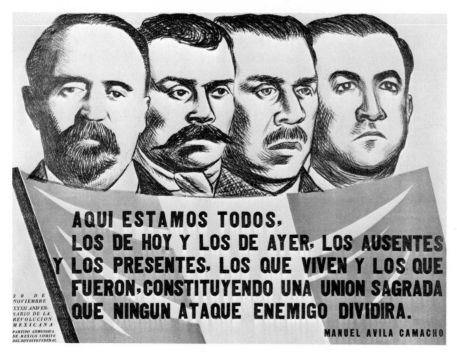

AQUI ESTAMOS TODOS,
LOS DE HOY Y LOS DE AYER, LOS AUSENTES
Y LOS PRESENTES, LOS QUE VIVEN Y LOS QUE
FUERON, CONSTITUYENDO UNA UNION SAGRADA
QUE NINGUN ATAQUE ENEMIGO DIVIDIRA.

MANUEL AVILA CAMACHO

20 DE NOVIEMBRE XXXII ANIVER- SARIO DE LA REVOLUCION MEXICANA PARTIDO COMUNISTA DE MEXICO COMITE DEL DISTRITO FEDERAL

Por Raúl Anguiano

Collection, The Museum of Modern Art, New York; Inter-American Fund

Cuadro 8 · LA LIBERTAD

Preparando la Escena.   *Se ha dicho que la lucha para la independencia de Hispanoamérica empezó con la conquista misma, sobretodo entre la población india. Desde el siglo XVI muchos españoles también disputaban la cuestión de si era justa o no la ocupación de las nuevas tierras.*

Los motivos más inmediatos para la fragmentación de las provincias españolas en América fueron la progresiva pérdida de fuerza de la monarquía española, el ejemplo de la independencia norteamericana, y en general, las ideas progresivas y democráticas del siglo XVIII. Así nació la idea «utópica» de que podía crearse una Hispanomérica independiente y unida.

La historia cuenta con muchos hombres extraordinarios que dedicaron la vida a este sueño de libertad—Francisco de Miranda, Simón Bolívar, José de San Martín, el cura Miguel Hidalgo, y otros. Los episodios que siguen muestran el genio y la determinación de tres héroes nacionales—Hidalgo, San Martín, y Bolívar.

146

MIGUEL HIDALGO Y COSTILLA

por Justo Sierra, Padre

Introducción

—¡Viva nuestra madre santísima de Guadalupe, viva Fernando VII, viva la América y muera el mal gobierno!

Con estas palabras pronunciadas por Miguel Hidalgo comenzó el movimiento revolucionario en México. La fecha—el 16 de septiembre de 1810; el lugar—el pueblo de Dolores en México; la bandera—un estandarte con la imagen de la Virgen de Guadalupe, patrona de México; y la causa—devolver a los indios las tierras en poder de la clase acaudalada y de la Iglesia.

La violencia de la lucha se debía en gran parte al fervor de Hidalgo y a la desesperación de los indios. Como ha dicho el autor de este relato: «La obra era inmensa; está realizada y México libre ha colocado en su altar más excelso el recuerdo de su padre Hidalgo, el más grande de sus hijos.»

Guía de Estudio

La descripción de Hidalgo que sigue seguramente le va a sorprender. Parece imposible que un hombre encierre tantos elementos al parecer contrarios: ser cura e insurgente, enseñar la doctrina cristiana y mandar a un ejército en una guerra sangrienta, ser nieto de españoles y aborrecer a la dominación de los hacendados españoles.

Imagínese el conflicto que existía en el alma de un hombre de Dios al aceptar la responsabilidad de las matanzas de españoles indefensos y el derramiento de sangre. Solamente su gran fe en la causa y su grandeza de ánimo podrían hacerle capaz de emprender tal obra.

Palabras Clave

1. El aborrecimiento a los españoles lo movió a matarlos.
   aborrecimiento: acto de odiar (hate)

2. Los jugadores de fútbol cayeron sobre la pelota como un alud.
   alud: avalancha

3. El caudillo dio la libertad a los esclavos.
   caudillo: jefe, capitán

4. En las revoluciones siempre hay muchas conjuraciones.
   conjuraciones: conspiraciones

5. Los conjurados se unieron contra el oficial del gobierno.
   conjurados: conspiradores

6. Es anticristiano derramar sangre.
   derramar: verter un líquido (to shed, to spill)

7. El ejército de Hítler fue desbaratado por el ejército de los americanos.
   desbaratado: deshecho, descompuesto, obligado a retroceder (destroyed, smashed, forced back)

8. Los soldados de Hidalgo desbarataron las tropas enemigas.
   desbarataron: deshicieron, obligaron a retroceder

9. Hidalgo tenía pocos soldados profesionales en su ejército.
   ejército: un conjunto de soldados; las fuerzas armadas de una nación (army)

10. Hidalgo quería emprender la batalla con bastantes rifles.
    emprender: comenzar (to undertake)

11. Un enemigo escoltaba al ejército de Hidalgo.
    escoltaba: acompañaba para proteger

12. México ha dado a Hidalgo el honor más excelso de la nación.
    excelso: eminente

13. Los indios de México cultivan los gusanos de seda.

    gusanos: animales invertebrados de cuerpo blando contráctil (worms)

14. Los hacendados de México eran crueles con los indios.

    hacendados: dueños de haciendas

15. El intendente era responsable de la administración del ejército.

    intendente: el que dirige lo administrativo

16. La cabeza de Hidalgo fue puesta en una jaula.

    jaula: aparato generalmente de barras de hierro que sirve para encerrar algo (cage)

17. La maestra logra enseñarles algo a los alumnos.

    logra: consigue, obtiene (manages to, succeeds in)

18. Los chinos hacen buena loza.

    loza: platos, vasos, y tazas de barro fino vidriado (chinaware)

19. Los soldados atacaban al enemigo con rabia.

    rabia: ira (anger)

20. En tiempo de guerra se mandan muchos recados.

    recados: mensajes de palabra o por escrito

21. Hidalgo tuvo que retroceder algunas veces.

    retroceder: volver atrás

22. Gran número de rocas se desplomaban sobre la gente.

    se desplomaban: caían

23. Hidalgo se encaminó hacia Guadalajara.

    se encaminó: se dirigió

24. El creía terminantemente en la libertad de todos los hombres.

    terminantemente: positivamente

25. Los verdugos de Hidalgo eran todos españoles.

    verdugos: ejecutores de la pena de muerte (executioners)

DON MIGUEL Hidalgo era nieto de españoles, y aunque sus padres eran campesinos, tuvieron cuidado de enviarle a hacer sus estudios a Valladolid (hoy Morelia). A los treinta y cuatro años fue sacerdote y poco después, rector
5 del Colegio de San Nicolás.

Hidalgo quería sobre todo mejorar la vida de los indios dándoles medios de trabajar y ganar más dinero. Estableció por eso varias industrias, como la de fabricación de loza y el cultivo de los gusanos de seda. Los indios le adoraban y
10 le habrían seguido al fin del mundo; él les enseñaba la doctrina cristiana y, al mismo tiempo, el aborrecimiento a la dominación de los empleados y hacendados españoles, dueños entonces de la situación.

Cuando entró en la conjuración de Querétaro, comenzó a
15 fabricar armas y trató de buscar auxilios en todas partes especialmente en Guanajuato. Lo que deseaba el cura era

le habrían . . . del mundo: they would have followed him to the end of the world

promover una revolución que acabase con el poder de los españoles en la colonia y constituir a esta América septentrional por medio de un Congreso de representantes del pueblo.

5   Pero se descubre la conjuración en Guanajuato y en Querétaro; varios conjurados son aprehendidos, y doña Josefa Ortiz, esposa del corregidor de Querétaro, logra mandar un aviso a don Miguel Allende, quien se había reunido con Hidalgo. En la noche del 15 llega el recado de la corregidora. Se juntan. ¿Qué hacer? ¿Esconderse? Los encontrarán al fin.

—No hay más remedio—exclamó el cura—que ir a coger gachupines.

A esa suprema resolución del cura, debemos los mexicanos la Patria; no lo olvidemos jamás. Unos cuantos trabajadores de las pequeñas fábricas de Hidalgo, unos cuantos presos, que por faltas leves se hallaban en la cárcel y fueron puestos en libertad por los conjurados, un centenar de campesinos que habían acudido a la misa del domingo y habían oído el sermón inflamado del cura que les llamaba a romper sus cadenas, éste fue el primer núcleo del ejército insurgente. Con él salió Hidalgo sobre San Miguel donde se le reunió el cuerpo de tropa a que pertenecía Allende. En el camino halló en un santuario un estandarte de la Virgen de Guadalupe, la patrona de los indios, la reina india de los cielos,

promover . . . de los españoles: promote a revolution that would put an end to the power of the Spaniards
septentrional: del norte

gachupines: españoles

no lo olvidemos jamás: let us never forget it

faltas leves: light charges

Don Miguel Hidalgo (detail) *por Juan O'Gorman* (Mexican National Tourist Council)

Miguel Hidalgo y Costilla   149

que los misioneros habían puesto como intercesora entre los españoles y la raza conquistada.

—Esta es nuestra bandera—exclamó Hidalgo—¡viva nuestra madre santísima de Guadalupe, viva Fernando VII, viva la
5 América y muera el mal gobierno!

Los millares de hombres que seguían ya al cura, respondieron:

¡Viva nuestra señora de Guadalupe y mueran los gachupines!

10 A los pocos días aquella multitud tomó posesión de Celaya; en San Luis, el oficial español Calleja organizaba sus fuerzas, pero aún no podía moverse; en Guanajuato el intendente se encerró con los españoles y sus caudales en un edificio que se llamaba la Alhóndiga de Granaditas. Sobre él fue Hidalgo;
15 los trabajadores de las minas se le unieron y cayeron como un alud sobre los muros de Granaditas; nubes de piedras se desplomaban sobre las azoteas y si los españoles se defendían con rabia, con rabia atacaban los insurgentes. Pronto el fuego hizo volar las puertas y por ahí penetró la incontenible multi-
20 tud matando sin piedad.

las azoteas: flat roofs

La matanza de Granaditas, que caudillos insurgentes no pudieron impedir, abrió la era de sangre de la guerra de Independencia y le imprimió su carácter; los españoles contestaron con un grito de horror, que fue pronto de muerte;
25 para vengar los asesinatos de Granaditas derramaron tanta sangre que habría bastado para envolver a la Nueva España en un manto de púrpura.

habría bastado . . . de púrpura: would have been enough to wrap New Spain in a cloak of blood (purple)

Hidalgo medio organizó el gobierno de aquella multitud en marcha, se dirigió a Valladolid, siguió sobre México y en
30 el monte de las Cruces desbarataron los insurgentes a los realistas. Hidalgo, proclamado ya generalísimo, no pudo, por falta de municiones, apoderarse de México y tuvo que retroceder. Guadalajara había caído en poder del bravo guerrillero don Antonio Torres y el cura Hidalgo se encaminó a la
35 hermosa capital de occidente, en donde entró en triunfo. Por desgracia, en Valladolid y en Guadalajara, cediendo a las feroces exigencias de las multitudes, ordenó Hidalgo el asesinato de algunos centenares de españoles. ¡Quería que desde aquel momento hubiese entre los dominadores y los domina-
40 dos un abismo de sangre! Allí decretó el caudillo la libertad de los esclavos; la nueva patria no quería ser esclava, ni tener esclavos; fue ésta la honra entera de la insurrección.

Calleja, después de tomar y castigar horriblemente a Guanajuato, se dirigió a Guadalajara; el numeroso pero indisciplinado ejército insurgente fue completamente desbaratado por los realistas. Los caudillos pasaron a Saltillo, pretendiendo dirigirse a Tejas y los Estados Unidos, con objeto de allegar recursos para emprender con mejor éxito la lucha. Pero un infame traidor que los escoltaba los entregó a los españoles. Conducidos a Chihuahua, fueron allí interrogados y sentenciados a muerte. La última víctima fue el cura Hidalgo. Había contestado con digna entereza a sus jueces, que eran sus verdugos, aceptó las más tremendas responsabilidades, como las de las matanzas de los españoles indefensos y, si tuvo la debilidad de retractarse de lo que había hecho, no fue por miedo a la muerte, sino porque recordó que el Evangelio prohibía derramar sangre.

Fue fusilado el treinta de julio de 1811 y su cabeza enviada a Guanajuato y colocada en una jaula de hierro en un ángulo del edificio de Granaditas, por orden de Calleja.

Hidalgo fue el iniciador. De un acto de su voluntad nació nuestra patria. El medio que escogió para realizar su idea fue terrible: el levantamiento nacional. No había otro y la sangre los manchó a todos; pero él empezó, y lo dijo terminantemente, por hacer el sacrificio de su vida. La obra era inmensa; está realizada y México libre ha colocado en su altar más excelso el recuerdo de su padre Hidalgo, el más grande de sus hijos.

pretendiendo dirigirse: attempting to go
allegar recursos: to solicit funds, resources

entereza: integrity

Diccionario

1. **aborrecimiento:** efecto de no querer, acto de odiar (hate)
   Los indios sentían (   ) hacia los españoles.

2. **alud:** avalancha
   Cayó un (   ) de piedras sobre la azotea.

3. **asesinatos:** muertes, homicidios premeditados
   Hay muchos (   ) cada año.

4. **conjuraciones:** conspiraciones
   En la guerra hay muchas (   ).

5. **conjurados:** conspiradores
   Los (   ) conspiran en contra de la nación.

6. **derramar:** verter un líquido (to shed, to spill)
   Es malo (   ) sangre humana.

7. **desbaratado:** deshecho, descompuesto, obligado a retroceder (destroyed, smashed, forced back)
   El reloj fue (   ) por el golpe.

8. **desbarataron (desbaratar):** deshicieron
   Los niños (   ) el juguete viejo.

9. **se desplomaban (desplomarse):** caían

Los aviones (   ) como pájaros muertos.

10. **ejército:** conjunto de soldados, las fuerzas armadas de una nación (army)

El soldado pertenece al (   ) de España.

11. **emprender:** comenzar (to undertake)

El alumno va a (   ) el estudio de medicina.

12. **se encaminó (encaminarse):** se dirigió

El muchacho (   ) hacia la casa de ella.

13. **escoltaba (escoltar):** acompañaba para proteger

El muchacho (   ) a su novia.

14. **excelso:** eminente

El general tiene un lugar (   ) en el ejército.

15. **gusanos:** animales invertebrados de cuerpo blando contráctil (worms)

La seda viene de los (   ) de seda.

16. **hacendados:** dueños de haciendas

En México había muchos (   ).

17. **incontenible:** indomable (uncontrollable)

La multitud (   ) penetró las puertas de la ciudad.

18. **intendente:** el que dirige lo administrativo

El capitán es el (   ) del fuerte.

19. **intercesora:** que intercede

La madre es la (   ) del hogar.

20. **jaula:** aparato generalmente de barras de hierro que sirve para encerrar algo (cage)

El pájaro siempre está en su (   ).

21. **logra (lograr):** consigue, obtiene (manages to, succeeds in)

El alumno (   ) aprender algo.

22. **loza:** platos, vasos, y tazas de barro fino vidriado (chinaware)

La (   ) es muy delicada.

23. **rabia:** ira (anger)

La (   ) es mala para todos.

24. **recados:** mensajes de palabra o por escrito

Los novios se mandan (   ) por medio de sus amigos.

25. **retractarse:** retirar lo que se ha dicho (to retract oneself, to go back on one's word)

Nada lo hizo (   ).

26. **retroceder:** volver atrás

A veces es mejor (   ) que perder la vida.

27. **terminantemente:** positivamente

El dijo (   ) que iría a mi casa.

28. **verdugos:** ejecutores de la pena de muerte (executioners)

Los dueños de los esclavos eran unos (   ).

Para la Comprensión

1. ¿Dónde estudió Hidalgo?

2. ¿Qué edad tenía cuando llegó a ser sacerdote?

3. ¿Qué posición ocupó en el Colegio de San Nicolás?

4. ¿Cómo quería Hidalgo mejorar la vida de los indios?

5. ¿Qué hizo para lograrlo?

6. ¿Qué les enseñaba Hidalgo a los indios?

7. ¿Qué hizo Hidalgo cuando entró en la conjuración de Querétaro?

8. ¿Qué clase de revolución deseaba promover el cura?

9. ¿Dónde se descubrió la conjuración?

10. ¿Quién era doña Josefa Ortiz y cómo ayudó ella a la causa de Hidalgo?

11. ¿Cuándo llegó el recado de la corregidora?

12. ¿Qué exclamó el cura?

13. ¿Qué fue el efecto último de esa resolución?

14. ¿Cómo se formó el primer núcleo del ejército insurgente?

15. ¿Dónde se reunió Hidalgo con Allende?

16. ¿Cuál era la bandera del ejército insurgente?

17. ¿Quiénes se encerraron en la Alhóndiga de Granaditas?

18. ¿Cómo penetró Hidalgo la Alhóndiga?

19. Describa la matanza de Granaditas y sus consecuencias.

20. ¿Por qué no pudo Hidalgo apoderarse de México?

21. ¿Por qué ordenó Hidalgo el asesinato de los españoles en Guadalajara?

22. ¿Dónde decretó la libertad de los esclavos?

23. ¿Por qué fue desbaratado el ejército insurgente por los realistas?

24. ¿Cómo contestó Hidalgo a sus jueces?

25. ¿Por qué tuvo la debilidad de retractarse Hidalgo?

26. ¿Cuándo fue fusilado?

27. ¿Qué hicieron con la cabeza de Hidalgo?

28. ¿Qué medio escogió Hidalgo para traer la independencia a México?

29. ¿Qué sacrificó Hidalgo por su patria?

30. ¿Qué honor le ha dado México?

Estructura

MODISMOS CON *ESTAR* Y *SER*

Según el modelo, cambie la oración para emplear la expresión nueva.

MAESTRO: Pensamos lo mismo que ustedes.

ESTUDIANTE: Estamos de acuerdo con ustedes.

MAESTRO: Alicia piensa lo mismo que yo.

ESTUDIANTE: Alicia está de acuerdo conmigo.

1. Pienso lo mismo que tú.
2. Piensan lo mismo que nosotros.
3. ¿Piensas lo mismo que yo?
4. El profesor piensa lo mismo que los alumnos.

5. Pienso lo mismo que Marta.
6. No pensamos lo mismo que ellas.

Según el modelo, cambie la oración para emplear la expresión nueva.

MAESTRO: María no duda de nuestra sinceridad.

ESTUDIANTE: María está segura de nuestra sinceridad.

MAESTRO: No dudamos de tu amistad.

ESTUDIANTE: Estamos seguros de tu amistad.

7. No dudan de nuestra competencia.
8. No dudo de la importancia de los idiomas.
9. Las muchachas no dudan de la necesidad de esto.
10. No dudamos de su preparación.
11. Juan no duda de tus conocimientos.
12. Mis amigos no dudan de nuestra participación.

Según el modelo, cambie la oración para emplear la expresión nueva.

MAESTRO: María duda de nuestra sinceridad.

ESTUDIANTE: María no está segura de nuestra sinceridad.

13. Dudan de nuestra competencia.
14. Dudo de la importancia de los idiomas.
15. Las muchachas dudan de la necesidad de esto.
16. Dudamos de su preparación.
17. Juan duda de tus conocimientos.
18. Mis amigos dudan de nuestra participación.

Según el modelo, cambie la oración para emplear la expresión nueva.

MAESTRO: Ya me puse contento.

ESTUDIANTE: Estoy contento.

MAESTRO: María ya se puso triste.

ESTUDIANTE: María está triste.

19. Ya nos pusimos alegres.
20. El pan ya se puso duro.
21. Las muchachas ya se pusieron furiosas.
22. El césped ya se puso verde.
23. El hombre ya se puso enfermo.
24. Elena ya se puso elegante.

Según el modelo, cambie la oración para emplear la expresión nueva.

MAESTRO: Mi amigo ya se calló.

ESTUDIANTE: Mi amigo está callado.

MAESTRO: Los alumnos ya nos enojamos.

ESTUDIANTE: Los alumnos estamos enojados.

25. Elisa ya se cansó.
26. Ya nos acostamos.
27. Los niños ya se durmieron.
28. Ya me asusté.
29. Las muchachas ya se sentaron.
30. Tú ya te aburriste.

Según el modelo, cambie la oración para emplear la expresión nueva.

MAESTRO: María se encuentra en Acapulco.

ESTUDIANTE: María está en Acapulco.

MAESTRO: Los libros se encuentran en la oficina.

ESTUDIANTE: Los libros están en la oficina.

31. La biblioteca se encuentra en la Avenida Madero.
32. Elena y Juan se encuentran en un largo viaje.
33. Las revistas se encuentran en esa mesa.
34. La familia se encuentra en el club.
35. La niña se encuentra en la escuela.

Según el modelo, cambie la oración para emplear la expresión nueva.

MAESTRO: Juan vive en México.

ESTUDIANTE: Juan es de México.

MAESTRO: Compré mi suéter en el Ecuador.

ESTUDIANTE: Mi suéter es del Ecuador.

36. Vivimos en San Antonio.
37. Esta loza se compró en el Japón.
38. Elena y Elisa viven en Morelia.
39. Compró la plata en el Perú.
40. Vives en Guadalajara.
41. Compré las flores en la plaza.

CON DIAS Y OLLAS VENCEREMOS

por Ricardo Palma

Introducción

Durante las guerras de la independencia de Hispanoamérica contra España, que empezaron alrededor del año 1810, había a veces, a pesar de la seriedad de las batallas, sucesos cómicos.

En 1821, San Martín ya había cruzado los Andes de la Argentina, había libertado a Chile y ya estaba para libertar al Perú, la última fortificación española.

Este cuento del famoso peruano, Ricardo Palma, narra un episodio breve de la vida del gran libertador de la Argentina, el General José de San Martín.

Guía de Estudio

El cuento relata algo de la astucia del gran general en realizar sus metas sin derramamiento de sangre. Escenas como ésta se han duplicado a través de la historia por todos los grandes espías del mundo que emplean en sus intrigas elementos sencillos e insospechables. Verá cómo «una olla,» un utensilio ordinario de cocina, hizo su papel en un gran incidente histórico.

Palabras Clave

1. Durante la guerra se escriben muchas cartas en cifra.

   cifra: escritura secreta

2. Para insultar al indio le llamó cholo ladrón.

   cholo: una persona de la clase social inferior, un indio o mestizo

3. Querían desollar al animal por completo.

   desollar: pelar, desplumar (to skin)

4. En los planes de guerra siempre hay peligro de llevarse chasco.

   llevarse chasco: resultar un suceso contrario a lo que uno esperaba (to be disappointed)

5. La criada compró una olla nueva en el mercado.

   olla: vasija redonda de barro o metal que se usa para cocinar

6. Al muchacho le gustaba pregonar su mercancía.

   pregonar: publicar o anunciar algo en voz alta

7. Era necesario registrar al indio cada vez que pasaba.

   registrar: examinar con detención a una persona o cosa

8. La riña entre ellos fue grande.

   riña: pendencia, pleito (quarrel)

E N EL año de 1821, cuando empezaron las famosas negociaciones entre el virrey en Lima y el General San Martín, recibieron las tropas revolucionarias, mientras esperaban en Huaura, una frase como santo y seña: «Con
5 días y ollas venceremos.»

santo y seña: cue, password

Para todos excepto unos pocos, el santo y seña era una frase estúpida y hasta los enemigos de San Martín murmuraban—¡Tonterías del general!

Sin embargo, el santo y seña era importante, puesto que
10 hizo su papel en un gran incidente histórico. Y de eso me propongo hablar hoy.

San Martín no quería ocupar a Lima por medio de una batalla, porque lo que le importaba más era salvar la vida de sus soldados.

15 Estaba en correspondencia secreta y constante con los patriotas leales de la capital, pero con frecuencia, los españoles conseguían interceptar las comunicaciones entre San Martín y sus amigos. Además, los españoles siempre fusilaban a quienes sorprendían con cartas en cifra. Era preciso
20 encontrar inmediatamente un medio seguro de comunicación.

Con días y ollas venceremos   155

Preocupado con este pensamiento, una tarde el General San Martín pasaba por la única calle de Huaura, cuando, cerca del puente, se fijó en una casa vieja que en el patio tenía un horno para alfarería. En aquel tiempo, los utensilios
5 de cocina eran de barro cocido.

Al ver el horno, San Martín tuvo una misteriosa inspiración y exclamó para sí, «¡Eureka! ¡Ya está resuelta la X del problema!»

¡Eureka! I've got it!

El dueño de la casa era un indio viejo, inteligente, y leal
10 a los insurgentes. Después de una conversación larga, el alfarero prometió hacer para el General unas ollas con doble fondo, tan bien preparadas que el ojo más experto no pudiera descubrirlo.

El indio hacía cada semana un viajecito a Lima con sus
15 dos mulas cargadas de platos y ollas de barro. Entre estas últimas iba la «olla revolucionaria,» con importantísimas cartas en su doble fondo. Camino de Lima, el indio se dejaba registrar por los españoles, respondía con una sonrisa a sus preguntas, se quitaba el sombrero cuando el oficial pro-
20 nunciaba el nombre de Fernando VII, y los españoles le dejaban seguir su viaje. ¿Quién iba a imaginar que ese pobre indio hacía un papel tan importante en cosas revolucionarias?

A las ocho de la mañana pasaba por las calles de Lima, gritando a cada paso,—¡Ollas y platos! ¡Baratos, baratos!
25 Apenas terminaba su pregón en cada esquina, cuando salían a la puerta todos los vecinos que querían comprar utensilios de cocina.

pregón: cry

Vivía en Lima el señor don Francisco Javier de Luna Pizarro, y él fue el patriota nombrado por San Martín para
30 tratar con el alfarero. El criado de este señor, Pedro Manzanares, era muy leal a su amo. Al oir pasar al alfarero, no dejaba Pedro nunca de salir y comprar una olla de barro. Pero todas las semanas volvía a presentarse en la puerta, utensilio en mano, gritando al alfarero, que le entendía per-
35 fectamente,—¡Oiga usted, cholo ladrón, con sus ollas que se rompen toditas. . . . Ya puede usted cambiarme ésta que le compré la semana pasada antes que se la rompa en la cabeza para enseñarle a no engañarme a mí!

Y tanto se repitió la escena de cambios de ollas y palabro-
40 tas, contestadas siempre con paciencia por el indio, que el barbero de la esquina le dijo al criado una mañana,—¡Caramba! ¡Yo que soy pobre no hago tanto ruido por un mise-

rable real! ¡Vamos! Las ollas de barro no se pueden devolver, y el que se lleva chasco debe callarse y no molestar a los vecinos con gritos y lamentaciones.

—Y a usted, ¿quién le dio vela en este entierro?—contestó
5 Pedro. —Vaya usted a desollar barbas, y no se meta en lo que no le va ni le viene.

Al oir esto, se puso enfadado el barbero, y echando mano de la navaja, estaba para atacar a Pedro, que, sin esperar, huyó a su casa.

10 Quién sabe si la riña entre el barbero y el criado habría servido para despertar sospechas sobre las ollas, pues de pequeñas causas han salido grandes efectos. Afortunadamente, la riña tuvo lugar en el último viaje que hizo el alfarero con la «olla revolucionaria.» Al día siguiente aban-
15 donó el virrey la ciudad, de la cual tomaron posesión los patriotas en la noche del nueve de julio.

¿quién le . . . entierro? ¿qué le importa a Ud.?
vaya Ud . . . ni le viene: siga afeitando barbas y no se meta en lo que no le importa

Diccionario

1. **alfarería:** taller donde se fabrican cosas de barro
   Compró la olla en la (   ).

2. **cifra:** escritura secreta
   Los espías siempre escriben en (   ).

3. **cholo:** persona de la clase social inferior, un indio o mestizo
   El indio que vendía ollas era un (   ).

4. **desollar:** pelar, desplumar (to skin)
   No es fácil (   ) un gato vivo.

5. **horno:** construcción en la que se puede conseguir una temperatura muy elevada (kiln, oven)
   El alfarero hace ollas en el (   ).

6. **llevarse chasco:** resultar un suceso contrario a lo que uno esperaba (to be disappointed)
   El joven va a (   ) si no pasa el examen.

7. **navaja:** tipo de cuchillo, o que sirve para afeitarse (razor, knife)
   El barbero afeita la barba con la (   ).

8. **olla:** vasija redonda de barro o metal que se usa para cocinar
   Es importante poner un poquito de mantequilla en la (   ) primero.

9. **pregonar:** publicar o anunciar algo en voz alta
   El indio necesita (   ) sus ollas o no las vende.

10. **registrar:** examinar con detención a una persona o una cosa
    En la aduana tienen la costumbre de (   ) a los turistas.

11. **riña:** pendencia, pleito (quarrel)
    Siempre había una (   ) entre los dos muchachos.

12. **tonterías:** acciones o palabras tontas (foolishness, nonsense)
    San Martín no decía (   ).

Para la Comprensión

1. ¿Qué ocurrió en 1821?

2. ¿Qué recibieron las tropas revolucionarias mientras esperaban?

3. ¿Qué opinión tenían muchos de este santo y seña?

4. ¿Qué murmuraban los enemigos de San Martín?

5. ¿Por qué no quería San Martín ocupar a Lima por medio de una batalla?

6. ¿Con quiénes estaba en correspondencia secreta?

7. ¿Qué hacían los españoles con frecuencia?

8. ¿Qué pensamiento le preocupaba a San Martín?

9. ¿En qué se fijó San Martín mientras pasaba por la única calle de Huaura?

10. ¿Cómo eran los utensilios de cocina en aquel tiempo?

11. ¿Cómo era el alfarero?

12. ¿Qué prometió hacer para el General?

13. ¿Cuándo hacía el alfarero un viajecito a Lima?

14. ¿Cómo iban las mulas?

15. Describa la «olla revolucionaria.»

16. ¿Qué hacían los españoles a los viajeros antes de que entrasen en Lima?

17. ¿Qué hacía el alfarero para no despertar sospechas?

18. ¿Qué gritaba por las calles el alfarero?

19. ¿Quién fue don Francisco Javier de Luna Pizarro?

20. ¿Quién fue Pedro Manzanares?

21. ¿Qué hacía Pedro al oír al alfarero?

22. ¿Por qué se quejaba Pedro todas las semanas?

23. ¿Por qué intercedió el barbero una mañana?

24. ¿A quién censuraba y por qué?

25. ¿Qué le contestó Pedro?

26. ¿Cómo es el lenguaje de Pedro?

27. ¿Cómo se puso el barbero?

28. ¿Qué estaba para hacerle a Pedro?

29. ¿Por qué era afortunado el alfarero?

30. ¿Qué ocurrió al día siguiente?

Estructura

MODISMO: *QUITARSE + (ROPA)*

Según el modelo, cambie la oración para emplear los dos sujetos de las oraciones anteriores.

MAESTRO: Me quité el sombrero. Juan se quitó el sombrero.

ESTUDIANTE: Juan y yo nos quitamos el sombrero.

MAESTRO: María se quitará los guantes. Alicia se quitará los guantes.

ESTUDIANTE: María y Alicia se quitarán los guantes.

1. Me quitaré el saco. Pedro se quitará el saco.
2. Mi primo se quita los zapatos. José se quita los zapatos.
3. Marta se quitó el suéter. Elisa se quitó el suéter.
4. Me quito la camisa. Te quitas la camisa.

MODISMO: *SIN EMBARGO*

Según el modelo, cambie la oración para emplear la expresión nueva.

MAESTRO: Aunque no tenía hambre, comí.

ESTUDIANTE: Comí. Sin embargo, no tenía hambre.

MAESTRO: Aunque no quería ir, fui con ellos.

ESTUDIANTE: Fui con ellos. Sin embargo, no quería ir.

1. Aunque me gustaría mucho, no leí el libro.
2. Aunque llegaron a tiempo, no encontraron asiento.
3. Aunque no sabe bailar, fue a la fiesta.
4. Aunque no tiene coche, quiere hacer el viaje.
5. Aunque está lejos, no tardaremos en llegar.
6. Aunque estamos muy cansados, seguiremos estudiando.

MODISMO: *PONERSE + (ROPA)*

Según el modelo, cambie la oración para emplear los dos sujetos de las oraciones anteriores.

MAESTRO: Yo me pongo el cinturón. Tú te pones el cinturón.

ESTUDIANTE: Tú y yo nos ponemos el cinturón.

MAESTRO: Roberto se puso el abrigo. Ella se puso el abrigo.

ESTUDIANTE: Roberto y ella se pusieron el abrigo.

1. Jorge se pondrá los calcetines. Eduardo se pondrá los calcetines.
2. María se puso los aretes. Elena se puso los aretes.
3. Roberto se pone la gorra. Juan se pone la gorra.
4. Me puse el uniforme. Te pusiste el uniforme.

MODISMO: *HACER UN VIAJE*

Según el modelo, cambie la oración para emplear la expresión nueva.

MAESTRO: Fueron a Guadalajara y a otras ciudades.

ESTUDIANTE: Hicieron un viaje a Guadalajara y a otras ciudades.

MAESTRO: Viajaremos en julio.

ESTUDIANTE: Haremos un viaje en julio.

1. Todos los años vamos a Yucatán.
2. Viajaste en avión.
3. Quisiera ir a Cuernavaca contigo.
4. Queremos viajar en otoño.
5. ¿Cuándo vas a ir a la costa?
6. Viajaron en tren.

MODISMO: *DEBER (O DEBER DE)* + INFINITIVO

Según el modelo, cambie la oración para emplear la expresión nueva.

MAESTRO: Es necesario que vayas a la escuela todos los días.

ESTUDIANTE: Debes ir a la escuela todos los días.

MAESTRO: Es necesario que lleguemos temprano.

ESTUDIANTE: Debemos llegar temprano.

1. Es necesario que coman bien.
2. Es necesario que estudie esta noche.
3. Es necesario que yo ayude a María.
4. Es necesario que él compre el libro.
5. Es necesario que escribas la carta.
6. Es necesario que hagamos ese trabajo.

Según el modelo, cambie la oración para emplear la expresión nueva.

MAESTRO: Supongo que ya están en la ciudad de México.

ESTUDIANTE: Ya deben estar en la ciudad de México. Ya deben de estar en la ciudad de México.

MAESTRO: Supongo que ayer fueron al correo.

ESTUDIANTE: Ayer deben haber ido al correo. Ayer deben de haber ido al correo.

7. Supongo que ya está hecha la cena.
8. Supongo que tienes sueño.
9. Supongo que estudiaron mucho.
10. Supongo que les gusta mucho.

TIEMPOS Y FRASES VERBALES

Según el modelo, cambie la oración al futuro perfecto y después al condicional perfecto.

MAESTRO: Le siguen al fin del mundo.

ESTUDIANTE: Le habrán seguido al fin del mundo. Le habrían seguido al fin del mundo.

MAESTRO: Te lo traen de Colombia.

ESTUDIANTE: Te lo habrán traído de Colombia. Te lo habrían traído de Colombia.

1. Hacen un viaje a la Argentina.
2. Se meten en muchas dificultades.
3. Hacemos un papel muy importante.
4. Vendemos nuestra casa de campo.
5. Te tomas todos los refrescos.
6. Pierdo el nuevo libro de historia.
7. Leen muchos libros.

LOS DOS LIBERTADORES

por Bartolomé Mitre

Introducción

Simón Bolívar y José de San Martín son dos de las figuras más discutidas de la historia sudamericana. Cada uno tenía talento, ambición, y valor sin límites, y los dos se dedicaban a la libertad con determinación incomparable.

Unidos en una causa común y a la vez separados a fuerza de sus personalidades agresivas, sólo se encontraron una vez. Hubo una conferencia en Guayaquil entre estos dos grandes generales. Hasta hoy no se sabe de lo que se habló en esa conferencia secreta. Pero se dice que había un gran choque de personalidades. Demostrando que se interesaba más por la libertad que por su propia gloria, San Martín presentó su dimisión, dejando a Bolívar como jefe supremo de todos los ejércitos libertadores.

Guía de Estudio

El argentino Bartolomé Mitre (1821–1906) nos habla de los varios triunfos de estos famosos generales. A la vez nos indica el conflicto que existía entre ellos. Por eso dice que en el Ecuador los dos libertadores «se abrazaron y se repelieron.»

Palabras Clave

1. Bolívar y San Martín acaudillaron las fuerzas libertadoras.

   acaudillaron: dirigieron, fueron a la cabeza de

2. Se podían ver los contornos de la isla.

   contornos: circuitos, líneas cuyas formas determinan las del relieve (contours)

3. Los conquistadores iban montados en corceles de guerra.

   corceles: caballos

4. Ofrecieron una corona de flores a la reina de la fiesta.

   corona: guirnalda de flores, joyas, follaje, etc., que rodea la cabeza (crown)

5. Los nuevos desarrollos en la ciencia son fantásticos.

   desarrollos: avances, progresos, evoluciones (developments)

6. Muchos artistas modernos se destacan porque sus cuadros son extraños.

   se destacan: se separan, son prominentes (stand out, are conspicuous)

7. Para poder vivir es necesario hacer muchos esfuerzos.

   esfuerzos: acciones enérgicas del cuerpo o del espíritu (efforts)

8. ¿Tiene usted mucha tarea que hacer?

   tarea: trabajo

9. Pasar el curso de español es un triunfo para algunos.

   triunfo: gran éxito (triumph)

L A POSTERIDAD ha pronunciado su juicio definitivo sobre los dos libertadores de la América meridional, cuya vida pública, envuelta en el movimiento revolucionario de su tiempo, hemos relatado: San Martín y
5 Bolívar.

meridional: southern

"Cardinal Don Fernando Niño de Guevara" *por El Greco* [*Domenicos Theotocopoulos*] (The Metropolitan Museum of Art, Bequest of Mrs. H. O. Havemeyer, 1929, The H. O. Havemeyer Collection)

"View of Toledo" *por El Greco* [*Domenicos Theotocopoulos*] (The Metropolitan Museum of Art, Bequest of Mrs. H. O. Havemeyer, 1929, The H. O. Havemeyer Collection)

Los dos fueron grandes en su medida, los más grandes hombres que después de Wáshington la América ha producido, dignos de figurar en el panteón universal como colaboradores del progreso humano. Los dos cumplieron su misión redentora en el orden de los hechos, dando el uno la primera señal de la guerra continental, cuyo plan concibió, y terminándola gloriosamente el otro. Sin San Martín en el sud del continente, y sin Bolívar en el norte, no se concibe cómo pudo haberse efectuado la condensación de las fuerzas revolucionarias que dio el triunfo final, ni cómo el uno sin el otro hubiese podido llenar su tarea libertadora. Los dos erraron, empero, como políticos, y quedaron más abajo de la razón pública y aún de los instintos de las masas que removían, y no pudieron o no supieron dirigir en sus desarrollos orgánicos la revolución que acaudillaron militarmente.

El tiempo, que disipa las falsas glorias y acrecienta las verdaderas, ha borrado las sombras que obscurecieron parcialmente en vida estas personalidades típicas, símbolos de una época, que señalan la aparición de un nuevo mundo republicano, que es el fenómeno político más considerable que ha presenciado el siglo XIX. Sus contornos se destacan netamente en el horizonte de la historia, y han merecido ambos la apoteosis de su posteridad, después de alcanzar su centenario, sometidos a la prueba del tiempo en presencia de su obra.

En el gran drama de la revolución hispanoamericana, que tiene por teatro un vasto territorio igual a la cuarta parte del globo, que se extiende desde el cabo de Hornos hasta el golfo de México y sobre ambos océanos, los dos primeros actores, las dos grandes figuras continentales, son las de sus dos libertadores, que partiendo de extremos opuestos, convergen a un punto céntrico movidos por las fuerzas que organizan y dirigen. Su vida y su obra tienen la unidad de la epopeya de la emancipación de un mundo nuevo, con su genialidad, su acción heroica, su carácter trágico, sus desfallecimientos y sus delirios, y coinciden hasta en su melancólica catástrofe. Roto el destino del uno antes de terminar su obra y roto el del otro en medio de su apogeo, la revolución sigue su marcha lógica, como en las carreras antiguas, caído el conductor en la arena, el carro triunfador llegaba a la meta, abandonados los corceles a su noble instinto.

Los dos libertadores representaron alternativamente la hegemonía de dos grandes grupos de pueblos que trabajaban

el panteón: temple, hall of fame

redentora: redeeming

El tiempo, . . . las verdaderas: Time, which dispels false glories and promotes the true ones

la apoteosis: the glorification, being considered supreme heroes

la epopeya: the epic poem

sus desfallecimientos y sus delirios: their despairs and their joys

apogeo: height of fame

a la meta: at the finish line

la hegemonía: the leadership

en pro de su independencia; pero con diversas tendencias y opuestos objetivos internacionales, aunque con un mismo propósito inmediato.

Tocó a la República Argentina y a Chile, acaudillados por
5 San Martín, sostener y hacer triunfar la bandera de la insurrección en el sud del Continente y llevar sus armas libertadoras de mar a mar y desde la región templada hasta la línea del ecuador, juntamente con el Perú. Allí se operó la conjunción de las fuerzas batalladoras de la América del
10 Sur, y allí se abrazaron y se repelieron los dos libertadores. La hegemonía del sud sólo pudo consolidar condicionalmente su propia independencia, dejando incompleta su obra en el Alto y Bajo Perú, aunque contribuyó eficazmente a completar la del norte y hacer posible su dilatación.

15 Tocó a Colombia, acaudillada por Bolívar, la tarea de hacer triunfar la insurrección en el norte de la América meridional, libertando a Venezuela y a Nueva Granada, y a Quito en unión con las armas peruano-argentino-chilenas; afirmar la independencia del Perú y Bolivia, y garantir indi-
20 rectamente por siempre la de las demás repúblicas de la América del Sur que se habían libertado por sus propios esfuerzos, y mantenido alzada la bandera de la insurrección cuando estaba abatida en todo el resto de la América, incluso a Colombia.

25 La lógica de la historia se cumplió en los dos libertadores, como caudillos de las dos hegemonías que representaban en acción y en conflicto. San Martín cedió el puesto a Bolívar, entregándole los destinos de la revolución sudamericana, que podía hacer triunfar en las batallas mejor que él. Con su
30 abdicación dio un alto ejemplo de virtud cívica, pero sobre todo de prudencia y buen sentido, por cuanto era un acto impuesto por el destino a que tuvo la fortaleza de conformarse. Bolívar coronó la obra, y los dos triunfaron en definitiva. San Martín miró sin envidia que Bolívar con quien
35 compartía la gloria de libertar la mitad de medio mundo, alcanzase y mereciese la corona del triunfo final, reconociéndose modestamente inferior a él en esfuerzos y hazañas, aunque fuera moral y militarmente más grande, y aún cuando en el orden de los principios elementales corresponda el
40 triunfo póstumo a la hegemonía que representó. La fatalidad los iguala; los dos mueren en el ostracismo.

---

la región templada: the region of moderate climate, the Temperate Zone

se abrazaron y se repelieron: they met and separated

su dilatación: its expansion

mantenido alzada . . . América: had held aloft the banner of insurrection when it had been knocked down in all the rest of the continent

póstumo: after death

Diccionario

1. **acaudillaron (acaudillar):** dirigieron, fueron a la cabeza de

   ¿Quiénes ( ) el movimiento independentista de la América del Sur?

2. **contornos:** circuitos, líneas cuyas formas determinan las del relieve (contours)

   No es fácil determinar los ( ) de una isla.

3. **corceles:** caballos

   Los ( ) de los conquistadores eran rápidos.

4. **corona:** guirnalda de flores, joyas, follaje, etc., que rodea la cabeza (crown)

   El rey llevaba una ( ) de diamantes.

5. **desarrollos:** avances, progresos, evoluciones (developments)

   Los ( ) científicos son tales que el hombre llegará pronto a la luna.

6. **se destacan (destacarse):** se separan, son prominentes (stand out, are conspicuous)

   En la guerra ( ) más los fuertes que los débiles.

7. **eficazmente:** con eficacia (effectively)

   Los alumnos prepararon los detalles de la fiesta ( ).

8. **empero:** pero, sin embargo

   Todos lo envidiaban ( ) llevaba una vida tranquila.

9. **erraron (errar):** se equivocaron

   Bolívar y San Martín ( ) como políticos pero se justificaron como militares.

10. **esfuerzos:** acciones enérgicas del cuerpo o del espíritu (efforts)

    Ganaron el juego en el último minuto, gracias a los ( ) de Roberto.

11. **medida:** estimación comparativa de una cantidad, proporción (measurement, proportion)

    A Antonio le pagarán a ( ) de su trabajo.

12. **netamente:** claramente, puramente

    Las hazañas de los libertadores se destacan ( ) en la historia de la América del Sur.

13. **obscurecieron (obscurecer):** hicieron obscuro (obscured, darkened, dimmed)

    Las pérdidas durante la batalla ( ) la satisfacción de la victoria.

14. **sombras:** obscuridades (shadows)

    Las ( ) de la tarde son largas.

15. **tarea:** trabajo

    La ( ) era difícil.

16. **triunfo:** gran éxito (triumph)

    Celebraron el ( ) con una gran fiesta.

Para la Comprensión

1. ¿Quiénes son los dos libertadores?

2. ¿Cuál de los dos libertadores luchó en el sud del continente?

3. ¿Qué es el fenómeno político más considerable que ha presenciado el siglo XIX?

4. ¿Cuáles son los límites geográficos que formaron el «teatro» de la revolución hispanoamericana?

5. ¿Quién acaudillaba los ejércitos de Chile y de la Argentina?

6. ¿Hasta dónde llevó sus armas libertadoras?

7. ¿Dónde se abrazaron y se repelieron los dos libertadores?

8. ¿A cuál país le tocó la tarea de hacer triunfar la insurrección en el norte?

9. ¿Quién acaudillaba el ejército de Colombia?

10. ¿Cuál de los dos libertadores cedió al otro?

11. ¿Qué mostró la abdicación de San Martín?

12. ¿Cuál de los dos libertadores era inferior en esfuerzos y hazañas?

13. ¿Cuál de los dos era moral y militarmente más grande?

14. ¿Qué los iguala?

15. ¿Cómo murieron los dos?

AL EJERCITO VENCEDOR EN AYACUCHO

Soldados:

Habéis dado la libertad a la América meridional, y una cuarta parte del mundo es el monumento de vuestra gloria: ¿dónde no habéis vencido?

La América del Sur está cubierta con los trofeos de vuestro valor; pero Ayacucho, semejante al Chimborazo, levanta su cabeza erguida sobre todo.

Soldados: Colombia os debe la gloria que nuevamente le dais; el Perú, vida, libertad y paz. La Plata y Chile también os son deudores de inmensas ventajas. La buena causa, la causa de los derechos del hombre, ha ganado con vuestras armas su terrible contienda contra los opresores; contemplad, pues, el bien que habéis hecho a la Humanidad con vuestros heroicos sacrificios.

Soldados: Recibid la ilimitada gratitud que os tributo a nombre del Perú. Yo os ofrezco igualmente que seréis recompensados como merecéis, antes de volveros a vuestra hermosa patria. Mas . . . no. Jamás seréis recompensados dignamente; vuestros servicios no tienen precio.

Soldados peruanos: vuestra patria os contará siempre entre los primeros salvadores del Perú.

Soldados colombianos: centenares de victorias alargan vuestra vida hasta el término del mundo.

Simón Bolívar

Estructura

EL PRONOMBRE RELATIVO: *CUYO*

Cambie la oración según el modelo.

MAESTRO: El general ganó la batalla. Su obra fue maravillosa.

ESTUDIANTE: El general, cuya obra fue maravillosa, ganó la batalla.

MAESTRO: La señora está aquí. Sus hijos llegaron ayer.

ESTUDIANTE: La señora, cuyos hijos llegaron ayer, está aquí.

1. El señor acaba de llamar. Su esposa es ciega.
2. Los jefes no estaban de acuerdo. Su ejército cruzó las montañas.
3. San Martín es el héroe argentino. Su estatua está en la plaza.
4. Mi madre es de Bolivia. Sus padres eran de España.
5. Los libertadores son Bolívar y San Martín. Su vida pública hemos relatado.
6. La Argentina es un gran país. Su historia es interesante.
7. México luchó muchos años. Su héroe es el padre Hidalgo.
8. Hoy Venezuela es libre. Su gobierno es una democracia.

FORMAS INTERROGATIVAS: ¿DE QUIEN? ¿DE QUIENES?

Según el modelo, haga los cambios necesarios para emplear la forma interrogativa ¿*de quién?* o ¿*de quiénes?*. Luego conteste la pregunta.

MAESTRO: Esta guitarra es de Campito.

ESTUDIANTE: ¿De quién es la guitarra? Es de Campito.

MAESTRO: Estos caballos son de los generales.

ESTUDIANTE: ¿De quiénes son los caballos? Son de los generales.

1. Este tesoro es del pirata.
2. Los rifles son de los soldados.
3. La foto es de Alberto.
4. La espada era de San Martín.
5. Estos documentos eran de mis abuelos.
6. Este rancho era del campesino.

Según el modelo, haga los cambios necesarios.

MAESTRO: ¿A quién pertenecen estas tierras?

ESTUDIANTE: ¿De quién son estas tierras?

MAESTRO: ¿A quién pertenece este sello?

ESTUDIANTE: ¿De quién es este sello?

7. ¿A quién pertenece aquella huerta?
8. ¿A quién pertenecen esos jardines?
9. ¿A quién pertenecía ese barco?
10. ¿A quién pertenece el venado?
11. ¿A quién pertenecían los galeones?
12. ¿A quién pertenecía la joya?

EJERCICIOS CREATIVOS

MIGUEL HIDALGO Y COSTILLA

1. Prepare un informe sobre la lucha para la independencia de México:
   a. ¿Qué papel hizo Hidalgo?
   b. ¿Quién tomó el mando al morir Hidalgo?
   c. ¿Cuándo declaró México su independencia?
   d. ¿Logró México entonces la libertad para los indios con que soñaba Hidalgo?
   e. ¿Qué pasó unos cien años más tarde?
   f. ¿Quiénes fueron los héroes de aquella lucha?

2. Describa en sus propias palabras:
   a. lo que significa «el grito de Dolores»
   b. la importancia de la Virgen de Guadalupe en México
   c. la estructura social y económica en las colonias
   d. cómo se compraban y se vendían las cosas en las colonias

3. Antes de entrar en la lucha activa, Hidalgo se dedicaba a la enseñanza:
   a. ¿Qué escuelas había?
   b. ¿Quiénes asistían?
   c. ¿Quiénes se encargaban de la instrucción?
   d. ¿Cuándo y dónde se fundó la primera universidad en el Nuevo Mundo?

CON DIAS Y OLLAS VENCEREMOS

4. La lengua española es muy rica en refranes que reflejan el sentido común y el juicio del pueblo. Haga una lista de refranes españoles. Puede comenzar con los del cuento *Con días y ollas venceremos*. Trate de ver si la clase puede adivinar el significado sin ver la traducción, y si puede dar un refrán equivalente en inglés.

5. ¿Le gustaría ver a San Martín en un puesto del gobierno, digamos de los EE. UU. (Estados Unidos) hoy día? ¿Qué aspectos de su carácter revelados en este cuento indican «el hombre de Estado»?

LOS DOS LIBERTADORES

6. Lea otra vez el poema *Simón Bolívar* del Cuadro 3, páginas 51–52. Haga una lista de las cualidades admirables de Bolívar vistas por las dos selecciones. Haga lo mismo para San Martín. Note cuánto tenían en común; cómo se diferenciaban.

7. Escriba una composición sobre el tema de cualidades necesarias para ser un gran líder. No tiene que limitarse a la cuestión política; considere tales ideas como el consejo estudiantil, organizaciones o clubs.

"The Chessboard" *por Juan Gris* (Collection, The Museum of Modern Art, New York)

Cuadro 9 · EL CONFLICTO

Preparando la Escena. *El hombre no es siempre dueño de su destino. Sin embargo, necesita sobrevivir. Así mantiene una lucha constante contra las fuerzas de la fortuna. A veces es una lucha contra la rutina diaria; otras veces es una lucha contra fuerzas mayores. El hombre es un producto interesante . . . creado por Dios, moldeado por su ambiente, forjado por las fuerzas invisibles que están dentro de él, y templado por las circunstancias.*

EN EL FONDO DEL CAÑO HAY UN NEGRITO

por José Luis González

Introducción

El puertorriqueño José Luis González es un autor moderno que escribe mucho sobre el tema del desempleado. En el cuento que sigue nos habla del desafortunado que llega del campo a la ciudad en busca de trabajo. Las dificultades materiales de la vida lo hacen establecerse con su familia en el arrabal construido sobre las márgenes de un caño. Y allí mantiene la lucha contra el ambiente que le engolfa.

Guía de Estudio

Un caño es un canal o un brazo del mar. Sobre las tierras pantanosas del caño cerca de la ciudad de San Juan, Puerto Rico, creció el arrabal . . . nido de pobreza, con un amontonamiento de familias, casuchas de aspecto despectivo, y condiciones insalubres. Entre los arrabales más conocidos están El Fanguito y La Perla.

El ineducado, muchas veces, habla un idioma vulgar, lleno de expresiones familiares. Al leer este cuento, fíjese usted en el dialecto de los campesinos.

Este cuento se divide perfectamente en sus tres componentes:

a. *La exposición* empieza con las palabras «la primera vez.»
b. *El desarrollo* empieza con las palabras «la segunda vez.»
c. *El desenlace* empieza con las palabras «la tercera vez.»

Palabras Clave

1. Mucha gente pobre vive en el arrabal cerca del río.
   arrabal: barrio, suburbio

2. El padre de familia trabaja desde la mañana hasta el atardecer.
   atardecer: última parte de la tarde

3. El caño era muy sucio.
   caño: canal angosto

4. La niña andaba chupándose los dedos.
   chupándose: acción de producir succión con los labios (sucking)

5. En Puerto Rico la gente come mucho arroz con habichuelas.
   habichuelas: fruto de una planta leguminosa (kidney beans)

6. Le hacía gracia que el niño supiera bailar.
   hacía gracia: causaba diversión

7. Cuando se levantó Estela de la cama, se incorporó en seguida.
   se incorporó: sentó el cuerpo que estabá antes acostado (straightened up)

8. Todo lo que hacía el niño era sin maldad.
   maldad: malicia, vicio

9. El trabajo de la mudanza le cansó.
   mudanza: cambio de domicilio

10. Poca gente vive en la selva pantanosa.
    pantanosa: tierra de aguas estancadas (marshy, boggy)

11. El indio remó en su bote hasta la orilla.
    remó: hizo adelantar el barco con el movimiento de los remos (rowed, paddled)

12. Margarita tenía una soga larga.
    soga: cuerda (rope)

13. El perro le dio un susto tremendo a la niña.
    susto: impresión de miedo (scare, sudden terror)

L A PRIMERA vez que el negrito Melodía vio al otro negrito en el fondo del caño fue temprano en la mañana del tercer o cuarto día después de la mudanza, cuando llegó gateando hasta la única puerta de la nueva vivienda, y se asomó para mirar hacia la quieta superficie del agua allá abajo.

Entonces el padre, que acababa de despertar sobre el montón de sacos vacíos extendidos en el piso junto a la mujer semidesnuda que aún dormía, le gritó:

—Mire . . . ¡eche p'adentro! ¡Diantre 'e muchacho desin-quieto!

Y Melodía, que no había aprendido a entender las palabras, pero sí a obedecer los gritos, gateó otra vez hacia adentro y se quedó silencioso en un rincón, chupándose un dedito porque tenía hambre.

El hombre se incorporó sobre los codos. Miró a la mujer que dormía a su lado y la sacudió flojamente por un brazo. La mujer despertó sobresaltada, mirando al hombre con ojos de susto. El hombre se rió. Todas las mañanas era igual: la mujer despertaba con aquella cara de susto que a él le provocaba una gracia sin maldad. Le hacía gracia verla salir así del sueño todas las mañanas.

El hombre se sentó sobre los sacos vacíos.

—Bueno . . se dirigió entonces a ella. —Cuela el café.

La mujer tardó un poco en contestar:

—No queda.

—¿Ah?

—No queda. Se acabó ayer.

El casi empezó a decir: «¿Y por qué no compraste más?» pero se interrumpió cuando vio que la mujer empezaba a poner aquella otra cara, la cara que a él no le hacía gracia, y que ella sólo ponía cuando él le hacía preguntas como ésa. A él no le gustaba verle aquella cara a la mujer.

—¿Conque se acabó ayer?

—Ajá.

La mujer se puso de pie y empezó a meterse el vestido por la cabeza. El hombre, todavía sentado sobre los sacos vacíos,

---

gateando: on all fours, like a cat

el montón de sacos vacíos: the pile of empty sacks

semidesnuda: half-naked

¡eche p'adentro! ¡échate para adentro! get inside!
¡Diantre 'e muchacho desinquie-to! Drat that restless kid!

chupándose un dedito: sucking his finger

cuela: drip

ajá: an interjection denoting agreement

derrotó su mirada y la fijó un rato en los agujeros de su camiseta.

Melodía, cansado ya de la insipidez del dedo, se decidió a llorar. El hombre lo miró y preguntó a la mujer:

5 —¿Tampoco hay na' pal nene?

—Sí . . . Conseguí unas hojitah 'e guanábana. Le guá'cer un guarapillo 'horita.

—¿Cuántos díah va que no toma leche?

—¿Leche?—la mujer puso un poco de asombro inconsciente 10 en la voz. —Desde antier.

El hombre se puso de pie y se metió los pantalones. Después se acercó a la puerta y miró hacia afuera. Le dijo a la mujer:

—La marea 'ta alta. Hoy hay que dir en bote.

15 Luego miró hacia arriba, hacia el puente y la carretera. Automóviles, guaguas, y camiones pasaban en un desfile interminable. El hombre sonrió viendo como desde casi todos los vehículos alguien miraba con extrañeza hacia la casucha enclavada en medio de aquel brazo de mar: el caño sobre 20 cuyas márgenes pantanosas había ido creciendo hacía años el arrabal. Ese alguien por lo general empezaba a mirar la casucha cuando el automóvil o la guagua o el camión, llegaba a la mitad del puente y después seguía mirando, volteando gradualmente la cabeza hasta que el automóvil, la 25 guagua o el camión tomaba la curva allá delante. El hombre sonrió. Y después murmuró: «¡Caramba!»

A poco se metió en el bote y remó hasta la orilla. De la popa del bote a la puerta de la casa había una soga larga que permitía a quien quedara en la casa atraer nuevamente el 30 bote hasta la puerta. De la casa a la orilla había también un puentecito de madera, que se cubría con la marea alta.

Ya en la orilla, el hombre caminó hacia la carretera. Se sintió mejor cuando el ruido de los automóviles ahogó el llanto del negrito en la casucha.

❀   ❀   ❀

35 La segunda vez que el negrito Melodía vio al otro negrito en el fondo del caño fue poco después del mediodía, cuando volvió a gatear hasta la puerta y se asomó y miró hacia abajo. Esta vez el negrito en el fondo del caño le regaló una sonrisa a Melodía. Melodía había sonreído primero y tomó la sonrisa 40 del otro negrito como una respuesta a la suya. Entonces hizo

---

los agujeros de su camiseta: the holes in his undershirt

la insipidez: the insipidness, tastelessness

¿Tampoco hay na' pal nene? ¿Tampoco hay nada para el nene?

unas hojitah 'e guanábana: unas hojitas de guanábana (a few guanábana—custard apple—leaves [Notice the tendency in speech to replace the plural s sound with an aspirate h sound.])

Le guá'cer un guarapillo 'horita: Le voy a hacer un guarapillo ahora. (I'm going to fix a little tea for him right now.)

asombro inconsciente: unconscious surprise

desde antier: desde anteayer (since the day before yesterday)

La marea 'tá alta. Hoy hay que dir en bote: La marea está alta. Hoy hay que ir en bote. (In the vernacular, certain Spanish-speaking people lop off syllables in rapid speech.)

guagua: a Caribbean localism meaning "bus"

la popa: the stern

hizo así con la manita: he waved as little children do with tiny clenched fist

En el fondo del caño hay un negrito   169

así con la manita, y desde el fondo del caño el otro negrito también hizo así con su manita. Melodía no pudo reprimir la risa, y le pareció que también desde allá abajo llegaba el sonido de otra risa. La madre lo llamó entonces porque el
5 segundo guarapillo de hojas de guanábana ya estaba listo.

Dos mujeres, de las afortunadas que vivían en tierra firme, sobre el fango endurecido de las márgenes del caño, comentaban:

—Hay que velo. Si me lo 'bieran contao, 'biera dicho qu'era
10 embuste.

—La necesidá, doña. A mí misma, quién me 'biera dicho que yo diba llegar aquí. Yo que tenía hasta mi tierrita . . .

—Pueh nojotroh fuimoh de los primeroh. Casi no 'bía gente y uno cogía la parte máh sequecita, ¿ve? Pero los que llegan
15 ahora, fújese, tienen que tirarse al agua, como quien dice. Pero, bueno, y . . . esa gente, ¿de onde diantre haberán salío?

—A mí me dijeron que por aí por Isla Verde 'tán orbanizando y han sacao un montón de negroh arrimaoh. A lo mejor son d'esoh.

20 —¡Bendito . . . ! ¿Y usté se ha fijao en el negrito qué mono? La mujer vino ayer a ver si yo tenía unas hojitah de algo pa' hacerle un guarapillo, y yo le di unas poquitah de guanábana que me quedaban.

—¡Ay, Virgen, bendito . . . !

25 Al atardecer, el hombre estaba cansado. Le dolía la espalda. Pero venía palpando las monedas en el fondo del bolsillo, haciéndolas sonar, adivinando con el tacto cuál era un vellón, cuál de diez, cuál una peseta. Bueno . . . hoy había habido suerte. El blanco que pasó por el muelle a recoger su
30 mercancía de Nueva York. Y el obrero que le prestó su carretón toda la tarde porque tuvo que salir corriendo a buscar a la comadrona para su mujer, que estaba echando un pobre más al mundo. Sí, señor. Se va tirando. Mañana será otro día.

35 Se metió en un colmado y compró café y arroz y habichuelas y unas latitas de leche evaporada. Pensó en Melodía y apresuró el paso. Se había venido a pie desde San Juan para no gastar los cinco centavos de la guagua.

* * *

La tercera vez que el negrito Melodía vio al otro negrito
40 en el fondo del caño fue al atardecer, poco antes de que el

---

el fango endurecido: the hardened mud

hay que velo: hay que verlo

. . . 'bieran contao, . . . embuste: Si me lo hubieran contado, hubiera dicho que era embuste.

quién me 'biera dicho . . . aquí: quién me hubiera dicho que yo iba a llegar aquí

Pueh nojotroh fuimoh de los primeroh: Pues nosotros fuimos de los primeros.

Casi no 'bía gente . . . ¿ve? Casi no había gente y uno cogía la parte más sequecita, ¿ve? (There was hardly anyone here, and one chose the driest part, you see?)

fújese: fíjese

como quien dice: as one says

¿de onde diantre . . . salío? ¿de dónde diantre habrán salido?

por aí: por allí

'tán orbanizando y han sacao un montón de negroh arrimaoh: están urbanizando y han sacado un montón de negros arrimados

son d'esoh: son de esos

bendito: "blessed," expression of sympathy

¿Y usté se ha fijao en el negrito qué mono? ¿Y usted se ha fijado en el negrito qué mono? (Have you noticed how cute their little one is?)

unas hojitah de algo . . . quedaban: unas hojitas de algo para hacerle un guarapillo, y yo le di unas poquitas de guanábana que me quedaban (a few leaves of something to make him a little tea, and I gave her a few guanabana leaves that I had left)

palpando: feeling, handling

un vellón: a five-cent piece

la comadrona: the midwife

Se va tirando. One struggles along

colmado: general store

170 *El conflicto*

El Caño [de antes]
(Louis Albini)

padre regresara. Esta vez Melodía venía sonriendo antes de asomarse, y le asombró que el otro también se estuviera sonriendo allá abajo. Volvió a hacer así con la manita y el otro volvió a contestar. Entonces Melodía sintió un súbito

5 entusiasmo y un amor indecible hacia el otro negrito. Y se fue a buscarlo.

Diccionario

1. **arrabal:** barrio, suburbio
   La gente del ( ) cerca del río es muy pobre.

2. **atardecer:** última parte de la tarde
   El ( ) en el desierto es muy hermoso.

3. **caño:** canal angosto, un brazo del mar
   Anoche fuimos al ( ) a ver a un amigo mío.

4. **chupándose (chuparse):** acción de producir succión con los labios (to suck)
   La niña estaba ( ) el dedo gordo.

5. **enclavada (enclavar):** encerrada, colocada, situada, puesta
   La casa de Miguelito estaba ( ) en el caño.

6. **extrañeza:** sorpresa, admiración
   La madre miraba la tarjeta de su hija con ( ) porque traía tantas notas buenas.

7. **flojamente:** perezosamente
   Le habló ( ) porque estaba medio dormido.

8. **habichuelas:** fruto de una planta leguminosa (kidney beans)
   Me gustan las ( ) bien preparadas.

9. **hacía gracia (hacer gracia):** causaba diversión
   A todos les ( ) esta foto.

10. **se incorporó (incorporarse):** sentó el cuerpo que estaba antes acostado (straightened up)

El enfermo (   ) cuando llegó el doctor.

11. **llanto:** efusión de lágrimas con lamentos (weeping, flood of tears)

El (   ) interminable del niño le hacía nervioso.

12. **maldad:** malicia, vicio, vileza

Los niños inocentes nunca hacen nada con (   ).

13. **mudanza:** cambio de domicilio

La (   ) le costó más de lo que valían los muebles.

14. **pantanosa:** tierra de aguas estancadas (marshy, boggy)

La cabaña estaba situada en una sección (   ) de la isla.

15. **remó (remar):** hizo adelantar una embarcación con el movimiento de los remos (rowed a boat, paddled)

Ricardo (   ) desde la una hasta las tres, para poder llegar a tiempo ayer.

16. **sobresaltada:** asustada, nerviosa, alterada

La niña se puso (   ) cuando perdió su libro.

17. **súbito:** inmediato, violento, impetuoso

Roberto fue movido por un sentimiento (   ) a hacer algo que nunca había hecho.

18. **soga:** cuerda (rope)

Las niñas de la vecina juegan con una (   ).

19. **susto:** impresión de miedo (scare, sudden terror)

El (   ) que le dieron le dejó enfermo.

Para la Comprensión

1. ¿Cuándo fue que Melodía vio al otro negrito por primera vez?

2. ¿Dónde lo vio?

3. ¿Cómo llegó hacia la puerta?

4. ¿En qué dormía el padre?

5. ¿Por qué se chupaba el dedo Melodía?

6. ¿Cómo se incorporó el hombre?

7. ¿Cómo despertó la mujer?

8. Después de despertarla, ¿qué le pidió el hombre a la mujer?

9. ¿Había café o no? ¿Por qué?

10. Cuando comenzó a llorar Melodía, ¿qué le preguntó el hombre a la mujer?

11. ¿Qué había conseguido ella para el nene?

12. ¿Qué hizo el hombre antes de acercarse a la puerta?

13. ¿Cómo estaba la marea?

14. ¿Qué indicaba eso?

15. ¿Qué pasaba continuamente por el puente?

16. ¿Qué hacían por lo general los que miraban la casucha desde el puente?

17. Al meterse en el bote, ¿qué hizo?

18. ¿Para qué servía la soga que tenía el bote?

19. ¿Cuándo fue la segunda vez que Melodía vio al negrito?

20. ¿Qué le regaló el negrito a Melodía?

21. ¿Qué seña le hizo Melodía al negrito?

22. Cuando lo llamó su mamá, ¿qué le había preparado?

23. Relate lo que pueda de la conversación de las dos mujeres de la tierra firme.

24. ¿Cómo se sentía el hombre al atardecer?

25. ¿Qué traía en el bolsillo?

26. Relate tres sucesos sobresalientes del día.

27. ¿Qué compró en el colmado?

28. ¿Por qué se fue a pie desde San Juan?

29. ¿Cuándo vio Melodía al negrito por tercera vez?

30. Cuando el negrito le hizo así con la manita, ¿qué sintió Melodía?

31. ¿Qué hizo después?

Estructura

Según el modelo, haga los cambios necesarios al emplear el condicional y el condicional perfecto en la cláusula principal. Cuidado con la concordancia de los tiempos de los verbos.

> MAESTRO: Si me ayudas, acabaremos pronto.
>
> ESTUDIANTE: Si me ayudaras, acabaríamos pronto.
>
> MAESTRO: Si te quitas el sombrero, puedes perderlo.
>
> ESTUDIANTE: Si te quitaras el sombrero, podrías perderlo.

1. Si buscan a María, la hallarán.
2. Si lo escuchamos con atención, entendemos.
3. Si pido dulces, me los dan.
4. Si nos invitan a bailar, tenemos que ir.
5. Si te despiertas temprano, vamos al campo.
6. Si compro los zapatos, me los pongo para la fiesta.
7. Si nos avisan, vamos a esperar el tren.
8. Si miran el reloj, se dan cuenta de la hora.
9. Si se fijan en el precio, no escogen este modelo.
10. Si nos desayunamos temprano, no comemos mucho.

Cambie la oración según el modelo.

> MAESTRO: Salió a tiempo. Lo vimos.
>
> ESTUDIANTE: Si hubiera salido a tiempo, lo habríamos visto.
>
> MAESTRO: Escribí la carta. La eché al buzón.
>
> ESTUDIANTE: Si hubiera escrito la carta, la habría echado al buzón.

11. Comió poco. No se enfermó.
12. Escuché las noticias. Supe lo que pasó.
13. Lo recibimos ayer. Te lo dijimos.
14. Vieron el otro. Lo compraron.
15. No se acercó al agua. No cayó en el lago.
16. Tuvo cinco centavos. Tomó el camión.
17. Lo cuidaron bien. No se ahogó.

LOS TRES BESOS

por Horacio Quiroga

Introducción

El conflicto puede ser algo muy personal. A veces se quieren dos cosas incompatibles. Para el hombre de este cuento la vida y el amor representan tal conflicto: tiene la vida pero anhela el amor, y ofrece la vida a cambio del amor. Cuando llega el momento de la verdad se vuelve atrás, duda, pide prórroga porque también quiere la vida.

Por su debilidad e indecisión descubre al final, ya demasiado tarde, que la vida le ha pasado sin haber alcanzado el ideal que ansiaba.

El autor, Horacio Quiroga, (1878–1937) es uruguayo. Cuentista por excelencia, ha escrito, entre otros, cuentos de horror, cuentos de interés psicológico, historias humorísticas, cuentos de exploración por el mundo de la subconsciencia, cuentos de la selva, y alegorías. *Los tres besos* pertenece a esta última categoría.

Guía de Estudio

Un cuento alegórico es un cuento en el cual los personajes, las cosas, y los sucesos tienen otro significado . . . como en las fábulas o las parábolas. La alegoría se emplea para explicar o para enseñar.

En este cuento el conflicto entre la vida y el amor representa todo conflicto entre un ideal y el sacrificio real que hay que hacer para alcanzarlo. El autor selecciona el amor y la vida por constituir fuerzas fundamentales que todos podemos comprender y sentir. Pero la verdadera fuerza alegórica del cuento está en que representa no sólo el amor romántico y la muerte física. Representa también, por ejemplo, el conflicto del que siente una vocación religiosa pero teme al sacrificio que la entrega completa a Dios requiere. Si uno no se decide, puede descubrir, demasiado tarde, que le ha pasado la vida y no ha alcanzado nada.

En el último párrafo Horacio Quiroga se refiere al joven poeta, al artista, y al filósofo. Les dice que tienen que entregar la vida para alcanzar la cumbre en su vocación Si no la entregan, comprenderán muy tarde que ha pasado la vida inútilmente.

Palabras Clave

1. El quería comer, pero ella tenía el hambre aplacada porque había comido dulces.

   aplacada: calmada

2. Alfredo no quiso atreverse a comprar el automóvil usado.

   atreverse: decidirse, aventurarse, resolverse

3. Rodolfo tuvo que comparecer ante el juez por la infracción de tráfico que cometió.

comparecer: presentarse, hacer acto de presencia

4. El sacerdote tenía el don de hablar.

   don: regalo, gracia especial para hacer las cosas, talento

5. Hugo Avendaño es el cantante que ha traído a México más honores.

   honores: fama, celebridad, gloria

6. Al rato habló el intruso y dijo—Yo soy tu amigo.

   intruso: el que había entrado sin derecho

7. Mario Moreno ha recibido renombre por su papel de «Cantinflas.»

   renombre: fama, reputación, celebridad, honra, gloria

8. —Soy tu amigo—repuso el juez, y le perdonó la infracción.

   repuso: replicó, respondió, contestó

9. María Elena tiene la culpa de haber olvidado la fecha.

   tiene la culpa: es responsable

10. Han transcurrido muchos años desde que Juan era niño.

    transcurrido: pasado

11. Don Juan Tenorio no esperaba que la vejez le llegara algún día.

    vejez: edad madura, ancianidad

12. Juan vela constantemente por sus hermanos menores.

    vela: cuida a, vigila, mira, tiene cuidado de

HABIA UNA vez un hombre con tanta sed de amar, que temía morir sin haber amado bastante. Temía sobre todo morir sin haber conocido uno de esos paraísos de amor a que se entra una sola vez en la vida por los ojos claros
5 u obscuros de una mujer.

—¿Qué haré de mí—decía—si la hora de la muerte me sobrecoge sin haberlo conseguido? ¿Qué he amado yo hasta ahora? ¿Qué he abrazado? ¿Qué he besado?

Tal temía el hombre; y ésta es la razón por la cual se
5 quejaba al destino de su suerte.

Pero he aquí que mientras tendido en su cama se quejaba, un suave resplandor se proyectó sobre él, y volviéndose vio a un ángel que le hablaba así:

—¿Por qué sufres, hombre? Tus lamentos han llegado hasta
10 el Señor, y he sido enviado a ti para interrogarte. ¿Por qué lloras? ¿Qué deseas?

El hombre miró con vivo asombro a su visitante, que se mantenía tras el respaldo de la cama con las alas plegadas.

—Y tú, ¿quién eres?—preguntó el hombre.
15 —Ya lo ves—repuso el intruso con dulce gravedad—tu ángel de la guarda.

—¡Ah, muy bien!—dijo el hombre, sentándose del todo en la cama—Yo creía que a mi edad no tenía ya ángel guardián.

—¿Y por qué?—contestó sonriendo el ángel.
20 Pero el hombre había sonreído también, porque se hallaba a gusto conversando a su edad con un ángel del cielo.

—En efecto—repuso—¿por qué no puedo tener todavía un ángel guardián que vele por mí? Estaría muy contento, mucho, de saberlo—agregó en voz baja y sombría al recordar
25 su aflicción—si no fuera totalmente inútil . . .

—Nada es inútil cuando se desea y se sufre por ello— replicó el ángel de la guarda.—La prueba la tienes aquí: ¿no has elevado la prueba de tu deseo y tu sufrimiento? El Señor te ha oído. Por segunda vez te pregunto: ¿Qué quieres?
30 ¿Cuál es tu aspiración?

El hombre observó por segunda vez la niebla nacarada que era su ángel.

—¿Y cómo decírtela? Nada tiene ella de divino . . . ¿Qué podrías hacer tú?
35 —Yo, no; pero el Señor todo lo puede. ¿Persigues algo?

—Sí.

—¿Puedes obtenerlo por tus propias fuerzas?

—Tal vez sí . . .

—¿Y por qué te quejas a la Altura si sólo en ti está el
40 conseguirlo?

—Porque estoy desesperado y tengo miedo. ¡Porque temo que la muerte llegue de un momento a otro sin que haya yo

me sobrecoge: surprises me, catches me unaware

un suave resplandor se proyectó sobre él: a soft light fell upon him

tras el respaldo . . . plegadas: behind the back of the bed with folded wings

del todo: entirely

la niebla nacarada: the pearly mist

Los tres besos   175

obtenido un solo beso de gran amor! Pero tú no puedes comprender lo que es esta sed de los hombres. ¡Tú eres de otro cielo!

—Cierto es—repuso la divina criatura con una débil sonrisa.

5 —Nuestra sed está aplacada . . . ¿Temes, pues, morir sin haber alcanzado un gran amor . . . un beso de gran amor, como dices?

—Tú mismo lo repites.

—No sufras, entonces. El Señor te ha oído ya y te concederá lo que pides. Pronto seré contigo. Hasta luego.

10 —A *tantôt*—respondió el hombre, sorprendido. Y no había vuelto aún de su sorpresa cuando el respaldo de la cama se iluminaba de nuevo y oía al ángel que le decía:

A tantôt: See you presently (a French expression)

—La paz sea contigo. El Señor me envía para decirte que tu deseo es elevado y tu dolor sincero. La eterna vida que exiges para satisfacer tu sed, no puede serte acordada. Pero, de conformidad con tu misma expresión, el Señor te concede tres besos. Podrás besar a tres mujeres, sean quienes fueren; pero el tercer beso te costará la vida.

sean quienes fueren: whoever they may be

20 —¡Angel de mi guarda!—exclamó el hombre, poniéndose pálido de dicha. —¿A tres mujeres, las que yo elija? ¿A las más hermosas? ¿Puedo ser amado por ellas con sólo que lo desee?

—Tú lo has dicho. Vela únicamente por tu elección. Tres besos serán tuyos; mas con el tercero morirás.

—¡Angel adorado! ¡Guardián de mi alma! ¿Cómo es posible no aceptar? ¿Qué me importa perder la vida, si ello no se me ofrece más que como un medio para alcanzar mi vida misma, que es amar? ¿A tres mujeres dices? ¿Distintas?

30 —Distintas, a tu elección. No levantes, pues, más tus quejas a la Altura. Sé feliz . . . Y no te olvides.

Y el ángel desapareció, en tanto que el hombre salía apresuradamente a la calle.

No vamos a seguir al afortunado ser en las aventuras que el divino y desmesurado don le permitió. Bástenos saber que en un tiempo más breve del preciso para contarlo prodigó las dos terceras partes de su bien, y que cuando se adelantaba ya a conquistar su postrer beso, la muerte cayó sobre él inesperadamente. El hombre, muy descontento, pidió comparecer ante el Señor, lo que le fue concedido.

desmesurado: excessive

—¿Quién es éste?—preguntó el Señor al ángel guardián que acompañaba al hombre.

Angel por Jesús Reyes Ferreira (Collection, The Museum of Modern Art, New York; Gift of Mrs. Edgar J. Kaufmann)

—Es aquél, Señor, a quien concediste el don de los tres besos.

—Cierto es—contestó el Señor. —Me acuerdo. ¿Y qué desea ahora?

5   —Señor—repuso el hombre mismo. —He muerto por sorpresa. No he tenido tiempo de disfrutar el don que me otorgaste. Pido volver a la vida para cumplir mi misión.

—Tú solo tienes la culpa—dijo el Señor. —¿No hallabas mujer digna de ti?

—No es esto . . . ¡Es que la muerte me tomó tan de sorpresa!

—Bien. Tornarás a vivir y aprovecha el tiempo. Ya estás complacido; ve en paz.

Y el hombre se fue; mas aunque en esta etapa de su vida extendió más el intervalo de sus besos, la muerte llegó cuando menos lo esperaba, y el hombre tornó a comparecer ante el Señor.

—Aquí está de nuevo, Señor—dijo el ángel guardián—el hombre que ya murió otra vez.

Pero el Señor no estaba contento de la visita.

—¿Y qué quiere éste ahora?—exclamó. —Le hemos concedido todo lo que quería.

Y volviéndose al hombre:

—¿Tampoco hallaste esta vez a la mujer?

—La buscaba, Señor, cuando la muerte . . .

—¿La buscabas de verdad?

—Con toda el alma. ¡Pero he muerto! Soy muy joven, Señor, para morir todavía.

—Eres difícil de contentar. ¿No cambiaste tú mismo la vida por esos tres besos que te dan tanto trabajo? ¿Quieres que te retire el don? Tienes aún tiempo de alcanzar una larga vida.

—¡No, no me arrepiento!

—¿Qué, entonces? ¿No son bastante hermosas las mujeres de tu planeta?

—Sí, sí. ¡Déjame vivir aún!

—Ve, pues. No sueñes con otra clase de mujeres; y busca bien, porque no quiero oir hablar más de ti.

Dicho esto, el Señor se volvió a otro lado, y el hombre bajó muy contento a vivir de nuevo en la tierra.

Pero por tercera vez repitióse la aventura, y el hombre sorprendido en plena juventud por la muerte, subió por cuarta vez al cielo.

—¡No acabaremos nunca con este personaje!—exclamó al verlo el Señor, que entonces reconoció en seguida al hombre de los tres besos. —¿Cómo te atreves a volver a mi presencia? ¿No te dije que quería verme libre de ti?

Pero el hombre no tenía ya en los ojos ni en la voz el calor de las otras ocasiones.

—¡Señor!—murmuró—Sé bien que te he desobedecido, y merezco tu castigo . . . ¡Pero demasiada culpa fue el don que me concediste!

—¿Y por qué? ¿Qué te falta para conseguirlo? ¿No tienes juventud, talento, corazón?

—¡Sí, pero me falta tiempo! ¡No me quites la vida tan rápidamente! ¡En las tres veces que me has concedido vivir de nuevo, cuando más viva era mi sed de amar, cuando más cerca estaba de la mujer soñada, tú me enviabas la muerte! ¡Déjame vivir mucho, mucho tiempo, de modo que por fin pueda satisfacer esta sed de amar!

El Señor miró entonces atentamente a este hombre que quería vivir mucho para conseguir a la vejez lo que no alcanzaba en su juventud. Y le dijo:

—Sea, pues, como lo deseas. Vuelve a la vida y busca a la mujer. El tiempo no te faltará para ello; ve en paz.

Y el hombre bajó a la tierra, muchísimo más contento que las veces anteriores, porque la muerte no iba a cortar sus días juveniles.

Entonces el hombre que quería vivir dejó transcurrir los minutos, las horas y los días, reflexionando, calculando las probabilidades de felicidad que podía devolverle la mujer a quien entregara su último beso.

—Cuanto más tiempo pase—se decía—más seguro estoy de no equivocarme.

Y los días, los meses y los años transcurrían, llenando de riquezas y honores al hombre de talento que había sido joven y había tenido corazón. Y el renombre trajo a su lado las más hermosas mujeres del mundo.

—He aquí, pues, llegado el momento de dar mi vida—se dijo el hombre.

Pero al acercar sus labios a los frescos labios de la más bella de las mujeres, el hombre viejo sintió que ya no los deseaba. Su corazón no era ya capaz de amar. Tenía ahora cuanto había buscado impaciente en su juventud. Tenía riquezas y honores. Su larga vida de *contemporización y cálculo* habíale concedido los bienes velados al hombre que no vuelve la cabeza por ver *si la muerte lo acecha al gemir de pasión en un beso*. Solo le faltaba el deseo, que había sacrificado con su juventud.

Joven poeta, artista, filósofo: no vuelvas la cabeza al dar un beso, ni vendas al postrero el ideal de tu joven vida. Pues si la prolongas a su costa, comprenderás muy tarde que el supremo canto, el divino color, la sangrienta justicia, sólo valieron mientras tuviste corazón para morir por ellos.

contemporización y cálculo: compromising and hesitating

si la muerte lo acecha al gemir de pasión en un beso: if death lies in ambush at the thrill of a kiss

Diccionario

1. **a gusto:** satisfecho, contento

   Daniel estaba sentado muy ( ) tomando un helado.

2. **aplacada:** calmada

   Con una limonada fresca queda ( ) la sed.

3. **atreverse:** decidirse, aventurarse, resolverse

   Ricardo pensó mucho antes de ( ) a casarse.

4. **comparecer:** presentarse, hacer acto de presencia

   Miguelito tiene que ( ) ante el director de la escuela para recibir su premio.

5. **complacido (complacer):** contento, alegre, satisfecho, gustoso

   Se encontraba ( ) porque iba a vivir muchos años.

6. **don:** regalo, gracia especial para hacer las cosas, talento

   Es evidente que María tiene el ( ) de hacer amistades.

7. **honores:** fama, celebridad, gloria

   La vida le había dado alegría y ( ), pero no le había dado riquezas.

8. **intruso:** el que había entrado sin derecho

   La maestra dejó de hablar para ver al ( ).

9. **renombre:** fama, reputación, celebridad, honra, gloria

   Los astronautas americanos han traído ( ) a los Estados Unidos.

10. **repuso (reponer):** replicó, respondió, contestó

    —Yo le ayudo— ( ) Juan, y se fue a ayudarle.

11. **sombría:** triste, melancólica, apenada

    El hombre hablaba en voz ( ).

12. **tiene la culpa (tener la culpa):** es responsable

    El no ( ) de ser guapo en vez de rico.

13. **transcurrido (transcurrir):** pasado

    Ha ( ) mucho tiempo desde la última vez que vimos a su familia.

14. **vejez:** edad madura, ancianidad, antigüedad

    El tío Alejandro llegó a ser un hombre muy famoso en su ( ).

15. **vela (velar):** cuida a, vigila, mira, tiene cuidado de

    La madre ( ) continuamente al hijo enfermo.

16. **velados:** ocultos, secretos, escondidos

    Don Luciano tiene planes ( ) de los que nadie sabe.

Para la Comprensión

1. ¿De cuántos besos habla el cuento?
2. ¿Qué clase de sed tenía el hombre del cuento?
3. ¿Por qué no quería morir todavía?
4. ¿Por qué se quejaba al destino de su suerte?
5. ¿Quién se le apareció un día?
6. ¿Cómo miró el hombre a su visitante?
7. Relate algo de la conversación entre los dos.
8. ¿Por qué se sentía a gusto el hombre?
9. ¿Quería el ángel ayudarlo?
10. Relate la discusión entre el ángel y el hombre en relación a lo que el hombre aspiraba.
11. ¿Qué le prometió el ángel?
12. ¿Cuánto tiempo tardó el ángel en ir al cielo y volver?
13. ¿Qué le concedió el Señor al hombre?
14. ¿Qué precio tenía el último beso?
15. ¿Le importaba al hombre morir por el último beso?
16. Al irse el ángel ¿qué le dijo?
17. ¿Cuánto tiempo tardó en conquistar a las dos primeras mujeres?

18. Y luego ¿qué le sucedió?

19. Relate algo de la escena cuando el hombre comparece ante el Señor.

20. ¿De qué hablaron el hombre y el Señor?

21. ¿Qué le concedió el Señor esta vez?

22. ¿Encontró a la mujer que buscaba esta vez?

23. ¿Cuántas veces volvió a morir el hombre?

24. ¿Qué dijo el Señor al verle la cuarta vez?

25. ¿Cómo era él en su cuarta llegada al cielo?

26. ¿Le concedieron más vida al hombre?

27. ¿Cómo buscó el último beso?

28. ¿Qué efecto tienen los años sobre él?

29. Cuando por fin encontró a la más bella de las mujeres, ¿qué pasó?

30. ¿Qué consejo da el autor al joven lector?

Estructura

EL IMPERATIVO: FORMA AFIRMATIVA Y NEGATIVA EN ESTILO FAMILIAR (O INTIMO)
Según el modelo, cambie la oración a la forma negativa.

MAESTRO: Tráeme los dulces.

ESTUDIANTE: No me traigas los dulces.

MAESTRO: Quítate el abrigo.

ESTUDIANTE: No te quites el abrigo.

1. Dámelos.
2. Busca el periódico.
3. Abre la puerta.
4. Acaba tu helado.
5. Ayuda a Juan con su trabajo.
6. Olvida lo que pasó.
7. Invita a tus amigas.
8. Acuéstate temprano.
9. Sube por la maleta.
10. Pide la cuenta.
11. Enséñales la foto.

EL IMPERATIVO: FORMA AFIRMATIVA Y NEGATIVA EN ESTILO GENERAL (O FORMAL)
Según el modelo, cambie la oración a la forma negativa.

MAESTRO: Reme Ud. aprisa.

ESTUDIANTE: No reme Ud. aprisa.

MAESTRO: Acérquese Ud. a la puerta.

ESTUDIANTE: No se acerque Ud. a la puerta.

MAESTRO: Lléveselas Ud.

ESTUDIANTE: No se las lleve Ud.

1. Vaya Ud. a los toros.
2. Cómprelos Ud. en esa tienda.
3. Pida Ud. el café.
4. Exija Ud. los trabajos para el lunes.
5. Arrodíllese Ud. aquí.
6. Descríbalo Ud. en detalle.
7. Traiga Ud. a su familia.
8. Discuta Ud. el precio.
9. Asómese Ud. a la ventana.
10. Pase Ud. por el puente.

EL DIA DEL JUICIO

por Gastón García Cantú

Introducción

En el cuento de *Los tres besos* el hombre no supo alcanzar su ideal por indecisión. Ahora usted va a leer de un hombre quien no sólo sabía lo que quería, sino que también lo alcanzaba a toda costa. Pero tras una vida de engaño al detrimento de la humanidad, llega el día del juicio . . .

Gastón García Cantú (mexicano, 1917–   )
cumple su misión como escritor y como hombre.
Nos señala los defectos y los engaños que
encuentra en la vida; a otros les corresponde el
deber de corregirlos.

Guía de Estudio

Este cuento se desarrolla por medio de unas
escenas retrospectivas. Presenciamos unas hon-
ras fúnebres para el difunto don Joaquín Melgarejo. Por los pensamientos de una de las
personas allí reunidas, sabemos qué clase de
persona era el difunto.

Las escenas retrospectivas son interrumpidas
y puntuadas por la voz sonora de la mujer,
cantando—¡Ruega por él!

Palabras Clave

1. Queda advertido que el libro está en el
   estante situado frente a la puerta principal
   de la biblioteca.
   advertido: acción de tener en cuenta alguna
   cosa, de ser observado

2. El tío Alvaro tenía un almacén de aceite.
   almacén: depósito, bodega

3. En los funerales queman cirios.
   cirios: candelas, velas

4. Los campesinos contraían deudas grandes
   con los hacendados.
   contraían: adquirían

5. Se congregaron todos los grupos dispersos
   y formaron uno sólo.
   dispersos: que están dispersados, sueltos

6. Hay peligro que echen al agente a la calle.
   echen: expulsen, lancen, despidan

7. No tengo espejo en mi cuarto.
   espejo: superficie que refleja los objetos
   (mirror)

8. Al hombre le salía espuma por la boca.
   espuma: burbujas que forma un líquido
   (froth, foam)

9. Sus parientes le vieron antes que falleciera.
   falleciera: muriera

10. En la iglesia, todos se hincan de rodillas
    para rezar.
    se hincan: doblan las rodillas (kneel)

11. Un proverbio universal dice: «Donde hay
    humo hay fuego.»
    humo: mezcla de gases causada por un
    cuerpo en combustión (smoke)

12. La madre del héroe permaneció inmutable
    durante todo el programa.
    inmutable: inalterable, imperturbable, in-
    conmovible

13. El mago hacía aparecer y desaparecer las
    cosas.
    mago: brujo (magician)

14. Joselito jugaba en la arena de la playa con
    una pala y un carrito de metal.
    pala: instrumento semejante a una cuchara
    que se usa para excavar (shovel)

15. El promedio de lo que pagaba semanal-
    mente era la mitad de su salario.
    promedio: término medio (average)

16. Don Luciano nunca tuvo queridas.
    queridas: amantes

17. La ley no permite ningún robo.
    robo: fraude

«**P**ARECIA IMPOSIBLE que alguna vez falle-
ciera; sin embargo, allí está, en su gran caja de acero gris,
rodeado de los que, como yo, somos testigos de la vida. Por
las frases que han sido dichas en todos los sitios de esta casa,

caja de acero gris: gray steel
coffin

no fue sino trabajador, bueno, honrado y hasta patriota. No me agrada la muerte de nadie, pero quizá algunos tengamos paz al no ver sus pequeños ojos de tuza ni oir aquella voz aguda que le salía entre espumas de saliva.»

5 —¡Señores—dijo alguien que organizaba a los grupos dispersos—van a dar las ocho! ¡Por favor, acérquense para rezar el rosario!

«Me quedaré en este rincón. Si todos se hincan, yo puedo evitarlo por falta de espacio. ¿Por qué cubrirán los espejos
10 con telas negras? Allí están las autoridades con don Ramón Gómez, don Apolinar, don Justo Ramírez . . . Todos los hombres importantes cuyos nombres aparecerán en la noticia del periódico. Las mujeres, en grupo, cerca de doña Luisa; unas, cruzadas de brazos, se miran, interminablemente, las
15 manos; las más devotas han empezado, hace horas, a rezar; algunas tiran de sus pañuelos con los dientes, y miran hacia la puerta, no sin inquietud. Las llamas de los cirios palpitan sucesivamente, y una delgada columna negra se disuelve en el ambiente, que empieza a oler a sudor y gardenia. Casi me
20 siento enfermo, pero debo estar aquí hasta muy tarde. Los hijos, sobre todo don Ramón, no me perdonarían que yo, uno de los contadores, saliera sin rezar . . . Dependo de ellos como hasta hace días de su padre. El mando se lo pasan los unos a los otros. No hay duda: la miseria también se hereda.»
25 El rosario había empezado. La presidenta de la Inmaculada era la que guiaba las oraciones. Su voz, imperiosa, requería la respuesta que todos daban: unos con firmeza; otros terminando las frases en murmullo imperceptible; los más veían como un débil viento movía las llamas de los cirios.
30 La puerta del zaguán se abría constantemente. Llegaron personas procedentes de todos los rumbos a la pequeña ciudad, que parecía suspendida en el tiempo por la muerte de don Joaquín Melgarejo.

«Seguramente los últimos que han entrado estarían en las
35 habitaciones. El humo de los cigarrillos flota como niebla. Las oraciones se oyen por toda la casa. En el patio están los campesinos, sumisos y tristes. Don Joaquín no fue agricultor, y, sin embargo, tenía atados por el cuello a estos pobres hombres. El era, y siempre se jactó de serlo, un comerciante.
40 —¡Ah, don Isauro!—me decía—si otra hubiera sido mi suerte, yo sería un financiero, de esos que hacen fortunas! Pero nací en un pueblo, nadie me ayudó y ya lo ve usted, todo lo hago a pulso: sí, señor, a pulso y con el favor de Dios.»

tuza: a small rodent with beady eyes

la Inmaculada: un grupo de mujeres católicas que llevan el nombre de la Virgen María

zaguán: entrance hall, vestibule

se jactó: bragged, boasted

a pulso: with the strength of my hand

El día del juicio   183

"Rope and People" *por Joan Miró* (Collection, The Museum of Modern Art, New York)

«¿Cómo hizo sus cosas a pulso? Las versiones son contradictorias: lo único cierto es que un día abrió las puertas de una tienda que rotuló «El Patriotismo.» Fue un negocio de tantos como había en la ciudad, pero mientras éstos permanecían en la misma situación durante años, el suyo fue creciendo, y de él obtuvo para construir otras casas y organizar más negocios, como si algún mago, en la bodega, multiplicara el dinero.»

«No fue secreto para nadie. Todos sabían que descubrió en la angustia de un campesino lo que llamaba su tesoro.

que rotuló: that he called

Cierto día llegó hasta «El Patriotismo» un hombre; pedía dinero prestado por tener a un hijo suyo en agonía; a pesar de comprar cuanto necesitaba en el comercio de don Joaquín, ese día, insistió éste, no había entrado un centavo. Las cosas, repitió una y otra vez, estaban a punto de provocar otra revolución. No había dinero, ni garantías, ni apoyo a la iniciativa de los particulares. El campesino insistía en la agonía de su hijo y en lo que costaban las medicinas: veinte pesos. —¿Pero cómo prestarle—respondía don Joaquín—lo que difícilmente gano en ocho días? ¡Veinte pesos eran una suma fabulosa! Por fin, el campesino lanzó su última petición: devolvería cada ocho días un peso por la cantidad prestada y otro peso más de réditos. Además, le entregó en garantía una pala y varios objetos familiares.»

«El favor de don Joaquín se supo en las aldeas, los ranchos y la misma ciudad. Día tras día llegaban campesinos a solicitar dinero . . . nunca prestó más de veinte pesos . . . y a dejar en la trastienda lo que, poco a poco, invadió el patio y las habitaciones: arados, palas, azadones, reatas . . . Mil enseres humildes que eran otro almacén más cuantioso que el advertido al pasar por aquellas dos puertas pintadas de color verde. . . .»

Había terminado la primera parte del rosario; empezó la letanía que las voces repetían firmes, implorantes o enérgicas:
—¡Ruega por él!

«No hay duda: alcanzó fortuna. Alguna vez hice números y la proporción era increíble. En cada pago los réditos eran mayores; no se aplicaban a los saldos; seguían siendo los mismos: un peso; de esta manera, el promedio semanal era del dieciocho por ciento. Los campesinos creían que por veinte pesos devolvían veinte, pero la explotación de su ignorancia no tenía límites. Al pagar una deuda contraían, invariablemente, otra. Los que no pagaban caían en desgracia para siempre. Con razón me afirmaba con esa risa afilada que no terminaba nunca: —¡Mi fortuna fue y es de veinte pesos!»

—¡Ruega por él!

«La esposa parece inmutable. Nadie podría decir si acababa de llorar o lloró hace mucho tiempo. Obesa y con ese color amarillento, nadie sospecharía lo hermosa que fue. Ha sufrido humillaciones incontables. . . .»

—¡Ruega por él!

ni apoyo a la iniciativa de los particulares: nor help for private enterprise

réditos: interest (on the money borrowed)

la trastienda: the back room
arados, palas, azadones, reatas: plows, shovels, hoes, ropes
enseres: implements, household goods

los saldos: the balances (of the money due)

"Burial of an Illustrious Man" *por Mario Urteaga* (Collection, The Museum of Modern Art, New York; Inter-American Fund)

«Deja en herencia varios millones. ¿Cuántos pueblos estaban en su lista? San Mateo Xochicalco, San Melchor de los Llanos . . . Más o menos diez mil habitantes cuyas cabezas
5 de familia aceptaban una deuda que entre todos pagaban y así, por varias generaciones, durante más de treinta años.»

—¡Ruega por él!

«Las autoridades lo ayudaron en todo; algunos por deberle dinero; otros, por la esperanza de que les concediera crédito.
10 Cometió varios crímenes: aquel don Francisco, que pretendió tener un negocio como el suyo, amaneció muerto a puñaladas . . . Otro más, que quiso convencer a los campesinos del robo de que eran objeto, fue asaltado en el camino. . . .»

15 —¡Ruega por él!

«Fue inmenso su poder. Los más importantes hombres, en el estado, lo tenían por su amigo. En su discurso, el juez le

amaneció muerto a puñaladas: was found stabbed to death one morning

186   *El conflicto*

dijo: —Usted es amo de los pilares en los que descansa la paz pública, ahora que está amenazada por . . .»

«Cuando entré a trabajar como escribiente, me pagaba cuarenta y cinco pesos mensuales. Nada tengo. Ahora me dan ciento ochenta. Vivo pobremente y debo la renta de la casa . . . Es posible que, a pesar de todo, los hijos me echen a la calle. Después del entierro se atacarán los unos a los otros como perros, aunque ya los tíos han recomendado comprensión y sobre todo decencia por el buen nombre que heredan. ¡Ya veremos!»

—¡Ruega por él!

«¿Y si alguno no me hubiera visto rezar? ¡Dios mío, son capaces de haber observado quienes mueven los labios y quienes no lo han hecho!»

—¡Ruega por él!

«No recordaré más a don Joaquín. Ya decía mi padre que de las almas juzgadas no debe ni pensarse.»

Diccionario

1. **advertido (advertir):** Acción de tener en cuenta alguna cosa, observado
Quedó (   ) el cambio de fecha de la reunión.

2. **afilada:** cortante (sharp, cutting)
La voz (   ) del orador causaba dolor de cabeza.

3. **almacén:** depósito, bodega
No podemos comprar vino en este (   ).

4. **amenazada (amenazar):** puesta en peligro
La paz del mundo está (   ) por ideologías contrarias.

5. **cirios:** candelas, velas
En la calle Olvera venden (   ) para quemar en los altares.

6. **comprensión:** condescendencia, conocimiento, facultad de entender
Sin (   ) mutua, los hermanos se van a separar.

7. **contraían (contraer):** adquirían
Los pobres campesinos (   ) deudas grandes.

8. **cuantioso:** abundante, grande
También el tío Crecencio tenía un almacén (   ) en su casa.

9. **dispersos:** que están dispersados, sueltos
Los países (   ) se juntaron y formaron una unión de estados.

10. **echen (echar):** expulsen, lancen, despidan
Juan teme que lo (   ) del equipo por no practicar con los demás jugadores.

11. **espejo:** superficie que refleja los objetos (mirror)
El piso estaba tan brillante que parecía un (   ).

12. **espuma:** burbujas que forma un líquido (froth, foam)
Al hombre enfermo le salía (   ) por la boca.

13. **falleciera (fallecer):** muriera
Les parecía imposible que (   ) el presidente tan joven.

14. **se hincan (hincarse):** doblan la rodilla (kneel)
Todos (   ) al entrar en la iglesia.

15. **humillación:** degradación, ofensa, afrenta, desprecio

    La mujer sufrió (   ) por amor a su familia.

16. **humo:** mezcla de gases causada por un cuerpo en combustión

    El (   ) del fuego formó una nube grande.

17. **implorante:** suplicante (imploring)

    Las mujeres piadosas repetían la letanía en voz (   ).

18. **inmutable:** inalterable, imperturbable, inconmovible

    La viuda permaneció (   ) porque ella conocía mejor al que había muerto.

19. **mago:** brujo (magician)

    El otro día trajeron un (   ) a la escuela para que ayudara en el programa.

20. **pala:** instrumento semejante a una cuchara que se usa para excavar (shovel)

    Para sacar la tierra de una excavación se necesita una (   ).

21. **promedio:** término medio (average)

    El (   ) de lo que el campesino pagaba como rédito era muy alto.

22. **queridas:** amantes

    Don Joaquín tenía muchas (   ) aunque era hombre casado.

23. **robo:** fraude

    Don Joaquín también había sido acusado de (   ).

Para la Comprensión

1. ¿Qué parecía imposible?
2. Sin embargo ¿dónde estaba?
3. ¿Quiénes lo rodeaban?
4. Por lo que se había dicho de él ese día, ¿qué opinión podía formarse uno?
5. ¿Estaban de acuerdo todos los presentes?
6. ¿Quién los llamó a rezar el rosario?
7. ¿Qué hora era?
8. ¿Quiénes estaban allí?
9. Describa el sitio donde estaba el cuerpo de don Joaquín.
10. ¿Por qué permanecía allí el contador?
11. ¿Quién guiaba las oraciones del rosario?
12. ¿Qué clase de voz tenía ella?
13. Describa el rosario.
14. ¿Por qué se abría la puerta del zaguán constantemente?
15. ¿Quiénes estaban en el patio?
16. ¿Quién era don Isauro?
17. ¿Por qué sabía tanto don Isauro de la vida de don Joaquín?
18. ¿Qué clase de hombre había sido el difunto don Joaquín?
19. ¿Cómo se llamaba la tienda de don Joaquín?
20. ¿Por qué creció su negocio a través de los años?
21. ¿Dónde descubrió su tesoro don Joaquín?
22. Diga algo que pruebe que don Joaquín tomaba ventaja de los pobres campesinos.
23. ¿Alcanzó fortuna don Joaquín?
24. ¿Cómo la formó?
25. Describa a su esposa.
26. ¿Había sido un esposo fiel el difunto?
27. ¿Qué relación tenía en vida con las autoridades?
28. ¿Cuánto ganaba don Isauro cuando comenzó a trabajar con don Joaquín?
29. ¿Qué harán los hijos después del entierro?
30. ¿Qué le decía su padre a don Isauro?

Estructura

EL INFINITIVO CON PREPOSICIONES
Según el modelo, cambie la oración para emplear la expresión nueva.

MAESTRO: Fueron por la leche y después se pusieron a estudiar.

ESTUDIANTE: Se pusieron a estudiar después de ir por la leche.

MAESTRO: Oiremos el radio y después nos acostaremos.

ESTUDIANTE: Nos acostaremos después de oir el radio.

1. Veremos las fotos y después saldremos todos juntos.
2. Lavó el coche y después fue al teatro.
3. Compraron el vestido y después buscaron el sombrero.
4. Venderán la casa vieja y después se cambiarán.
5. Tomamos un refresco y después fuimos a comer.
6. Estudian la lección y después se van a la escuela.
7. Me vestiré y después llamaré a María.

Según el modelo, cambie la oración para emplear la expresión nueva.

MAESTRO: Nos traerán los helados después de hablar con Pedro.

ESTUDIANTE: Hablarán con Pedro antes de traernos los helados.

MAESTRO: Les hablaré por teléfono después de buscar aquellos viejos periódicos.

ESTUDIANTE: Buscaré aquellos viejos periódicos antes de hablarles por teléfono.

8. Vendiste la pintura después de recibir esa carta.
9. Nos desayunamos después de bañarnos.
10. Escogerá los colores después de examinar la casa.
11. Fuiste al correo después de envolver el regalo.
12. Rompieron los discos después de comprar el tocadiscos.
13. Recogeremos las compras después de pagar la cuenta.

Según el modelo, cambie la oración para emplear las expresiones nuevas.

MAESTRO: Abre la puerta y luego te sientas a comer.

ESTUDIANTE: Abre la puerta antes de sentarte a comer. Siéntate a comer después de abrir la puerta.

MAESTRO: Ayuda a Pedro y luego acabas tu lección.

ESTUDIANTE: Ayuda a Pedro antes de acabar tu lección. Acaba tu lección después de ayudar a Pedro.

14. Corta el césped y luego tomas el refresco.
15. Ve por el pan y luego juegas con el niño.
16. Lava el patio y luego sacas las sillas.
17. Escribe la carta y luego buscas un buzón.
18. Quítate el sombrero y luego te pones a trabajar.
19. Lee el cuento y después describes la escena.

Según el modelo, cambie la oración para emplear la expresión nueva.

MAESTRO: Los campesinos del valle casi provocaban otra revolución.

ESTUDIANTE: Los campesinos del valle estaban a punto de provocar otra revolución.

MAESTRO: Casi perdió el brazo.

ESTUDIANTE: Estuvo a punto de perder el brazo.

MAESTRO: Por poco descubren el lugar del tesoro.

ESTUDIANTE: Están a punto de descubrir el lugar del tesoro.

20. Por poco me caigo.
21. Casi vendíamos el coche.
22. Casi se regresó.
23. Por poco te quemas la camisa.
24. Casi olvidaba la invitación.
25. Por poco llegas tarde.

EJERCICIOS CREATIVOS

EN EL FONDO DEL CAÑO HAY UN NEGRITO

1. Tome Ud. el papel del hombre y explíquele al policía que investiga los acontecimientos. (Mejor si en forma de diálogo).

2. Describa las condiciones sociales como se ven en este cuento.

LOS TRES BESOS

3. Escriba un resumen de *Los tres besos*. Explique en sus propias palabras la moraleja.

4. ¿Está Ud. de acuerdo con el consejo del autor? ¿Por qué?

EL DIA DEL JUICIO

5. Haga una lista de las injusticias cometidas por don Joaquín.

6. Imagínese que es Ud. el redactor del periódico regional. Describa Ud. de una manera objetiva la vela (wake) de don Joaquín, y dé una breve descripción de él y de su familia.

7. Llegamos a conocer a don Joaquín por los pensamientos de uno de sus empleados (don Isauro) de mucho tiempo. Si tuviéramos la oportunidad de verle por los ojos de otras personas, ¿qué dirían de él? Imagínese que es Ud.:

   a. la mujer de don Joaquín

   b. uno de los hijos de don Joaquín

   c. un campesino que le debía dinero a don Joaquín

8. Identifique el conflicto en cada una de las selecciones.

Carl Levin Associates, New York

Cuadro 10 · LA AVENTURA

Preparando la Escena. *El espíritu de aventura de los hombres del siglo XV fue un factor decisivo en el descubrimiento y la colonización del Nuevo Mundo. Los españoles en particular demostraron un gran amor por la acción y la aventura. Las novelas de ese período están llenas de episodios, al parecer increíbles, pero muchas veces fundados en la realidad histórica. El amor por la aventura es lo que produce las grandes hazañas y fue lo que caracterizó al descubridor, al conquistador, y al colonizador español. ¿Cómo se manifiesta este espíritu en los pueblos de habla española, y a qué aventuras lanzó a los héroes españoles?*

Este cuadro nos presenta algunas selecciones que relatan lo que ocurrió a los exploradores en el mar y en la selva. Su vida siempre estaba llena de peligros y el éxito era coronado por la fama, mientras que la muerte esperaba al que fracasaba.

La segunda selección es un reportaje sobre el amor por la aventura y el peligro de cuatro mujeres modernas.

191

A LA DERIVA

por Horacio Quiroga

Introducción

El Mundo Nuevo regaló al colono una gran riqueza de frutos, plantas, y animales desconocidos y benéficos. Entre las frutas están el plátano, el aguacate, el cacao, y la piña. Entre las plantas, el maíz, las papas, el tabaco, y el tomate. Entre los animales, la llama y la alpaca.

Pero no todo fue benéfico. La selva malsana estaba llena de riesgos para el hombre descuidado. La consecuencia de un descuido era la muerte, y los insectos y animales enemigos del hombre eran numerosos.

En este cuento, el uruguayo Horacio Quiroga (1878–1937), el Kipling de la América del Sur, relata el encuentro de un hombre y de una culebra, y describe su desenlace fatal y trágico.

Guía de Estudio

Note como el cuento comienza sin introducción y con la acción ya avanzada. Los nombres de los personajes y la información acerca de ellos se nos da conforme el cuento progresa.

Los hechos se desarrollan rápidamente hasta llegar a su desenlace y el autor nos hace sentir y vivir lo que el protagonista siente y vive.

Horacio Quiroga fue un cuentista consumado. Señale los detalles que crean el interés y examine si esto hubiera podido ocurrir en Norteamérica.

Palabras Clave

1. El abultamiento del pie no le permitió ponerse el zapato.
   abultamiento: la inflamación, el engrandecimiento

2. La víbora estaba arrollada cerca del árbol.
   arrollada: envuelta en un rollo (coiled)

3. Pedro no pudo atracar la canoa cerca de la orilla.
   atracar: aproximar un barco a la orilla del río

4. La novia llevaba un ramo de azahares.
   azahares: flores del naranjo

5. En medio del lago se formaban unos borbollones de agua salada.
   borbollones: agitaciones del agua, chorros (gushes, spouts of water)

6. Los muchachos se cansaron de andar cuesta arriba.
   cuesta arriba: de subida (uphill)

7. El naranjal exhalaba efluvios de aroma de los azahares.
   efluvios: exhalaciones, emisiones

8. En ese mismo huerto encajonan las naranjas para exportarlas.
   encajonan: meten en una caja, encierran

9. Las gotas de agua se engrosaban según aumentaba la lluvia.
   se engrosaban: engrandecían, se hacían más gruesas

10. El agua fría le causó un escalofrío tremendo.
    escalofrío: estremecimiento del cuerpo, temblor (chill)

11. Por causa de la hinchazón del pie no podía ponerse el zapato.
    hinchazón: la inflamación, el engrandecimiento (swelling)

12. En la hoya del río hay peces grandes.
    hoya: concavidad, hondura

13. El ratón hundió la cabeza en la caja cuando vio al gato.
    hundió: sumergió

Albarracín por Ignacio Zuloaga (The Hispanic Society of America)

"Sevilla, Opening Salute at a Bullfight" *por Joaquín Sorolla y Bastida*
(The Hispanic Society of America)

14. El vaquero se golpeó la ingle cuando se cayó del caballo.

    ingle: parte del cuerpo en que se unen los muslos con el tronco (groin)

15. El médico aplicó medicina a la herida cerca de la ligadura hecha con el pañuelo.

    ligadura: atadura de una vena o arteria (bandage, where the knot was tied)

16. El cañón de la montaña era un lugar lúgubre.

    lúgubre: fúnebre, melancólico, sombrío

17. A Luis le salieron manchas en la cara cuando se enfermó.

    manchas: marcas

18. En ciertos países la gente come morcilla.

    morcilla: salchicha hecha de sangre cocida con varios ingredientes

19. La mordedura de la víbora le dejó el brazo marcado.

    mordedura: picotazo, mordida

20. Juanito compró una canoa y dos palas para ir a su rancho por el río.

    palas: remos de canoa (paddles)

21. Los calcetines de Angel le llegaban a la pantorrilla.

    pantorrilla: parte carnosa de la pierna (calf of the leg)

22. La herida le causaba unas punzadas dolorosas que le hacían llorar.

    punzadas: dolores agudos (sharp pains)

23. En medio del río había un remolino de agua dulce.

    remolino: movimiento giratorio de agua (whirl, water spout)

24. Los jardines amanecen cubiertos de rocío.

    rocío: vapor que se condensa por la noche en gotitas de agua

25. El herido sentía una sequedad terrible.

    sequedad: sed, falta de humedad

26. El cansancio le causó una somnolencia incontrolable.

    somnolencia: pereza, sueño

27. El dolor del pie le llegaba hasta el vientre.

    vientre: parte del cuerpo donde están los intestinos (abdomen)

EL HOMBRE pisó algo blanduzco, y en seguida sintió la mordedura en el pie. Saltó adelante, y al volverse, con un juramento vio un yararacusú que, arrollada sobre sí misma, esperaba otro ataque.

5   El hombre echó una veloz ojeada a su pie, donde dos gotitas de sangre engrosaban dificultosamente, y sacó el machete de la cintura. La víbora vio la amenaza y hundió la cabeza en el centro mismo de su espiral; pero el machete cayó en el lomo, dislocándole las vértebras.

10   El hombre se bajó hasta la mordedura, quitó las gotitas de sangre y durante un instante contempló. Un dolor agudo nacía de los puntitos violeta y comenzaba a invadir todo el pie. Apresuradamente se ligó el tobillo con su pañuelo y siguió por la picada hacia su rancho.

yararacusú: poisonous snake

se ligó el tobillo: he tied his ankle

picada: trail

El dolor en el pie aumentaba, con sensación de tirante abultamiento, y de pronto el hombre sintió dos o tres fulgurantes punzadas que, como relámpagos, habían irradiado desde la herida hasta la mitad de la pantorrilla. Movía la pierna con dificultad; una metálica sequedad de garganta, seguida de sed quemante, le arrancó un nuevo juramento.

Llegó por fin al rancho y se echó de brazos sobre la rueda de un trapiche. Los dos puntitos violeta desaparecían ahora en la monstruosa hinchazón del pie entero. La piel parecía adelgazada y a punto de ceder, de tensa. Quiso llamar a su mujer, y la voz se quebró en un ronco arrastre de garganta reseca. La sed lo devoraba.

—¡Dorotea!—alcanzó a lanzar en su estertor. —¡Dame caña!

Su mujer corrió con un vaso lleno, que el hombre sorbió en tres tragos. Pero no había sentido gusto alguno.

—¡Te pedí caña, no agua!—rugió de nuevo. —¡Dame caña!

—¡Pero es caña, Paulino!—protestó la mujer, espantada.

—¡No, me diste agua! ¡Quiero caña, te digo!

La mujer corrió otra vez, volviendo con la damajuana. El hombre tragó uno tras otro dos vasos, pero no sintió nada en la garganta.

—Bueno; esto se pone feo . . . —murmuró entonces, mirando su pie, lívido y ya con lustre gangrenoso. Sobre la honda ligadura del pañuelo la carne desbordaba como una monstruosa morcilla.

Los dolores fulgurantes se sucedían en continuos relampagueos y llegaban ahora a la ingle. La atroz sequedad de garganta, que el aliento parecía caldear más, aumentaba a la par. Cuando pretendió incorporarse, un fulminante vómito lo mantuvo medio minuto con la frente apoyada en la rueda de palo.

Pero el hombre no quería morir, y descendiendo hasta la costa subió a su canoa. Sentóse en la popa y comenzó a palear hasta el centro del Paraná. Allí la corriente del río, que en las inmediaciones del Iguazú corre seis millas, lo llevaría antes de cinco horas a Tacurú-Pucú.

El hombre, con sombría energía, pudo efectivamente llegar hasta el medio del río; pero allí sus manos dormidas dejaron caer la pala en la canoa, y tras un nuevo vómito—de sangre esta vez—dirigió una mirada al sol, que ya trasponía el monte.

La pierna entera, hasta medio muslo, era ya un bloque deforme y durísimo que reventaba la ropa. El hombre cortó

fulgurantes: flashing, sharp

se echó: leaned
de brazos: with his arms
trapiche: sugar press

de tensa: it was so taut

caña: rum

gusto: taste

damajuana: jug

con lustre gangrenoso: with a shiny gangrenous appearance
desbordaba: overflowed

caldear: to scorch
fulminante: violent, exploding

costa: riverbank

Iguazú: tributary of the Paraná
millas: miles (an hour)

trasponía: was setting behind

la ligadura y abrió el pantalón con su cuchillo: el bajo vientre desbordó hinchado, con grandes manchas lívidas y terriblemente dolorosas. El hombre pensó que no podría jamás llegar él solo a Tacurú-Pucú y se decidió pedir ayuda a su compadre Alves, aunque hacía mucho tiempo que estaban disgustados.

La corriente del río se precipitaba ahora hasta la costa brasileña, y el hombre pudo fácilmente atracar. Se arrastró por la picada en cuesta arriba; pero a los veinte metros, exhausto, quedó tendido de pecho.

—¡Alves!—gritó con cuanta fuerza pudo; y prestó oído en vano.

—¡Compadre Alves! ¡No me niegues este favor!—clamó de nuevo, alzando la cabeza del suelo. En el silencio de la selva no se oyó rumor. El hombre tuvo aún valor para llegar hasta su canoa, y la corriente, cogiéndola de nuevo, la llevó velozmente a la deriva.

El Paraná corre allí en el fondo de una inmensa hoya, cuyas paredes, altas de cien metros, encajonan fúnebremente el río. Desde las orillas, bordeadas de negros bloques de basalto, asciende el bosque, negro también. Adelante, a los costados, atrás, siempre la eterna muralla lúgubre, en cuyo fondo el río arremolinado se precipita en incesantes borbollones de agua fangosa. El paisaje es agresivo y reina en él un silencio de muerte. Al atardecer, sin embargo, su belleza sombría y calma cobra una majestad única.

El sol había caído ya cuando el hombre, semi-tendido en el fondo de la canoa, tuvo un violento escalofrío. Y de pronto, con asombro, enderezó pesadamente la cabeza: se sentía mejor. La pierna le dolía apenas, la sed disminuía, y su pecho, libre ya, se abría en lenta inspiración.

El veneno comenzaba a irse, no había duda. Se hallaba casi bien, y aunque no tenía fuerzas para mover la mano, contaba con la caída del rocío para reponerse del todo. Calculó que antes de tres horas estaría en Tacurú-Pucú.

El bienestar avanzaba, y con él una somnolencia llena de recuerdos. No sentía ya nada ni en la pierna ni en el vientre. ¿Viviría aún su compadre Gaona en Tacurú-Pucú? Acaso vería también a su ex-patrón Mister Dougald y al recibidor del obraje.

¿Llegaría pronto? El cielo, al poniente, se abría ahora en pantalla de oro, y el río se había coloreado también. Desde la costa paraguaya, ya entenebrecida, el monte dejaba caer

bajo: lower part

disgustados: at odds with each other

basalto: basalt, hard volcanic rock

arremolinado: whirling
agresivo: menacing

cobra: takes on

recibidor: receiving clerk
obraje: mill

pantalla: canopy
entenebrecida: in darkness

sobre el río su frescura crepuscular en penetrantes efluvios de azahar y miel silvestre. Una pareja de guacamayos cruzó muy alto y en silencio hacia el Paraguay.

guacamayos: macaws

Allá abajo, sobre el río de oro, la canoa derivaba veloz-
5 mente, girando a ratos sobre sí misma ante el borbollón de un remolino. El hombre que iba en ella se sentía cada vez mejor, y pensaba entretanto en el tiempo justo que había pasado sin ver a su ex-patrón Dougald. ¿Tres años? Tal vez no; no tanto. ¿Dos años y nueve meses? Acaso. ¿Ocho meses
10 y medio? Eso sí, seguramente.

justo: exact

De pronto sintió que estaba helado hasta el pecho. ¿Qué sería? Y la respiración . . .

Al recibidor de maderas de Mister Dougald, Lorenzo Cu-
billa, lo había conocido en Puerto Esperanza un Viernes
15 Santo . . . ¿Viernes? Sí, o jueves . . .

El hombre estiró lentamente los dedos de la mano.

—Un jueves . . .

Y cesó de respirar.

Diccionario

1. **abultamiento:** la inflamación, el engrandecimiento

   No podía andar por causa del (   ) del pie derecho.

2. **arrollada (arrollar):** envuelta en un rollo (coiled)

   La víbora estaba (   ) cerca del árbol.

3. **atracar:** aproximar un barco a la orilla del río

   El hombre herido no pudo (   ) su canoa.

4. **azahares:** flores del naranjo

   El perfume de los (   ) es muy aromático.

5. **blanduzco:** tierno, suave, maleable

   El plátano estaba demasiado (   ).

6. **borbollones:** agitaciones del agua, chorros (gushes, spouts of water)

   De en medio del río salían (   ) de agua amarilla.

7. **cuesta arriba:** de subida (uphill)

   Para Juan, el enano, es muy difícil andar (   ).

8. **deriva:** desvío, a la deriva . . . desorientado, abandonado

   Nuestro protagonista iba a la (   ) por el río.

9. **efluvio:** exhalación, emisión

   A Eva le encantaba el (   ) del perfume de las flores del jardín.

10. **encajonan (encajonar):** meten en una caja, encierran

    Los vaqueros (   ) a los caballos en el cañón cerca del lago.

11. **se engrosaban (engrosarse):** se engrandecían, se hacían más gruesas

    Las gotas de sangre (   ) en la pierna.

12. **escalofrío:** temblor, estremecimiento del cuerpo

    A Jorge le dio un (   ) cuando entró en la piscina de agua fría.

13. **hinchazón:** la inflamación, el engrandeci-miento (swelling)

El golpe le causó una (   ) grandísima.

14. **hoya:** concavidad, hondura

Todos trataban de evitar la (   ) del río porque era muy peligrosa.

15. **hundió (hundir):** sumergió

El indio (   ) la canoa para no dejar señas del robo.

16. **ingle:** parte del cuerpo en que se unen los muslos con el tronco (groin)

El cargador se lastimó la (   ) levantando los sacos de maíz.

17. **ligadura:** atadura de una vena o arteria (bandage, where the knot is tied)

La (   ) del pañuelo le molestaba un poco.

18. **lúgubre:** fúnebre, melancólico, sombrío

El bosque solitario es un lugar (   ).

19. **manchas:** marcas

Cuando Pepe terminó de pintar, traía (   ) de pintura en la frente.

20. **mordedura:** picotazo, mordida

La (   ) de la víbora le costó la vida al indio.

21. **pala:** remo de canoa (paddle)

Era imposible para Elías guiar la canoa por el río con sólo una (   ).

22. **pantorrilla:** parte carnosa de la pierna (calf of the leg)

El perro le mordió la (   ) al cartero.

23. **pesadamente:** trabajosamente, con pesadez (heavily)

Don Pedro levantó (   ) la pierna herida.

24. **punzadas:** dolores agudos (sharp pains)

Cuando le picó la víbora, don Policarpio sintió dolorosas (   ).

25. **remolino:** movimiento giratorio de agua (whirl, water spout)

A la orilla del río había un (   ) de agua colorada.

26. **rocío:** vapor que se condensa por la noche en gotitas

Donde hay (   ) constante, no es nece-sario regar.

27. **sequedad:** sed, falta de humedad

La (   ) que sentía en la garganta lo forzó a descansar.

28. **somnolencia:** pereza, sueño

Después de un día largo en el desierto, una (   ) pesada venció a Ricardo.

29. **tirante:** tenso, rígido

Me echó una mirada muy (   ).

30. **vientre:** parte del cuerpo donde están los intestinos (abdomen)

El dolor del pie le llegaba hasta el (   ).

Para la Comprensión

1. ¿Qué pisó el hombre?

2. ¿Qué sintió en seguida?

3. ¿Dónde lo hirió la víbora?

4. ¿Con qué amenazó a la víbora?

5. ¿La mató el hombre?

6. ¿Con qué se ligó el tobillo?

7. ¿Podía mover la pierna fácilmente?

8. ¿Qué otro efecto tenía la herida?

9. ¿Cómo era el pie?

10. ¿Qué hizo al llegar a su rancho?

11. ¿Cómo se llamaba su mujer?

12. ¿Qué le pidió al llegar?

13. ¿Qué efecto tuvo la caña en su garganta?

14. ¿Por qué decidió irse el hombre a Tacurú-Pucú?

15. ¿Cuál fue su medio de transportación?

16. ¿Hasta dónde llegó antes de dejar caer la pala?

17. ¿Qué le sucedió en seguida?

18. ¿Cómo traía la pierna a este punto?

19. Al cortar el pantalón con su cuchillo, ¿qué vio?

20. ¿Por qué decidió pedir ayuda a su compadre Alves?

21. ¿Qué le ayudó a atracar fácilmente?

22. ¿Encontró a su compadre Alves?

23. ¿En qué río andaba este hombre?

24. Describa el río en este lugar.

25. ¿Cómo iba el hombre al caer el sol?

26. Relate las diferentes sensaciones que siguieron al violento escalofrío.

27. ¿Qué esperanza tenía?

28. Al perder la sensación de la pierna, ¿de quién se acordó?

29. Describa esta última escena.

30. ¿Cuáles fueron sus últimos pensamientos?

Estructura

REPASO DE LOS PRONOMBRES REFLEXIVOS

Según el modelo, cambie la oración para emplear el sujeto nuevo y el tiempo del verbo indicado.

MAESTRO: Me quedé en la biblioteca.

ESTUDIANTE: Me quedé en la biblioteca.

MAESTRO: [él]

ESTUDIANTE: Se quedó en la biblioteca.

1. [nosotros]
2. [tú]
3. [ellos]

Se sentía mucho mejor.
4. [nosotros]
5. [tú]
6. [yo]
7. [ellos]

Te desayunarás antes de salir.
8. [ellos]
9. [yo]
10. [él]
11. [nosotros]

No nos atrevemos a preguntar.
12. [yo]
13. [ella]
14. [tú]
15. [ellos]

Te levantaste tarde.
16. [él]
17. [nosotros]
18. [ellos]
19. [yo]

Se imagina que sí.
20. [nosotros]
21. [ellos]
22. [yo]
23. [ella]

Se cayeron al agua.
24. [nosotros]
25. [yo]
26. [tú]
27. [él]

Me pondré a preparar la comida.
28. [tú]
29. [ellas]
30. [ella]
31. [nosotros]

Me pierdo fácilmente.
32. [Uds.]
33. [nosotros]
34. [él]
35. [tú]

Te compraste una camisa.
36. [ellos]
37. [él]
38. [yo]
39. [nosotros]

Me lavé la cara.
40. [ellos]
41. [tú]
42. [él]
43. [nosotros]

Nos lo aprenderíamos de memoria.
44. [tú]
45. [él]

CUATRO MUJERES EN EL RUEDO

por Hebrero San Martín

Introducción

Tradicionalmente la mujer española ha vivido sus días en apacibles labores. Es la madre que educa a sus hijos y que se dedica a labrar la felicidad de su esposo. Se pasa la vida en su casa saliendo para ir a la iglesia o para divertirse, muy a la larga, en alguna fiesta pueblerina.

Pero la mujer moderna española, como los antiguos conquistadores, puede buscar lo exótico, lo novedoso, y lo peligroso. El artículo *Cuatro mujeres en el ruedo* es una entrevista con cuatro mujeres que se han dedicado a los toros. La misma sociedad de donde han brotado no sabe cómo explicarlas. He aquí como estas cuatro mujeres buscan disipar el tedio de la vida rutinaria.

Guía de Estudio

Esta selección es un artículo tomado de *Mundo hispánico*, una revista española. Note como al mismo tiempo que el autor va presentando a las heroínas, expone el dilema de la mujer española que se dedica a torear.

El autor hace que cada una de ellas también exprese su parecer sobre la mujer y su lugar en la sociedad. Al hacer su reportaje combina el estilo de la entrevista, de la narración, y de la descripción. Lo que resulta es un vistazo sobre la vida contemporánea española con sus afanes, sus ideales, y sus preocupaciones.

Palabras Clave

1. Ella llevó su caballo al hilo de la cerca.

   al hilo: a lo largo de, lado a lado, paralelo

2. La amazona venía montada en un caballo blanco.

   amazona: mujer caballista

3. Luisa se peina a su antojo aunque no sea la moda.

   antojo: capricho, deseo

4. Don José de la Luz es el apoderado de Joselito.

   apoderado: administrador, representante

5. El gato le dio unos arañazos feos a Rosita.

   arañazos: rasguños (scratches)

6. Por la arrancada que dio el caballo, se asustaron las gallinas.

   arrancada: partida súbita (sudden departure)

7. Polita es una niña muy arriesgada.

   arriesgada: aventurera, audaz

8. Julio compró un toro astado.

   astado: con cuernos (with horns)

9. Pablo compró dos banderillas en la plaza de toros.

   banderillas: dardos decorados que se le clavan al toro en el cuello

10. En España le dicen bichos a los toros.

    bichos: animales, bestias

11. El cómico pasó la hora diciendo bromas.

    bromas: chistes, bufonadas

12. El apoderado trajo un burel a la plaza.

    burel: toro de color rojo oscuro

13. Los carteles de la plaza de toros anunciaban el evento.

    carteles: anuncios, letreros, avisos, rótulos

14. El uniforme de María tiene una casaca roja.

    casaca: capa

15. En las ciudades grandes hay poco descampado.

    descampado: espacio vacío sin casas o edificios

16. Manolete era diestro en el toreo.

    diestro: experto (skillful)

17. La caballería es un arte ecuestre.

    ecuestre: relativo a los caballos

18. Equino es otro nombre para ecuestre.

    equino: ecuestre, relativo al caballo

19. Pablo llevó la carta a la estafeta.

    estafeta: oficina de correos

20. En la fachada del edificio había un anuncio.

    fachada: frente del edificio

21. Las mujeres estaban frotándose las manos.

    frotándose: estregándose, fregándose (rubbing)

22. A Luis le gustan mucho las almendras garapiñadas.

    garapiñadas: cubiertas de azúcar tostado

23. La gitanilla posee un garbo admirable.

    garbo: gracia, elegancia

24. El conductor del tren se portó como un inconsciente con todos los pasajeros.

    inconsciente: alocado, ignorante, desjuiciado

25. Don Roberto tiene una jaca negra muy perezosa.

    jaca: caballo pequeño

26. A Julio, el mariachi, le partieron la cabeza de un macetazo.

    macetazo: golpe de una maceta (blow with a flower pot)

27. Al torero más joven le dieron un toro mansote.

    mansote: dócil, benigno, obediente

28. El toreo se ejecuta en los medios de la plaza, casi nunca al hilo de las tablas.

    medios: en el centro

29. María nunca ha montado a caballo.

    montado: cabalgado

30. Jóse Luis está más pendiente de su programa de televisión que del juego de pelota.

    pendiente: poniendo atención a

31. Elena tenía un pinchazo en el brazo izquierdo.

    pinchazo: herida

32. El puntillero tuvo que matar al toro porque la taurina no pudo.

    puntillero: hombre que mata al toro cuando el torero no lo hace

33. Había una redecilla entre la puerta y la pared.

    redecilla: tejido de malla (net, railing)

34. Las hermanas Redondo son buenas rejoneadoras.

    rejoneadoras: mujeres que rejonean

35. Las cuatro son expertas en el rejoneo.

    rejoneo: la acción ecuestre de herir al toro con una barra picuda

36. Luisa hirió al toro con dos rejones.

    rejones: barras picudas con que se hiere al toro

37. Tita traía unas rozaduras en las manos.

    rozaduras: erosión de la piel

38. Las toreras se ven muy elegantes en el ruedo.

    ruedo: círculo donde torean, plaza de toros

39. El puntillero tuvo que matar al toro porque no había sobresaliente.

    sobresaliente: torero que suple la falta de otro (understudy, substitute)

40. Por causa de los nervios y el sol, se puso muy sudorosa.

    sudorosa: que suda mucho (perspiring freely, sweating)

41. El arte taurino tiene muchos aficionados.

    taurino: relativo a los toros

ALCALA DE Henares está muy cerca de
Madrid. Su plaza de toros es una de las tres o cuatro que
rodean a la capital y que constituyen los trampolines desde
los cuales puede un diestro saltar a la Monumental madrileña.
5   Durante el recorrido hasta el pueblo, no más de treinta
kilómetros, apenas hay descampado. Una sucesión ininte-
rrumpida de viviendas, restaurantes, gasolineras y colmados,
más o menos típicos, montan la guardia en torno a la calzada.
   Se respiraba ambiente taurino. En fachadas y portadas se
10 habían fijado grandes carteles en los que se anunciaba la

recorrido: space covered, mile-
age

Las Rejoneadoras (*Mundo
Hispánico*, Madrid, Spain)

novedad: «Plaza de Alcalá de Henares. A las cuatro y media de la tarde. ¡Gran acontecimiento taurino! Actuación de las cuatro preciosas rejoneadoras Amelia Gabor, Paquita Rocamora, Amina Asís y Gina María.» Luego se leían frases en las que se cantaba líricamente la belleza y el arrojo de estas cuatro mujeres.

Al fin, en Alcalá, el pueblo con sabor cervantino. Pero no veníamos a respirar su aire secular y universitario, sino a sentarnos en un tendido de sol—la tarde no estaba para bromas—dispuestos a pasarlo lo mejor posible, con permiso de las cuatro señoritas y de sus correspondientes enemigos.

ELLAS Y ELLOS

Expectación en los tendidos. Los viejos aficionados del lugar se quejaban, pero, naturalmente, no querían perderse la novedad:

—¡El toreo es cosa de hombres!

—¡Las mujeres, a la cocina!

—Esto de los toros es algo muy serio.

¿Cómo va uno a exigir a una mujer que se juegue el tipo en cada pase?

Y, mientras tanto, las mujeres frotándose las manos. Oído a una conocida artista de cine:

—¿Cómo vamos a comparar la gracia y el garbo de una mujer con la de un hombre?

Ellas o ellos. He aquí el dilema.

Nos fuimos al patio de caballos. Fotógrafos y operadores, españoles y extranjeros, captaban con sus cámaras los preparativos: por primera vez, cuatro mujeres en un ruedo.

AMELIA, DE CADIZ

Abría el festejo Amelia Gabor, española, de Gibraltar, bautizada en Cádiz. Muy morena y muy sonriente. Las uñas, pintadas. El pelo, hábilmente recogido con una redecilla. Sujetaba la silla de su caballo blanco.

—¿Por qué eligió una profesión tan arriesgada?

—Yo siempre había montado a la inglesa. Luego, a la española. Me gustan las emociones, aunque eso no quiere decir que sea una inconsciente. . . .

—¿Oposición familiar?

—A mi padre no le gustó mi idea de dedicarme al rejoneo.

se juegue el tipo: gamble her figure

Y es que eso de pasarse una los días montando a caballo llega a cansar.

El padre de Amelia es Administrador de Correos. Allá, en Cádiz, tiene su estafeta. Amelia estaba destinada a pegar sellos. Pero esa ocupación no era la más apropiada para su espíritu inquieto.

—Me fui a Portugal.

Portugal es la meca del rejoneo. Es más fácil aprender, sobre todo el rejoneo en los medios, que es el peligroso. Más que el realizado al hilo de las tablas.

—En los medios tiene que ir una hacia el toro. Es lo peligroso y lo emocionante. Quizá por eso se hace menos.

Luego la veríamos en el redondel. Amelia maneja el brioso caballo a su antojo. Colocó tres rejones y dos pares de banderillas escalofriantes. Sobre todo, el segundo, salvando el equino al doblarle en la misma cara del burel.

Cortó las orejas, dio la vuelta al ruedo y regresó al patio. Amelia, sudorosa, pero sin perder la sonrisa, comentó:

—Por ahora soporto los gastos. Pero espero ganar dinero en seguida con mi profesión.

Por si acaso, la chica habla francés y domina la mecanografía y la taquigrafía. Y se fue a cenar. Sólo había almorzado un huevo pasado por agua y un plátano.

dio la vuelta: circled the ring (an honor granted for a good performance)

GINA, DE PORTUGAL

Mientras tanto, el festejo se había caldeado. Gina María, una portuguesa, más bien bajita, pero con una decisión increíble, luchaba contra un novillo mansote. El bicho no entraba. Cosa lógica, pues los ojos de Gina dan miedo verlos.

Lucía la amazona el clásico traje portugués con casaca blanca bordada.

—¿Las cuatro rejoneadoras son solteras?

—Eso es.

Gina habla con ese acento suave y cadencioso que caracteriza a la mujer portuguesa. Luego, el tono se vuelve bravío cuando desde la montura provoca la arrancada del novillo.

—¡Toro! ¡Toro!

—Con sinceridad, ¿qué tal se llevan ustedes cuatro?

—Por ahora, muy bien. Todavía no hemos reñido.

Es difícil el diálogo con Gina María. Está casi más pendiente del ruedo que de nosotros. Es natural. Dentro de unos minutos se enfrentaría a su burel, y eso es más difícil que responder a nuestras preguntas.

—¿Qué proyectos tienen ustedes?

—Próximamente torearemos unas ochenta corridas. Por lo
5 pronto, nos marchamos a América.

¡Buen viaje, Gina! Y ahora, suerte, vista y al toro.

PAQUITA, DE VALENCIA

Paquita Rocamora y Amina Asís presenciaban la actuación de sus compañeras desde el callejón. Con los brazos y barbi-
10 llas apoyados en la barrera y los ojos fijos en el astado.

barbillas: chin

—Paquita, ¿por qué toreas?

—Esta es una profesión como otra cualquiera. Lo mismo se muere de un macetazo que delante de un toro.

Paquita no es, ¡ni mucho menos!, una mujer triste. Muy
15 guapa, sobre todo esta tarde en que ha adornado su pelo con flores de su tierra, Valencia.

—¿Profesión dura?

—Mire usted . . .

Y nos mostraba sus manos con huellas de arañazos, pin-
20 chazos y rozaduras.

Paquita, que, como sus compañeras, es morena, nos decía que aún no han ganado buen dinero. Hasta ahora, han ganado kilómetros, muchos kilómetros . . .

—Pero para la temporada nos ha prometido nuestro apode-
25 rado un millón de pesetas a cada una.

—¡Esas son palabras mayores!

La tarde seguía su curso y la alegría del toreo ecuestre iba acompañada de una brillante exhibición de peinados y vestidos coloristas.

30 Cuatro mujeres morenas, sobre cuatro jacas blancas.

AMINA, DE COLOMBIA

Amina Asís es la más joven del cuarteto. Es colombiana y por sus venas corre sangre árabe. Tiene veinte años y en la equitación no hay secretos para ella.

35 —Pertenezco a una dinastía de caballistas. Además, mis padres tienen una ganadería.

—¿Desde cuándo se dedica al rejoneo?

—Desde hace siete años. Creo que siempre he estado subida a un caballo.

40 —¿Cuántos tiene?

Amina Asís (*Mundo Hispánico*, Madrid, Spain)

—¿Caballos? Ocho. Todos los he comprado en España.
Ultimamente he adquirido un par de potrillos.

—¿Precios de esos caballos?

—Oscilan. Unos, cincuenta mil pesetas, y otros, treinta mil.

5 —¿Afición? ¿Necesidad económica?

—No soy rica, pero, felizmente, no carezco de nada. Toreo
por afición.

—¿Qué opina sobre la mujer en el ruedo?

—En España está permitido que la mujer rejonee, pero no
10 que toree pie a tierra. Respeto las ordenanzas, aunque mi
opinión particular es que una mujer puede torear igual que
un hombre. Tiene gracia, garbo, presencia física . . .

—¿Alguna otra profesión?

—No. Estudié el Bachillerato. Si tuviera que elegir entre dos carreras, serían Veterinaria y Filosofía y Letras.

Amina también triunfó. Hasta se permitió el lujo de colocar un par de banderillas a dos manos.

LOS TOROS

Sin embargo, ninguna de las cuatro rejoneadoras pudo acabar con sus respectivos novillos de un contundente rejón de muerte. Necesitaron de tres o cuatro, cuando no de la ayuda del puntillero o el sobresaliente. Hace falta mucha fuerza física para clavar íntegro y en su justo sitio el rejón mortífero. ¡El sexo débil!

Cuando terminó el espectáculo, las cuatro amazonas recorrieron el ruedo, realizando con sus monturas brillantes y graciosas reverencias. Piensan actuar conjuntamente en más plazas. Hacen bien: entienden su oficio y la atracción sobre el público es indudable.

Ya en la calle, compramos las inevitables almendras garapiñadas. Una opinión unánime en el ambiente: el espectáculo resulta atrayente y sugestivo. Pero ¿qué espectador soportaría con idéntica frialdad que si se tratara de un hombre, la escena de una mujer, guapa y joven, en la arena a merced de un toro? Porque los bureles no distinguen de sexo.

contundente: bruising, forceful

Diccionario

1. **al hilo:** a lo largo de, lado a lado, paralelo
Los muchachos corren (   ) de la banqueta.

2. **amazona:** mujer caballista
Estela es una (   ) de primer rango.

3. **antojo:** capricho, deseo
El hermano Tonsul hace todo a su (   ).

4. **apoderado:** administrador, representante
Un torero necesita la representación de su (   ) para poder torear en la plaza mayor.

5. **arañazo:** rasguño (scratch)
Rosaura se dio un (   ) con una espina.

6. **arrancada:** partida súbita (sudden departure)
El caballo de José dio una (   ) que lo tiró al suelo.

7. **arriesgada:** aventurera, audaz
Carolina es una atleta muy (   ).

8. **astado:** con cuernos (animal with horns)
Miguelito tiene un (   ) que ha tenido desde que era becerro.

9. **banderillas:** dardos decorados que le clavan al toro
El torero no pudo clavarle las (   ) al toro.

10. **bichos:** animales, bestias
Paco cortó orejas a los (   ) negros.

11. **broma:** chiste, bufonada
Pedro le hizo una (   ) a José, y todos se rieron de él.

12. **burel:** toro de color rojo oscuro
El apoderado Rodríguez compró un (   ) para la rejoneada.

13. **cartel:** anuncio, letrero, aviso, rótulo
En el ( ) estaban anunciados los precios de sol y de sombra.

14. **casaca:** capa
Natalia se puso la ( ) blanca con la falda roja.

15. **descampado:** espacio vacío sin casas o edificios
En los pueblos pequeños de España hay mucho ( ).

16. **diestro:** experto (skillful)
Diego Rivera era ( ) en la pintura de la cultura indígena.

17. **ecuestre:** relativo a los caballos
El arte de montar a caballo es un arte ( ).

18. **equino:** ecuestre, relativo a los caballos
También se dice ( ) a lo que se relaciona a los caballos.

19. **escalofriante:** que estremece, que hace temblar
Durante del invierno hace un frío ( ).

20. **estafeta:** oficina de correos
Alfonso trabaja en la ( ).

21. **fachada:** frente del edificio
Don Máximo puso un anuncio pequeño en la ( ) de su tienda.

22. **frotándose (frotarse):** estregándose, fregándose (rubbing)
Jorge estaba ( ) el pelo con una pomada brillante.

23. **garapiñadas:** cubiertas de azúcar tostado
En Monterrey venden nueces ( ) en las calles del centro.

24. **garbo:** gracia, elegancia
Elenita tiene un ( ) que da gusto contemplar.

25. **inconsciente:** alocado, ignorante, desjuiciado
Todos creían que el hombre era un ( ) por las cosas que hacía y decía.

26. **jaca:** caballo pequeño
Federico García Lorca, el poeta, tenía una ( ) negra.

27. **macetazo:** golpe de una maceta (blow with a flower pot)
Julieta le dio un ( ) a Romeo.

28. **mansote:** dócil, benigno, obediente
El caballo de Alfredo es un animal ( ).

29. **medios:** el centro del ruedo
Se torea mejor en los ( ) que al hilo de las tablas.

30. **montado:** cabalgado
Nadie había ( ) el caballo que trajeron de la sierra.

31. **pendiente:** poniendo atención (a)
Raquel estaba ( ) de todo lo que decía la maestra.

32. **pinchazo:** herida
Paco se dio un ( ) con una de las banderillas.

33. **puntillero:** hombre que mata al toro cuando el torero no lo hace
El ( ) gana menos dinero que el torero porque su trabajo es menos peligroso.

34. **redecilla:** tejido de malla (net, railing)
Había una ( ) a la entrada del corral para espantar a los animales pequeños.

35. **rejón:** barra picuda con que se hiere al toro
La portuguesa es muy hábil con el ( ).

36. **rejoneadora:** mujer que rejonea
La portuguesa es la mejor ( ) del sur de España.

37. **rejoneo:** la acción ecuestre de herir al toro con una barra picuda
Más mujeres practican el ( ) que el toreo.

38. **rozadura:** erosión de la piel
El uso del rejón le causó una ( ) en la mano.

39. **ruedo:** círculo donde torean, plaza de toros

En el ( ) se encuentra el hombre con el toro frente a frente.

40. **sobresaliente:** torero que suple la falta de otro (understudy, substitute)

Cuando falta el ( ), el puntillero hace su tarea.

41. **sudorosa:** que suda mucho (perspiring freely, sweating)

Cuando está nerviosa, Carlota se pone ( ).

42. **taurino:** relativo a los toros

Rejonear es un término ( ).

Para la Comprensión

1. ¿Cómo se llaman las cuatro mujeres?
2. ¿Qué hacen?
3. ¿Son viejas o jóvenes?
4. ¿Dónde tiene lugar esta entrevista?
5. ¿Qué distancia hay de Alcalá de Henares hasta Madrid?
6. Describa este sitio.
7. ¿Qué anunciaban los carteles en esta ocasión?
8. ¿Qué decía la gente acerca de «ellas y ellos»?
9. Describa a Amelia Gabor.
10. ¿Por qué eligió esta profesión?
11. ¿Tenía oposición familiar?
12. ¿Por qué se fue a Portugal?
13. ¿Gana mucho dinero actualmente?
14. Describa a Gina María.
15. ¿Cómo habla Gina?
16. ¿Se llevan bien las cuatro rejoneadoras?
17. ¿Era fácil conversar con Gina?
18. ¿Qué proyectos tenía Gina?
19. Describa a Paquita Rocamora.
20. ¿Qué pruebas tenía Paquita de que el rejoneo es profesión dura?

21. ¿Qué les había prometido su apoderado?
22. Describa a Amina Asís.
23. ¿Desde cuándo se dedicaba al rejoneo?
24. ¿Cuántos caballos tenía?
25. ¿Cuánto le habían costado los caballos?
26. ¿Por qué había escogido esa profesión?
27. ¿Qué opinión tenía Amina sobre la mujer en el ruedo?
28. ¿Qué dificultad experimentaron las cuatro rejoneadoras esa tarde? ¿Por qué?
29. ¿Qué hicieron ellas al terminar el espectáculo?
30. ¿Cómo resulta este espectáculo?

Estructura

EL PRESENTE DE SUBJUNTIVO CON ¡OJALA!

Según el modelo, cambie la oración para emplear el presente de subjuntivo.

MAESTRO: No carecen de lo necesario.

ESTUDIANTE: ¡Ojalá que no carezcan de lo necesario!

MAESTRO: Conocerás pronto a mi hermano.

ESTUDIANTE: ¡Ojalá que conozcas pronto a mi hermano!

1. Parecerá fácil.
2. Traduciremos todo el libro.
3. No conduce al desastre.
4. Nos compadecen.
5. Nos luciremos en el examen.
6. Producirás mucho material.

EL IMPERFECTO DE SUBJUNTIVO CON ¡OJALA!

Cambie la oración según el modelo.

MAESTRO: No tenían miedo.

ESTUDIANTE: ¡Ojalá que no tuvieran miedo!

MAESTRO: Podían torear a caballo.

ESTUDIANTE: ¡Ojalá que pudieran torear a caballo!

1. Sabían las fechas de la corrida.
2. Te sentías mejor.

3. No carecía de nada.
4. Tenían que escoger otra carrera.
5. Adornaba su pelo con flores.
6. Nos lucíamos en el ruedo.
7. Conocíamos a las rejoneadoras.
8. Leían estos libros.
9. Salíamos para ir al cine.

EL PLUSCUAMPERFECTO DE SUBJUNTIVO
CON ¡OJALÁ!

Cambie la oración según el modelo.

MAESTRO: El torero no había salido al redondel.

ESTUDIANTE: ¡Ojalá que el torero no hubiera salido al redondel!

MAESTRO: Habíamos visto a las mujeres de Madrid.

ESTUDIANTE: ¡Ojalá que hubiéramos visto a las mujeres de Madrid!

1. Habías presentado a las heroínas.
2. Habían ido a Alcalá de Henares.
3. Había sido fácil aprenderlo.
4. Habíamos dado la vuelta.
5. Habían lucido el traje portugués.
6. Habían toreado en Madrid.
7. Habíamos salido contentos.
8. Habías dormido toda la noche.
9. Habían cumplido con su deber.
10. Habíamos hecho un viaje interesante.
11. Había hablado con su novia.

LA HISTORIA DE PEDRO SERRANO

por Garcilaso de la Vega

Introducción

La situación de Pedro Serrano que se relata en la siguiente crónica ocurrió, sin duda, muchas veces en la historia de la exploración del Nuevo Mundo. Forma la base del cuento de Robinson Crusoe escrito por Daniel Defoe. El autor de la historia es el Inca, Garcilaso de la Vega (1539–1616). Nació en el Perú durante la época en que su patria era conquistada por los españoles. Su madre fue una princesa inca y su padre un capitán del ejército español. Por lo tanto conocía la cultura española y la cultura india. El episodio está tomado de su libro *Comentarios reales de los incas*.

Guía de Estudio

Muchas veces la historia resulta más increíble que la ficción. Tal es el caso con la historia de Pedro Serrano. Este relato es un hecho histórico. No era raro que el soldado también fuera autor. Cristóbal Colón y Hernán Cortés han dejado documentos que forman parte de la historia de la época. La gente de entonces reaccionaba a la exploración de tierras desconocidas como hoy reacciona a los viajes entre las estrellas.

Busque los detalles en que la historia de Pedro Serrano se parece al cuento de Robinson Crusoe. Note que el estilo y el vocabulario de las crónicas no son de la conversación.

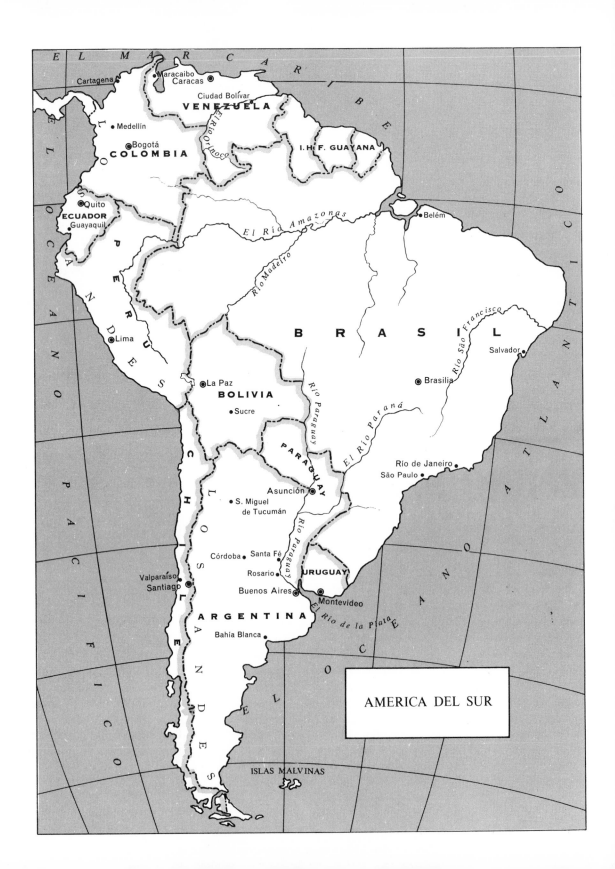

EL MAR CARIBE

OCÉANO ATLÁNTICO

OCÉANO PACÍFICO

Cartagena
Maracaibo
Caracas
Ciudad Bolívar
VENEZUELA
Medellín
Bogotá
COLOMBIA
I. H. F. GUAYANA
Quito
ECUADOR
Guayaquil
El Río Orinoco
Belém
El Río Amazonas
Río Madeira
P E R Ú
Lima
B R A S I L
Río São Francisco
Salvador
La Paz
Brasilia
BOLIVIA
Sucre
Río Paraguay
El Río Paraná
PARAGUAY
Río de Janeiro
São Paulo
Asunción
S. Miguel
de Tucumán
Córdoba
Santa Fé
Rosario
Río Paraguay
URUGUAY
Valparaíso
Santiago
Buenos Aires
Montevideo
A R G E N T I N A
El Río de la Plata
Bahía Blanca

C H I L E

L O S   A N D E S

ISLAS MALVINAS

AMERICA DEL SUR

Palabras Clave

1. Un día acertó a pasar María por la casa de Juan, y se hicieron amigos.
   acertó a: ocurrió algo por casualidad

2. Los indios de la montaña se comunicaban por ahumadas.
   ahumadas: señales que se hacen quemando hierba y otras cosas

3. Cuando amaneció, se fue a su trabajo.
   amaneció: comenzó el día

4. A don Abel le gusta asar la carne al aire libre.
   asar: exponer al fuego comida cruda para cocinarla (to roast)

5. En todo el platillo había un solo camarón.
   camarón: pequeño crustáceo marino comestible (shrimp)

6. Al lado del camarón estaba un cangrejo.
   cangrejo: crustáceo marino comestible (crab)

7. Los marineros no se perdieron porque llevaban una carta de marear.
   carta de marear: mapa del mar

8. El campero cebaba el fuego con carne gorda.
   cebaba: fomentaba, alimentaba

9. La tortuga tenía una concha muy grande.
   concha: parte dura que cubre el cuerpo de muchos crustáceos (shell)

10. El marinero hizo una choza de conchas y arena.
    choza: barraca, casilla, cabaña

11. Se descompusieron con el argumento que tuvieron.
    descompusieron: irritaron, dividieron

12. Las cortinas de la casa estaban todas desmenuzadas.
    desmenuzadas: cortadas en partes menudas, partidas

13. Lo que hicieron Trini y Lola es un disparate.
    disparate: locura, absurdo, imprudencia

14. Doña Juliana le entrenzaba el pelo a Margarita.
    entrenzaba: dividía el pelo en tres partes y lo entrelazaba (braided)

15. El viento hizo hilas las cortinas.
    hilas: fibras, fragmentos (narrow strips, shreds)

16. Juan vive a una legua de la escuela.
    legua: medida de distancia

17. En la isla no había leña.
    leña: madera combustible

18. En el Café Jalisco sirven mariscos.
    mariscos: animales marinos comestibles (small shell fish)

19. Antonio siempre hace sus menesteres antes de mirar la televisión.
    menesteres: ocupaciones, tareas, labores

20. El se cubrió de pelaje como un camello.
    pelaje: pelo de animal

21. La carne se pudrió porque no había refrigeración.
    pudrió: sufrió putrefacción, deterioró (rotted)

22. Los dos amigos riñeron por un error.
    riñeron: combatieron, contendieron, disputaron

23. Ricardo tentó la máquina para ver si funcionaba bien.
    tentó: probó

24. La tortuga es torpe para andar en las patas de atrás.
    torpe: inhábil

25. El papel es muy buena yesca.
    yesca: material seco para encender fuego (tinder)

L A ISLA Serrana, que está en el viaje de Cartagena a la Habana, se llamó así por un español, llamado Pedro Serrano, cuyo navío se perdió, que era grandísimo nadador, y llegó a aquella isla, que es despoblada, inhabi-
5 table, sin agua ni leña, donde vivió siete años con industria y buena maña que tuvo para tener leña y agua y sacar fuego . . . de cuyo nombre llamaron la Serrana aquella isla, y Serranilla a otra que está cerca de ella, por diferenciar la una de la otra. . . .

10 Pedro Serrano salió a nado a aquella isla desierta, que antes de él no tenía nombre; la cual, como él decía, tenía dos leguas en contorno; casi lo mismo dice la carta de marear, porque pinta tres islas muy pequeñas, con muchos bajíos a la redonda, y la misma figura se da la que llaman Serranilla,
15 que son cinco isletas pequeñas, con muchos más bajíos que la Serrana; y en todo aquel paraje los hay, por lo cual huyen los navíos de ellos por no caer en peligro.

A Pedro Serrano le cupo en suerte perderse en ellos, y llegar nadando a la isla donde se halló desconsoladísimo,
20 porque no halló en ella agua ni leña, ni aún yerba para poder pacer, ni otra cosa alguna con que entretener la vida mientras pasase algún navío que de allí lo sacase, para que no pereciese de hambre y de sed, que le parecía muerte más cruel que haber muerto ahogado, porque es más breve. Así pasó la
25 primera noche llorando su desventura tan afligido como se puede imaginar que estaría un hombre puesto en tal extremo. Luego que amaneció volvió a pasear la isla, halló algún marisco que salía de la mar, como son cangrejos, camarones y otras sabandijas, de las cuales cogió las que pudo, y se las
30 comió crudas, porque no había candela donde asarlas o cocerlas. Así se entretuvo hasta que vio salir tortugas viéndolas lejos de la mar, arremetió con una de ellas y la volvió de espaldas; lo mismo hizo de todas las que pudo; que para volverse a enderezar son torpes; y sacando un cuchillo que
35 de ordinario solía traer en la cinta, que fue el medio para escapar de la muerte, la degolló y bebió la sangre en lugar de agua; lo mismo hizo de las demás; la carne puso al sol para comerla, hecha tasajos, y para desembarazar las conchas para coger agua en ellas de la llovediza, porque toda aquella
40 región, como es notorio, es muy lluviosa. De esta manera se

Cartagena: en la costa de Colombia

a nado: nadando

bajíos: lugares de poco fondo, bancos de arena

le cupo en suerte: tuvo la mala fortuna de

entretener la vida: mantenerse

sabandijas: small grublike animals from the sea

cinta: cintura (belt)

tasajos: pedazos de carne seca

sustentó los primeros días, con matar todas las tortugas que podía. . . .

Viéndose Pedro Serrano con bastante recaudo para comer y beber, le pareció que si pudiese sacar fuego para siquiera
5 asar la comida y para hacer ahumadas cuando viese pasar algún navío, que no le faltaría nada. Con esta imaginación, como hombre que había andado por el mar, que cierto los tales en cualquier trabajo hacen mucha ventaja a los demás, dio en buscar un par de guijarros que le sirviesen de peder-
10 nal, porque del cuchillo pensaba hacer un eslabón; para lo cual no hallándolos en la isla, porque toda ella estaba cubierta de arena muerta, entraba en la mar nadando y se sabullía, y en suelo con gran diligencia buscaba ya en unas partes, ya en otras lo que pretendía; y tanto porfió en su
15 trabajo, que halló guijarros, y se sacó los que pudo, y de ellos escogió los mejores, y quebrando los unos con los otros para que tuviesen esquinas donde dar con el cuchillo, tentó su artificio, y viendo que sacaba fuego, hizo hilas de un pedazo de la camisa muy desmenuzadas . . . que le sirvieron de
20 yesca, y con su industria y buena maña, habiéndolo porfiado muchas veces, sacó fuego. Cuando se vio con él, se dio por bien andante, y para sustentarlo recogió las cosas que la mar echaba en tierra, y por horas las recogía, donde hallaba mucha yerba que llaman ovas marinas, y madera de navíos
25 que por la mar se perdían y conchas y huesos de pescados, y otras cosas con que alimentaba el fuego. Y para que los aguaceros no se lo apagasen hizo una choza con las mayores conchas que tenía de las tortugas que había muerto, y con grandísima vigilancia cebaba el fuego, porque no se le fuese
30 de las manos. Dentro de dos meses y aún antes se vio como nació, porque con las muchas aguas, calor y humedad de la región se le pudrió la poca ropa que tenía. El sol con su gran calor, le fatigaba mucho, porque ni tenía ropa con que defenderse, ni había sombra a que ponerse. Cuando se veía
35 muy fatigado se entraba en el agua para cubrirse con ella. Con este trabajo y cuidado vivió tres años, y en este tiempo vio pasar algunos navíos; mas aunque él hacía su ahumada, que en la mar es señal de gente perdida, no echaban de ver en ella, o por el temor de los bajíos no osaban llegar donde
40 él estaba y se pasaban de largo. De lo cual Pedro Serrano quedaba tan desconsolado, que tomara por partido el morirse y acabar ya. Con la inclemencia del cielo le creció vello de

recaudo: seguridad; es decir, viéndose bien provisto

guijarros: piedras
pedernal: flint
eslabón: pieza de hierro con la que se sacan chispas de un pedernal
se sabullía: zambullía, se sumergía

se dio por bien andante: se consideró afortunado

ovas marinas: especie de planta de las aguas (sea lettuce)

vello: fuzz, down

todo el cuerpo tan excesivamente, que parecía pellejo de animal, y no cualquiera, sino el de un jabalí; el cabello y la barba le pasaban de la cinta.

jabalí: wild boar

Al cabo de los tres años, una tarde sin pensarlo, vio Pedro
5 Serrano un hombre en su isla, que la noche antes se había perdido en los bajíos de ella y se había sustentado en una tabla de navío; y como luego que amaneció viese el humo de fuego de Pedro Serrano, sospechando lo que fuese había ido a él, ayudado de la tabla de su buen nadar. Cuando se
10 vieron ambos no se puede certificar cuál quedó más asombrado de cuál. Serrano imaginó que era el demonio que venía en figura de hombre para tentarle en alguna desesperación. El huésped entendió que Serrano era el demonio en su propia figura, según le vio cubierto de cabellos, barbas y pelaje.
15 Cada uno huyó del otro, y Pedro Serrano fue diciendo: «Jesús, Jesús, líbrame, Señor, del demonio.» Oyendo esto se aseguró el otro, y volviendo a él le dijo: «No huyáis, hermano, de mí, que soy cristiano como vos;» y para que se certificase, porque todavía huía, dijo a voces el Credo;
20 lo cual oído por Pedro Serrano volvió a él, y se abrazaron con grandísima ternura y muchas lágrimas y gemidos, viéndose ambos en una misma desventura sin esperanza de salir de ella. Cada uno de ellos brevemente contó al otro su vida pasada. Pero Serrano, sospechando la necesidad del
25 huésped, le dio de comer y de beber de lo que tenía, con que quedó algún tanto consolado, y hablando de nuevo en su desventura. Acomodaron su vida como mejor supieron, repartiendo las horas del día y de la noche en sus menesteres de buscar mariscos para comer, y ovas y leña y huesos de
30 pescado, y cualquiera otra cosa que la mar echase para sustentar el fuego; y sobre todo la perpetua vigilia que sobre él habían de tener, velando por horas porque no se les apagase. Así vivieron algunos días; mas no pasaron muchos que no riñeron, y de manera que apartaron rancho, que no
35 faltó sino llegar a las manos (porque se vea cuan grande es la miseria de nuestras pasiones). La causa de la pendencia fue decir el uno al otro, que no cuidaba como convenía de lo que era menester; y este enojo y las palabras que con él se dijeron, los descompusieron y apartaron. Mas ellos mismos,
40 cayendo en su disparate, se pidieron perdón, y se hicieron amigos y volvieron a su compañía, y en ella vivieron otros cuatro años. En este tiempo vieron pasar algunos navíos, y

hacían sus ahumadas; mas no les aprovechaba, de que ellos quedaban tan desconsolados, que no les faltaba sino morir.

Al cabo de este largo tiempo acertó a pasar un navío tan cerca de ellos que vio la humada y les echó el batel para recogerlos. Pedro Serrano y su compañero, que se había puesto de su mismo pelaje, viendo el batel cerca porque los marineros que iban por ellos no entendiesen que eran demonios y huyesen de ellos, dieron en decir el Credo y llamar el nombre de nuestro Redentor a voces; y valióles el aviso, que de otra manera sin duda huyeran los marineros, porque no tenían figura de hombres humanos. Así los llevaron al navío, donde admiraron a cuantos los vieron y oyeron sus trabajos pasados. El compañero murió en la mar viniendo a España. Pedro Serrano llegó acá y pasó a Alemania, donde el emperador estaba entonces: llevó su pelaje como lo traía, para que fuese prueba de su naufragio, y de lo que en él había pasado. Por todos los pueblos que pasaba a la ida (si quisiera mostrarse) ganara muchos dineros. Algunos señores y caballeros principales, que gustaron de ver su figura, le dieron ayudas de costa para el camino, y la majestad imperial, habiéndole visto y oído, le hizo merced de cuatro mil pesos de renta, que son cuatro mil ochocientos ducados en el Perú. Yendo a gozarlos murió en Panamá, que no llegó a verlos. Todo este cuento, como se ha dicho, contaba un caballero que se decía García Sánchez de Figueroa, a quien yo se lo oí, que conoció a Pedro Serrano; y certificaba que se lo había oído a él mismo, y que después de haber visto al emperador se había quitado el cabello y la barba, y dejádola poco más corta que hasta la cinta, y para dormir de noche se la entrenzaba, porque no entrenzándola se tendía por toda la cama y le estorbaba el sueño.

humada: ahumada

dejádola: la había dejado

Diccionario

1. **acertó a (acertar a):** ocurrió algo por casualidad

   Ni un solo barco (　　) pasar por la isla en dos años.

2. **ahogado:** muerto por falta de respiración en el agua (drowned)

   La gente creía que el niño estaba (　　) pero estaba inconsciente nada más.

3. **amaneció (amanecer):** comenzó el día

   Cleofas (　　) temprano.

4. **asar:** exponer al fuego comida cruda para cocinarla (to roast)

   Mañana vamos a (　　) la carne al lado del río.

5. **batel:** bote, barco

   Mario sale en su (　　) cada sábado.

6. **camarón:** pequeño crustáceo marino comestible (shrimp)

   ¿Quién comió el último (   )?

7. **cangrejo:** crustáceo marino comestible (crab)

   A mí me gusta más el camarón que el (   ).

8. **carta de marear:** mapa del mar

   Los marineros de la antigüedad viajaban sin (   ).

9. **cebaba (cebar):** fomentaba, alimentaba

   La criada (   ) el fuego para guardar la casa caliente.

10. **concha:** parte dura que cubre el cuerpo de muchos crustáceos (shell)

    Hay algunos mariscos que no tienen (   ).

11. **cruda:** que no está cocida (raw)

    Las personas no comen la carne (   ).

12. **choza:** barraca, casilla, cabaña

    La familia del indio pobre vive en una (   ).

13. **degollar:** decapitar

    El marinero tuvo que (   ) la tortuga para poder comer.

14. **descompusieron (descomponer):** irritaron, dividieron

    Los sufrimientos (   ) de los nervios a los niños.

15. **desconsoladísimo:** triste, angustiado, afligido

    Tacho quedó (   ) cuando se fue Paquita y lo dejó solo.

16. **desmenuzadas:** cortadas en partes menudas, partidas

    Las cortinas del comedor quedaron (   ) después de la tormenta.

17. **despoblada:** inhabitada, deshabitada, desierta

    En la isla (   ) no vivía nadie.

18. **disparate:** locura, absurdo, imprudencia

    Por un (   ) perdió a su mejor amigo.

19. **entrenzaba (entrenzar):** dividía el pelo en tres partes y lo entrelazaba (braided)

    La vieja le (   ) el pelo a la chica.

20. **espalda:** parte posterior del cuerpo humano (the back of a torso)

    La señorita modelo tenía la (   ) muy hermosa.

21. **hilas:** fibras, fragmentos (narrow strips, shreds)

    El viento hizo (   ) la bandera.

22. **huesos:** armazón del cuerpo (bones)

    Encontraron unos (   ) en la excavación.

23. **legua:** medida de distancia

    Miguel del Codo Duro anda una (   ) por no pagar cinco centavos.

24. **leña:** madera que sirve para fuego

    Hay algo romántico en una chimenea que quema (   ).

25. **maña:** habilidad, destreza

    Joselito hace todo su trabajo con una (   ) especial.

26. **mariscos:** animales marinos comestibles (small shell fish)

    Hay ocasiones en que el pueblo come muchos (   ).

27. **menesteres:** ocupaciones, tareas, labores; **era menester:** era necesario

    María hacía los (   ) de la casa, como era (   ).

28. **osar:** aventurarse, intentar

    Quiso casarse sin (   ) decirle al padre de la novia, pero de nada le sirvió.

29. **partido:** conveniencia, ventaja

    José tomó por (   ) no ir a la escuela para no estudiar.

30. **pelaje:** pelo de animal

    Al hombre sin camisa le salió (   ) como a las bestias.

31. **pretender:** desear, aspirar, andar tras

   A José no le gusta (   ) lo que es difícil encontrar.

32. **pudrió (pudrir):** sufrió putrefacción, deterioró (rotted)

   La fruta se (   ) por el calor, y no pudimos comerla.

33. **riñeron (reñir):** combatieron, contendieron, disputaron

   Los padres (   ) con los vecinos.

34. **tentó (tentar):** probó

   El tío Severiano nunca (   ) hacer fuego con los palos.

35. **torpe:** inhábil

   El cangrejo es (   ) para andar hacia adelante.

36. **yesca:** material seco para encender fuego (tinder)

   Unos hilos de su camisa sirvieron de (   ).

Para la Comprensión

1. ¿Dónde está la isla Serrana?

2. ¿Cómo recibió su nombre?

3. ¿Quién era Pedro Serrano?

4. Describa la isla, dando algunos detalles.

5. ¿Cuánto tiempo vivió allí Pedro Serrano?

6. ¿Había bajíos en la isla?

7. ¿Por qué no se acercan los navíos a esas islas?

8. ¿Por qué no estaba contento allí al principio?

9. ¿Qué hizo la primera noche en la isla?

10. ¿Qué encontró al día siguiente?

11. Relate el incidente de las tortugas.

12. ¿De qué le sirvieron las conchas?

13. ¿Cómo calmaba la sed?

14. ¿Cómo logró sacar fuego?

15. ¿De qué hizo las ahumadas al principio?

16. ¿De qué hizo la choza?

17. ¿Cuánto le duró la ropa que traía puesta?

18. ¿Qué hacía para cubrirse del sol?

19. ¿Cómo se sentía Pedro Serrano cuando los navíos no pasaban por la isla?

20. ¿Cuándo se cortaba el pelo?

21. ¿Cuándo vio al primer hombre en la isla?

22. ¿Cómo se convenció el huésped que Serrano no era el demonio?

23. ¿Cómo organizaron su vida?

24. ¿Por qué se pelearon?

25. ¿Cuánto tiempo vivieron juntos?

26. ¿Quién los rescató de la isla?

27. ¿A dónde se fue Pedro cuando llegó a España?

28. ¿Qué pruebas llevaba Pedro de su naufragio?

29. ¿Cómo ganaba dinero los primeros días de su regreso?

30. ¿Dónde murió Pedro?

Estructura

VERBO + COMPLEMENTO DIRECTO

Según el modelo, cambie la oración para emplear la palabra nueva.

   MAESTRO: Escucharemos la música.

   ESTUDIANTE: Escucharemos la música.

   MAESTRO: la conversación

   ESTUDIANTE: Escucharemos la conversación.

1. el radio
2. las noticias
3. el disco
4. la orquesta
5. el programa
6. el sermón

Miraron la pintura.
7. la televisión
8. la película

9. la luna
10. el panorama
11. el paisaje
12. el monumento
13. el libro

Busque Ud. el periódico.
14. la revista
15. la dirección
16. la página
17. la oficina
18. la piscina
19. el teléfono
20. el mapa
21. el salón

Pedí el boleto.
22. la dirección
23. la comida
24. la caja
25. la maleta
26. el diccionario
27. el disco
28. la botella

Esperaba la carta.
29. el paquete
30. el coche
31. el camión
32. el tren
33. la noticia
34. el regalo
35. la noche

VERBO + A + INFINITIVO
Al emplear el sujeto nuevo, haga los cambios necesarios.

> MAESTRO: Me ayudaron a hacer la tarea.
> ESTUDIANTE: Me ayudaron a hacer la tarea.
> MAESTRO: María
> ESTUDIANTE: María me ayudó a hacer la tarea.

1. tú
2. los muchachos
3. Uds.

Según el modelo, cambie la oración para emplear el pronombre indicado.

> MAESTRO: Me ayudaron a hacer la tarea.
> ESTUDIANTE: Me ayudaron a hacer la tarea.
> MAESTRO: a él
> ESTUDIANTE: Le ayudaron a hacer la tarea.

4. a ella
5. a nosotros
6. a Uds.
7. a ellos
8. a ti

Según el modelo, cambie la oración para emplear la expresión nueva.

> MAESTRO: Nos ayudaron a hacer la tarea.
> ESTUDIANTE: Nos ayudaron a hacer la tarea.
> MAESTRO: bajar las maletas
> ESTUDIANTE: Nos ayudaron a bajar las maletas.

9. vender los libros
10. escoger modelo
11. lavar la ropa
12. buscar programa

Al emplear el sujeto nuevo, haga los cambios necesarios.

Me enseñarán a hablar francés y español.
13. tú
14. mis amigos
15. Juan
16. Uds.

Cambie la oración para emplear el pronombre indicado.

Me enseñarán a hablar francés y español.
17. a él
18. a ella
19. a nosotros
20. a Uds.
21. a ellos
22. a ti

Según el modelo, cambie la oración para emplear la expresión nueva.

MAESTRO: Te enseñarán a hablar francés y español.

ESTUDIANTE: Te enseñarán a hablar francés y español.

MAESTRO: servir la mesa

ESTUDIANTE: Te enseñarán a servir la mesa.

23. remar bien
24. tocar el piano
25. bailar el vals
26. manejar el coche

Al emplear el sujeto nuevo, haga los cambios necesarios.

Me mandaron a comprar la leche para hoy y para mañana.
27. mi tía
28. tú
29. ellos
30. Uds.

Cambie la oración para emplear el pronombre indicado.

Me mandaron a comprar la leche para hoy y para mañana.
31. a él
32. a ella
33. a nosotros
34. a Uds.
35. a ellos
36. a ti

Cambie la oración para emplear la expresión nueva.

Te mandaron a comprar la leche.
37. traer el pan
38. llevar lo necesario
39. buscar una sirvienta
40. sacar dinero del banco
41. limpiar el coche

Al emplear el sujeto nuevo, haga los cambios necesarios.

Te invitaron a ir al cine.
42. yo
43. él
44. tus amigas
45. nosotros

Cambie la oración para emplear el pronombre indicado.

Me invitaron a ir al cine.
46. a él
47. a ella
48. a nosotros
49. a Uds.
50. a ellos
51. a ti

Cambie la oración para emplear la expresión nueva.

La invitaron a ir al cine.
52. comer tacos
53. pasear en coche
54. cenar con ellos
55. tomar un refresco
56. cantar en el coro

VERBO + QUE + SUBJUNTIVO

Según el modelo, cambie la oración para emplear el subjuntivo. Cuidado con la concordancia de los tiempos de los verbos.

MAESTRO: Me dice que traiga el dinero.

ESTUDIANTE: Me dijo que trajera el dinero.

MAESTRO: Prefiero que vengan en avión.

ESTUDIANTE: Preferí que vinieran en avión.

1. Te pido que me ayudes a pintar.
2. Conviene que lo hagamos pronto.
3. Procuran que nadie lo sepa.
4. Queremos que nos inviten al concierto.
5. Necesitas que vayamos contigo.
6. Desean que los dejes solos.

La historia de Pedro Serrano   219

EJERCICIOS CREATIVOS

A LA DERIVA

1. Escriba un sumario de *A la deriva*. Use las siguientes palabras y expresiones: mordedura, machete, dolor agudo, sequedad, escalofrío, cesó de respirar.

CUATRO MUJERES EN EL RUEDO

2. ¿Qué opina Ud. de las mujeres en el ruedo (o en semejante trabajo)? Esto sería buen tema para un debate. Se debe dividir la clase en dos grupos—uno tomando el lado afirmativo y el otro el negativo. Prepárese a defender sus ideas y convicciones.

LA HISTORIA DE PEDRO SERRANO

3. Vamos a suponer que Ud. es Pedro Serrano. Acaba de regresar de esa aventura, y naturalmente, todo el mundo está interesadísimo en saber cómo sobrevivió los años duros en aquella isla. Le van a entrevistar en la televisión. Use las ideas siguientes como guía y siga con la entrevista.

ANUNCIADOR: Amable público, he aquí al Sr. Pedro Serrano que regresó la semana pasada de una aventura fantástica y a la vez horrorosa. Todavía está muy débil y los médicos prohiben que hablemos con él por más de cinco minutos. Por eso, vamos directamente al asunto. Sr. Serrano, ¿dónde pasó Ud. los últimos siete años?

PEDRO SERRANO: . . . .

ANUNCIADOR: ¿Quiere Ud. explicarnos cómo llegó a aquella isla?

PEDRO SERRANO: . . . .

ANUNCIADOR: Ya sabemos que la isla estaba deshabitada, pero Ud. encontró agua sin dificultades, ¿verdad?

PEDRO SERRANO: . . . .

ANUNCIADOR: Increíble. Y díganos ¿cómo se alimentaba?

PEDRO SERRANO: . . . .

ANUNCIADOR: ¿Y Ud. tenía que comer los mariscos y moluscos crudos?

PEDRO SERRANO: . . . .

ANUNCIADOR: A propósito, ¿qué hizo Ud., amigo Serrano, al verse perdido y en tales condiciones?

PEDRO SERRANO: . . . .

ANUNCIADOR: ¿Nunca vio pasar ningún otro navío o barco?

PEDRO SERRANO: . . . .

ANUNCIADOR: ¿Cree Ud. que no vieron las ahumadas?

PEDRO SERRANO: . . . .

ANUNCIADOR: Y así Ud. pasó siete años solo—sin ver a otro ser humano . . .

PEDRO SERRANO: . . . .

ANUNCIADOR: Y naturalmente, se hicieron buenos amigos.

PEDRO SERRANO: . . . .

ANUNCIADOR: Después de ser rescatados, ¿qué le pasó a su compañero?

PEDRO SERRANO: . . . .

ANUNCIADOR: Se nos pasa rápidamente el tiempo, pero antes de poner fin a esta entrevista interesante, háganos el favor de decirnos a qué atribuye Ud. el sobrevivir tantos obstáculos y penas.

PEDRO SERRANO: . . . .

ANUNCIADOR: Lo siento mucho, pero tenemos que terminar esto. Muchísimas gracias Sr. Serrano, por estar con nosotros y por relatarnos su gran aventura—un testimonio admirable al espíritu indomable del hombre.

4. Compare la aventura de Pedro Serrano con la de Robinson Crusoe en cuanto a estos puntos: vivienda, agua, alimentos, municiones, ropa, su compañero, cómo pasaron el tiempo, el escape.

"The Lovers" *por Pablo Picasso* (National Gallery of Art, Washington, D.C. Chester Dale Collection)

Cuadro 11 · EL AMOR

Preparando la Escena. *De todos los sentimientos humanos, el amor, tal vez, es el más interesante. Está por todas partes pero es intangible; tiene muchas formas pero resiste la definición; llega al niño, al adolescente, y a las personas mayores. Puede ser tierno, delicado, dulce, y compasivo, o puede ser apasionado, impetuoso, ardiente. Lo prodigamos a las personas, los objetos, y los ideales. En fin, el amor hace girar al mundo y siempre ha sido un tema favorito de los escritores.*

Las selecciones que va a leer tratan de los varios efectos del amor, un amor declarado, un amor descubierto.

VARIOS EFECTOS DEL AMOR

por Lope de Vega Carpio

Introducción

Lope de Vega (1562–1635) conocido en la literatura como «el monstruo de la naturaleza» y «el fénix de los ingenios» es un luminario del Siglo de Oro. Aunque se conoce principalmente por el gran número de obras teatrales que ha escrito, también le atribuimos varias poesías. *Varios efectos del amor* es un soneto, poema de catorce líneas, en el cual el autor nos revela los síntomas y las emociones variables del amor. ¡Quién lo probó lo sabe!

Guía de Estudio

Se dice que un poema es un amigo potencial . . . el que usted conoce enteramente en dos o tres minutos apenas es un amigo íntimo. Hay que leer y leer de nuevo la poesía cuidadosamente.

Primera lectura: para obtener la idea central del poema. La poesía nos recompensa sólo cuando comprendemos las ideas obvias y las escondidas.

Segunda lectura: para notar la forma mecánica del poema (métrica y rima)

Tercera lectura: para fijarse en la selección de palabras (en el soneto que sigue, el autor ha empleado la técnica de contraste.)

Cuarta lectura: para comparar los pensamientos del poeta con sus propias experiencias

Considere usted el vocabulario de esta selección como un vocabulario de contrastes o antónimos. Lope de Vega ha empleado esta manera de indicarnos los altibajos del amor con síntomas positivos y síntomas negativos.

Palabras Clave

1. A pesar de estar enfermo, parece muy alentado.
   alentado: animoso

2. Ni un rey podía ser tan altivo.
   altivo: orgulloso (proud, haughty)

3. ¿Has llevado algún desengaño en la vida?
   desengaño: desilusión (disappointment)

4. Al ver la sangre, se sentó para no desmayarse.
   desmayarse: perder el sentido (to faint)

5. Dijeron una misa por el difunto.
   difunto: muerto (deceased)

6. Estoy enojado contigo.
   enojado: irritado (annoyed)

7. El patrón era tan esquivo que los peones no querían complacerle.
   esquivo: desdeñoso, áspero (disdainful, contemptuous)

8. Empezaron un negocio de mucho provecho.
   provecho: beneficio (benefit)

9. Un hombre receloso no hace buen esposo.
   receloso: que tiene miedo o sospecha (distrustful)

10. El padre fue tan tierno como la madre.
    tierno: afectuoso, cariñoso (tender, affectionate)

11. El alcohol es un veneno para el cuerpo y para el espíritu.
    veneno: cualquier substancia que destruye o altera las funciones vitales (poison)

Desmayarse, atreverse, estar furioso,
áspero, tierno, liberal, esquivo,
alentado, mortal, difunto, vivo,
leal, traidor, cobarde, animoso.

No hallar, fuera del bien, centro y reposo,
mostrarse alegre, triste, humilde, altivo,
enojado, valiente, fugitivo,
satisfecho, ofendido, receloso.

Huir el rostro al claro desengaño,
beber veneno por licor suave,
olvidar el provecho, amar el daño:

creer que un cielo en un infierno cabe;
dar la vida y el alma a un desengaño;
esto es amor. ¡Quién lo probó lo sabe!

fuera del bien: outside of the supreme goodness
centro y reposo: stability and peace

huir el rostro al claro desengaño: be blind to a clear case of faithlessness

Diccionario

1. **alentado:** animoso
   (   ) por la buena noticia, empezó a trabajar.

2. **altivo:** orgulloso (proud, haughty)
   No comprendo por qué ese señor es tan (   ).

3. **amor:** sentimiento que inclina el ánimo hacia lo que le place (love)
   El (   ) hace girar al mundo.

4. **animoso:** que tiene ánimo, energía y espíritu (brave, spirited)
   El soldado fue (   ) en la batalla.

5. **caber:** poder entrar una cosa dentro de otra (to fit)
   El libro no va a (   ) en mi bolsillo.

6. **cobarde:** uno que tiene miedo, que no tiene valor
   Mi padre me enseñó a no ser (   ).

7. **desengaño:** desilusión (disappointment)
   El pobre había sufrido un (   ) tras otro.

8. **desmayarse:** perder el sentido (to faint)
   Se sentó para no (   ) a consecuencia de la herida.

9. **difunto:** muerto (deceased)
   El (   ) dejó dos hijos.

10. **enojado:** irritado (annoyed)
    El profesor está (   ) porque los alumnos no trabajan.

11. **esquivo:** desdeñoso, áspero, indiferente, frío (disdainful, contemptuous)
    El rico habló al pobre en un tono (   ).

12. **hallar:** encontrar
    No puedo (   ) ese libro en la biblioteca.

13. **humilde:** que da muestras de humildad, bajo (humble)
    Una acción (   ) puede tener consecuencias de gran importancia.

14. **infierno:** lugar destinado para el tormento de los réprobos, situación terrible (hell)
    Nadie quiere ir al (   ).

15. **leal:** sincero, franco, honrado (loyal)
    Un amigo (   ) vale más que oro.

16. **provecho:** beneficio (benefit)

Al terminar de comer y dejar la mesa es costumbre decir a los demás—¡Buen (   )!

17. **receloso:** que tiene miedo o sospecha (distrustful)

Jorge perdió a muchos amigos por ser tan (   ).

18. **suave:** dulce, agradable

Nunca he oído música tan (   ) como aquélla.

19. **tierno:** cariñoso, afectuoso (tender, affectionate)

Mi abuelo siempre ha sido (   ) con los niños.

20. **triste:** que tiene pena, de carácter melancólico

Es (   ) trabajar mucho y ganar poco.

21. **veneno:** cualquier substancia que destruye o altera las funciones vitales (poison)

Sócrates murió por haber tomado un (   ) fatal.

22. **vivo:** que tiene vida (alive, living)

El español es un idioma (   ).

Para la Comprensión

1. ¿Cuál es la idea principal de este poema?

2. Mencione usted algunos efectos del amor que son *positivos*, es decir, efectos que contribuyen a la alegría del enamorado.

3. Mencione usted algunos efectos del amor que son *negativos*, es decir, efectos que contribuyen a la tristeza del enamorado.

4. Busque usted en el poema una palabra que tenga sentido contrario de cada una de las siguientes: *tierno, vivo, leal, animoso, alegre, humilde, cielo, provecho, satisfecho, valiente.*

5. ¿Qué síntomas, sean positivos o negativos puede usted añadir a la lista indicada por el autor?

CONJUGACION DEL VERBO «AMAR»

Pedro Antonio de Alarcón

Coro de Adolescentes: Yo amo, tú amas, aquél ama; nosotros amamos, vosotros amáis, ¡todos aman!

Coro de Niñas (a media voz): Yo amaré, tú amarás, aquélla amará; nosotras amaremos, vosotras amaréis, ¡todas amarán!

Una Coqueta: ¡Ama tú! ¡Ame Usted! ¡Amen Ustedes!

Un Romántico (desaliñándose el cabello): ¡Yo amaba!

Un Anciano (indiferentemente): ¡Yo amé!

Una Bailarina (trenzando delante de un banquero): Yo amara, amaría . . . y amase.

Una Mujer Hermosísima (al tiempo de morir): ¿Habré yo amado?

Un Necio: ¡Yo soy amado!

Un Rico: ¡Yo seré amado!

Un Pobre: ¡Yo sería amado!

Un Solterón (al hacer testamento): ¿Habré yo sido amado?

Una Lectora de Novelas: ¡Si yo fuese amada de este modo!

El Autor (pensativo): ¡Amar! ¡Ser amado!

"Portrait of a Little Girl" *por Diego Rodríguez de Silva y Velázquez*
(The Hispanic Society of America)

"The Battle with the Moors at Jerez" *por Francisco de Zurbarán*
(The Metropolitan Museum of Art, Kretschmar Fund, 1920)

Estructura

PRESENTE DEL VERBO *SABER*

Al emplear el sujeto nuevo, haga los cambios necesarios.

MAESTRO: Yo sé que el amor tiene varios efectos.

ESTUDIANTE: Yo sé que el amor tiene varios efectos.

MAESTRO: Ustedes

ESTUDIANTE: Ustedes saben que el amor tiene varios efectos.

1. El
2. Nosotros
3. Tú
4. Usted
5. Juan
6. María
7. Los viejos

QUIEN Y *EL QUE* COMO PRONOMBRES RELATIVOS

Repita Ud. las oraciones siguientes.

1. Quien lo probó lo sabe.
2. Quien busca, halla.
3. Quien estudia, aprende.
4. Quien mucho habla, mucho yerra.
5. Quien camina despacio, llega tarde.
6. Quien lo hace, es castigado.
7. Quien viaja debe llevar un mapa.

8. Quien cree eso no es muy inteligente.
9. Quien mucho observa, mucho sabe.
10. Quien mucho come, mucho engorda.

Cambie las oraciones para emplear *el que* en lugar de *quien*.

MAESTRO: Quien lo probó lo sabe.

ESTUDIANTE: El que lo probó lo sabe.

11. Quien busca, halla.
12. Quien estudia, aprende.
13. Quien mucho habla, mucho yerra.
14. Quien camina despacio, llega tarde.
15. Quien lo hace, es castigado.
16. Quien viaja debe llevar un mapa.
17. Quien cree eso no es muy inteligente.
18. Quien mucho observa, mucho sabe.
19. Quien mucho come, mucho engorda.

Haga los cambios necesarios al emplear *quienes* en lugar de *quien*.

MAESTRO: Quien lo probó lo sabe.

ESTUDIANTE: Quienes lo probaron lo saben.

20. Quien busca, halla.
21. Quien estudia, aprende.
22. Quien mucho habla, mucho yerra.
23. Quien camina despacio, llega tarde.
24. Quien lo hace, es castigado.
25. Quien viaja debe llevar un mapa.
26. Quien cree eso no es muy inteligente.

EL SOMBRERO DE TRES PICOS

por Pedro Antonio de Alarcón

Introducción

La novela *El sombrero de tres picos* escrita por Pedro Antonio de Alarcón (1833–1891) trata de la vida provincial de una época pasada del más grande absolutismo cuando el que gobernaba era el corregidor, símbolo de autoridad con su capa de grana y su sombrero de tres picos.

Tres personajes muy interesantes dominan la escena: el tío Lucas, un molinero listo; la señá[1] Frasquita, su mujer encantadora y provocativa y Don Eugenio de Zúñiga y Ponce de León, un corregidor corrompido. Entre las demás trampas que piensa llevar a cabo el corregidor (a pesar de estar ya casado) está la conquista amorosa de la señá Frasquita. Llega un día al molino, y bajo la parra (donde está escondido el molinero) declara su amor a la hermosa y provocativa molinera.

Guía de Estudio

Los corregidores tenían gran poder y podían repartir favores entre sus amigos predilectos. Por eso, la señá Frasquita, con motivo especial, sigue coqueteando con el corregidor. Para ella, la entrevista con el corregidor es un juego.

Palabras Clave

1. Pedro se cayó jugando al fútbol y se rompió el codo.

    codo: parte exterior de la articulación del brazo con el antebrazo (elbow)

2. El corregidor era representante del rey.

[1] **señá:** señora

corregidor: oficial de justicia en ciertas poblaciones (a Spanish magistrate)

3. El corregidor no quería exponerse a la crítica pública.

    exponerse: ponerse a la opinión pública, ponerse en peligro (to run the risk of, to lay oneself open to)

4. La chica tenía dos hoyos en cada mejilla.

    hoyos: cavidades pequeñas en una superficie, hoyuelos (small holes, dimples)

5. Mi hermana quiere pintarse los labios.

    labios: parte exterior de la boca que cubre la dentadura (lips)

6. La molinera llevaba un traje andaluz.

    molinera: mujer del molinero (miller's wife)

7. Hay sombra bajo la parra.

    parra: vid, viña trepadora (grapevine)

8. En un accidente me rompí la pierna.

    pierna: parte del cuerpo entre el pie y la cadera (leg)

9. Compré un regalo para el cumpleaños de mi sobrino.

    sobrino: hijo del hermano o de la hermana (nephew)

¿**Y** LUCAS? ¿Duerme?—preguntó el corregidor al cabo de un rato.

Debemos advertir aquí que el corregidor, lo mismo que todos los que no tienen dientes, hablaba con una pronuncia-
5 ción floja y silbante, como si estuviese comiendo sus propios labios.

—¡De seguro!—contestó la señá Frasquita—en llegando estas horas se queda dormido donde primero le coge, aunque sea en el borde de un precipicio.
10 —Pues, mira . . . ¡déjalo dormir!—exclamó el viejo corregidor, poniéndose más pálido de lo que ya era. —Y tú, mi

con una pronunciación floja y silbante: with a lisping, hissing pronunciation

226 *El amor*

querida Frasquita, escúchame, oye, ven acá. ¡Siéntate aquí a mi lado! Tengo muchas cosas que decirte.

—Ya estoy sentada—respondió la molinera, agarrando una silla baja y plantándola delante del corregidor, a cortísima distancia de la suya.

Una vez sentada, Frasquita echó una pierna sobre la otra, inclinó el cuerpo hacia adelante, apoyó un codo sobre la rodilla cabalgadora, y la fresca y hermosa cara en una de sus manos; y así, con la cabeza un poco ladeada, la sonrisa en los labios, los cinco hoyos en actividad, y las serenas pupilas clavadas en el corregidor, aguardó la declaración de su señoría. Hubiera podido comparársela con Pamplona esperando un bombardeo.

El pobre hombre fue a hablar, y se quedó con la boca abierta, embelesado ante aquella grandiosa hermosura, ante aquella esplendidez de gracias, ante aquella formidable mujer de alabastrino color, de lujosas carnes, de limpia y riente boca, de azules e insondables ojos que parecía creada por el pincel de Rubens.

—¡Frasquita!—murmuró al fin el delegado del rey, mientras que su rostro cubierto de sudor, destacándose sobre su joroba expresaba una inmensa angustia. —¡Frasquita! . . .

—¡Me llamo!—contestó la hija de los Pirineos. —¿Y qué?

—Lo que tú quieras—repuso el viejo con una ternura sin límites.

—Pues lo que yo quiero—dijo la molinera—ya lo sabe usía. Lo que yo quiero es que usía nombre secretario del Ayuntamiento de la ciudad a un sobrino mío que tengo en Estella, y que así podrá venirse de aquellas montañas, donde está pasando muchas dificultades.

—Te he dicho, Frasquita, que eso es imposible. El secretario actual . . .

—¡Es un ladrón, un borracho y un bestia!

—Ya lo sé. Pero tiene mucha influencia entre los regidores perpetuos, y yo no puedo nombrar otro sin acuerdo del cabildo. De lo contrario, me expongo . . .

—¡Me expongo! ¡Me expongo! ¿A qué no nos expondríamos por vuestra señoría hasta los gatos de esta casa?

—¿Me querrías a ese precio?—tartamudeó el corregidor.

—No, señor; que lo quiero a usía gratis.

—¡Mujer, no me hables de una manera tan formal! Háblame de usted o como se te antoje. ¿Conque vas a quererme? Di.

la rodilla cabalgadora: the top knee

ladeada: tilted to one side

Pamplona: Pamplona, capital of Navarre, Frasquita's home province, was a fortified city frequently sieged during the peninsular wars.

embelesado: spellbound

riente: smiling

insondables: deep, unfathomable

Rubens: the great Flemish painter whose female figures have warm flesh tones and generous proportions

me llamo: that's my name

usía: vuestra señoría (your lordship)

del Ayuntamiento de la ciudad: of the City Council

los regidores perpetuos: the permanent aldermen

cabildo: council

tartamudeó: stammered

como se te antoje: whatever you like

—¿No le digo a usted que lo quiero ya?

—Pero . . .

—No hay pero que valga. ¡Verá usted qué guapo y qué hombre de bien es mi sobrino!

5 —¡Tú sí que eres guapa, Frasquita!

—¿Le gusto a usted?

—¡Que si me gustas! ¡No hay mujer como tú!

—Pues mire usted . . . Aquí no hay nada artificial—contestó la señá Frasquita, acabando de arrollar la manga de su
10 jubón, y mostrando al corregidor el resto de su brazo, digno de una cariátide y más blanco que una azucena.

—¡Que si me gustas!—prosiguió el corregidor. —De día, de noche, a todas horas, en todas partes, sólo pienso en ti.

—¿No le gusta a usted la señora corregidora?—preguntó
15 Frasquita. —¡Qué lástima! Mi Lucas me ha dicho que tuvo el gusto de verla y de hablarle cuando fue a componerle a usted el reloj de la alcoba y que es muy guapa, muy buena y muy cariñosa.

—¡No tanto! ¡No tanto!—murmuró el corregidor con cierta
20 amargura.

—En cambio, otros me han dicho—prosiguió la molinera— que tiene muy mal genio, que es muy celosa, y que usted le tiembla más que a una vara verde.

—¡No tanto, mujer!—repitió don Eugenio de Zúñiga y
25 Ponce de León, poniéndose colorado. —¡Ni tanto ni tan poco! La señora tiene sus manías, es cierto; mas de ello a hacerme temblar, hay mucha diferencia. ¡Yo soy el corregidor!

—Pero, en fin, ¿la quiere usted, o no la quiere?

—Te diré . . . Yo la quiero mucho . . . o, por mejor decir, la
30 quería antes de conocerte. Pero desde que te vi, no sé lo que me pasa, y ella misma conoce que me pasa algo. Bástete saber que hoy, tomarle, por ejemplo, la cara a mi mujer me hace la misma operación que si me la tomara a mi propio. ¡Ya ves, que no puedo quererla más ni sentir menos! Mientras
35 que por coger esa mano, ese brazo, esa cara, esa cintura, daría lo que no tengo.

Y, hablando así, el corregidor trató de apoderarse del brazo desnudo que la señá Frasquita le estaba refregando materialmente por los ojos; pero ésta extendió la mano, tocó
40 el pecho de su señoría con la pacífica violencia o incontrastable rigidez de la trompa de un elefante, y lo tiró de espaldas con silla y todo.

no hay pero que valga: there is no *but* about it

cariátide: caryatid, a female figure used in architecture as a supporting column

componerle a usted: to fix for you

le tiembla más que a una vara verde: you fear her more than a green switch

tomarle . . . a mi mujer: to chuck my wife under the chin, for example

refregando . . . los ojos: practically rubbing on his eyes
con la pacífica . . . un elefante: with the quiet force and irresistible firmness of an elephant's trunk
lo tiró de espaldas: tipped him over backwards

—¡Ave María Purísima!—exclamó entonces la navarra, riéndose a más no poder. —Por lo visto, esa silla estaba rota.

—¿Qué pasa ahí?—exclamó en este momento el tío Lucas, asomando su feo rostro entre los pámpanos de la parra. . . .

Diccionario

1. **a más no poder:** todo lo posible
   La cena era tan buena que comí (   ).

2. **actual:** presente, que existe en el tiempo presente
   La moda (   ) que tienen las mujeres de vestirse me hace reír.

3. **al cabo:** al final
   Volvió a casa (   ) de dos años.

4. **alcoba:** dormitorio, aposento destinado para dormir
   Cuatro niños duermen en esta (   ).

5. **amargura:** disgusto, sabor amargo (bitterness)
   El hombre había sufrido tantas penas que miraba la vida con (   ).

6. **apoyar:** hacer que una cosa descanse sobre otra
   La etiqueta dicta que no se debe (   ) los codos en la mesa.

7. **azucena:** planta liliácea de flores grandes, blancas, y olorosas (lily)
   Me gusta el perfume de la (   ).

8. **borracho:** ebrio, que ha bebido mucho (drunk)
   Beber es una cosa; ser (   ) es otra.

9. **clavada (clavar):** sujeta con clavo, sin movimiento (nailed, firmly fixed)
   La maestra tenía la mirada (   ) en la cara del alumno.

10. **codo:** parte exterior de la articulación del brazo con el antebrazo (elbow)
    El joven apoyó un (   ) en el pupitre.

11. **corregidor:** oficial de justicia en ciertas poblaciones (a magistrate)
    El delegado del rey en aquella región se llama el (   ).

12. **exponerse:** ponerse en peligro (to run the risk of, to lay oneself open to)
    El corregidor no quería (   ) a la censura de sus regidores.

13. **gratis:** de balde (free)
    La entrada a la exhibición es (   ).

14. **hoyos:** cavidades pequeñas en una superficie, hoyuelos (small holes, dimples)
    Dos (   ) avivaban la cara de la provocativa mujer.

15. **joroba:** corcova, giba (hump)
    La (   ) en la espalda le hizo parecer viejo.

16. **jubón:** especie de chaleco (doublet)
    La andaluza llevaba una falda oscura y un (   ) de muchos colores.

17. **labios:** parte exterior de la boca que cubre la dentadura (lips)
    Se usan los (   ) para formar los sonidos b, p, m.

18. **lujosas:** que ostentan mucho lujo (lavish)
    Siempre se adorna de joyas (   ).

19. **manga:** parte del vestido que cubre el brazo (sleeve)
    La (   ) larga protegerá el brazo del sol.

20. **molinera:** mujer del molinero (miller's wife)
    La (   ) ayudaba a su esposo a moler el trigo.

21. **pámpanos:** ramas verdes de la vid

    Los (   ) de la parra eran muy grandes y daban mucha sombra.

22. **parra:** vid, viña trepadora (grapevine)

    Desde lo alto de la (   ) voy a cortar los mejores racimos.

23. **pierna:** parte del cuerpo entre el pie y la cadera (leg)

    El niño trataba de balancearse en una (   ).

24. **pincel:** instrumento hecho con pelos atados que se usa para pintar, brocha (artist's brush)

    Hay que lavar el (   ) antes de que se seque la pintura.

25. **por lo visto:** evidentemente, al parecer

    (   ), ha ganado el premio.

26. **proseguir:** seguir, continuar

    Una vez interrumpida, la profesora no quería (   ) con su relato.

27. **rostro:** cara (face)

    Por haber trabajado mucho al aire libre, el hombre tenía el (   ) bien bronceado.

28. **sobrino:** hijo del hermano o de la hermana (nephew)

    Mi (   ) tiene once años.

Para la Comprensión

1. ¿Cómo hablaba el corregidor?

2. ¿Por qué hablaba así?

3. Según la señá Frasquita, ¿qué hacía Lucas?

4. ¿Dónde se sentó la señá Frasquita?

5. ¿Por qué podía compararse la señá Frasquita con la ciudad de Pamplona?

6. ¿Quién era Rubens?

7. ¿Qué quería la señá Frasquita?

8. ¿Por qué no quería hacer el corregidor lo que le pidió Frasquita?

9. ¿Qué título usaba la señá Frasquita al hablar con el corregidor?

10. ¿Cómo quería él que ella le hablara?

11. ¿Cuándo había visto a la corregidora el tío Lucas?

12. ¿Qué dijo el corregidor de su esposa?

13. ¿Qué dijo el corregidor de Frasquita?

14. ¿Qué hizo la señá Frasquita cuando el corregidor trató de apoderarse de su brazo?

15. ¿Quién interrumpió la escena en aquel momento?

16. ¿Dónde estaba el tío Lucas?

Estructura

EL GERUNDIO

Repita Ud. los verbos siguientes.

1. comiendo
2. llegando
3. agarrando
4. esperando
5. pasando
6. acabando
7. mostrando
8. hablando
9. refregando
10. asomando
11. poniéndose
12. plantándola
13. riéndose
14. destacándose

Dé usted el gerundio en el siguiente ejercicio según el modelo.

MAESTRO: comer

ESTUDIANTE: comiendo

MAESTRO: llegar

ESTUDIANTE: llegando

MAESTRO: vivir

ESTUDIANTE: viviendo

15. probar	desmayarse	saberlo
16. amar	atreverse	tomarle
17. caber	ponerse	plantarla
18. hallar	exponerse	arrollarla
19. advertir	asomarse	comprenderlo

20. agarrar   destacarse   esperarte
21. proseguir   reírse   escribirlo
22. refregar   lavarse   verlos

ESTAR + GERUNDIO

Cambie Ud. el verbo a la frase con *estar* más gerundio.

> MAESTRO: La molinera aguarda la declaración del corregidor.
>
> ESTUDIANTE: La molinera está aguardando la declaración del corregidor.

1. La ciudad espera un bombardeo.
2. Me habla de una manera tan formal.
3. Los niños comen uvas de la parra.
4. Escribo una carta a mi sobrino.
5. Lola canta una canción española.
6. ¿Qué hace usted?
7. Leen un libro de literatura.

Cambie Ud. el verbo *estar* al imperfecto.

> MAESTRO: La molinera está aguardando la declaración del corregidor.
>
> ESTUDIANTE: La molinera estaba aguardando la declaración del corregidor.

8. La ciudad está esperando un bombardeo.
9. Me está hablando de una manera tan formal.
10. Los niños están comiendo uvas de la parra.
11. Estoy escribiendo una carta a mi sobrino.
12. Lola está cantando una canción española.
13. ¿Qué está haciendo usted?
14. Están leyendo un libro de literatura.

SEGUIR + GERUNDIO

Según el modelo, use el verbo *seguir* como auxiliar.

> MAESTRO: La ciudad está esperando un bombardeo.
>
> ESTUDIANTE: La ciudad sigue esperando un bombardeo.

1. La molinera está aguardando la declaración del corregidor.

2. Me está hablando de una manera tan formal.
3. Los niños están comiendo uvas de la parra.
4. Estoy escribiendo una carta a mi sobrino.
5. Lola está cantando una canción española.
6. ¿Qué está haciendo usted?
7. Están leyendo un libro de literatura.

EL IMPERFECTO DE SUBJUNTIVO CON *COMO SI*

Repita Ud. las oraciones siguientes.

1. Hablaba como si estuviese comiendo sus propios labios.
2. Bésame como si fuese esta noche la última vez.
3. Le hablaron como si fuese un hombre muy importante.
4. Tocó el piano como si lo hubiese estudiado muchos años.
5. Torea en la plaza como si tuviese miedo del toro.
6. Caminaba lentamente como si estuviese cansado.
7. Empezó a sudar como si tuviese mucha fiebre.
8. Lucharon con mucho ímpetu como si fuesen enemigos.

Según el modelo, cambie las oraciones para emplear la expresión nueva.

> MAESTRO: Hablaban como si estuvieran cansados.
>
> ESTUDIANTE: Hablaban como si estuvieran cansados.
>
> MAESTRO: ser de España
>
> ESTUDIANTE: Hablaban como si fueran de España.

9. saber el idioma
10. tener bastante dinero
11. poder pagar la cuenta
12. conocer al profesor
13. asistir a esta escuela
14. venir en seguida
15. darse cuenta del problema
16. estar solos
17. ver todo por la primera vez

"Julia Wainright Robbins" *por Ignacio Zuloaga* (The Metropolitan
Museum of Art; Gift of Julia Giles)

EL ABANICO

por Vicente Riva Palacio

Introducción

Vicente Riva Palacio, mexicano, (1832–1896) fue periodista, político, general, novelista y, sobre todo, historiador. Pasó mucho tiempo en los archivos estudiando la historia y por eso, conocía muy bien la época colonial. Entrelazados en sus tradiciones y leyendas de aquel entonces hay una ironía ligera y cierto sentido de humor característicos de sus obras.

El abanico es parte integrante de la dama española. Usa este accesorio, no sólo para abanicarse y como adorno, sino para puntuar su conversación y para coquetear. Sencillamente, la española habla con su abanico. Hay un verdadero lenguaje del abanico.

Entre las costumbres traídas al Nuevo Mundo por los colonizadores españoles, el uso del abanico es una costumbre que todavía existe. En el cuento que va a leer Palacio nos habla del papel importante que desempeñó un abanico al seleccionar a una esposa.

Guía de Estudio

Este cuento trata de la alta sociedad. El Marqués, uno de los personajes principales, piensa casarse. Hay varias señoritas elegibles, pero cada una tiene sus defectos. El Marqués tiene sus propios medios para medir a la gente. ¿Son suyos también?

Palabras Clave

1. El abanico se usa para refrescarse.

   abanico: instrumento para mover el aire (fan)

2. Celebramos las bodas de nuestros amigos.

   bodas: casamiento y fiesta que lo acompaña (nuptials, wedding)

3. Hay que cuidar a los niños porque ellos no pueden cuidarse.

   cuidar: poner cuidado en, estar preocupado por (to take care of)

4. Ese automóvil va a chocar con el otro.

   chocar: dar violentamente una cosa con otra (to collide)

5. El Marqués no podía dar con su ideal.

   dar con: encontrar (to find, to meet up with)

6. Al desplegar el abanico, la muchacha lo rompió.

   desplegar: desdoblar lo que estaba doblado, abrir (to unfold, to open or spread out)

7. Hay una celebración en casa de los desposados.

   desposados: recién casados (newlyweds)

8. Asistimos al baile con la flor y nata de la sociedad.

   flor y nata: lo principal, lo mejor (the cream, the choice part)

9. Las joyas de la condesa tenían mucho valor.

   joyas: objetos de metal precioso, a veces con piedras preciosas, que sirven para adorno (jewels)

10. La pintura en este abanico es una maravilla.

    pintura: obra que hace un pintor (painting)

11. Ese bordado es un primor.

    primor: hermosura, perfección (beauty, object of exquisiteness)

12. No tengo ganas de ir al cine.

    tengo ganas: tengo deseos (I wish, I want)

13. Si tú vas a vacilar tanto, saldré solo.

    vacilar: dudar, estar indeciso (to hesitate, to be undecided)

14. Las varillas de los abanicos elegantes son de marfil, las varillas de los abanicos comunes son de madera.

    varillas: varas largas y delgadas (ribs or sticks of a fan)

E L MARQUES estaba resuelto a casarse, y había comunicado aquella noticia a sus amigos. La noticia corrió con la velocidad del relámpago por toda la alta sociedad como toque de alarma a todas las madres que tenían
5 hijas casaderas, y a todas las chicas que estaban en condiciones y con deseos de contraer matrimonio, que no eran pocas.

como toque de alarma: like an alarm bell

Porque, eso sí, el Marqués era un gran partido, como se decía entre la gente de mundo. Tenía treinta y nueve años,
10 un gran título, mucho dinero, era muy guapo y estaba cansado de correr el mundo, haciendo siempre el primer papel entre los hombres de su edad dentro y fuera del país.

un gran partido: a good "catch"

haciendo siempre el primer papel: always playing the leading role

Pero se había cansado de aquella vida de disipación. Algunos hilos de plata comenzaban a aparecer en su negra
15 barba y entre su sedosa cabellera; y como era hombre de buena inteligencia y no de escasa lectura, determinó sentar sus reales definitivamente, buscando una mujer como él la soñaba para darle su nombre y partir con ella las penas o las alegrías del hogar en los muchos años que estaba determi-
20 nado a vivir todavía sobre la tierra.

sedosa cabellera: silky hair
sentar sus reales: to settle down

Con la noticia de aquella resolución no le faltaron seducciones ni de maternal cariño ni de románticas o alegres bellezas; pero él no daba todavía con su ideal, y pasaban los días, y las semanas, y los meses, sin haber hecho la elección.
25 —Pero, hombre—le decían sus amigos,—¿hasta cuándo no vas a decidirte?

—Es que no encuentro todavía la mujer que busco.

—Será porque tienes pocas ganas de casarte que muchachas sobran. ¿No es muy guapa la Condesita de Mina de Oro?
30 —Se ocupa demasiado de sus joyas y de sus trajes; cuidará más de un collar de perlas que de su marido, y será capaz de olvidar a su hijo por un traje de la casa de Worth.

que muchachas sobran: for there are plenty of girls

—¿Y la Baronesa del Iris?

—Muy guapa y muy buena; es una figura escultórica, pero lo sabe demasiado; el matrimonio sería para ella el peligro de perder su belleza, y llegaría a aborrecer a su marido si llegaba a suponer que su nuevo estado marchitaba su hermosura.

si llegaba . . . su hermosura: if she got to thinking that marriage was ruining her beauty

—¿Y la Duquesa de Luz Clara?

—Soberbia belleza; pero sólo piensa en divertirse; me dejaría moribundo en la casa por no perder una función del Real, y no vacilaría en abandonar a su hijo enfermo toda una noche por asistir al baile de una embajada.

por no perder una función del Real: in order not to miss a performance at the Opera House

—¿Y la Marquesa de Cumbre-Nevada, no es guapísima y un modelo de virtud?

—Ciertamente; pero es más religiosa de lo que un marido necesita: ningún cuidado, ninguna pena, ninguna enfermedad de la familia le impediría pasarse toda la mañana en la iglesia, y no vacilaría entre un sermón de cuaresma y la alcobita de su hijo.

un sermón de cuaresma: a Lenten sermon

—Vamos; tú quieres una mujer imposible.

—No, nada de imposible; ya veréis cómo la encuentro, aunque no sea una completa belleza; porque la hermosura para el matrimonio no es más que el aperitivo para el almuerzo; la busca sólo el que no lleva apetito, que quien tiene hambre no necesita aperitivos, y el que quiere casarse no exige el atractivo de la completa hermosura.

no exige el atractivo: doesn't need the lure

❖　　❖　　❖

Tenía el Marqués como un axioma, fruto de sus lecturas y de su mundanal experiencia, que a los hombres, y quien dice a los hombres también dice a las mujeres, no debe medírseles para formar juicio acerca de ellos por las grandes acciones, sino por las acciones insignificantes y familiares; porque los grandes hechos, como tienen siempre muchos testigos presentes o de referencia, son resultado más del cálculo que de las propias inspiraciones, y no traducen con fidelidad las dotes del corazón o del cerebro; al paso que las acciones insignificantes hijas son del espontáneo movimiento de la inteligencia y de los sentimientos, y forman ese botón que, como dice el refrán antiguo, basta para servir de muestra.

no traducen . . . del cerebro: don't faithfully convey what is in the heart or mind
al paso que: mientras que
hijas son: are the result of
ese botón . . . de muestra: that small bit of proof that suffices as an example

❖　　❖　　❖

Una noche se daba un gran baile en la Embajada de Inglaterra. Los salones estaban literalmente cuajados de hermosas damas y apuestos caballeros, todos flor y nata de las clases más aristocráticas de la sociedad. El Marqués estaba en el comedor, a donde había llevado a la joven Condesita de Valle de Oro, una muchacha de veinte años, inteligente, simpática y distinguida, pero que no llamaba, ni con mucho, la atención por su belleza, ni era una de esas hermosuras cuyo nombre viene a la memoria cada vez que se emprende conversación acerca de mujeres encantadoras.

La joven Condesa era huérfana de madre, y vivía sola con su padre, noble caballero, estimado por todos cuantos le conocían.

La Condesita, después de tomar una taza de té, conversaba con algunas amigas antes de volver a los salones.

—Pero, ¿como no estuviste anoche en el Real? Cantaron admirablemente el *Tannhauser*—le decía una de ellas.

—Pues mira: me quedé vestida, porque tenía deseos, muchos deseos, de oir el *Tannhauser;* es una ópera que me encanta.

—¿Y qué pasó?

Pues que ya tenía el abrigo puesto, cuando la doncella me avisó que Leonor estaba muy grave. Entré a verla, y ya no me atreví a separarme de su lado.

—Y esa Leonor—dijo el Marqués terciando en la conversación,—¿es alguna señora de la familia de usted?

—Casi, Marqués; es el aya que tuvo mi mamá; y como nunca se ha separado de nosotros y me ha querido tanto, yo la veo como de mi familia.

—¡Qué abanico tan precioso traes!—dijo a la Condesita una de las jóvenes que hablaba con ella.

—No me digas, que estoy encantada con él y lo cuido como a las niñas de mis ojos; es un regalo que me hizo mi padre el día de mi santo, y son un primor la pintura y las varillas y todo él; me lo compró en París.

—A ver, a ver—dijeron todas, y se agruparon en derredor de la Condesita, que, con una especie de infantil satisfacción, desplegó a sus ojos el abanico, que realmente era una maravilla del arte.

En este momento, uno de los criados que penosamente cruzaba entre las señoras llevando en las manos una enorme bandeja con helados, tropezó, vaciló, y sin poderse valer, vino a chocar contra el abanico, abierto en aquellos momentos, haciéndolo pedazos. Crujieron las varillas, rasgóse en pedazos la tela, y poco faltó para que los fragmentos hirieran la mano de la Condesita.

ni con mucho: by any means

Tannhauser: opera by Richard Wagner

terciando: forming the third party

—¡Qué bruto!—dijo una señora mayor.

—¡Qué animal tan grande!—exclamó un caballero.

—¡Parece que no tiene ojos!—dijo una chiquilla.

Y el pobre criado, rojo de vergüenza y sudando de pena,
5 podía apenas balbucir una disculpa inteligible.

—No se apure usted, no se mortifique—dijo la Condesita
con la mayor tranquilidad;—no tiene usted la culpa; nosotras,
que estamos aquí estorbando el paso.

Y reuniendo con la mano izquierda los restos del abanico,
10 tomó con la derecha el brazo del Marqués, diciéndole con la
mayor naturalidad:

—Están tocando un vals, y yo lo tengo comprometido con
usted; ¿me lleva usted al salón de baile?

—Sí, Condesa; pero no bailaré con usted este vals.

15 —¿Por qué?

—Porque en este momento voy a buscar a su padre para
decirle que mañana iré a pedirle a usted por esposa, y dentro
de ocho días, tiempo suficiente para que ustedes se informen,
iré a saber la resolución.

20 —Pero, Marqués,—dijo la Condesita trémula—¿es esto
puñalada de pícaro?

—No, señora; será cuando más, una estocada de caballero.

*   *   *

Tres meses después se celebraban aquellas bodas; y en una
rica moldura bajo cristal, se ostentaba en uno de los salones
25 del palacio de los nuevos desposados el abanico roto.

(margin notes)

podía apenas balbucir una disculpa: could scarcely stammer out an apology

iré a saber la resolución: I shall come to find out what you have decided

puñalada de pícaro: a roguish thrust, i.e., a joke

estocada de caballero: a gentleman's thrust, i.e., I am serious

Diccionario

1. **abanico:** instrumento para mover el aire (fan)
   Cuando hace calor, mi madre usa el (   ) que le compré en España.

2. **aborrecer:** odiar (to hate)
   Llegará a (   ) a la persona que pone en peligro su posición.

3. **abrigo:** gabán, sobretodo (overcoat)
   Voy a ponerme el (   ) antes de salir.

4. **apuestos:** gallardos (elegant, refined)
   El salón estaba lleno de (   ) caballeros y elegantes damas.

5. **apurarse:** inquietarse, preocuparse (to worry)
   La condesita dijo al criado que no tenía por qué (   ).

6. **avisar:** dar noticia de una cosa, advertir (to warn, to notify)
   Debemos (   ) a los alumnos que la reunión será a las nueve.

7. **bandeja:** platillo que sirve para diversos usos
   El criado llevaba una (   ) llena de helados.

8. **barba:** parte de la cara, debajo de la boca, pelo que nace en la barba (beard)

Una ( ) negra le hacía parecer distinguido.

9. **bodas:** casamiento y fiesta que lo acompaña (nuptials, wedding)

Vamos a invitar a mucha gente a las ( ) de mi hermana.

10. **capaz:** que puede hacer una cosa

Un hombre que tiene mucha hambre es ( ) de robar.

11. **crujir:** hacer cierto ruido un cuerpo al romperse o al chocar

Oí ( ) las varillas del abanico.

12. **cuajados:** llenos

Los salones estaban ( ) de gente de la alta sociedad.

13. **cuidar:** poner cuidado en, estar preocupado por (to take care of)

No puedo salir porque tengo que ( ) a mi hermano menor.

14. **chocar:** dar violentamente una cosa con otra (to collide)

No sabe conducir bien y la primera vez que salió solo en el automóvil fue a ( ) con otro.

15. **dar con:** encontrar (to find, to meet up with)

Busco y busco pero no puedo ( ) una chica tan encantadora como aquélla.

16. **desplegar:** desdoblar lo que estaba doblado, abrir (to unfold, to open or spread out)

Vamos a ( ) la bandera para que todos la vean.

17. **desposados:** recién casados (newlyweds)

Habrá fiesta en casa de los ( ) el domingo que viene.

18. **doncella:** criada

Porque estaba enferma la ( ), el amo no quería dejarla sola.

19. **embajada:** casa en que reside el embajador

La ( ) de los Estados Unidos está en aquella avenida.

20. **en derredor de:** en contorno de una cosa (around)

Hay unas plantas bonitas ( ) la casa.

21. **estorbar:** poner obstáculo

Vamos a estacionar el auto aquí para no ( ) el paso a los demás.

22. **flor y nata:** lo principal, lo mejor (the cream, the choice part)

La ( ) de la alta sociedad asistió al baile de la embajada.

23. **hechos:** acciones, sucesos (deeds)

Me gusta leer sobre los ( ) de las legiones romanas.

24. **hilos:** hebras largas y delgadas de cualquier substancia textil (threads)

La señora hacía un bordado en la falda con ( ) de seda.

25. **hogar:** casa (home)

En este ( ) siempre hay amistad y comida.

26. **joyas:** objetos de metal precioso, a veces con piedras preciosas, que sirven para adorno (jewels)

La señora dijo que alguien había robado sus ( ).

27. **medir:** proporcionar y comparar una cosa con otra (to measure)

No puedo ( ) con exactitud la distancia entre los dos árboles.

28. **moldura:** parte más o menos saliente que sirve para adornar obras de carpintería y arquitectura (molding)

Me gusta el cuadro pero no la ( ) que lo adorna.

29. **moribundo:** que se está muriendo

La enfermedad lo dejó ( ) y ninguna medicina podía salvarlo.

30. **mundanal:** mundano, relativo o perteneciente al mundo (worldly)

A causa de su experiencia (   ), mi amigo siempre podía acompañar sus discursos con anécdotas.

31. **pintura:** obra que hace un pintor (painting)

¡Qué (   ) tan realista! El artista debe ser muy bueno.

32. **plata:** metal blanco que sirve principalmente para la fabricación de monedas y joyas (silver)

La moneda principal de muchos países es de (   ).

33. **primor:** hermosura, perfección (beauty, object of exquisiteness)

Esa pintura es un (   ). ¡Cuántas horas de trabajo!

34. **rasgar:** desgarrar, romper una cosa

Vas a (   ) el abanico usándolo así.

35. **relámpago:** resplendor vivísimo que produce el rayo, cosa que pasa con suma ligereza (lightning)

La noticia de las bodas corrió por la ciudad como (   ).

36. **soberbia:** altiva, arrogante

Tiene una belleza (   ) pero lo sabe demasiado.

37. **soñar:** representarse en la fantasía algún objeto durante el sueño

Si comes demasiado antes de acostarte, vas a (   ) con los demonios.

38. **tela:** tejido de lana, seda, lino, etc.

Le gustó la (   ) del vestido pero no el color.

39. **tengo ganas (tener ganas):** tengo deseos (I wish, I want)

Hace mucho calor, y por eso (   ) de bañarme.

40. **trémula:** temblorosa, que tiembla

Quedó (   ) delante de su padre.

41. **vacilar:** dudar, estar indeciso (to hesitate, to be undecided)

No debe (   ) tanto; es importante tomar la decisión en seguida.

42. **vals:** baile que ejecutan las parejas girando rápidamente (waltz)

¿Prefiere usted bailar el (   ) o el tango?

43. **varillas:** varas largas y delgadas (ribs or sticks of a fan)

No sirve el abanico ya que están rotas las (   ).

44. **vergüenza:** turbación causada por el miedo a la deshonra, al ridículo (shame)

Tengo (   ) de haber olvidado la fecha de su cumpleaños.

Para la Comprensión

1. ¿Quién es el personaje principal de este cuento?

2. ¿Qué había resuelto?

3. ¿Cómo recibió esta noticia la alta sociedad?

4. ¿Por qué era el Marqués un gran partido?

5. Describa usted al Marqués.

6. ¿Por qué no había hecho la elección?

7. ¿Quiénes eran las señoritas elegibles?

8. ¿Cómo era la Condesita de Mina de Oro?

9. ¿Cómo era la Baronesa del Iris?

10. ¿Cómo era la Duquesa de Luz Clara?

11. ¿Cómo era la Marquesa de Cumbre-Nevada?

12. ¿Cómo era la mujer ideal que buscaba el Marqués?

13. ¿Qué dijo el Marqués de la hermosura para el matrimonio?

14. Según el axioma del Marqués, ¿cómo se debe medir a la gente?

15. ¿Dónde hubo un gran baile una noche?

16. ¿Cómo estaban los salones?

EL LENGUAJE DEL ABANICO

Pienso en ti

Quiero hablarte

Te quiero mucho

Dame un beso

Tengo vergüenza

No hay oportunidad
(Abanico al reverso)

¡Alguien viene!
(Abanicándose rápidamente)

17. ¿Cómo era la joven Condesita de Valle de Oro?

18. ¿Quién era Leonor?

19. ¿Qué quiere decir «terciando» en la conversación?

20. ¿Cómo era el abanico que llevaba la Condesita?

21. ¿Quién se lo había regalado?

22. ¿Qué hizo la Condesita para mejor mostrar el abanico?

23. ¿Quién cruzó entre las señoras?

24. ¿Qué pasó?

25. ¿Qué pasó al abanico?

26. ¿Cómo reaccionaron las personas que presenciaron el accidente?

27. ¿Cómo reaccionó la Condesita?

28. ¿Qué tocaba la orquesta en aquel momento?

29. ¿Por qué no lo bailó el Marqués?

30. ¿Dónde encontramos el abanico al final?

Estructura

EXCLAMACIONES CON *QUE*

Repita Ud. las oraciones siguientes.

1. ¡Qué animal tan grande!
2. ¡Qué barbaridad!
3. ¡Qué cosa!
4. ¡Qué horror!
5. ¡Qué maravilla!
6. ¡Qué vergüenza!
7. ¡Qué milagro!
8. ¡Qué tontería!
9. ¡Qué chica tan linda!
10. ¡Qué problema!
11. ¡Qué partido!
12. ¡Qué pena!
13. ¡Qué lástima!
14. ¡Qué pícaro!
15. ¡Qué puñalada de pícaro!
16. ¡Qué estocada de caballero!
17. ¡Qué boda!
18. ¡Qué belleza!
19. ¡Qué barba tan larga!
20. ¡Qué cara tan fea!
21. ¡Qué sonrisa!

EL CONDICIONAL

Según el modelo, conteste Ud. empleando el sujeto indicado.

MAESTRO: Si fuera posible, ¿quién lo haría? (Juan)

ESTUDIANTE: Si fuera posible, Juan lo haría.

MAESTRO: Si fuera práctico, ¿quién haría el viaje? (yo)

ESTUDIANTE: Si fuera práctico, yo haría el viaje.

1. Si fuera necesario, ¿quién usaría el abanico? (ella)
2. Si fuera barato, ¿quién compraría el abrigo? (usted)
3. Si fuera posible, ¿quiénes lo harían? (nosotros)
4. Si fuera práctico, ¿quiénes harían el viaje? (ustedes)
5. Si fuera necesario, ¿quiénes usarían el abanico? (ellas)
6. Si fuera barato, ¿quiénes comprarían el abrigo? (mis padres)

USO ESPECIAL DEL FUTURO Y DEL CONDICIONAL

Repita Ud. las siguientes oraciones extraídas de la selección *El abanico*. Fíjese en el uso excepcional del futuro y del condicional.

1. *Será* porque tienes pocas ganas de casarte.
2. *Cuidará* más de un collar de perlas que de su marido.
3. *Será* capaz de olvidar a su hijo por un traje de la casa de Worth.
4. *Será*, cuando más, una estocada de caballero.
5. El matrimonio *sería* para ella el peligro de perder su belleza.
6. *Llegaría* a aborrecer a su marido.
7. Me *dejaría* moribundo en la casa por no perder una función.
8. No *vacilaría* en abandonar a su hijo enfermo.
9. Ninguna enfermedad de la familia le *impediría* pasarse toda la mañana en la iglesia.
10. No *vacilaría* entre un sermón de cuaresma y la alcobita de su hijo.

EJERCICIOS CREATIVOS

VARIOS EFECTOS DEL AMOR

1. Escriba Ud. una breve composición titulada: «El amor hace girar al mundo.»
2. Según el poema de Lope de Vega, el amor puede tener varios efectos. Escoja Ud. uno y desarrolle un párrafo explicando cómo el amor puede producir este efecto.
3. Explique Ud. en sus propias palabras el significado de la frase: «. . . beber veneno por licor suave.»

4. Hay varias clases de amor: amor entre novios, amor por la patria, y amor maternal. Haga Ud. una lista de los diversos tipos de amor. Escoja Ud. dos para comparar y contrastar.

5. Escriba Ud. en español un poema que trata de algún aspecto del amor. Puede ser dos o cuatro líneas que expresan una idea o un sentimiento suyo.

EL SOMBRERO DE TRES PICOS

6. Escriba un párrafo dando sus opiniones de la actitud y las acciones de la señá Frasquita. ¿Qué esperaba ganar ella con su coquetería?

7. Escriba otro párrafo acerca del corregidor. ¿Creyó que Frasquita era seria en sus declaraciones amorosas hacia él?

8. Describa a la señá Frasquita. Compárela con alguna actriz de la pantalla muy conocida. Si se pensara en filmar esta escena, ¿a quién escogería Ud. para hacer el papel de Frasquita? Justifique su respuesta.

9. Exprese su opinión. ¿Cree Ud. que el corregidor trató de aprovechar su autoridad o qué razón tendría para portarse con tanta imprudencia?

10. Imaginemos que una vecina chismosa presenció esta escena. Ella trata de relatar lo que ha visto a su marido quien es amigo fiel de Frasquita y el molinero. El rehusa hablar de ellos. Siga Ud. con esta conversación:

MUJER: Quiero decirte lo que he visto en el patio de nuestros vecinos. ¡Es un escándalo! Vi al corregidor con Frasquita y . . . ¡ay! No sé como decírtelo.

MARIDO: Entonces, mejor que no digas nada. Yo conozco bien a Frasquita. Ella adora a Lucas y no es capaz de ser infiel.

MUJER: Pero, tú no la has visto. Estaba . . .

MARIDO: Estoy convencido que es una broma. Todos conocemos al corregidor y que tiene buen ojo para las mujeres atractivas.

EL ABANICO

11. Prepare Ud. un informe sobre la vida colonial en México.

12. Prepare Ud. una lista de las cualidades que busca en un esposo o en una esposa. ¿Cómo las va a medir?

13. Busque usted información para una discusión sobre las costumbres de noviazgo en los Estados Unidos y en los países de habla española. Sugerencias: la dueña, la serenata, pelando la pava.

14. Hay ciertas expresiones y sentimientos que se pueden comunicar con el abanico, es decir, la posición del abanico comunica ciertas ideas tales como: pienso en ti; quiero hablarte; te quiero mucho; dame un beso; tengo vergüenza; no hay oportunidad; alguien viene; etc. Prepare Ud. una lista de expresiones que se pueden comunicar haciendo gestos pero sin hablar.

15. ¿Cree Ud. que los hombres de hoy busquen las mismas cualidades, en una mujer, que buscaba el Marqués? Defienda su respuesta.

La Calle Cristo, San Juan,
Puerto Rico (Carl Levin
Associates, New York)

Cuadro 12 · SENTIMIENTOS Y PASIONES

Preparando la Escena. *Sea el tema principal o no, se expresa el senti-*
miento en cada trozo literario. No se encuentra la pasión, que es una emo-
ción más profunda, con tanta frecuencia. Sin embargo, muchas obras
incluyen el sentimiento y la pasión, y tales obras producen un efecto emo-
cionante, y a veces, inolvidable sobre el lector.

El natural o descendiente de España muestra sus emociones fácilmente y
sin vergüenza. Por lo general, no deja de mostrar cómo le afectan tales
sentimientos como el amor maternal, paternal, o filial, la alegría o tristeza,
el temor, la desilusión, o tales pasiones como el amor romántico, el odio, el
deseo de vengarse, la ira, los celos, el valor, y muchas otras.

Hemos leído de algunas de estas pasiones, sobre todo el valor y el amor
romántico. Para mejor comprender el carácter español, es preciso ver cómo
éstos y otros sentimientos afectan a la gente hispana—«la raza» que ha pro-
ducido guerreros y conquistadores valientes e intrépidos, poetas tiernos, y
artistas vibrantes.

MI PADRE

por Manuel Del Toro

Introducción

Cada hijo, como por instinto, es orgulloso de su padre. Le da gusto hablar de las hazañas atrevidas que ha hecho, de sus poderes físicos, o de sus talentos. El hijo de la siguiente selección cree que su padre es cobarde. Así no tiene nada que contarles a sus amigos cuando se ponen a jactarse[1] de sus padres. Sufre doblemente porque tiene vergüenza de esa «cobardía» y a la vez quiere mucho a su padre. ¡Imagínese el gozo del niño al descubrir que está equivocado!

Guía de Estudio

A veces por falta de madurez, uno no comprende lo que es obvio. Este padre tiene cualidades admirables que el niño no sabe apreciar. Identifíquelas mientras lee la historia.

Manuel del Toro es un escritor contemporáneo de Puerto Rico. Este cuento nos da una idea muy viva de cierta clase social. ¿Son semejantes los valores de esta gente a los nuestros?

Se puede decir que la historia es realista, es decir, que reproduce las cosas tales como son sin ninguna idealidad.

Fíjese bien en las acciones del niño que son tan naturales que sería imposible concebir que un niño típico hiciera otra cosa. Note también la escena de la taberna, cuyo realismo sostiene en suspenso al lector.

Palabras Clave

1. Del barril tomó una porción de aceitunas.
   barril: vasija de madera que sirve para conservar y transportar vinos, etc. (barrel)
2. Siempre he vivido en este barrio.
   barrio: distrito residencial, vecindad

---

[1] **jactarse:** to brag

3. Después de ser operado en la frente le quedó una cicatriz.
   cicatriz: señal que queda después de curada una herida (scar)
4. Para comprobar su nacionalidad necesitaba su certificado de nacimiento.
   comprobar: verificar, confirmar una cosa
5. Mi padre aunque desarmado no tenía miedo de pelear con nadie.
   desarmado: sin armas
6. El general mandó desarmar al capitán.
   desarmar: quitarle las armas
7. El chico descalzo miraba con envidia los zapatos en el escaparate.
   descalzo: sin zapatos
8. Intentar salir de una condición mala es parte del éxito.
   intentar: tratar de hacer algo
9. Quería que su padre fuera macho.
   macho: que no tiene miedo, valiente
10. Es difícil pegar el hielo con un fierro caliente.
    pegar: unir, juntar dos cosas con goma
11. Por falta de pistola, se defendió con el puñal.
    puñal: arma semejante a un cuchillo (dagger)
12. Sin voltear la tierra, no crecen bien las plantas.
    voltear: poner una cosa al revés de como estaba (to turn over)
13. Le dejaron por muerto en el zanjón.
    zanjón: excavación larga en la tierra (ditch)

DE NIÑO siempre tuve el temor de que mi padre fuera un cobarde. No porque le viera correr seguido de cerca por un machete como vi tantas veces a Paco el Gallina y a Quino Pascual. ¡Pero era tan diferente a los papás
5 de mis compañeros de clase! En aquella escuela de barrio donde el valor era la virtud suprema, yo bebía el acíbar de ser el hijo de un hombre que ni siquiera usaba cuchillo. ¡Cómo envidiaba a mis compañeros que relataban una y otra vez sin cansarse nunca de las hazañas de sus progeni-
10 tores! Nolasco Rivera había desarmado a dos guardías insulares. A Perico Lugo le dejaron por muerto en un zanjón con veintitrés tajos de perrillo. Felipe Chaveta lucía una hermosa herida desde la sien hasta el mentón.

Mi padre, mi pobre padre, no tenía ni una sola cicatriz en
15 el cuerpo. Acababa de comprobarlo con gran pena mientras nos bañábamos en el río aquella tarde sabatina en que como de costumbre veníamos de voltear las talas de tabaco. Ahora seguía yo sus pasos hundiendo mis pies descalzos en el tibio polvo del camino y haciendo sonar mi trompeta. Era ésta un
20 tallo de amapola al que mi padre con aquella mansa habilidad para todas las cosas pequeñas había convertido en trompeta con sólo hacerle una incisión longitudinal.

Al pasar frente a *La Aurora* me dijo:

—Entremos aquí. No tengo cigarros para la noche.

25 Del asombro por poco me trago la trompeta. Porque papá nunca entraba a La Aurora, punto de reunión de todos los guapos del barrio. Allí se jugaba baraja, se bebía ron y casi siempre se daban tajos. Unos tajos de machete que convertían brazos nervudos en cortos muñones. Unos tajos largos
30 de navaja que echaban afuera intestinos y se entraba la muerte.

Después de dar las buenas tardes, papá pidió cigarros. Los iba escogiendo uno a uno con fruición de fumador, palpándolos entre los dedos y llevándolos a la nariz para percibir
35 su aroma. Yo, pegado al mostrador forrado de zinc, trataba de esconderme entre los pantalones de papá. Sin atreverme a tocar mi trompeta, pareciéndome que ofendía a los guapetones hasta con mi aliento, miraba a hurtadillas de una a otra esquina del ventorrillo. Acostado sobre la estiba de arroz veía
40 a José el Tuerto comer pan y salchichón echándole los pelle-

acíbar: bitterness

progenitores: parents
insulares: island, from the island

tajos de perrillo: cuts made by a switchblade knife
desde la sien hasta el mentón: from his temple to his chin

sabatina: Saturday
talas de tabaco: tobacco leaves

tallo de amapola: stem of a poppy plant

por poco me trago: I almost swallowed

guapos: bullies or tough guys (generally good looking)
baraja: cards
muñones: stumps (of an amputated limb)

fruición: pleasure

forrado: covered or lined

a hurtadillas: furtively

salchichón: sausage

Mi padre 245

jitos al perro sarnoso que los atrapaba en el aire con un ruido
seco de dientes. En la mesita del lado tallaban con una baraja
sucia Nolasco Rivera, Perico Lugo, Chus Maurosa y un
colorado que yo no conocía. En un tablero colocado sobre un
5 barril se jugaba dominó. Un grupo de curiosos seguía de
cerca las jugadas. Todos bebían ron.

Fue el colorado el de la provocación. Se acercó donde
estaba papá alargándole la botella de la que ya todos habían
bebido.

10 —Dése un palo, don.

—Muchas gracias, pero yo no puedo tomar.

—Ah, ¿conque me desprecia porque soy un pelao?

—No es eso, amigo. Es que no puedo tomar. Déselo usted
en mi nombre.

15 —Este palo se lo da usted o ca . . . se lo echo por la cabeza.

Lo intentó pero no pudo. El empellón de papá lo arrojó
contra el barril de macarelas. Se levantó aturdido por el ron
y por el golpe y palpándose el cinturón con ambas manos dijo:

—Está usted de suerte, viejito, porque ando desarmao.

20 —A ver, préstenle un cuchillo.— Yo no podía creer pero era
papá el que hablaba.

Todavía al recordarlo un escalofrío me corre por el cuerpo.
Veinte manos se hundieron en las camisetas sucias, en los
pantalones raídos, en las botas enlodadas, en todos los sitios
25 en que un hombre sabe guardar su arma. Veinte manos
surgieron ofreciendo en silencio de jíbaro encastado el cuchillo casero, el puñal de tres filos, la sevillana corva . . .

—Amigo, escoja el que más le guste.

—Mire, don, yo soy un hombre guapo pero usté es más
30 que yo.—Así dijo el colorado y salió de la tienda con pasito
lento.

Pagó papá sus cigarros, dio las buenas tardes y salimos.
Al bajar el escaloncito escuché al Tuerto decir con admiración:

35 —Ahí va un macho completo.

Mi trompeta de amapola tocaba a triunfo. ¡Dios mío que
llegue el lunes para contárselo a los muchachos!

echándole los pellejitos . . . que los atrapaba: throwing the skins to the mangy dog who snapped at them
tallaban: jugaban a la baraja
un colorado: a Negro
tablero: card table
jugadas: plays (of a game)

Dése un palo: Have a drink

pelao: low brow person (pelado)

o ca . . . : an oath
empellón: push
barril de macarelas: barrel of mackerel

desarmao: desarmado (disarmed)

raídos: worn, ragged
enlodadas: muddy

en silencio de jíbaro encastado: silencio profundo
la sevillana corva: un tipo de arma blanca

Diccionario

1. **baraja:** conjunto de naipes que sirve para
jugar (pack of cards, game of cards)

En Las Vegas se pierde mucho dinero en
la (   ).

2. **barril:** vasija de madera que sirve para conservar y transportar vinos, etc. (barrel)
El (   ) contenía pescado seco.

3. **barrio:** distrito residencial, vecindad
En el (   ) donde yo vivo hay muchos árboles.

4. **camiseta:** camisa corta de mangas anchas
Mi amigo siempre lleva una (   ) blanca.

5. **cicatriz:** señal que queda después de curada una herida (scar)
Yo tengo una (   ) en la punta de la nariz.

6. **comprobar:** verificar, confirmar una cosa
Es fácil (   ) que Abraham Lincoln era americano.

7. **desarmado:** sin armas
Un hombre (   ) está en peligro entre los armados.

8. **desarmar:** quitarle a uno las armas
Lo ideal sería (   ) a todas las naciones.

9. **descalzo:** sin zapatos
Yo nunca voy (   ) a la escuela.

10. **intentar:** tratar de hacer algo
Sin (   ) hacer la tarea, no aprenderás.

11. **macho:** que no tiene miedo, valiente
Entre los hombres, el (   ) es el que vale.

12. **pegar:** unir, juntar dos cosas con goma
Tengo que (   ) las fotos en el cuaderno.

13. **puñal:** arma que hiere con la punta, especie de cuchillo (dagger)
Prefería pelear sin el (   ).

14. **voltear:** poner una cosa al revés de como estaba (to turn over)
La enfermera tenía que (   ) al enfermo durante la noche.

15. **zanjón:** excavación larga en la tierra (ditch)
Trabajó todo el día echando la tierra en el (   ).

Para la Comprensión

1. ¿De qué tenía miedo el niño?
2. ¿Por qué sostenía esa opinión?
3. ¿Cuál era la virtud suprema en la escuela?
4. ¿Qué cosa nunca utilizó su padre?
5. ¿Por qué envidiaba a sus compañeros?
6. ¿Qué había hecho Nolasco Rivera?
7. ¿Por qué dejaron a Perico Lugo por muerto en un zanjón?
8. ¿Qué lucía Felipe Chavela en la cara?
9. ¿Cuándo comprobó que su padre no tenía ni una cicatriz en el cuerpo?
10. ¿Por qué fueron al río ese día?
11. ¿Cómo andaba el niño?
12. ¿Qué le dijo su padre al pasar por la taberna?
13. Por poco, ¿qué hizo?
14. ¿Qué hacían los guapos en *La Aurora*?
15. ¿Qué hizo el papá al escoger los cigarros?
16. ¿Cómo mostró el niño su temor?
17. ¿Qué comía José el Tuerto?
18. ¿Qué hizo con los pellejitos de la carne?
19. ¿A qué jugaban los guapos?
20. ¿Qué hizo el colorado?
21. ¿Por qué no lo aceptó su papá?
22. ¿Cómo comprobó que su padre no era cobarde?
23. ¿Dónde guardaban los guapos sus armas?
24. ¿Qué oyó que le hizo admirar a su padre?
25. ¿Por qué está ansioso de que llegue el lunes?

Estructura

ORDENES AFIRMATIVAS Y NEGATIVAS
Repita Ud. las oraciones siguientes.

1. Debes castigar a todos los alumnos.
2. Castiga a todos los alumnos.

Spanish National Tourist Office

3. Debe castigar a todos los alumnos.
4. Castigue a todos los alumnos.
5. Debemos castigar a todos los alumnos.
6. Castiguemos a todos los alumnos.
7. Deben castigar a todos los alumnos.
8. Castiguen a todos los alumnos.
9. No debes cargar el sillón.
10. No cargues el sillón.
11. No debe cargar el sillón.
12. No cargue el sillón.
13. No debemos cargar el sillón.
14. No carguemos el sillón.
15. No deben cargar el sillón.
16. No carguen el sillón.

Cambie la oración al subjuntivo como orden o mandato.

MAESTRO: Debes pesar bien la carta.

ESTUDIANTE: Pesa bien la carta.

MAESTRO: Debe pesar bien la carta.

ESTUDIANTE: Pese bien la carta.

MAESTRO: Debemos pesar bien la carta.

ESTUDIANTE: Pesemos bien la carta.

MAESTRO: Deben pesar bien la carta.

ESTUDIANTE: Pesen bien la carta.

17. Debes pegar bien el sobre.
18. Debe pegar bien el sobre.

19. Debemos pegar bien el sobre.
20. Deben pegar bien el sobre.

Cambie la oración al subjuntivo como orden o mandato.

> MAESTRO: Debes llevar el libro nuevo.
>
> ESTUDIANTE: Lleva el libro nuevo.

21. Debes llegar temprano a la escuela.
22. Debe llegar temprano a la escuela.
23. Debemos llegar temprano a la escuela.
24. Deben llegar temprano a la escuela.

Cambie la oración al subjuntivo como orden o mandato.

> MAESTRO: Debes prestarle el lápiz a Juan.
>
> ESTUDIANTE: Préstale el lápiz a Juan.

25. Debes entregar los libros a la biblioteca.
26. Debe entregar los libros a la biblioteca.
27. Debemos entregar los libros a la biblioteca.
28. Deben entregar los libros a la biblioteca.

Cambie la oración al subjuntivo como orden o mandato.

> MAESTRO: Debes castigar a los revoltosos.
>
> ESTUDIANTE: Castiga a los revoltosos.

29. Debes fumigar la casa.
30. Debe fumigar la casa.
31. Debemos fumigar la casa.
32. Deben fumigar la casa.

LA PARED

por Vicente Blasco Ibáñez

Introducción

El poeta norteamericano Robert Frost en su poema «Mending Wall» dice: «Hay algo que no quiere una pared, que quiere derribarla.» Una pared o tapia entre dos casas debe de ser un símbolo de respeto mutuo. Cuando no representa tal respeto llega a ser un testimonio vivo de odio, mezclado con temor—como el infame muro de Berlín. Si un símbolo deja de representar lo decente debe de ser cambiado o destruído.

La pared nos muestra lo inútil que es vivir consumido por el odio y por deseos de venganza. Sólo cuando los principales fueron impulsados por la compasión humana decidieron salvar una vida en vez de matar. Cuando esto sucedió y fue restaurada la amistad de antaño[1] fue preciso destruir el símbolo de su separación.

Guía de Estudio

Hoy día en nuestra sociedad no aprobamos la idea de vengarse por ningún motivo, pero en otros tiempos fue considerado un derecho natural conseguir una satisfacción por una cuestión de honor. ¿Por qué dejaron de buscar su venganza los hijos de los ofendidos? ¿Qué hacían cuando se encontraron? Note el simbolismo en este cuento. ¿Qué simboliza la pared? ¿El fuego? ¿El hecho de los Casporra? ¿El derribo de la pared?

---

[1] **antaño:** old times, former days

Palabras Clave

1. Sus agudas palabras me ofendieron.

   agudas: delgadas, sútiles, penetrantes (pointed, sharp)

2. Tenía una enfermedad contagiosa y le fue necesario aislarse.

   aislarse: retirarse completamente de los demás

3. El alcalde le dio la llave de la cuidad.

   alcalde: el presidente municipal (mayor)

4. Hay que amasar cemento con agua para sostener las piedras de la pared.

   amasar: mezclar cemento, harina, etc. con un líquido

5. Voy a aprovechar estos momentos libres para leer.

   aprovechar: emplear útilmente (to take advantage of)

6. Quería arrancar las plantas del jardín.

   arrancar: sacar de raíz, sacar con violencia

7. Para poder entrar tuvieron que derribar la puerta.

   derribar: echar abajo, tirar al suelo

8. A veces es necesario empuñar el cuchillo para defenderse.

   empuñar: asir con la mano (to grip)

9. Tomó su escopeta y le dio un balazo.

   escopeta: arma de fuego portátil (shotgun)

10. Murió de un escopetazo.

    escopetazo: tiro que sale de la escopeta, herida hecha con este tiro

11. La señora se dedicó a esparcir la noticia.

    esparcir: echar, diseminar (to spread)

12. El se dedicó a proteger sus intereses.

    intereses: bienes, posesiones

13. Rehusó jurar fidelidad al enemigo.

    jurar: afirmar o negar una cosa, poniendo por testigo a Dios (to swear, to take an oath)

14. Su hijo era un mocetón de mal genio.

    mocetón: muchacho joven y corpulento

15. El odio que sentía hacia él, la consumía.

    odio: aversión hacia una persona o cosa, antipatía (hatred)

16. Al niño le gustaba oprimir el brazo de su papá.

    oprimir: apretar, estrechar (to squeeze)

17. El deber del ministro es predicar sobre el amor de Dios.

    predicar: pronunciar un sermón, decir en público

18. Colón creía que el mundo era redondo.

    redondo: de figura circular

19. Podíamos ver sus ojos relampaguear en las sombras del jardín.

    relampaguear: hacer relámpagos, centellear (to flash like lightning)

20. Por medio de sus acciones mostró su rencor.

    rencor: resentimiento (rancor, bitterness)

21. Tiene el brazo roto.

    roto: quebrado, fracturado

22. Su salvador le salvó la vida.

    salvador: el que salva (savior, rescuer)

23. Van a tender a los heridos en la calle.

    tender: extender en el suelo

24. Fue impulsado por sus deseos de venganza.

    venganza: revancha (revenge)

25. La viuda tiene que trabajar mucho para dar de comer a sus hijos.

    viuda: mujer cuyo marido ya no vive

SIEMPRE QUE los nietos del tío Rabosa se
encontraban con los hijos de la viuda de Casporra en las
sendas de la huerta o en las calles de Campanar, todo el
vecindario comentaba el suceso. ¡Se habían mirado! ¡Se
5 insultaban con el gesto! Aquello acabaría mal, y el día menos
pensado el pueblo sufriría un nuevo disgusto.

El alcalde con los vecinos más notables predicaban paz a
los mocetones de las dos familias enemigas, y allá iba el cura,
un vejete de Dios, de una casa a otra, recomendando el olvido
10 de las ofensas.

Treinta años que los odios de los Rabosas y Casporras
traían alborotado a Campanar. Casi en las puertas de Valencia, en el risueño pueblecito que desde la orilla del río miraba
a la ciudad con los redondos ventanales de su agudo campa-
15 nario, repetían aquellos bárbaros, con un rencor africano, la
historia de luchas y violencias de las grandes familias ita-
lianas en la Edad Media. Habían sido grandes amigos en otro
tiempo; sus casas, aunque situadas en distinta calle, lindaban
por los corrales, separadas únicamente por una tapia baja.
20 Una noche, por cuestiones de riego, un Casporra tendió en la
huerta de un escopetazo a un hijo del tío Rabosa, y el hijo
menor de éste, para que no se dijera que en la familia no
quedaban hombres, consiguió, después de un mes de acecho,
colocarle una bala entre las cejas al matador. Desde entonces
25 las dos familias vivieron para exterminarse, pensando más en
aprovechar los descuidos del vecino que en el cultivo de las
tierras. Escopetazos en medio de la calle; tiros que al ano-
checer relampagueaban desde el fondo de una acequia o
tras los cañares o ribazos cuando el odiado enemigo regre-
30 saba del campo; alguna vez un Rabosa o un Casporra camino
del cementerio con una onza de plomo dentro del pellejo,
y la sed de venganza sin extinguirse, antes bien, extremándose con las nuevas generaciones, pues parecía que en
las dos casas los chiquitines salían ya del vientre de sus
35 madres tendiendo las manos a la escopeta para matar a los
vecinos.

Después de treinta años de lucha, en casa de los Casporras
sólo quedaban una viuda con tres hijos mocetones que parecían torres de músculos. En la otra estaba el tío Rabosa, con
40 sus ochenta años, inmóvil en un sillón de esparto, con las
piernas muertas por la parálisis, como un arrugado ídolo de

vecindario: neighborhood

vejete: little old man

alborotado: state of confusion
risueño: pleasant
campanario: bell tower

lindaban: were joined

acecho: lying in wait
cejas: eyebrows

cañares: cane fields
ribazos: mounds, hillocks

extremándose: going to even
further extremes

esparto: hemp

la venganza, ante el cual juraban sus nietos defender el prestigio de la familia.

Pero los tiempos eran otros. Ya no era posible ir a tiros como sus padres en plena plaza a la salida de la misa mayor. La Guardia Civil no les perdía de vista; los vecinos les vigilaban, y bastaba que uno de ellos se detuviera algunos minutos en una senda o en una esquina, para verse al momento rodeado de gente que le aconsejaba la paz. Cansados de esta vigilancia que degeneraba en persecución y se interponía entre ellos como infranqueable obstáculo, Casporras y Rabosas acabaron por no buscarse, y hasta se huían cuando la casualidad les ponía frente a frente.

Tal fue su deseo de aislarse y no verse, que les pareció baja la pared que separaba sus corrales. Las gallinas de unos y otros, escalando los montones de leña, fraternizaban en lo alto de las bardas; las mujeres de las dos casas cambiaban desde las ventanas gestos de desprecio. Aquello no podía resistirse: era como vivir en familia; la viuda de Casporra hizo que sus hijos levantaran la pared una vara. Los vecinos se apresuraron a manifestar su desprecio con piedra y argamasa, y añadieron algunos palmos más a la pared. Y así, en esta muda y repetida manifestación de odio la pared fue subiendo y subiendo. Ya no se veían las ventanas; poco después no se veían los tejados; las pobres aves del corral estremecíanse en la lúgubre sombra de aquel paredón que les ocultaba parte del cielo, y sus cacareos sonaban tristes y apagados a través de aquel muro, monumento de odio, que parecía amasado con los huesos y la sangre de las víctimas.

Así transcurrió el tiempo para las dos familias, sin agredirse como en otra época, pero sin aproximarse: inmóviles y cristalizadas en su odio.

Una tarde sonaron a rebato las campanas del pueblo. Ardía la casa del tío Rabosa. Los nietos estaban en la huerta; la mujer de uno de éstos en el lavadero, y por las rendijas de puertas y ventanas salía un humo denso de paja quemada. Dentro, en aquel infierno que rugía buscando expansión, estaba el abuelo, el pobre tío Rabosa, inmóvil en su sillón. La nieta se mesaba los cabellos, acusándose como autora de todo por su descuido; la gente arremolinábase en la calle, asustada por la fuerza del incendio. Algunos, más valientes, abrieron la puerta, pero fue para retroceder ante la bocanada de denso humo cargada de chispas que se esparció por la calle. ¡El pobre agüelo!

infranqueable: insurmountable

bardas: vines or plants that grow over a wall

vara: yard
argamasa: cement

tejados: clay-tile roofs
paredón: huge wall

agredirse: to take the initiative in an assault

sonaron a rebato: tolled to assemble the people

rendijas: cracks

rugía: was roaring

se mesaba los cabellos: was tearing her hair
arremolinábase: were milling around
bocanada: huge puff

el agüelo: el abuelo (dialect)

—¡El agüelo!—gritaba la de los Rabosas volviendo en vano la mirada en busca de un salvador.

Los asustados vecinos experimentaron el mismo asombro que si hubieran visto el campanario marchando hacia ellos. Tres mocetones entraban corriendo en la casa incendiada. Eran los Casporras. Se habían mirado cambiando un guiño de inteligencia, y sin más palabras se arrojaron como salamandras en el enorme brasero. La multitud les aplaudió al verles reaparecer llevando en alto como a un santo en sus andas al tío Rabosa en su sillón de esparto. Abandonaron al viejo sin mirarle siquiera, y otra vez adentro.

—¡No, no!—gritaba la gente.

Pero ellos sonreían siguiendo adelante. Iban a salvar algo de los intereses de sus enemigos. Si los nietos del tío Rabosa estuvieran allí, ni se habrían movido ellos de casa. Pero sólo se trataba de un pobre viejo, al que debían proteger como hombres de corazón. Y la gente les veía tan pronto en la calle como dentro de la casa, buceando en el humo, sacudiéndose las chispas como inquietos demonios, arrojando muebles y sacos para volver a meterse entre las llamas.

Lanzó un grito la multitud al ver a los dos hermanos mayores sacando al menor en brazos. Un madero, al caer, le había roto una pierna.

—¡Pronto, una silla!

La gente, en su precipitación, arrancó al viejo Rabosa de su sillón de esparto para sentar al herido.

El muchacho, con el pelo chamuscado y la cara ahumada, sonreía, ocultando los agudos dolores que le hacían fruncir los labios. Sintió que unas manos trémulas, ásperas, con las escamas de la vejez, oprimían las suyas.

—¡Fill meu! ¡Fill meu!—gemía la voz del tío Rabosa, quien se arrastraba hacia él.

Y antes que el pobre muchacho pudiera evitarlo, el paralítico buscó con su boca desdentada y profunda las manos que tenía y las besó un sinnúmero de veces, bañándolas con lágrimas.

❖   ❖   ❖

Ardió toda la casa. Y cuando los albañiles fueron llamados para construir otra, los nietos del tío Rabosa no les dejaron comenzar por la limpia del terreno, cubierto de negros escombros. Antes tenían que hacer un trabajo más urgente: derribar la pared maldita. Y empuñado el pico, ellos dieron los primeros golpes.

cambiando un guiño de inteligencia: giving a signal to one another
brasero: brazier
como a un santo en sus andas: like a saint being carried on its platform

hombres de corazón: good-hearted men (men of good will)
buceando en el humo: plunging into the smoke
llamas: flames
madero: beam, plank

pelo chamuscado: singed hair
fruncir los labios: to pucker up his lips

¡fill meu! hijo mío (my son!)

boca desdentada y profunda: deep, toothless mouth

escombros: rubble
maldita: cursed

Spanish National Tourist Office

Diccionario

1. **agudo:** sutil, penetrante (pointed, sharp)
   Su acento (   ) nos irritó.

2. **aislarse:** retirarse completamente de los demás
   A veces es necesario (   ) para poder pensar bien.

3. **alcalde:** el presidente municipal (mayor)
   Todos los pueblos tienen un (   ).

4. **amasar:** mezclar cemento, harina, etc. con un líquido
   Hay que (   ) cemento con agua para sostener las piedras de la pared.

5. **aprovechar:** emplear útilmente (to take advantage of)
   Es necesario (   ) el tiempo.

6. **arrancar:** sacar de raíz, sacar con violencia
   Voy a (   ) las plantas secas.

7. **bienes:** hacienda, caudal (property, possessions)
   Los ricos tienen muchos (   ) en su poder.

8. **derribar:** echar abajo, tirar al suelo
   No es necesario (   ) la puerta para entrar en la clase.

9. **empuñar:** asir con la mano (to grip)
   Le faltó valor al indio para (   ) el machete.

10. **escopeta:** arma de fuego portátil (shotgun)
    Le dio un balazo con la (   ).

11. **escopetazo:** tiro que sale de la escopeta, herida hecha con este tiro
    El (   ) le causó la muerte.

12. **esparcir:** echar, diseminar (to spread)
    Es más fácil (   ) una mentira que controlarla.

13. **intereses:** bienes, posesiones

El rico gasta mucho tiempo pensando en sus (   ).

14. **jurar:** afirmar o negar una cosa, poniendo por testigo a Dios (to swear, to take an oath)

Estoy dispuesto a (   ) fidelidad a la bandera de los Estados Unidos de América.

15. **mocetón:** muchacho joven y corpulento

Pídale a ese (   ) que le ayude a llevar el equipaje.

16. **odio:** aversión hacia una persona o cosa (hatred)

El (   ) hace mucho daño al que odia.

17. **oprimir:** apretar, estrechar (to squeeze)

La señora quería (   ) el brazo de su esposo.

18. **predicar:** pronunciar un sermón, decir en público

Algunos ministros no saben (   ).

19. **redondo:** de figura circular

Hoy día todos saben que el mundo es (   ).

20. **relampaguear:** hacer relámpagos, centellear (to flash like lightning)

Algunas muchachas hacen (   ) los ojos.

21. **rencor:** resentimiento (rancor, bitterness)

El no siente (   ) hacia nadie.

22. **roto (romper):** quebrado, fracturado

Con el brazo (   ) es difícil escribir.

23. **salvador:** el que salva (savior, rescuer)

Salvándole la vida al viejo, el muchacho se convirtió en su (   ).

24. **tender:** extender en el suelo

El ayudó a (   ) a los heridos en la calle.

25. **venganza:** revancha (revenge)

La (   ) es siempre mala.

26. **viuda:** mujer cuyo marido ya no vive

La (   ) era una mujer muy alegre.

Para la Comprensión

1. ¿Dónde tiene lugar este cuento?
2. ¿Cuántas personas quedan en la familia del tío Rabosa? ¿En la de los Casporra?
3. ¿De qué suceso comentaba el vecindario?
4. ¿Qué temía el pueblo?
5. ¿Quiénes predicaban la paz?
6. ¿Adónde iba el cura? ¿Qué hacía para evitar otra desgracia?
7. ¿Por cuántos años traían alborotado a Campanar?
8. ¿Qué repetían?
9. ¿Cuándo habían sido amigos?
10. ¿Estaban las casas en la misma calle?
11. ¿Qué las separaba?
12. ¿Por qué mató un Casporra a un hijo del tío Rabosa?
13. ¿Cuánto tiempo esperó el Casporra antes de tomar acción?
14. ¿Qué hizo éste?
15. Describa al tío Rabosa.
16. ¿Cómo son los tiempos ahora?
17. ¿Qué hacían para evitar enfrentarse el uno con el otro?
18. ¿Por qué levantaron más la pared?
19. ¿Qué oyeron una tarde?
20. ¿Qué hacía la genta enfrente de la casa incendiada?
21. ¿Qué hacía la nieta?
22. ¿Cómo fue salvado el tío?
23. Después de llevarlo afuera de la casa, ¿qué hicieron?
24. ¿Qué le pasó a uno de los Casporra?
25. ¿Qué le llamó el tío Rabosa?
26. ¿Qué hicieron los nietos del tío Ribosa antes de reconstruir la casa?

La pared   255

Estructura

EL SUBJUNTIVO CON EXPRESIONES IMPERSONALES

Cambie la oración para usar el sujeto nuevo y la forma apropiada del presente de subjuntivo con *es posible*.

> MAESTRO: Es posible que Juan vaya en tren.
>
> ESTUDIANTE: Es posible que Juan vaya en tren.
>
> MAESTRO: tú
>
> ESTUDIANTE: Es posible que tú vayas en tren.

1. yo
2. nosotros
3. tú
4. Uds.
5. ellos

Ejercicio similar para usar el imperfecto de subjuntivo con *era posible*.

> MAESTRO: Era posible que Juan fuera en tren.
>
> ESTUDIANTE: Era posible que Juan fuera en tren.
>
> MAESTRO: tú
>
> ESTUDIANTE: Era posible que tú fueras en tren.

6. yo
7. Uds.
8. nosotros
9. ellos
10. tú

Cambie la oración para usar el presente de subjuntivo con *es imposible*.

> MAESTRO: Es imposible olvidar esa película.
>
> ESTUDIANTE: Es imposible olvidar esa película.
>
> MAESTRO: Juan
>
> ESTUDIANTE: Es imposible que Juan olvide esa película.

11. tú
12. yo
13. Jorge
14. las muchachas
15. nosotros
16. mis amigos

Ejercicio similar para usar el imperfecto de subjuntivo con *era imposible*.

> MAESTRO: Era imposible olvidar esa película.
>
> ESTUDIANTE: Era imposible olvidar esa película.
>
> MAESTRO: Juan
>
> ESTUDIANTE: Era imposible que Juan olvidara esa película.

17. tú
18. yo
19. Jorge
20. las muchachas
21. nosotros
22. mis amigos

Cambie la oración para usar el presente de subjuntivo con *es necesario*.

> MAESTRO: Es necesario hablar con el profesor.
>
> ESTUDIANTE: Es necesario hablar con el profesor.
>
> MAESTRO: Juan
>
> ESTUDIANTE: Es necesario que Juan hable con el profesor.

23. nosotros
24. Uds.
25. tú
26. yo
27. Pedro y María
28. Alicia

Ejercicio similar para usar el imperfecto de subjuntivo con *era necesario*.

> MAESTRO: Era necesario hablar con el profesor.

ESTUDIANTE: Era necesario hablar con el profesor.

MAESTRO: Juan

ESTUDIANTE: Era necesario que Juan hablara con el profesor.

29. nosotros
30. Uds.
31. tú
32. yo
33. Pedro y María
34. Alicia

Cambie cada oración dos veces, la primera para usar el presente de subjuntivo con *es inútil*, y la segunda para usar el imperfecto de subjuntivo con *era inútil*.

MAESTRO: Es inútil volver a preguntar. Era inútil volver a preguntar.

ESTUDIANTE: Es inútil volver a preguntar. Era inútil volver a preguntar.

MAESTRO: Juan

ESTUDIANTE: Es inútil que Juan vuelva a preguntar. Era inútil que Juan volviera a preguntar.

35. yo
36. tú
37. Elena
38. nosotros
39. Uds.
40. los alumnos

Ejercicio similar para usar el presente de subjuntivo con *es imposible* y el imperfecto de subjuntivo con *era imposible*.

MAESTRO: Es imposible insistir. Era imposible insistir.

ESTUDIANTE: Es imposible insistir. Era imposible insistir.

MAESTRO: Juan

ESTUDIANTE: Es imposible que Juan insista. Era imposible que Juan insistiera.

41. yo
42. nosotros
43. tú
44. Uds.
45. él
46. ellos

EL POTRILLO ROANO

por Benito Lynch

Introducción

Cada niño posee algo que tiene gran importancia. Esto no está mal porque así puede desarrollar un sentido de responsabilidad mezclado con el orgullo de tener algo propiamente suyo. Es natural que los padres lo usen como instrumento para la disciplina, pero algunas veces pueden ser demasiado severos en su empeño de enseñar y se olvidan de su cariño por el niño.

La universalidad de este cuento les gusta a todos. Podemos comprender las emociones de Mario y los deseos de los padres. Sufrimos la angustia del chico al verse obligado a obedecer a sus padres y la de éstos cuando por poco pierden al hijo.

potrillo roano: sorrel colt

Guía de Estudio

Al leer este cuento considere e identifique los varios sentimientos y pasiones. ¿Cuáles se destacan más? Si se eliminara el elemento sentimental ¿sería tan bella e impresionante la historia?

Palabras Clave

1. ¿Quién va a apodar al perro?

   apodar: poner un sobrenombre a alguien o a algo (to nickname)

2. El padre, arrodillado sobre la tierra, plantaba las amapolas.

   arrodillado: de rodillas, hincado (kneeling)

3. Al ver que había enojado a su padre, el hijo se sintió avergonzado.

   avergonzado: turbado, tiene vergüenza (ashamed, embarrassed)

4. Trató de descolgar la cuerda del cuello del animal.

   descolgar: quitar algo, desenganchar (to unhook, unfasten)

5. Desgraciadamente el pobrecito tenía que volver a casa sin haber encontrado a su perro.

   desgraciadamente: desafortunadamente, tristemente

6. El niño lloraba al ver a su hermano destrozar el juguete.

   destrozar: destruir, hacer daño irreparable

7. Parece empeñado en oponerse al propósito.

   empeñado: determinado, insistente

8. No podía enfrentar la verdad.

   enfrentar: hacer frente o cara a una cosa, poner enfrente

9. Su padre le permitía tener un potrillo en la estancia.

   estancia: hacienda o finca de campo (farm, ranch)

10. Si el nivel del río aumenta puede inundar el pueblo entero.

    inundar: cubrir el agua los terrenos (to flood)

11. Su gran deseo era llegar a ser buen jinete.

    jinete: hombre o persona montado a caballo, el que es diestro en la equitación

12. Todos esperamos ver un porvenir con paz mundial.

    porvenir: futuro

13. El potrillo hacía mucho daño en el patio, lo cual enojaba al padre.

    potrillo: caballo de menos de tres años

14. Le gustaba a Juan invitar a sus amigos a pasar un rato en su quinta.

    quinta: casa de campo que sirve generalmente de recreo

15. No le gustaba al padre que el potrillo anduviese suelto.

    suelto: libre, lo que no está atado (loose)

CANSADO DE jugar a «El tigre,» un juego de su exclusiva invención que consiste en perseguir por las copas de los árboles a su hermano Leo, que se defiende bravamente usando los higos verdes a guisa de proyectiles,
5 Mario se ha salido al portón del fondo de la quinta y allí, bajo el sol meridiano y apoyado en uno de los viejos pilares,

copas: limbs and branches
usando los higos verdes a guisa de proyectiles: using the green figs as ammunition
al portón del fondo: to the back gate
meridiano: midday

mira la calle, esperando pacientemente que el otro, encaramado aún en la rama más alta de una higuera y deseoso de continuar la lucha, se canse de gritarle «¡zanahoria!» y «¡mulita!» cuando un espectáculo inesperado le llena de
5 agradable sorpresa.

Volviendo la esquina de la quinta un hombre, jinete en una yegua panzona a la que sigue un potrillo, acaba de enfilar la calle y se acerca despacio.

—¡Oya! . . .

10 Y Mario, con los ojos muy abiertos y la cara muy encendida, se pone al borde de la vereda para contemplar mejor el desfile.

¡Un potrillo! . . . ¡Habría que saber lo que significa para Mario, a la sazón, un potrillo, llegar a tener un potrillo suyo,
15 es decir, un caballo proporcionado a su tamaño! . . .

Es su «chifladura,» su pasión, su eterno sueño . . . Pero, desgraciadamente—y bien lo sabe por experiencia—sus padres no quieren animales en la quinta, porque se comen las plantas y descortezan los troncos de los árboles.

20 Allá en «La Estancia,» todo lo que quieran . . . —es decir, un petiso mañero, bicocho y cabezón—pero allí, en la quinta, ¡nada de «bichos»!

Por eso, Mario va a conformarse como otras veces, contemplando platónicamente el paso de la pequeña maravilla,
25 cuando se produce un hecho extraordinario.

En el instante mismo en que se le enfrenta, sin dejar de trotar y casi sin volver el rostro, el hombre aquel, que monta la yegua y que es un mocetón de cara adusta y boina colorada, suelta a Mario esta proposición estupenda:

30 —¡Che, chiquilín! . . . Si quieres el potrillo ese, te lo doy! ¡Lo llevo al campo para matarlo! . . .

Mario siente al oirle que el suelo se estremece bajo sus pies, que sus ojos se nublan, que toda la sangre afluye a su cerebro, pero ¡ay! . . . conoce tan a fondo las leyes de la casa
35 que no vacila ni un segundo y, rojo como un tomate, deniega avergonzado:

—¡No! . . . ¡gracias! . . . ¡no!

El mocetón se alza ligeramente de hombros y, sin agregar palabra, sigue de largo, bajo el sol que inunda la calle y
40 llevándose, en pos del tranco cansino de su yegua, a aquel prodigio de potrillo roano, que trota airosamente y que, con su colita esponjada y rubia, hace por espantarse las moscas como si fuera un caballo grande. . . .

El potrillo roano   **259**

encaramado: perched
higuera: fig tree
«¡zanahoria!» y «¡mulita!» nitwit, jackass!

yegua panzona: potbellied mare
enfilar la calle: to appear in the street
¡Oya! Hey!
encendida: scarlet
se pone al borde: moves over to the edge
desfile: procession

a la sazón: then

chifladura: mania

descortezan: strip the bark off

un petiso mañero: a tame, little pony

adusta: sullen
boina: beret
¡Che, chiquilín! Hey, kid!

se nublan: cloud up
afluye: flows

en pos del tranco cansino: following the tiring gait
airosamente: proudly
su colita esponjada y rubia: his fluffy, little blond tail

—¡Mamá! . . .

Y desbocado como un potro y sin tiempo para decir nada a su hermano, que ajeno a todo y siempre en lo alto de su higuera, aprovecha su fugaz pasaje para dispararle unos 5 cuantos higos, Mario se presenta bajo el emparrado, llevándose las cosas por delante:

—¡Ay, mamá! ¡Ay, mamá!

La madre, que cose en su sillón a la sombra de los pámpanos, se alza con sobresalto:

10 —¡Virgen del Carmen! ¿Qué, hijo, qué te pasa?

—¡Nada, mamá, nada . . . que un hombre! . . .

—¿Qué, hijo, qué?

—¡Que un hombre que llevaba un potrillito precioso, me lo ha querido dar!

15 —¡Vaya qué susto me has dado!—sonríe la madre entonces; pero él, excitado, prosigue sin oirla:

—Un potrillo precioso, mamá, un potrillito roano, así, chiquito . . . y el hombre lo iba a matar, mamá!

Y aquí ocurre otra cosa estupenda, porque contra toda 20 previsión y toda lógica, Mario oye a la madre que le dice con un tono de sincera pena:

—¿Sí? . . . ¡Caramba! . . . ¿Por qué no lo aceptaste? ¡Tonto! ¡Mira, ahora que nos vamos a «La Estancia»! . . .

Ante aquel comentario tan insólito, tan injustificado y tan 25 sorprendente, el niño abre una boca de a palmo, pero está «tan loco de potrillo» que no se detiene a inquirir nada y con un: «¡Yo lo llamo entonces! . . .» vibrante y agudo como un relincho, echa a correr hacia la puerta.

—¡Cuidado, hijito!—grita la madre.

30 ¡Qué cuidado! . . . Mario corre tan veloz que su hermano a la pasada no alcanza a dispararle ni un higo.

Al salir a la calle el resplandor del sol le deslumbra. ¡Ni potrillo, ni yegua, ni hombre alguno por ninguna parte! . . . Mas, bien pronto, sus ojos ansiosos descubren allá a lo lejos, 35 la boina encarnada bailoteando al compás del trote entre una nube de polvo.

Y en vano los caballones de barro seco le hacen tropezar y caer varias veces, en vano la emoción trata de estrangularle, en vano le salen al encuentro los cuzcos odiosos de la 40 lavandera; nada ni nadie puede detener a Mario en su carrera.

Antes de dos cuadras, ya ha puesto su voz al alcance de los oídos de aquel árbitro supremo de su felicidad, que va trotando mohino sobre una humilde yegua barrigona.

desbocado: dashing headlong
ajeno a todo: unaware of what was going on
su fugaz pasaje: his swift flight
emparrado: arbor
llevándose las cosas por delante: stumbling over everything in his path

contra toda previsión: against all expectations

insólito: unexpected
abre una boca de a palmo: his jaw dropped a foot

relincho: neigh

el resplandor: glare

encarnada: red
bailoteando: bobbing up and down
caballones de barro seco: dried mud ridges

cuzcos odiosos: yapping curs

árbitro: master of one's fate
mohino: sullen
barrigona: potbellied

—¡Pst! ¡Pst! . . . ¡Hombre! ¡Hombre! . . .

El mocetón al oírle detiene su cabalgadura y aguarda a Mario, contrayendo mucho las cejas:

—¿Qué quieres, che?

5 —¡El potrillo! . . . ¡Quiero el potrillo!—exhala Mario entonces sofocado y a la vez que tiende sus dos brazos hacia el animal, como si pensara recibirlo en ellos, a la manera de un paquete de almacén.

El hombre hace una mueca ambigua:

10 —Bueno—dice—agárralo, entonces . . . Y agrega en seguida mirándole las manos:

—¿Trajiste con qué?

Mario torna a ponerse rojo una vez más.

—No . . . yo no . . .

15 Y mira embarazado en torno suyo, como si esperase que pudiera haber por allí cabestros escondidos entre los yuyos.

Y el hombre, desmontando, va entonces a descolgar ùn trozo de alambre que por casualidad pende del cerco de cina-cina, mientras el niño le aguarda conmovido.

*　　*　　*

20 ¡Tan solo Mario sabe lo que significa para él ese potrillo roano que destroza las plantas, que muerde, que cocea, que se niega a caminar cuando se le antoja; que cierta vez le arrancó de un mordisco un mechón de la cabellera, creyendo sin duda que era pasto; pero que come azúcar en su mano y 25 relincha en cuanto le descubre a la distancia! . . .

Es su amor, su preocupación, su norte, su luz espiritual . . . Tanto es así que sus padres se han acostumbrado a usar del potrillo aquel como un instrumento para domeñar y encarrilar al chicuelo.

30 —Si no estudias, no saldrás esta tarde en el potrillo . . . Si te portas mal, te quitaremos el potrillo . . . Si haces esto o dejas de hacer aquello . . .

¡Siempre el potrillo alzándose contra las rebeliones de Mario como el extravagante lábaro de una legión invencible, 35 en medio de la batalla! ¡Y es que es también un encanto aquel potrillo roano tan manso, tan cariñoso y tan mañero. . . .

El domador de «La Estancia»—hábil trenzador—le ha hecho un bozalito que es una maravilla y, poco a poco, los demás peones, y por cariño a Mario o por emulación del otro, 40 han ido confeccionando todas las demás prendas hasta com-

cabalgadura: mount

hace una mueca ambigua: makes a somewhat unclear expression

torna a ponerse rojo: blushes

cabestros: halters
yuyos: weeds
un trozo de alambre: piece of wire
cerco de cina-cina: fence made of cina-cina (a plant)
conmovido: filled with emotion

cocea: kicks

le arrancó . . . de la cabellera: tore out a lock of his hair with one bite
pasto: grass

norte: guiding star

domeñar: to tame

lábaro: standard

mañero: clever
domador: trainer
trenzador: braider, one who braids
bozalito: mouth piece, headstall
prendas: articles of clothing

pletar un aperito que provoca la admiración de «todo el mundo.»

Para Mario es el mejor de todos los potrillos y la más hermosa promesa de parejero que haya florecido en el mundo; y es tan firme su convicción a este respecto que las burlas de su hermano Leo, que da en apodar al potrillo roano, «burrito» y otras lindezas por el estilo, le hacen el efecto de verdaderas blasfemias.

En cambio, cuando el capataz de «La Estancia» dice, después de mirar al potrillo por entre sus párpados entornados:

—Pa' mi gusto va a ser un animal de mucha presencia éste . . . a Mario le resulta el capataz, el hombre más simpático y el más inteligente . . .

❖   ❖   ❖

El padre de Mario quiere hacer un jardín en el patio de «La Estancia,» y como resulta que el «potrillo odioso»—que así le llaman ahora algunos, entre ellos la mamá del niño, tal vez porque le pisó unos pollitos recién nacidos—parece empeñado en oponerse al propósito, a juzgar por la decisión con que ataca las tiernas plantitas cada vez que se queda suelto, se ha recomendado a Mario desde un principio, que no deje de atarlo por las noches; pero resulta también que Mario se olvida, que se ha olvidado ya tantas veces y al fin una mañana su padre, exasperado, le dice, levantando mucho el índice y marcando con él el compás de sus palabras:

—El primer día que el potrillo vuelva a destrozar alguna planta, ese mismo día se lo echo al campo . . .

—¡Ah, ah! . . . «¡Al campo!» «¡Echar al campo!» ¿Sabe el padre de Mario, por ventura, lo que significa para el niño eso de «echar al campo»?

. . . Sería necesario tener ocho años como él, pensar como él piensa y querer como él quiere a su potrillo roano, para apreciar toda la enormidad de la amenaza. . . .

«¡El campo! . . . ¡Echar al campo! . . .» El campo es para Mario algo infinito, abismal; y echar el potrillo allí, tan atroz e inhumano como arrojar al mar a un recién nacido . . .

No es de extrañar, pues, que no haya vuelto a descuidarse y que toda una larga semana haya transcurrido sin que el potrillo roano infiera la más leve ofensa a la más insignificante florecilla.

❖   ❖   ❖

aperito: little riding outfit

parejero: race horse

otras lindezas por el estilo: other such fine names

capataz: foreman

por entre sus párpados entornados: through his half-closed eyes

amenaza: threat

infiera: inflicting

Despunta una radiosa mañana de febrero y Mario, acostado a través en la cama y con los pies sobre el muro, está «confiando» a su hermano Leo algunos de sus proyectos sobre el porvenir luminoso del potrillo roano, cuando su mamá se presenta inesperadamente en la alcoba:

—¡Ahí tienes!—dice muy agitada. —¡Ahí tienes! . . . ¿Has visto tu potrillo? . . .

Mario se pone rojo y después pálido.

—¿Qué? ¿El qué, mamá?

—¡Que ahí anda otra vez tu potrillo suelto en el patio y ha destrozado una porción de cosas! . . .

A Mario le parece que el universo se le cae encima.

—Pero . . . ¿cómo?—atina a decir. —Pero, ¿cómo?

—¡Ah, no sé cómo—replica entonces la madre—pero no dirás que no te lo había prevenido hasta el cansancio! Ahora tu padre . . .

—¡Pero si yo lo até! . . . ¡Pero si yo lo até! . . .

Y mientras con manos trémulas se viste a escape Mario ve todas las cosas turbias, como si la pieza aquella se estuviese llenando de humo . . .

        ❋   ❋   ❋

Un verdadero desastre. Jamás el potrillo se atrevió a tanto. No solamente ha pisoteado esta vez el césped sino que ha llevado su travesura hasta arrancar de raíz, escarbando con el vaso, varias matas de claveles raros que había por allí, dispuestas en elegante losange . . .

—¡Qué has hecho! ¡Qué has hecho, «Nene»! . . .

Y como en un sueño y casi sin saber lo que hace, Mario, arrodillado sobre la húmeda tierra, se pone a replantar febrilmente los claveles mientras «el nene,» «el miserable,» se queda allí, inmóvil, con la cabeza baja, la hociquera del bozal zafada y un «no se sabe qué» de cínica despreocupación en toda «su persona» . . .

Como sonámbulo, como si pisase sobre un mullido colchón de lana, Mario camina con el potrillo del cabestro por medio de la ancha avenida bordeada de altísimos álamos, que termina allá en la tranquera de palos blanquizcos que se abre sobre la inmensidad desolada del campo bruto . . .

¡Como martilla la sangre en el cerebro del niño; como ve las cosas semiborradas a través de una neblina y como resuena aún en sus oídos la tremenda conminación de su padre!

---

despunta: at daybreak of
acostado a través en la cama: lying across his bed

atina a decir: he manages to say

prevenido hasta el cansancio: warned you until I am worn out

a escape: quickly
turbias: blurred

ha pisoteado: has stepped on
travesura: mischief, prank
escarbando con el vaso: digging with his hoof
losange: arrangement

febrilmente: feverishly

la hociquera del bozal zafada: the muzzle of his headstall loose

como si pisase sobre un mullido colchón de lana: as if he were stepping on a soft wool mattress
álamos: poplar trees
bruto: uncultivated

conminación: threat

—¡Agarre ese potrillo y échelo al campo! . . .

Mario no llora porque no puede llorar, pero camina como un autómata, camina de un modo tan raro, que sólo la madre advierte desde el patio . . .

5 Y es que para Mario, del otro lado de los palos de aquella tranquera la conclusión de todo, está el vórtice en el cual dentro de algunos segundos se van a hundir fatalmente, detrás del potrillo roano, él y la existencia entera. . . .

Cuando Mario llega a la mitad de su camino la madre no 10 puede más y gime, oprimiendo nerviosamente el brazo del padre que está a su lado:

—¡Bueno, Juan! . . . ¡Bueno! . . .

—¡Vaya! . . . ¡llámelo! . . .

Pero en el momento en que Leo se arranca velozmente, la 15 madre lanza un grito agudo y el padre echa a correr desesperado.

Allá, junto a la tranquera, Mario, con su delantal de brin, acaba de desplomarse sobre el pasto como un pájaro alcanzado por el plomo.

❋　❋　❋

20 . . . Algunos días después y cuando Mario puede sentarse por fin en la cama, sus padres, riendo, pero con los párpados enrojecidos y las caras pálidas por las largas vigilias, hacen entrar en la alcoba al potrillo roano, tirándole del cabestro 25 y empujándolo por el anca.

Glosses (right margin):

vórtice: whirlpool

no puede más: can't stand it any more

delantal de brin: canvas apron

anca: rump

Diccionario

1. **alzar:** levantar
   La profesora dice que es necesario (   ) la mano antes de hablar.

2. **apodar:** poner un sobrenombre a alguien o a algo (to nickname)
   ¡Imagínese! Van a (   ) «Tigre» a un animal tan dócil.

3. **arrodillado (arrodillar):** de rodillas, hincado (kneeling)
   Pedro está en la catedral (   ) delante del altar.

4. **atar:** unir, enlazar con cuerda, cinta, soga (to tie, bind)

Hay que (   ) el potro al cerco para que no se escape.

5. **avergonzado (avergonzar):** turbado, tiene vergüenza (ashamed, embarrassed)
   El niño está (   ) por su error.

6. **confeccionar:** hacer, fabricar, preparar
   Mi abuela le va a (   ) unos pantalones de vaquero.

7. **descolgar:** quitar algo, desenganchar (to unhook, unfasten)
   No puedo (   ) esta cuerda.

8. **desgraciadamente:** desafortunadamente, tristemente
   (   ), no puedo ir contigo hoy.

9. **destrozar:** destruir, hacer daño irreparable

Aunque sean viejos, no es necesario ( ) los libros.

10. **disparar:** tirar con violencia, arrojar, hacer que las armas despidan el proyectil (to hurl, to shoot)

Tenía miedo de ( ) la escopeta cerca de la casa.

11. **empeñado (empeñar):** determinado, insistente

Estaba ( ) en que comiéramos con él.

12. **encarrilar:** dirigir, enderezar una cosa (to keep in line)

Los padres toman al animal como medio para ( ) al niño.

13. **enfrentar:** hacer frente o cara a una cosa, poner enfrente

Hay que ( ) los obstáculos con coraje.

14. **estancia:** hacienda o finca de campo (farm, ranch)

No podía tener el animal en la ciudad, pero en la ( ) sí.

15. **índice:** dedo segundo de la mano

Me señaló con el ( ).

16. **inundar:** cubrir el agua los terrenos (to flood)

Después de tres días de lluvia, todos creían que el río iba a ( ) el pueblo.

17. **jinete:** hombre o persona montado a caballo, el que es diestro en la equitación

Es buen ( ), y ganó la carrera.

18. **leve:** ligero, lo que no es pesado (light, slight)

Tuve la ( ) sospecha de que no decía todo lo que sabía.

19. **luminoso:** brillante

Tengo un plan ( ).

20. **martillar:** golpear repetidas veces una cosa con un martillo (to pound, hammer)

Es preciso ( ) el metal para darle forma.

21. **pena:** dolor, tormento físico, sentimiento, aflicción

Le daba ( ) matar el potro.

22. **platónicamente:** sin interés

Vio pasar al caballito ( ).

23. **porvenir:** futuro

Estudia ahora para gozar de un ( ) brillante.

24. **potrillo:** caballo de menos de tres años

Tener un ( ) fue su locura.

25. **quinta:** casa de campo que sirve generalmente de recreo

No viven dentro de los límites de la ciudad sino en una ( ) en las afueras.

26. **suelto (soltar):** libre, lo que no está atado (loose)

En la estancia el potrillo andaba ( ).

27. **tranquera:** especie de portón hecho de palos (trancas) en un cerco

El capataz tuvo que quitar las trancas para que pasáramos por la ( ).

28. **vereda:** senda, camino muy angosto

Se encaminó por la ( ) que conduce al río.

Para la Comprensión

1. ¿Qué es «El tigre?» ¿En qué consiste? ¿Quién lo inventó?

2. Después de cansarse del juego, ¿a dónde fue Mario?

3. ¿Qué vio Mario?

4. Para ver mejor ¿dónde se puso?

5. ¿Cuál es la «chifladura» de Mario?

6. ¿Por qué no quieren sus padres animales en la quinta?

7. ¿Dónde pueden tener todo lo que quieran?

8. ¿Qué le dijo el jinete que le sorprendió tanto a Mario?

9. ¿Por qué lo lleva al campo?

10. ¿Cómo se porta el potrillo?

11. Después de denegarlo, ¿qué hizo Mario?

12. ¿Cuál fue la segunda sorpresa del día?

13. ¿Cómo alcanzó Mario al jinete?

14. ¿Qué quiere hacer el padre de Mario en el patio?

15. Ahora ¿cómo le llaman al potrillo?

16. ¿Por qué le llaman así?

17. ¿Qué se ha recomendado a Mario desde un principio?

18. ¿Qué le dice un día su papá exasperado?

19. ¿Con qué marcaba el compás de sus palabras?

20. ¿Cómo es el campo para Mario?

21. ¿En qué postura estaba un día confiando a Leo sus proyectos?

22. ¿Cómo se presenta la mamá en la alcoba?

23. ¿Cómo se puso Mario al oir que el potrillo andaba suelto?

24. ¿Qué había pisoteado el caballito?

25. ¿Qué había arrancado?

26. ¿Qué se puso Mario a hacer?

27. Después del desastre ¿qué le dijo el padre?

28. ¿Cómo camina Mario hacia la tranquera?

29. ¿Qué le pasó a Mario junto a la tranquera?

30. ¿Qué hicieron los padres cuando por fin Mario pudo sentarse en la cama?

Estructura

COMO SI Y EL IMPERFECTO DE SUBJUNTIVO
Combine las oraciones para emplear el imperfecto de subjuntivo.

MAESTRO: Juan habla español. Parece que es mexicano.

ESTUDIANTE: Juan habla español como si fuera mexicano.

MAESTRO: Comes. Parece que tienes hambre.

ESTUDIANTE: Comes como si tuvieras hambre.

1. El niño corre. Parece que está asustado.
2. María abre la boca. Parece que quiere cantar.
3. Brincamos. Parece que sabemos bailar.
4. Compra mucho papel. Parece que escribe un libro.
5. Habla de Jorge. Parece que lo extraña mucho.
6. El cielo se está nublando. Parece que va a llover.

POCO A POCO CON *IR* + PARTICIPIO PRESENTE
Según el modelo, cambie la oración para emplear la expresión nueva.

MAESTRO: Compro los libros.

ESTUDIANTE: Voy comprando los libros. Poco a poco voy comprando los libros.

MAESTRO: Aprendo alemán.

ESTUDIANTE: Voy aprendiendo alemán. Poco a poco voy aprendiendo alemán.

1. Contestas las cartas.
2. Lavan los platos.
3. Ese árbol crece.
4. Escogemos los modelos.
5. Leo los libros.
6. Visitan los museos.

EJERCICIOS CREATIVOS

MI PADRE

1. Haga una lista de las varias emociones evidentes en *Mi padre*. Cite ejemplos.

2. Este tema fue escrito por Manuel del Toro, escritor contemporáneo de Puerto Rico. Describa la clase social que él representa

aquí y por qué parece que son tan violentos.

3. Se puede decir que la historia es realista. Dé algunos ejemplos de las acciones del niño que son tan naturales que sería imposible concebir que un niño normal hiciera otra cosa.

4. Diga a la clase las cualidades de carácter que Ud. admira más en su papá.

LA PARED

5. Haga una lista de las varias pasiones evidentes en la historia. Cite ejemplos.

6. Cite ejemplos de otras riñas ficticias o de verdad que terminaron con la extinción entera o parcial de las familias.

7. Escriba un sumario de este cuento y prepárese bien para relatarlo a la clase.

8. Prepare una escena para el noticiero de televisión y entreviste a un nieto del tío y a un hijo de la viuda después del incendio.

EL POTRILLO ROANO

9. Describa unos juegos infantiles que Ud. jugaba cuando era niño.

10. Escriba un breve párrafo sobre un incidente muy inesperado que le sucedió. ¿Cómo le afectó?

11. Relate la primera escena como si Ud. fuera Mario; como si fuera Leo.

12. Haga una lista de todos los sentimientos y pasiones evidentes en el cuento. Dé ejemplos de cada uno.
   a. ¿Cuál de los sentimientos en su opinión se destaca más? Justifique su opinión en la respuesta.
   b. ¿Cree Ud. que eran demasiado severos los padres?
   c. ¿Qué aprendieron los padres de lo que pasó a su hijo?

13. Escriba un sumario breve de este cuento, dando énfasis a lo más importante y omitiendo menores detalles.

"Aragón, Dancing the Jota" *por Joaquín Sorolla y Bastida* (Courtesy of the Hispanic Society of America)

Cuadro 13 • LOS DIAS DE FIESTA

Preparando la Escena. *A través de los tiempos cada país ha tenido sus días especiales y la manera de celebrarlos. Casi siempre estos días feriados tienen sus raíces en la religión. Por eso, tienen universalidad. Sin embargo, cada país los celebra según sus costumbres y tradiciones particulares. Por eso, también tienen su individualismo.*

Entre la gente de habla española las dos estaciones de mayor importancia son las de la Navidad y la Pascua Florida.

MEXICO: REGOCIJO DE NAVIDAD

Introducción

Durante la estación navideña en nuestro país, hay muchas festividades con las cuales contamos. Hay misas y funciones especiales en las iglesias; hay grandes preparaciones festivas en las casas; hay mucha actividad en las tiendas. También hay villancicos, comidas especiales, visitas de amigos y parientes, regalos, decoraciones, y tarjetas navideñas . . . regocijo[1] de Navidad. Y sobre todo, un espíritu de paz y de buena voluntad. Así sucede también en los países de habla española. Además, hay variedades . . . posadas, piñatas, sorteos de lotería y, a veces, ¡aún una corrida de toros!

El artículo que sigue apareció en la revista *Visión* el 27 de diciembre de 1963.

Guía de Estudio

Antes de leer la selección, repase usted las siguientes palabras y aprenda las definiciones. No se puede hablar de la Navidad sin el vocabulario apropiado.

Un villancico es una canción popular de asunto religioso que se suele cantar en las iglesias por Navidad.

Una posada es una ronda santa que se inicia en el atardecer del 16 de diciembre y dura hasta Nochebuena, nueve noches consecutivas, en las que se recuerda el peregrinar de la Virgen María y San José por las calles de Belén, en busca de hospedaje.

Un nacimiento es una reproducción de cartón con figurillas de barro que pretende reproducir en cada detalle el nacimiento del Niño Jesús.

[1] **regocijo:** joy

Los Reyes Magos son los tres reyes, Melchor, Gaspar, y Baltasar que siguieron la estrella y llegaron a Belén con regalos para el Niño. El *Día de los Reyes* es el 6 de enero cuando los niños reciben sus regalos. Estos ponen zapatos en los balcones para que los llenen de regalos los Reyes Magos al pasar montados en camellos.

La Nochebuena es la noche del 24 de diciembre.

La misa de gallo es la misa que se celebra a las doce de la noche entrando la Navidad.

Un aguinaldo es un regalo que se da a los criados, los familiares, la lavandera, el sereno, etc., por Navidad.

Un portal es una escena que representa el campo alrededor de Belén y la Natividad. (nacimiento)

La piñata es una olla llena de dulces que, en días de fiesta, suele colgarse del techo para que procuren los concurrentes, con los ojos vendados, romperla con un palo.

Feliz Navidad o *Felices Pascuas* son saludos de la estación navideña.

Palabras Clave

1. Jorge Padilla es el mejor alfarero del pueblo de San Juan de los Lagos.

   alfarero: fabricante de ollas, vasijas, y otras cosas de barro

2. Los aldeanos siempre adornan las carrozas de Navidad con flores.

   carrozas: coches

3. En la procesión llevaban a la Virgen en un cojín de seda.

   cojín: almohada (pillow)

4. El cura de la parroquia dirigía el cortejo de la procesión.

   cortejo: acompañamiento

5. Miguelito estaba encaramándose a un árbol muy alto porque no podía ver la procesión.

   encaramándose: elevándose, subiendo

6. Don Ricardo y su esposa encarnan a José y María en la procesión de las posadas.

   encarnan: representan

7. Si el baile se expansiona en una fiesta de toda la vecindad, nos divertiremos mucho.

   se expansiona: desarrolla

8. Los farolillos que adornaban la carroza eran muy bonitos.

   farolillos: flores grandes en forma de campana, o lámparas para alumbrar las calles, linternas

9. El altar de la catedral de Taxco es fastuosísimo.

   fastuosísimo: majestuoso, lujoso

10. De la carretera se veía una hilera de gente que caminaba hacia la iglesia.

    hilera: línea, fila, procesión

11. Raúl y Fernando fueron a la lidia de toros.

    lidia: corrida

12. Para entrar en el teatro todos tuvieron que pagar, mayores y menudos igualmente.

    menudos: niños, pequeños, chicos

13. Recibí el regalo envuelto en papel de China.

    papel de China: papel muy fino y opaco (tissue paper)

14. El muchacho quebró la piñata de un porrazo con el palo.

    porrazo: golpe que se da con la porra o instrumento parecido

15. Los aztecas gastan más dinero en el renglón de artefactos eléctricos que en cualquier otro.

    renglón: línea (line, business line)

16. Don Francisco Soltero regaló todas las reses para la corrida del domingo.

    reses: toros

17. La tía María se expresó en vocablos completamente desconocidos por todos los del pueblo.

    vocablos: palabras, lenguaje

L A NAVIDAD en México hace surgir a flor de boca vocablos conocidos en casi todos los países de habla española, pero que en tierra azteca evocan tradiciones y sentimientos muy particulares: grandes y chicos aguardan
5 ansiosos las posadas, piñatas, nacimientos, la misa de gallo, y los Reyes Magos.

De la región andaluza, en la lejana España, llegó a México, donde se ha mimado con gran cariño, la tradición de las posadas, una ronda santa que se inicia en el atardecer del 16 de
10 diciembre y dura hasta Nochebuena, nueve noches consecutivas, en las que se recuerda el peregrinar de la Virgen María y San José por las calles de Belén, en busca de hospedaje. Por un itinerario, poco más o menos planeado, a través

de las calles de pueblos y barriadas mexicanos, camina una procesión de personas ... ricos y pobres, mayores y menudos ... representando los papeles de aquellos hebreos aldeanos de hace 1963 años. Entonando letanías y villancicos desfilan
5 solemnemente de portal a portal, en alegre contraste con los gritos y travesuras de los niños. Con frases de ritual e improvisadas piden a los «posaderos» un lugar para albergar a la Virgen, que será la madre de Dios. Al pronto, éstos los rechazan con palabras bruscas, para acudir acto seguido a
10 recibir al cortejo. En la ciudad de Querétaro, los semáforos se apagan y en cada esquina coros de voces cantan:

acudir: to assist, attend to

> En Belén tocan a fuego,
> del portal sale la llama;
> una estrella del cielo
15 > que ha caído entre la paja.

Querétaro, como muchas otras poblaciones mexicanas, conserva toda la esencia y el sabor de las posadas, pues prefiere que desfilen en los carretones de sus procesiones, no las imágenes de la Virgen María y San José llevadas en
20 andas, sino quienes los encarnan. En el carro principal se ve el portal humilde con María y José adorando al Niño, que sonríe, acostado entre la paja, mientras a su vera, simulando que lo calientan con su aliento, van un buey y una mula. En el arco del portal, una gran estrella de hojalata se destaca
25 por su tamaño. También pasean por las calles ... adornadas de farolillos de papel coloreado, flores de Nochebuena, heno, y festones hechos con ramas de coníferas y «papel de China» ... muchas carrozas más. Entre éstas la de los Reyes Magos, Melchor, Gaspar y Baltasar, cuya presencia es un festejado
30 anticipo para la chiquillería de Querétaro, que se expansiona en griterías, mientras corren detrás de los camellos de cartón llevados por los pajes negros, muchachos de alguna escuela, con la cara tiznada a propósito y tocados con ricos turbantes de seda en colores deslumbrantes.

andas: platforms used to carry statues in holiday processions

a su vera: alongside of it

heno . . . coníferas: hay, and festoons made with evergreen boughs

la chiquillería: the crowd of youngsters, small fry

la cara tiznada a propósito: their faces stained appropriately

35 ## EN PROCESION

En las haciendas del campo mexicano se ven largas hileras blancas, que son los peones indios en procesión por las dependencias, caminando lenta e impasiblemente, aunque cada cual embargado con su emoción individual, iluminados por
40 centelleante pirotécnica y marchando al compás de tambores,

centelleante pirotécnica: sparkling fireworks

platillos y guitarras que irrumpen en rancheras, poco más o menos profanas, mientras las baterías de cohetes plasman la escena.

Como quiera que en casi todo México las fiestas cristianas suelen tener resabios paganos y precolombinos, la ciudad de Oaxaca tiene una que la es propia: la Fiesta de los Rábanos, celebrada el 23 de diciembre, en aras de una antigua tradición mixteca de conmemorar la fertilidad de la tierra se celebran concursos de esculturas hechas de rábanos, principal cosecha de la época y la comarca.

ALGAZARA

Los niños aprovechan el ceremonial de las posadas para entrar a tropel en el patio del posadero . . . ¡venga a la piñata! Esta es una olla de barro, de buen tamaño, suspendida en alto cual horripilante gárgola, pues está moldeada en forma de monstruos o en versiones originales y primitivas de elefantes, garzas, patos, peces y demás bicharracos, aunque para dar una nota de actualidad y hacer reír a los muchachos, se suelen adornar con la careta de algún rostro inconfundible, como lo es para los mexicanos el del popular cómico Mario Moreno, «Cantinflas.» Como quiera que dentro de la panzuda piñata se hallan un sinfín de confites, trozos de caña de azúcar, naranjas, cacahuates, limones y demás golosinas, alguien tiene que derribarla. ¡Ahí va; ya está! Encaramándose un poquito para atinar mejor, un muchachito con los ojos vendados dio en el blanco con un porrazo de su mano inocente (inocente, el pobre, porque va a ser el último en hincar el dientecito).

Los demás ya se han precipitado para formar un voraz montón, todo piernas y brazos. Hay para todos, aunque sólo sea una desportilladura de barro.

No se concibe una Navidad mexicana sin un «nacimiento.» Desde las más humildes casas de campo (que es quizá donde se encuentran mejor ambientados) hasta los más lujosos escaparates de la engalanada capital, que han hecho comentar a más de uno que «la misma ciudad de México parece un nacimiento,» la antigua tradición de confeccionar figurillas de barro que representan a la Virgen María y San José adorando al Niño Jesús, mantiene vivo todo su simbolismo y cobra mayor actualidad con los años. Los hay sencillos, con sólo la Santa Familia, el pesebre y cañitas de paja, y los hay

que irrumpen en rancheras: that burst into ranch songs

resabios: unpleasant aftertastes; translate as "overtones"

en aras de: on the altars of

mixteca: of the Mixtecan indians

horripilante gárgola: hair-raising gargoyle

bicharracos: hideous animals

atinar: to hit the target

hincar el dientecito: to sink his tooth

desportilladura de barro: chipped off piece of clay

pesebre: manger

fastuosísimos, que pretenden reproducir en cada detalle aquel momento histórico: en torno del establo divino, se ve todo el pueblo de Belén, los pastores humildes, los Reyes Magos de Oriente, legionarios romanos, las murallas de
5 Jerusalén, el palacio de Herodes; todo esto en una profusión de figurillas de barro y de plomo, estructuras de cartón, arena, palmeras, riachuelos de verdad y musgo fresco.

musgo: moss

CONCURSOS

Si bien en las iglesias la tendencia actual es hacia una
10 escenificación sencilla, los alfareros tienen trabajo asegurado y los «amateurs» entretenimiento de sobra, pues en la capital y otras ciudades se hacen concursos de nacimientos. Aunque el árbol de Navidad, el lustroso abeto con todas sus bolitas y adornos, está de moda y se impone por doquier, sigue ocu-
15 pando un lugar secundario en México.

Mientras el destino de las figurillas, elaboradas en su mayoría por alfareros de un lugar llamado San Pedro Tlaquepaque, en el estado de Jalisco, es casi exclusivamente la propia nación mexicana, muchas piñatas, confeccionadas por
20 artesanos de todo el país, llegan a los escaparates de tiendas de juguetes de los vecinos Estados Unidos e incluso de Europa.

Llegada la Nochebuena, todo México se expansiona. En el pueblecito de Ahuatepec, entre Cuernavaca y Tepoztlán, la
25 gente empieza a reunirse desde las diez y media frente a una casa: la de la «madrina» del Niño Jesús. Nada más tocar las once, ésta sale, vestida de celeste (en otros pueblos viste de blanco), llevando en brazos una pequeña imagen del Niño Dios acurrucado en gran cojín de terciopelo. Una orquesta
30 empieza a tocar y la gente a cantar: «A la ru-ru-ru niño, a la ru-ru-ru. Has venido al mundo sólo por mi amor.»

acurrucado: huddled
terciopelo: velvet

La procesión se desplaza por las calles polvorientas pero alumbradas con farolillos, hasta llegar a la iglesia en donde el presbítero los espera en la puerta. El sacerdote, obede-
35 ciendo a una costumbre cuyo origen preciso nadie recuerda, toma el cojín con su pequeña imagen y penetra, entre la valla de gente cantando por la nave central, hasta el altar, donde deposita al Niño en un pesebre que forma una especie de altar por separado.
40 El Recién Nacido permanece acostado hasta la fiesta de la Epifanía, el 6 de enero, cuando se le levanta para encabezar

la procesión que conmemora el día en que los Reyes Magos de Oriente, que desfilan a su lado, le colmaron de ricos obsequios y que es también la fecha en que todos los niños mexicanos reciben sus regalos, aunque muchos ya han sido visitados por Papá Noel en Nochebuena y les toca «repetir.» El día de Reyes, los niños aguardan ilusionados el comerse la rosca, un pastel en forma de anillo, en cuya masa se halla oculta una diminuta figura de porcelana del «Niño.» Pero no es tan pequeña que se la pueda tragar el muchacho al que le haya tocado, que resulta ser el «compadre,» el que tiene la obligación de invitar a todos los concurrentes a su casa, a comer tamales, el 2 de febrero, día de la Virgen de la Candelaria, cuando se pone punto final a las fiestas navideñas mexicanas.

le colmaron de ricos obsequios: heaped rich gifts upon him

MISA DE GALLO

Mediada la Nochebuena, en todo México se celebra con gran solemnidad la misa de gallo y el clero mexicano ha hecho hincapié entre sus feligreses en que ésta consta en realidad de tres misas, según la liturgia: la primera, en que se celebra el nacimiento humano del Redentor, Su advenimiento al mundo; la segunda, «Su advenimiento espiritual a nuestras almas»; y, por último, la tercera, que es «Su eterno advenimiento en Dios Padre.» Muchos mexicanos se trasladan especialmente a la Basílica de Guadalupe, santuario nacional de la Virgen Patrona de México, para asistir a la misa de gallo, que allí se oficia con gran esplendor y devoción, mientras el coro entona himnos y cánticos con acentos de gran individualidad, en un templo que durante la época precolombina fue lugar de adoración a la diosa madre azteca Tonantzín.

ha hecho hincapié entre sus feligreses: has emphasized to the parishioners

CORRIDA TRADICIONAL

Si bien en la ciudad de México, durante los mejores tiempos de la fiesta taurina, se celebró alguna que otra corrida de Navidad, lo cierto es que en Querétaro ese día se ha hecho tradicional la lidia de reses bravas. Es el ex-matador de toros, Paco Gorráez, quien suele organizar lo que los queretanos llaman «la corrida tradicional.» También es tradicional la corrida del 26 de diciembre, programada en los carteles de Celaya, Guanajuato, como lo son las de Guadalajara, Jalisco y Puruándiro, en el estado de Michoacán.

CREDITO

«Lleve todo, sin enganche, pague después.» Este es el lema de los comerciantes mexicanos en días navideños, quienes calculan que el importe total de sus ventas durante la época aumenta en un promedio de 70 por ciento a 80 por ciento sobre el resto del año, debido al impulso que se viene dando al crédito en todas las compras, con especiales facilidades para la gama de artefactos eléctricos, renglón en que, juguetes aparte, los aztecas gastan más dinero. Todos los indicios señalan un nuevo record en el volumen de ventas para las fiestas, lo cual ha sido calificado de «sicosis de gastar dinero» por Eusebio Blasco, gerente de la Cámara Nacional de Comercio de la ciudad de México, que habla con más austeridad que la mayoría de sus compatriotas. Por un lado, tiene razones para ello, pues se ha visto obligado a formar un archivo de más de 400.000 fichas, correspondientes a otros tantos solicitantes de crédito. Esta relación la facilita Blasco a los agradecidos comerciantes. Pero éstos no se libran de censuras en la prensa, la cual alega que «el crédito está al alcance de todos, pero el obtenerlo resulta muchas veces bastante gravoso.» En los mismos círculos se citan ejemplos de «cargar la mano» por parte de comerciantes, «que llegan a cobrar el 100 por ciento más de lo que costaría determinado artículo si se adquiriese al contado.»

Los papás están viendo en los escaparates de las tiendas de juguetes una gran variedad de todo lo que puede ilusionar a los niños, desde el pequeño cochecito de madera o de plástico y la modesta muñeca de trapo, hasta el más caro entretenimiento infantil de importación. Estos son muy solicitados por los que se los pueden comprar, aunque el gobierno mexicano procura evitar la salida de divisas por este concepto.

sin enganche: without any strings attached
el lema: the motto, the slogan

la gama: the gamut, the series

muñeca de trapo: rag doll

Diccionario

1. **albergar:** hospedar (to lodge)
   José no halló lugar en donde (   ) a la Virgen María.

2. **alfarero:** fabricante de ollas, vasijas, y otras cosas de barro
   A Miguel, un (   ) de Toluca, no le gusta hacer dos ollas iguales.

3. **carrozas:** coches
   Los jóvenes adornaron las (   ) con flores.

4. **cojín:** almohada (pillow)
   Doña Amelia hizo un (   ) de seda.

5. **cortejo:** acompañamiento
   El (   ) fúnebre era muy grande.

6. **desfilan (desfilar):** caminan en fila (pass in review, file past, parade)

El 4 de julio todas las bandas (   ) orgullosamente por la avenida principal del pueblo.

7. **encaramándose (encaramarse):** elevándose, subiendo

Mientras Miguelito estaba (   ) al árbol para ver mejor, se pasó la procesión.

8. **encarnan (encarnar):** representan

Los primos de Alberto siempre (   ) a los caracteres de más prominencia en todas las obras dramáticas.

9. **se expansiona (expansionarse):** desarrolla

Lo que comienza a veces como un disgusto entre dos personas (   ) en una revolución.

10. **farolillos:** flores grandes en forma de campana, o lámparas para alumbrar las calles, linternas

La carroza del cura iba adornada de (   ) de papel rojo. Todas las calles estaban alumbradas con (   ) desde el río hasta la iglesia.

11. **fastuosísimo:** majestuoso, lujoso

El zócalo de la ciudad de México es algo (   ) durante las fiestas de Navidad.

12. **golosinas:** confites, dulces (sweets)

La piñata contenía frutas, juguetes, caramelos y otras (   ).

13. **hilera:** línea, fila, procesión

La (   ) de peregrinos se extendía por tres millas del camino.

14. **hospedaje:** alojamiento (lodging)

No creo que vayan a encontrar (   ) en esta ciudad durante las fiestas.

15. **lidia:** corrida

Presentaron una (   ) especial en la cual torearon hombres y mujeres.

16. **menudos:** niños, pequeños, chicos

Mayores y (   ), todos esperaron hasta que llegó la procesión.

17. **panzuda:** que tiene mucha barriga (big-bellied)

La piñata de Alicia estaba más (   ) que la de su hermano.

18. **papel de China:** papel muy fino y opaco (tissue paper)

En México se usa mucho el (   ) para adornar las carrozas de las fiestas.

19. **peregrinar:** andar viajando por tierras extrañas, viajar para visitar algún santuario

El (   ) a Santiago de Compostela va cada año aumentando en popularidad.

20. **platillos:** instrumentos metálicos de percusión en forma de platos (cymbals)

¿Quién toca los (   ) en la banda del pueblo?

21. **plomo:** metal muy pesado de color gris (lead)

El (   ) se usa en la fabricación de balas.

22. **polvorientas:** llenas de polvo (dusty)

Las calles estaban (   ) pero bien alumbradas.

23. **porrazo:** golpe que se da con la porra o instrumento parecido

Adela quebró la ventana de un (   ).

24. **rábanos:** plantas comestibles de raíz carnosa blanca y roja (radishes)

Los (   ) son muy buenos en la ensalada.

25. **renglón:** línea (line, business line)

En el (   ) de artículos de seda es mejor comprar los colores más brillantes.

26. **reses:** toros

Del rancho de mi tío siempre traen buenas (   ) a las corridas.

27. **travesuras:** acciones traviesas (pranks, frolic, capers)

Los gritos y (   ) de los niños siempre son parte de las mejores fiestas.

28. **vocablos:** palabras, lenguaje

Al fin de la procesión habló el cura, usando (   ) sencillos.

Para la Comprensión

1. Nombre cinco elementos que contribuyen al regocijo de la Navidad en México.

2. ¿De dónde llegó a México la tradición de las posadas?

3. Describa «las posadas.»

4. ¿Qué contrasta con el desfile solemne de portal a portal?

5. ¿A quiénes les piden albergue para la Virgen?

6. ¿Cómo celebra Querétaro las posadas?

7. ¿Qué cosa distingue «las posadas» de Querétaro a las de otros pueblos?

8. ¿Qué va en el carro principal de la procesión?

9. ¿Dónde colocan una gran estrella de hojalata?

10. Describa las otras carrozas del desfile.

11. ¿Cuál es la carroza que más emociona a la chiquillería de Querétaro?

12. ¿Cómo celebran los indios peones esta tradición?

13. ¿Qué instrumentos musicales llevan?

14. ¿Cómo se distingue la ciudad de Oaxaca de los otros pueblos mexicanos durante la Navidad?

15. ¿Qué día se celebra la Fiesta de los Rábanos?

16. Describa esta fiesta.

17. ¿Qué es una piñata?

18. Diga todo lo que pueda de la piñata y sus efectos en los niños.

19. Describa un «nacimiento.»

20. ¿Qué efecto tienen los concursos en la fabricación de «nacimientos»?

21. Relate lo que sucede en Nochebuena en Ahuatepec.

22. En Nochebuena el sacerdote deposita al Niño en un pesebre cerca del altar. ¿Hasta cuándo permanece allí?

23. Diga algo acerca del día de los Reyes Magos.

24. ¿Por qué les gusta a los niños el día de los Reyes?

25. Describa la «misa de gallo.»

26. ¿Por qué van muchos a la Basílica de Guadalupe?

27. ¿Qué sabe usted de la «corrida tradicional» de Querétaro?

28. ¿Cuál es el lema de los comerciantes mexicanos en días navideños?

29. ¿Qué efecto tiene el «crédito» en las ventas de Navidad?

30. ¿Cómo se compara la venta de juguetes hechos en México con los importados?

LAS FIESTAS

Baste decir que en enero
hay un San Antón, y hay vueltas,
que hay máscaras en febrero,
y en marzo hay Pepes y Pepas.

Que abril encierra una Pascua;
Mayo a San Isidro fiesta.
Junio noche de San Juan
con fandango y con vihuelas.

Vueltas de San Antón: paseo de las caballerías enjaezadas que se solía hacer el 17 de enero.
Pepes y Pepas: apodos de José. El día de San José es el 19 de marzo.

México: regocijo de Navidad   277

Julio ostenta de sus toros
las entretenidas fiestas,
y en agosto Manzanares
brinda con húmeda arena.

Manzanares: río de Madrid

Viene septiembre después,
con sus históricas ferias,
con sus fiestas de Pozuelo,
Carabanchel y Vallecas.

Pozuelo, Carabanchel y Vallecas: barrios de Madrid

Y octubre empieza a mostrar
sus fríos y calles puercas.
y noviembre sus difuntos
diciembre su Nochebuena.

Y en todos meses del año
hay cortejos y hay cortejas,
y hay revistas, besamanos
y hay visitas y hay audiencias.

besamanos: galanterías

Mesonero Romanos.

Estructura

ADJETIVOS Y PRONOMBRES DEMOSTRATIVOS
Según el modelo, cambie la oración para emplear el nuevo adjetivo demostrativo.

MAESTRO: Este monumento es grande.

ESTUDIANTE: Este monumento es grande.
Ese monumento es grande.
Aquel monumento es grande.

MAESTRO: Estas flores son bonitas.

ESTUDIANTE: Estas flores son bonitas. Esas flores son bonitas. Aquellas flores son bonitas.

1. Este abanico es de España.
2. Estos robles son altos.
3. Esta chica es muy guapa.
4. Estas naves son francesas.
5. Esta mesa está rota.
6. Estos cirios son pequeños.

Según el modelo, cambie la oración para emplear el pronombre en vez del adjetivo.

MAESTRO: Este libro es interesante.

ESTUDIANTE: Dijo que éste es interesante.

MAESTRO: Estos juguetes son muy solicitados.

ESTUDIANTE: Dijo que éstos son muy solicitados.

7. Esta olla es de barro.
8. Estas mujeres son amigas.
9. Entre estas carrozas va la de los Reyes Magos.
10. Este cojín es de seda.
11. Este lema es popular en días navideños.
12. Estos hombres siempre nos rechazan.

Ese libro es interesante.
13. Esos juguetes son muy solicitados.
14. Esa olla es de barro.
15. Ese cojín es de seda.
16. Ese lema es popular en días navideños.
17. Esos señores son amigos.
18. Esas flores son bonitas.

Aquel libro es interesante.
19. Aquellos juguetes son muy solicitados.
20. Aquella olla es de barro.

21. Aquel cojín es de seda.
22. Aquellas mujeres son amigas.
23. Aquel lema es popular en días navideños.
24. Aquellas flores son bonitas.

Según el modelo, combine las dos oraciones para emplear el pronombre demostrativo.

> MAESTRO: Este libro es bueno. Ese libro es malo.
>
> ESTUDIANTE: Este libro es bueno pero ése es malo.
>
> MAESTRO: Esta flor es roja. Esa flor es amarilla.
>
> ESTUDIANTE: Esta flor es roja pero ésa es amarilla.

25. Estos hombres son franceses. Aquellos hombres son españoles.
26. Estas leyendas son interesantes. Esas leyendas son aburridas.
27. Este ejercicio es difícil. Ese ejercicio es fácil.
28. Esta mujer baila bien. Esa mujer canta bien.
29. Esta estatua es de piedra. Aquella estatua es de madera.
30. Estos árboles son pinos. Esos árboles son robles.

SEMANA SANTA BAJO LA GIRALDA

por Raúl de la Cruz

Introducción

La Semana Santa en España empieza con el Domingo de Ramos y sigue hasta el Domingo de Resurrección (o Pascua Florida). Se caracteriza por la devoción solemne de la gente y por las procesiones religiosas que pasan por las calles, llevando estatuas de Jesús, de la Virgen María y de los Santos.

En todas partes de España se celebra esta Semana Santa, pero en Sevilla, bajo la Giralda, la procesión es una vista inolvidable para el que tenga la buena fortuna de verla.

Esta selección apareció en la revista *Hoy*, el 13 de abril de 1963.

Guía de Estudio

En los pueblos pequeños de las provincias, los que todavía evocan los días de la Edad Media, la Semana Santa todavía guarda su honda y solemne significación. Lo que pasa a veces en las ciudades grandes es que algo del espíritu verdadero de la Semana Santa se pierde en los grandes espectáculos y en la preocupación de complacer al turismo.

Repase usted las siguientes palabras y las explicaciones para poder mejor discutir la Semana Santa:

Viernes santo es el día aniversario de la muerte de Jesucristo.

Un paso es un suceso de la Pasión de Jesucristo representado durante la Semana Santa. Sobre los lujosos «pasos» de plata cincelada, adornan a la Virgen con ricas joyas, colocándola después bajo palio entre flores y grandes cirios.

Una saeta es una especie de canción que se canta en las iglesias y en las procesiones.

Una cofradía es una congregación o hermandad de personas devotas. Muchas cofradías desfilan durante la Semana Santa.

La Giralda, Sevilla (Spanish National Tourist Office)

Los penitentes encapuchados son personas en las procesiones que visten túnica y llevan capucha en señal de penitencia.

Las andas son plataformas en las cuales se llevan las estatuas representativas.

Palabras Clave

1. La crucifixión es un recuerdo amargo de la pasión de la Semana Santa.

   amargo: penoso, triste, doloroso

2. La candilería de plata adorna el altar.

   candilería: utensilio que sirve para sostener las candelas o velas

3. Cuando voy al mercado, siempre compro claveles para la casa.

   claveles: clase de flores (carnations)

4. La crucifixión es una evocación triste de la pasión de la Semana Santa.

   evocación: recuerdo

5. El piropo amoroso de Sevilla hace sonreír a la Macarena.

   piropo: adulación, alabanza (flattery, compliment)

6. Julio toca el redoble en su tambor cuando marcha en la procesión.

   redoble: toque de tambor vivo y rápido (drum roll)

7. De la orilla del camino se oía el respirar de los soldados en marcha, como si fuera el de una sola persona.

respirar: exhalar e inhalar el aire (breathing, to breathe)

8. El retablo de la catedral de Sevilla es una maravilla.

   retablo: adorno de piedra o de madera en el que se pone un altar (retable, altarpiece)

9. La selva de Oaxaca es un lugar extenso de mucha vegetación.

   selva: lugar frondoso donde hay muchos árboles, bosque

ALLA VAN por las calles, selva de luz y devoción; delante el Cristo, en la obscuridad; sin más que cuatro hachones oscilantes o cuatro candelabras, uno en cada extremo del «paso,» con sus brazos de ligero metal vibrante que
5 da a la luz misterio y unción, como caricias tristes que se filtran en oración, temblores ligeros de relámpagos sobre los agonizantes; allá van, con su túnica lisa sin bordados; crucificados en penumbra que sólo llevan claveles rojos, evocación amarga de la sangre viva, huellas doloridas y descalzas; no
10 hay ornato para los Cristos en Sevilla; sólo parece escucharse un redoble seco como eco de tambores romanos hacia el monte Calvario . . .

Ahí viene detrás la Virgen, estampa del dolor; y Sevilla no sabe qué hacer para consolarla. ¡Que traigan claveles
15 blancos! ¡Que traigan plata y le hagan un palio bordado de joyas para que no vea llorar las estrellas! . . . y cirios, muchos cirios, y que se los pongan delante para alumbrarla, que su reflejo le impida ver al Hijo que va muerto. Porque es una madre que llora y hay que consolarla. Macarena, Virgen de
20 la Esperanza, la única que llora y que ríe al mismo tiempo: la que llora por su hijo y la que sonríe del piropo amoroso de Sevilla. Dolor y gozo, espejo de la risa y del llanto; por eso La Macarena quiere decir única. Ella va en el centro del «paso»; le precede la candilería de plata con sus cirios esca-
25 lonados en filas armoniosas; desde aquél que llega a la altura de sus manos, hasta el último, el más pequeño, que besa los

hachones oscilantes: large wavering torches or candles

penumbra: penumbra; the partly lighted area round any area of full shadow

palio: canopy

Spanish National Tourist Office

claveles; es un bosque de cera de ciento cincuenta cirios, como un macizo de nardos apretados. Cirios de Sevilla, flores de luz; arriba llora la Virgen; abajo, los cirios derraman lágrimas . . .

5 De pronto, al doblar de la esquina, un gemido se escucha, lacerante como punta aguda que penetra en el alma, luego viene la «saeta,» el canto gregoriano barroco de Sevilla, expresión e imagen de retablo. Cuando en la estrecha calleja o la plaza sevillana el silencio de la noche dibuja la Giralda 10 con su sombra de tristeza y color de pena, cuando los naranjales se abren en azahares, un gorjeo se hace cuerpo en los balcones, y el cante de la «saeta» brota de la garganta enmarcada en blanca camisa, y mana una especie de hilo de oro, voz quebrada y ojos lavados con lágrimas que se vuelve 15 lamento al paso de la Macarena:

macizo de nardos apretados: a flower bed of tight tuberoses

la Giralda: a famous landmark in Sevilla, a tower with a weathervane at its top
gorjeo: warble or trill

mana: out flows (from the verb *manar*)

282   *Los días de fiesta*

Toíto el mundo ha confesao
que tú eras la más bonita,
la del color bronceao, gitana
pura y bendita por tós los
5 cuatro costaos . . .

El «paso» del palio en la procesión es una claridad como
de incendio movible que avanza por el aire y entre paredes
de cal; visión que se repite todos los años, todos los días de
la Semana Santa en las calles de Sevilla, con la mirada
10 guardiana de la torre de la Giralda que en esos días es una
prolongación de la fe, porque sus Vírgenes y Cristos, celosa-
mente custodiados, van en antorcha de cirios por plazas y
barrios, escuchándose un respirar acompasado de los «costaleros» que llevan sobre sus hombros el peso de la gloria sevi-
15 llana: la cruz gigantesca del «Cachorro,» con caminar lento
y movimiento oscilante que es ritmo de muerte y eriza la
piel como si el estertor de la agonía estuviera presente, y el
«paso» que se detiene para que la gente pueda ver a la
Macarena y le cante una saeta. . . . Sevilla es plegaria, luz de
20 cirio y claveles de Semana Santa; es una oración que se eleva
al infinito, rumbo a las estrellas. . . .

In singing, as well as in speech, syllables are very often slurred. In this *saeta*, **toíto** stands for *todito* or *todo;* **confesao** is *confesado;* **bronceao** is *bronceado;* **tós** is *todos;* **costaos** is *costados.*

cal: lime

costaleros: porters (who are carrying the statues)

Cachorro: young one, a term used sentimentally referring to Jesus, the son
el estertor de la agonía: the death rattle
plegaria: fervent prayer

La Virgen de la Macarena (Spanish National Tourist Office)

Diccionario

1. **acompasado:** rítmico

   El marchar (   ) de los soldados era un espectáculo digno de admiración.

2. **alumbrar:** poner luz en algún lugar

   Van a (   ) el parque para la fiesta.

3. **amargo:** penoso, triste, doloroso

   No es fácil olvidar un suceso tan (   ).

4. **brota (brotar):** nace (se dice de hojas, flores) (buds, blooms, bursts forth)

   El canto de la saeta (   ) como del alma.

5. **candilería:** utensilio que sirve para sostener las candelas

   En las iglesias de los pueblos mexicanos la (   ) de los altares siempre es de oro o de plata.

6. **cera:** substancia que sirve para la fabricación de velas y cirios

   Gotas de (   ) caliente caían de los cirios encendidos.

7. **claveles:** clase de flores (carnations)

   Me gustan los (   ) rojos.

8. **enmarcada:** bordada (embroidered)

   Juanita llevaba una blusa blanca (   ) en el cuello y en la cintura.

9. **escalonados:** situados, distribuidos

   Los cirios estaban (   ) en la candilería según su tamaño.

10. **evocación:** recuerdo

    La piñata es una (   ) alegre de la fiesta de Navidad.

11. **guardiana:** vigilante

    En el puerto de Nueva York, la Estatua de la Libertad cuida el puerto con una mirada (   ).

12. **lacerante:** cortador, agudo, como punta

    El clamor (   ) de la niña rompió el silencio de la procesión.

13. **piropo:** adulación, alabanza (flattery, compliment)

    Según los españoles una mujer guapa merece un buen (   ).

14. **redoble:** toque de tambor vivo y rápido (drum roll)

    A lo lejos se oye el (   ) de los tambores que se acercan.

15. **respirar:** exhalar e inhalar el aire (breathing, to breathe)

    Anita abrió la ventana porque no podía (   ) bien sin ventilación.

16. **retablo:** adorno de piedra o de madera en el que se pone un altar (retable, altarpiece)

    El (   ) de la misión de Dolores es un objeto histórico.

17. **selva:** lugar frondoso donde hay muchos árboles, bosque

    Después de la Semana Santa se fue a la (   ) a descansar unos días.

Para la Comprensión

1. ¿Quién va al frente de la procesión de la Semana Santa?

2. ¿Cómo alumbran la calle?

3. ¿Hay ornato para los Cristos de Sevilla?

4. ¿Quién va detrás de la procesión?

5. ¿Por qué ponen muchos cirios en frente de la Virgen?

6. ¿Cómo va el Hijo?

7. ¿Quién es la única que llora y ríe a la vez?

8. ¿Por qué llora?

9. ¿Por qué ríe?

10. Describa la procesión de la Macarena.

11. ¿Qué se escucha al doblar la esquina?

12. ¿Qué sigue después?

13. ¿Qué sucede cuando el silencio de la noche dibuja la Giralda?

14. Relate algo del cantar de la saeta a la Macarena.

15. ¿Qué es el «paso» de palio en la procesión?

16. ¿Cada cuándo se repite esta visión?

17. ¿Qué hacen las Vírgenes y los Cristos de Sevilla durante la Semana Santa?

18. ¿Quiénes llevan las Vírgenes y los Cristos durante la Semana Santa?

19. Describa el efecto que produce ver la cruz del «Cachorro» caminar tan lento y con movimiento ondulante.

20. ¿Qué hace la gente cuando ve a la Macarena?

21. Según el autor, ¿qué es Sevilla?

22. ¿Hacia dónde se eleva la oración de Sevilla?

Estructura

FORMAS ESPECIALES DE LAS CONJUNCIONES DISYUNTIVAS Y, O

Según el modelo, combine las dos oraciones para emplear *e*, la forma especial de la conjunción disyuntiva *y*.

MAESTRO: Estudio español. También estudio inglés todos los días.

ESTUDIANTE: Estudio español e inglés todos los días.

MAESTRO: Este libro es nuevo. También es interesante.

ESTUDIANTE: Este libro es nuevo e interesante.

1. Trató de moverse la pierna. También trató de incorporarse.

2. Hablaba en una voz suave. También hablaba en una voz implorante.

3. La tempestad destruyó muchos árboles. También inundó el pueblo.

4. Es un poeta conocido. También es un poeta ilustre.

5. Es un cuento interesante. También es un cuento imaginativo.

6. Esta silla es vieja. También es incómoda para nosotros.

7. El burro es un animal perezoso. También es independiente.

8. Es una ciudad de catedrales. También es una ciudad de iglesias.

9. Hay muchos mosquitos en este lugar. También hay muchos insectos.

10. Estudiamos francés. También estudiamos italiano.

Según el modelo, combine las dos oraciones para emplear *u*, la forma especial de la conjunción disyuntiva *o*.

MAESTRO: ¿Es un hijo desobediente? ¿Es un hijo obediente?

ESTUDIANTE: ¿Es un hijo desobediente u obediente?

MAESTRO: ¿Había siete platos en la mesa de su casa?
¿Había ocho platos en la mesa de su casa?

ESTUDIANTE: ¿Había siete u ocho platos en la mesa de su casa?

11. ¿Usan cazuelas para preparar la comida? ¿Usan ollas para preparar la comida?

12. ¿Tiene usted un piano en la sala? ¿Tiene usted un órgano en la sala?

13. ¿Es un rancho de vacas? ¿Es un rancho de ovejas?

14. ¿Buscaba fama el conquistador? ¿Buscaba honor el conquistador?

15. ¿Es cuestión de minutos? ¿Es cuestión de horas?

16. ¿Lo compraste en una platería? ¿Lo compraste en una hojalatería?

17. ¿Fueron al cine ayer María y Pablo? ¿Fueron al cine hoy María y Pablo?

18. ¿Gritaron «¡Viva!»? ¿Gritaron «¡Olé!»?

19. ¿Van a recordar los detalles? ¿Van a olvidar los detalles?

20. ¿Había setenta alumnos en la clase de aquella escuela? ¿Había ochenta alumnos en la clase de aquella escuela?

21. ¿Baila usted de esta manera? ¿Baila usted de otra manera?

22. ¿Son indios amistosos éstos? ¿Son indios hostiles éstos?

EL CARNAVAL EN LATINOAMERICA

Introducción

Carnaval es el nombre que se da a los tres días antes del Miércoles de Ceniza, día que inicia la estación de Cuaresma. Durante esta fiesta las calles y las plazas se llenan de parrandistas que se divierten paseándose, cantando y bailando. Muchas veces, llevan disfraces y máscaras; tocan instrumentos; tiran confeti y serpentinas. Tratan de condensar en estos tres días toda la diversión y la alegría que pueden porque saben que los días que siguen van a ser días de ayuno, de seriedad y de abstinencia.

Guía de Estudio

La descripción en este artículo indica que el Carnaval es una combinación del Mardi Gras de Nueva Orleans, el Torneo de las Rosas de Pasadena, la Procesión de los Momeros de Filadelfia, y la víspera del Año Nuevo por todas partes.

Muchas veces, hay concursos en los pueblos, las universidades o las cámaras de comercio para elegir reinas de belleza, princesas y toda una corte para reinar durante las ceremonias oficiales del Carnaval.

Palabras Clave

1. En Mazatlán el pueblo celebra el Carnaval con un brío contagioso.

   brío: ánimo, espíritu, ímpetu

2. El carpintero no pudo trabajar porque había olvidado traer los clavos.

   clavos: piececillas de hierro con cabeza y punta (nails)

3. La gente del pueblo se abstiene de hacer cosas en la vida corriente que en el Carnaval hace sin ninguna pena.

   corriente: ordinaria, usual

4. El hombre se vistió de cruzado para el Carnaval.

   cruzado: persona que toma parte en una cruzada (crusader)

5. En las ciudades grandes desvían el tránsito de los automóviles para que no estorbe el Carnaval.

   desvían: divierten, cambian de vía (reroute, change the route of)

6. En los días de Carnaval encienden muchos focos en todas las calles para iluminar el pueblo.

   focos: luces eléctricas

7. El carpintero no trajo ni clavos ni martillo.

   martillo: instrumento que sirve para golpear (hammer)

LOS NORTEAMERICANOS que han tenido ocasión de presenciar la celebración del Mardi Gras de Nueva Orleans conocen el encanto de las fiestas carnavales-

Carl Levin Associates, New York

cas. En cuanto al espíritu de la fiesta, el Carnaval latinoamericano se parece al Mardi Gras de Nueva Orleans. Para
poderlo apreciar en su verdadero significado hay que ver
más allá de las máscaras. Hay que asociarse al espíritu que
5 anima a los que las llevan.

El Carnaval, que se celebra durante los tres o cuatro días
antes del Miércoles de Ceniza, o sea el comienzo de la
Cuaresma, representa una evasión de la vida cotidiana. Es
ocasión para actuar, dentro de cierto límite, como a uno le
10 dé la gana, de hacer las cosas que no se pensarían hacer en
la vida corriente. Se olvidan los asuntos urgentes de la vida,
se rechazan los desengaños y la seriedad, se entierra el mal
humor. Un médico añadiría: se evitan los trastornos nerviosos.

trastornos nerviosos: nervous breakdowns

Aunque el Carnaval se celebra por toda Latinoamérica, desde las aldeas indias de los Andes hasta las ciudades de playa del Atlántico y Pacífico y desde Panamá hasta el estrecho de Magallanes, hay algunas ciudades que se distinguen por el brío y colorido de su Carnaval, tales como Río de Janeiro, Montevideo, y la Habana. Estas son las ciudades que atraen a los fotógrafos de las revistas norteamericanas y a los turistas de Norteamérica que huyen del frío de su tierra.

En todas estas ciudades se abre la temporada de Carnaval con la llegada triunfal de Momo, mítico rey del Carnaval. El Rey Momo, por supuesto, no es nada más que un **fantoche** gigantesco sentado en un trono de oro. En la carroza real que desfila por las calles de la ciudad le acompañan los miembros de la corte, otros fantoches fantásticos que pasan haciendo reverencias a Su Majestad. En las carrozas menores le siguen grupos **abigarrados** de acompañantes que incluyen a tipos tradicionales, tales como Lucifer, esqueletos que bailan, don Condorito con la cabeza de cóndor, don Burro con la cabeza de asno y otros colegas extraños.

Al llegar a una de las plazas principales el Rey Momo recibe las llaves de la ciudad. Por decreto real Momo proclama la caída del gobierno viejo y el establecimiento del reino de la alegría y de la **insensatez**. ¡Viva el Rey Momo! Desde aquel momento empiezan las mascaradas, los confeti, las serpentinas, el bullicio y los bailes.

En Río de Janeiro se podría decir que es una ciudad entera la que se desmonta para recibir al Carnaval: miles de obreros de todos los oficios **se afanan** para hacer los preparativos. Desvían los cables de la luz, del teléfono, de los tranvías para no limitar la altura de las carrozas; encienden miles de focos por donde han de pasar las carrozas; limpian, lavan, barren y pintan. En Río se gastan millones de **cruzeiros**. Los premios que se ofrecen son valiosísimos y dan motivo de prestigio y de orgullo.

El aspecto popular del Carnaval de Río es lo más imponente de todo. En las calles se mezclan todas las clases sociales de la ciudad: el dueño de la farmacia vestido de pirata con el carpintero vestido de cruzado; la profesora de música vestida de policía con la cocinera vestida de amazona. Todos se divierten juntos en el mundo **inverosímil** del Carnaval.

fantoche: puppet

abigarrados: motley

insensatez: folly

se afanan: rush

cruzeiros: monetary unit of Brazil

inverosímil: improbable

En Montevideo después de la coronación del Rey Momo tiene lugar un entierro. Cuatro hombres llevan una caja de muerto en el hombro. El muerto es el Mal Humor. La muchedumbre que acompaña la caja al cementerio está delirante de alegría. Para prevenir la posibilidad de que el Mal Humor resucite e intente escapar, sobre la caja se instala uno de los hombres con un martillo en una mano y un saco de clavos en la otra, los que el hombre usa sin misericordia.

resucite: comes back to life

misericordia: pity

La Habana también celebra un famoso Carnaval. Las góndolas iluminadas con farolillos que flotan por la bahía en las noches de Carnaval ofrecen un espectáculo parecido al que se veía en Venecia durante la Edad Media. La colonia china de la capital cubana celebra el Carnaval de una manera espectacular, acentuando, por supuesto, los motivos orientales.

Por la América Latina muchos son los Pierrots que cantan a la luna en las noches de Carnaval. Hay algunos que cantan por amor al canto, otros que buscan en la pálida luz lunar algún alivio a los dolores que los oprimen.

alivio: relief

¡El Carnaval es así porque así es la vida!

Diccionario

1. **brío:** ánimo, espíritu, ímpetu
   Los latinos celebran el Carnaval con un ( ) inconfundible.

2. **clavos:** piececillas de hierro con cabeza y punta (nails)
   Necesito martillo y ( ) para colgar el cuadro en la pared.

3. **corriente:** ordinario, usual
   En los pueblos pequeños la vida ( ) es muy aburrida.

4. **cruzado:** persona que toma parte en una cruzada (crusader)
   El traje del ( ) tenía una cruz roja bordada en el bolsillo.

5. **desvían (desviar):** divierten, cambian de vía (reroute, change the route of)
   Los días de Carnaval ( ) todo el tránsito de vehículos para que la gente pueda caminar por las calles.

6. **focos:** luces eléctricas
   En la plaza principal de la ciudad encienden miles de ( ) los sábados y los domingos.

7. **gana:** voluntad, deseo
   Cada uno hace lo que le da la ( ) hacer, siempre que no ofenda a otro.

8. **martillo:** instrumento que sirve para golpear (hammer)
   El carpintero vino pero se le olvidó el ( ).

9. **mítico:** relativo a los mitos (mythical)
   El mohán es un ser ( ).

10. **muchedumbre:** multitud, gran cantidad
    Una ( ) de personas alegres llenaron la plaza durante la fiesta.

11. **serpentinas:** cintas de papel arrollado que se arrojan en ciertas ocasiones
    Arrojaron confeti, arroz, y ( ) a los desposados.

Para la Comprensión

1. ¿Qué norteamericanos conocen el encanto de las fiestas de Carnaval?
2. ¿En qué se parece el Carnaval latinoamericano al Mardi Gras de Nueva Orleans?
3. ¿Qué hay que hacer para poder apreciar bien el Carnaval?
4. ¿Cuándo se celebra el Carnaval?
5. ¿Cómo se compara con la vida cotidiana?
6. ¿Qué efecto produce en la gente del pueblo?
7. ¿Dónde se celebra el Carnaval?
8. Nombre algunas ciudades que se distinguen por el brío y colorido de su Carnaval.
9. ¿A quiénes atraen estas ciudades?
10. ¿Con qué se abre la temporada de Carnaval?
11. ¿Quién es Momo?
12. ¿Quiénes van en la carroza real?
13. Describa las otras carrozas.
14. ¿Qué hace el rey Momo cuando recibe las llaves de la cuidad?
15. Desde ese momento, ¿qué empieza?
16. Relate algo del Carnaval en Río de Janeiro.
17. ¿Qué es lo más imponente de todo el Carnaval de Río?
18. ¿Qué sucede en las calles?
19. Diga algo del Carnaval en Montevideo.
20. ¿En qué se distingue el Carnaval de Montevideo y el de Río?
21. Relate las características sobresalientes del Carnaval de La Habana.
22. ¿A qué ciudad de la Edad Media se asemeja?
23. ¿Cómo celebra la colonia china de La Habana el Carnaval?
24. ¿Por qué es así el Carnaval?

Estructura

PRESENTE, PRETERITO, Y PRESENTE DE SUBJUNTIVO DE CIERTOS VERBOS QUE CAMBIAN LA RADICAL (e → ie, i)

Según el modelo, cambie la oración para emplear el pretérito de indicativo.

> MAESTRO: Juan prefiere ir al cine.
> ESTUDIANTE: Juan prefirió ir al cine.
> MAESTRO: No siente el aire fresco.
> ESTUDIANTE: No sintió el aire fresco.

1. El agua hierve.
2. Mi amigo se divierte en las fiestas.
3. ¿A qué se refiere usted?
4. El picador hiere al toro con la pica.
5. No se siente bien.
6. Se convierte al catolicismo.

Según el modelo, cambie la oración para emplear el pretérito de indicativo.

> MAESTRO: Ellos prefieren ir al cine.
> ESTUDIANTE: Ellos prefirieron ir al cine.

7. A veces los chicos mienten.
8. Mis padres prefieren bailar el vals.
9. Se divierten mucho durante las vacaciones de Navidad.
10. Se sienten muy enfermos.
11. Convierten los cheques en dólares.
12. Los picadores hieren al toro con la pica.

Según el modelo, cambie la oración para emplear la primera persona del plural del subjuntivo presente.

> MAESTRO: Quiere que Juan se divierta.
> ESTUDIANTE: Quiere que Juan se divierta.
> MAESTRO: (nosotros)
> ESTUDIANTE: Quiere que nosotros nos divirtamos.

13. Insiste en que María hierva el agua. (nosotros)
14. Desea que usted convierta los billetes. (nosotros)

15. Se alegran de que el niño se divierta en la fiesta. (nosotros)
16. El profesor aconseja que yo me refiera al diccionario. (nosotros)
17. Mi padre no quiere que los hijos mientan. (nosotros)
18. Es lástima que los cazadores hieran a los animales. (nosotros)

EJERCICIOS CREATIVOS

MEXICO: REGOCIJO DE NAVIDAD

1. Escriba una composición describiendo cómo se celebra la Navidad en las varias partes de los Estados Unidos.
2. Describa a la clase según las instrucciones de su maestro los siguientes aspectos de la Navidad en países hispanos.
   a. el espíritu de la Navidad
   b. la posada
   c. el nacimiento
   d. la piñata
   e. la música navideña
   f. el Día de los Reyes
   g. celebraciones o ceremonias especiales que acompañan la Navidad
   h. concursos navideños

SEMANA SANTA BAJO LA GIRALDA

3. Exprese en sus propias palabras la Semana Santa en Sevilla.
4. Prepare un artículo para un periódico o revista española en el cual Ud. describe cómo se observa la Pascua Florida en los Estados Unidos.
5. ¿Le gustaría visitar a Sevilla durante la Semana Santa? ¿Por qué?

EL CARNAVAL EN LATINOAMERICA

6. ¿Por qué es tan popular el Carnaval?
7. De todas nuestras fiestas, ¿cuál, en su opinión, se aproxima más al Carnaval? Justifique su opinión.

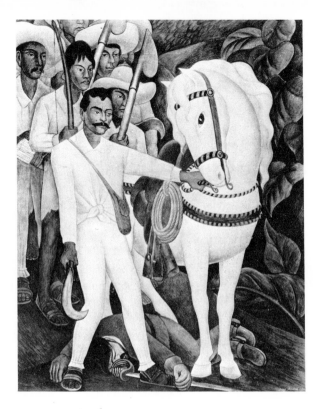

"Agrarian Leader Zapata" *por Diego Rivera* (Collection, The Museum of Modern Art, New York; Commissioned by Mrs. John D. Rockefeller, Jr. for the Rivera exhibition)

Cuadro 14 · LA REVOLUCION

Preparando la Escena. *La historia de la «revolución» en las naciones hispanas encierra muchas útiles lecciones en sus sangrientas páginas. Ella nos enseña que un pueblo oprimido no vacila en cambiar el bienestar temporal por todas las calamidades de la «guerra,» con tal de ser dueño absoluto de sus destinos.*

Tanto en España como en la América Latina, el espíritu de revolución en contra de las fuerzas opresoras ha sido el factor que ha ayudado a los pueblos a ascender. El alto y claro ejemplo de los revolucionarios ha infundido incontrastable ánimo en todo el pueblo hispano.

Algunas veces la lucha y sus ideales originales se extravían por culpa de líderes corrompidos que pierden de vista el bien del pueblo entero. Entonces sigue un período de obscuridad, cuando los revolucionarios sinceros tienen que analizar sus objetivos originales, recobrar la calma, y poner manos a la obra nueva. Estos cuentos que siguen muestran cuantos sacrificios han hecho los hombres en aras de su ideal.

292

UNA ESPERANZA

por Amado Nervo

Introducción

Este cuento trata de un joven que está en la cárcel esperando la muerte por haber participado en actos contra el gobierno de México durante la revolución. La familia por su reputación consigue la ayuda de los hombres encargados de la ejecución. Prometen ayudarle a salvar su vida. Hasta un sacerdote hace cosas que no debiera por salvar al joven.

Mientras está esperando su muerte piensa en lo que significa morir por la Patria—cambiar su vida real y concreta por una noción abstracta de Patria y de partido. Es una cuestión filosófica sumamente interesante.

Amado Nervo es conocido en el mundo literario principalmente por su poesía, y un tema corriente en sus versos es la cuestión de la existencia de Dios y el significado de la muerte. Este cuento muestra claramente lo que quería decir el autor cuando escribió en una de sus poesías: «Oh, muerte, tú eres madre de la filosofía.»

Guía de Estudio

Casi todos los alumnos de la escuela superior han leído cuentos por O. Henry. Muchas veces sus cuentos terminan con una sorpresa inesperada. Este cuento de Amado Nervo termina también con una sorpresa, pero a la vez muy diferente a las de los cuentos de O. Henry.

La ironía es un elemento fuerte en este cuento. Trate de notar como usa el autor esta técnica estilística para aumentar el conflicto trágico.

Palabras Clave

1. El trabajo me abruma.

   abruma: causa gran molestia (annoys)

2. Los pobres querían afiliarse a la revolución.

   afiliarse: asociarse

3. El ajusticiado sufre miles de muertes antes de morir.

   ajusticiado: reo a quien se ha aplicado la pena de muerte

4. Apenas llegó, se fue otra vez.

   apenas: luego que (scarcely, as soon as)

5. El cuchicheo no es cortés porque no lo pueden entender todos.

   cuchicheo: murmullo, acción de hablar en voz baja (whisper, whispering)

6. La presencia de su amigo sirvió para endulzar su sufrimiento.

   endulzar: hacer dulce, hacer soportable

7. La mujer orgullosa anda con la cabeza erguida.

   erguida: levantada, puesta derecha

8. Siempre hay granujas en las ciudades grandes.

   granujas: pícaros, vagabundos (urchins)

9. Hay veinte soldados en este pelotón y todos son valientes.

   pelotón: grupo pequeño de soldados

10. La sien está cerca de la oreja.

    sien: parte lateral de la frente (temple)

11. Es fácil sobornar a un reo.

    sobornar: corromper con regalos (to bribe)

12. Logró sublevar al pueblo contra el gobierno.

    sublevar: alzar en rebelión (to rebel, to rise in rebellion)

13. Aquí yace el señor Fulano.

    yace: está echado o tendido

14. Cada revolución es una turbación para quien no la entienda.

    turbación: confusión

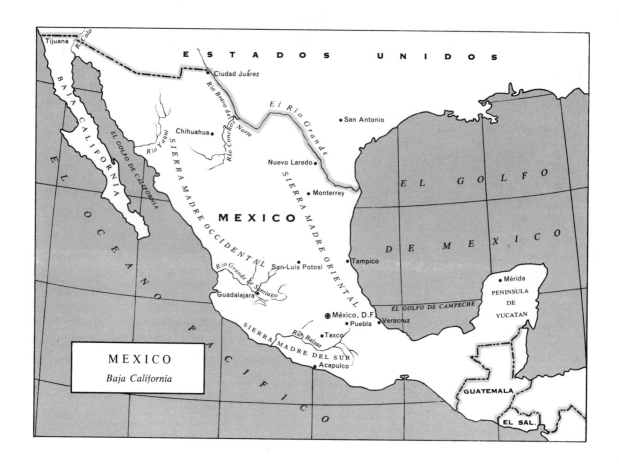

E N UN ángulo de la pieza, Luis, el joven militar, abrumado por todo el peso de su mala fortuna, pensaba.

Pensaba en los viejos días de su niñez, en la amplia y
tranquila casa de sus padres, uno de esos caserones de pro-
5 vincia, sólidos, vastos, con jardín y huerta, con ventanas que
se abrían sobre la solitaria calle de una ciudad de segundo
orden (no lejos por cierto de aquella donde iba a morir).

Recordaba su adolescencia, sus primeros ensueños, vagos
como luz de estrellas, sus amores con la muchacha de falda
10 corta.

Luego desarrollábase ante sus ojos el claro paisaje de su
juventud. Recordaba sus camaradas alegres y sus relaciones,
ya serias, con la rubia, vuelta mujer y que ahora, porque él
volviese con bien, rezaba ¡ay! en vano, en vano . . .

vuelta mujer: a young woman
now

Y, por último, llegaba a la época más reciente de su vida. Llegaba al período de entusiasmo patriótico que le hizo afiliarse al partido liberal. Se encuentra amenazado de muerte por la reacción a la cual ayudaba en esta vez a un poder extranjero. Tornaba a ver el momento en que un maldito azar de la guerra le había llevado a aquel espantoso trance.

Cogido con las armas en la mano fue hecho prisionero y ofrecido con otros compañeros a trueque de las vidas de algunos oficiales reaccionarios. Había visto desvanecerse su última esperanza, porque la proposición llegó tarde, cuando los liberales habían fusilado ya a los prisioneros conservadores.

Iba, pues, a morir. Esta idea que había salido por un instante de la zona de su pensamiento, gracias a la excursión amable por los sonrientes recuerdos de su niñez y de la juventud, volvía de pronto, con todo su horror, estremeciéndole de pies a cabeza.

Iba a morir . . . ¡a morir! No podía creerlo, y, sin embargo la verdad tremenda se imponía. Bastaba mirar en rededor. Aquel altar improvisado, aquel Cristo viejo sobre cuyo cuerpo caía la luz amarillenta de las velas, y, ahí cerca, visibles a través de la rejilla de la puerta, los centinelas . . . Iba a morir, así, fuerte, joven, rico, amado . . . ¿Y todo por qué? Por una abstracta noción de Patria y de partido . . . ¿Y qué cosa era la Patria? Algo muy impreciso, muy vago para él en aquellos momentos de turbación. En cambio la vida, la vida que iba a perder era algo real, realísimo, concreto, definido . . . ¡era su vida!

¡La Patria! ¡morir por la Patria! . . . pensaba. Pero es que ésta, en su augusta y divina inconsciencia, no sabrá siquiera que he muerto por ella . . .

¡Y qué importa si tú lo sabes! . . . le replicaba allá dentro una voz misteriosa. La Patria lo sabrá por tu propio conocimiento, por tu pensamiento propio, que es un pedazo de su pensamiento y de su conciencia colectiva. Eso basta . . .

No, no bastaba eso . . . y, sobre todo, no quería morir. Su vida era muy suya y no se resignaba a que se la quitaran. Un formidable instinto de conservación se sublevaba en todo su ser y ascendía incontenible, torturador y lleno de protestas.

A veces, la fatiga de las prolongadas vigilias anteriores, la intensidad de aquella fermentación de pensamiento, el exceso mismo de la pena, le abrumaban y dormitaba un poco.

El despertar brusco y la inmediata y clarísima noción de su fin eran un tormento horrible. El soldado, con las manos sobre el rostro, sollozaba con un sollozo que llegando al oído de los centinelas, hacíales asomar por la rejilla sus caras, en las que se leía la indiferencia del indio.

Se oyó en la puerta un breve cuchicheo y en seguida ésta se abrió dulcemente para dar entrada a un hombre. Era un sacerdote.

El joven militar, apenas lo vio, se puso en pie y extendió hacia él los brazos como para detenerlo, exclamando:

—¡Es inútil, no quiero confesarme! Y sin aguardar a que la sombra aquella respondiera, continuó:

—No, no me confieso; es inútil que venga usted a molestarse. ¿Sabe usted lo que quiero? Quiero la vida, que no me quiten la vida: es mía, muy mía y no tienen derecho de arrebatármela . . .

—Si son cristianos, ¿por qué me matan? En vez de enviarle a usted a que me abra las puertas de la vida eterna, que empiecen por no cerrarme las de ésta . . . No quiero morir, ¿entiende usted? Me rebelo a morir. Soy joven, estoy sano, soy rico, tengo padres y una novia que me adora. La vida es bella, muy bella para mí . . . Morir en el campo de batalla, en medio del combate, al lado de los compañeros que luchan . . . ¡bueno, bueno! pero morir, obscura y tristemente en el rincón de una sucia plazuela, a las primeras luces del alba, sin que nadie sepa siquiera que ha muerto uno como los hombres . . . padre, padre, ¡eso es horrible! Y el infeliz se echó en el suelo, sollozando.

—Hijo mío—dijo el sacerdote cuando comprendió que podía ser oído: —Yo no vengo a traerle a usted los consuelos de la religión. En esta vez soy emisario de los hombres y no de Dios. Si usted me hubiese oído con calma desde el principio, hubiera usted evitado esa pena que le hace sollozar de tal manera. Yo vengo a traerle justamente la vida, ¿entiende usted? esa vida que usted pedía hace un instante con tales extremos de angustia . . . ¡la vida que es para usted tan preciosa! Oígame con atención, procurando dominar sus nervios y sus emociones, porque no tenemos tiempo que perder. He entrado con el pretexto de confesar a usted y es preciso que todos crean que usted se confiesa. Arrodíllese, pues y escúcheme. Tiene usted amigos poderosos que se interesan por su suerte. Su familia ha hecho hasta lo im-

no tienen derecho de arrebatármela: They have no right to snatch it away from me

sucia plazuela: small dirty square

posible por salvarlo. No pudiendo obtenerse del Jefe de las armas la gracia a usted, se ha logrado con graves dificultades y riesgos sobornar al jefe del pelotón encargado de fusilarle. Los fusiles estarán cargados sólo con pólvora y taco, al oir el

5 disparo usted caerá como los otros, y permanecerá inmóvil. La obscuridad de la hora le ayudará a representar esta comedia. Manos piadosas, las de los Hermanos de la Misericordia, ya de acuerdo, lo recogerán a usted del sitio en cuanto el pelotón se aleje. Lo ocultarán hasta llegada la noche, durante

10 la cual sus amigos facilitarán su huida. Las tropas liberales   huida: escape avanzan sobre la ciudad, a la que pondrán sin duda cerco dentro de breves horas. Se unirá usted a ellas si gusta. Ya lo sabe usted todo. Ahora rece en voz alta, mientras pronuncio la fórmula de la absolución. Procure dominar su júbilo du-

15 rante el tiempo que falta para la ejecución, a fin de que nadie sospeche la verdad.

—Padre—murmuró el oficial, a quien la invasión de una alegría loca permitía apenas el uso de la palabra—¡que Dios lo bendiga!

20 Y luego, una duda terrible: —Pero . . . ¿todo es verdad? —añadió temblando. —¿No se trata de un engaño piadoso, destinado a endulzar mis últimas horas? ¡Oh, eso sería horrible, padre!

—Hijo mío: un engaño de tal naturaleza constituiría la

25 mayor de las infamias, y yo soy incapaz de cometerla . . .

—Es cierto, padre; perdóneme, no sé lo que digo, ¡estoy loco de contento!

—Calma, hijo, mucha calma y hasta mañana; yo estaré con usted en el momento solemne.

30 Apuntaba apenas el alba, una alba friolenta de febrero, cuando los presos . . . cinco por todos . . . que debían ser ejecutados, fueron sacados de la prisión. Fueron conducidos, en compañía del sacerdote, que rezaba con ellos, a una plazuela donde era costumbre llevar a cabo las ejecuciones.

35 Nuestro Luis marchaba entre todos con paso firme, con erguida frente. Pero llevaba llena el alma de una emoción desconocida y de un deseo infinito de que acabase pronto aquella horrible farsa.

Al llegar a la plazuela, los cinco hombres fueron colocados

40 en fila a cierta distancia. La tropa que los escoltaba se dividió en cinco grupos de a siete hombres según previa distribución hecha en el cuartel.

El coronel, que asistía a la ejecución, indicó al sacerdote que vendara a los reos y se alejase a cierta distancia. Así lo hizo el padre, y el jefe del pelotón dio las primeras órdenes con voz seca.

⁵ La leve sangre de la aurora empezaba a teñir las nubecillas del Oriente y estremecían el silencio de la madrugada los primeros toques de una campanita cercana que llamaba a misa.

De pronto, una espada en el aire y una detonación formi-¹⁰ dable y desigual llenó de ecos la plazuela, y los cinco cayeron trágicamente.

El jefe del pelotón hizo en seguida desfilar a sus hombres con la cara vuelta hacia los ajusticiados. Con breves órdenes organizó el regreso al cuartel, mientras que los Hermanos de ¹⁵ la Misericordia comenzaban a recoger los cadáveres.

En aquel momento, un granuja de los muchos que asistían a la ejecución, gritó, señalando a Luis, que yacía al pie del muro:—¡Ese está vivo! ¡ése está vivo! Ha movido una pierna. . . .

²⁰ El jefe del pelotón se detuvo, vaciló un instante, quiso decir algo al granuja, pero sus ojos se encontraron con la mirada interrogativa y fría del coronel, y desnudando la gran pistola de Colt que llevaba ceñida, avanzó hacia Luis que preso del terror más espantoso, casi no respiraba, apoyó el ²⁵ cañón en su sien izquierda e hizo fuego.

que vendara a los reos: to blindfold those who were going to be executed

desnudando: stripping, baring
ceñida: girded, tied to waist

Diccionario

1. **abruma (abrumar):** causa gran molestia (annoys)
   Si (   ) a sus amigos, sus padres le castigarán.

2. **afiliarse:** asociarse
   El quiere (   ) a un buen club, pero en esta ciudad no lo hay.

3. **aguardar:** esperar
   Tendrá que (   ) mucho tiempo para hacerse rico.

4. **ajusticiado:** reo a quien se ha aplicado la pena de muerte
   El (   ) no estaba muerto todavía, porque se oían lamentos.

5. **apenas:** luego que (scarcely, as soon as)
   (   ) terminó la música, se acabó la fiesta.

6. **cuchicheo:** murmullo, acción de hablar en voz baja (whisper, whispering)
   En algunas clases hay demasiado (   ).

7. **desigual:** no igual
   La descarga de los rifles fue (   ).

8. **endulzar:** hacer dulce, hacer soportable
   Algunos sufrimientos no se pueden (   ).

9. **ensueño:** sueño, ilusión (dream, illusion)
   El (   ) de su vida era casarse.

10. **erguida (erguir):** levantada, puesta derecha
    El muchacho encaró su destino con la frente (   ).

11. **friolenta:** que da frío, muy sensible al frío (sensitive to cold, chilly)

Llegó a nuestra casa una mañana (   ) de otoño.

12. **granuja:** pícaro, vagabundo (urchin)

Vimos a un (   ) dormido en la calle.

13. **infamia:** deshonra (infamy)

Fue una (   ) lo que hizo.

14. **pelotón:** grupo pequeño de soldados

El (   ) llegó temprano a la plaza.

15. **sien:** parte lateral de la frente (temple)

Recibió un golpe en la (   ).

16. **sobornar:** corromper con regalos (to bribe)

Trató de (   ) al presidente del grupo.

17. **sublevar:** alzar en rebelión (to rebel, to rise in rebellion)

Quiere (   ) al pueblo en contra del gobierno.

18. **tranquila:** pacífica

La vida de la revolución no es una vida (   ).

19. **turbación:** confusión, desorden

La vida moderna es una (   ) continua.

20. **yace (yacer):** está echado o tendido (is lying down, lies in the grave)

En este sitio (   ) el soldado desconocido.

Para la Comprensión

1. ¿Dónde estaba Luis al principio del cuento?
2. ¿Por qué se encontraba allí?
3. ¿Iba Luis a morir por su Patria?
4. ¿Qué clase de patriota era Luis?
5. ¿Quería Luis morir por su Patria?
6. ¿Quién era el personaje que visitó a Luis en la cárcel?
7. ¿De quién era emisario?
8. ¿Qué mensaje trajo a Luis?
9. ¿Quiénes van a recoger los cuerpos después de la ejecución?
10. ¿Dónde va a tener lugar la ejecución?
11. Cuando se oyó la detonación, ¿por qué no murió Luis?
12. ¿Qué dijo el granuja?
13. ¿Cómo lo sabía él?
14. Describa el papel del coronel en la ejecución.
15. ¿Por qué murió Luis al fin?

Estructura

REPASO DEL IMPERFECTO

Cambie la frase en la oración modelo.

MAESTRO: Luis recordaba su adolescencia.
ESTUDIANTE: Luis recordaba su adolescencia.
MAESTRO: a su familia
ESTUDIANTE: Luis recordaba a su familia.

1. su adolescencia
2. su escuela
3. su juventud
4. su niñez
5. su patria
6. a su familia
7. a sus amigos
8. a su hermano
9. a sus maestros
10. a su compañero

Cambie el verbo del singular al plural, y haga los cambios necesarios.

MAESTRO: Pensaba en los días de su niñez.
ESTUDIANTE: Pensaban en los días de su niñez.
MAESTRO: Recordaba su adolescencia.
ESTUDIANTE: Recordaban su adolescencia.

11. Iba a morir.
12. Llegaba a la época reciente de su vida.
13. No podía creerlo.
14. Salía por un instante.
15. Sollozaba con temor.
16. Tornaba a ver su pasado.
17. Volvía pronto.

18. Era político.
19. No veía a sus tíos durante el verano.
20. El sacerdote rezaba con ellos.
21. No me permitía ir al cine.

Cambie la oración para emplear el imperfecto.

> MAESTRO: Piensa en los días de su niñez.
>
> ESTUDIANTE: Pensaba en los días de su niñez.
>
> MAESTRO: Recuerda su adolescencia.
>
> ESTUDIANTE: Recordaba su adolescencia.

22. Llega a la época reciente de su vida.
23. No puede creerlo.
24. Sale por un instante.
25. Solloza con temor.
26. Torna a ver su pasado.
27. Va a morir.
28. Vuelve pronto.
29. Es político.
30. No ve a sus tíos durante el verano.
31. El sacerdote reza con ellos.

EL PRESENTE DE SUBJUNTIVO
Cambie el verbo de la oración principal.

> MAESTRO: Temo que sospeche la verdad.
>
> ESTUDIANTE: Temo que sospeche la verdad.
>
> MAESTRO: Dudo
>
> ESTUDIANTE: Dudo que sospeche la verdad.

1. Espero
2. Niego
3. No creo
4. No pienso
5. No quiero
6. No pretendo
7. No siento

Cambie la oración principal al plural. Cuidado con el complemento indirecto *le*.

> MAESTRO: Le dice que rece.
>
> ESTUDIANTE: Les dice que recen.
>
> MAESTRO: Le dice que se arrodille.
>
> ESTUDIANTE: Les dice que se arrodillen.

8. Le dice que confiese.
9. Le dice que empiece.
10. Le dice que escuche.
11. Le dice que no hable.
12. Le dice que no se mueva.
13. Le dice que oiga.
14. Le dice que procure dominar su júbilo.
15. Le dice que no sospeche.

Cambie la oración a la forma negativa según el modelo.

> MAESTRO: Yo creo que empieza a tiempo.
>
> ESTUDIANTE: Yo no creo que empiece a tiempo.
>
> MAESTRO: Yo creo que confiesa todo.
>
> ESTUDIANTE: Yo no creo que confiese todo.

16. Yo creo que escucha con miedo.
17. Yo creo que habla mucho.
18. Yo creo que se mueve bien.
19. Yo creo que oye todo.
20. Yo creo que presiente la muerte.
21. Yo creo que procura dominarse.
22. Yo creo que sospecha la verdad.
23. Yo creo que tiene miedo de morir.

EL IMPERFECTO DE SUBJUNTIVO
Cambie la oración para emplear la forma en *-ra* del imperfecto de subjuntivo.

> MAESTRO: Rezaba para que volviese salvo.
>
> ESTUDIANTE: Rezaba para que volviera salvo.
>
> MAESTRO: No querían que sospechase la verdad.
>
> ESTUDIANTE: No querían que sospechara la verdad.

1. Rezaba para que volviese salvo.
2. No querían que María sospechase la verdad.
3. El cura le pidió que escuchase.
4. También le pidió que se arrodillase.
5. Me dijo que no volviese.
6. Le dijeron que saliese.
7. No creyó que hiciésemos el viaje.

MEMORIAS DE PANCHO VILLA

por Martín Luis Guzmán

Introducción

Entre las figuras más interesantes en la historia mexicana aparece la de Pancho Villa. Aquel bandido, fuerte, valiente, y audaz, trató de ser presidente de la república mexicana cuando ésta ya tenía uno. Así se sometió a una vida bastante peligrosa . . . siempre perseguido, siempre oculto, siempre desconfiando de todos los hombres, siempre temiendo la sorpresa o la emboscada que pudiera resultar en la muerte. Rodeado de compañeros igualmente audaces, luchó ferozmente para realizar su ambición. Su valentía ha inspirado muchos cuentos, muchas leyendas y muchas canciones de la revolución.

Guía de Estudio

Chihuahua es un estado del norte de México. Durante la revolución en 1910 fue el centro de mucha actividad revolucionaria. Pancho Villa tenía una casa allí donde se reunían los conspiradores para organizar su campaña.

Palabras Clave

1. Nos aprontábamos para el viaje.
   aprontábamos: preparábamos con prontitud

2. Una lluvia de balas cayó contra la pared.
   balas: proyectiles de las armas de fuego (bullets)

3. El caballo brincó la cerca y se escapó.
   cerca: barrera (fence)

4. Conforme avanzaba el día, los hombres trabajaban menos.
   conforme: que conviene con una cosa, con arreglo a (accordingly, suitably, consistent with)

5. Necesito un momento de descanso antes de continuar con el trabajo.
   descanso: reposo (rest)

6. La emboscada resultó en un fracaso.
   fracaso: mal éxito (failure)

7. Pancho Villa estaba dispuesto a matar a sus enemigos.
   matar: quitar la vida (to kill)

8. Los revolucionarios corrieron hacia la casa para parapetarse del enemigo.
   parapetarse: protegerse, cubrirse

9. Villa se vio siempre perseguido por las tropas federales.
   perseguido: seguido por un adversario, buscado (persecuted, pursued)

10. Muchos rurales se juntaron al ejército revolucionario.
    rurales: personas que viven en el campo

YO PEREGRINABA sin descanso en compañía de José Sánchez y de mi compadre Eleuterio Soto. Ibamos de Chihuahua a San Andrés, y de allí a Ciénaga de Ortiz, para encaminarnos a San Andrés de nuevo, y para andar otra vez nuestro camino de Chihuahua. Viéndome siempre perseguido, manteniéndome siempre oculto, desconfiaba de todos los hombres y de todas las cosas. A cada instante temía una sorpresa—una emboscada.

En Chihuahua, que era donde parábamos más veces, empecé a tener por aquel entonces una casa habitación. La dicha casa no era más que un solar, aunque grande, situado en la calle que se nombra Calle 10a., número 500, y en el cual había tres piezas de adobe, blanqueadas de cal, una cocina muy chiquita y un corral grande para mis caballos. Yo mismo había levantado las bardas. Yo había construido las caballerizas, y el abrevadero, y el pesebre.

Aquella casa, que hoy es de mi propiedad, y que he mandado edificar de nuevo, aunque modestamente, no la cambiaría yo por el más elegante de los palacios. Allí tuve mis primeras pláticas con don Abraham González, ahora mártir de la democracia. Allí oí su voz invitándome a la Revolución que debíamos hacer en beneficio de los derechos del pueblo, ultrajados por la tiranía y por los ricos. Allí comprendí una noche cómo el pleito que desde años atrás había yo entablado con todos los que explotaban a los pobres, contra los que nos perseguían, y nos deshonraban, y amancillaban nuestras hermanas y nuestras hijas, podía servir para algo bueno en beneficio de los perseguidos y humillados como yo, y no sólo para andar echando balazos en defensa de la vida, y la libertad, y la honra. Allí sentí de pronto que las zozobras y los odios amontonados en mi alma durante tantos años de luchar y sufrir se mudaban en la creencia de que aquel mal tan grande podía acabarse, y eran como una fuerza, como una voluntad para conseguir el remedio de nuestras penalidades, a cambio, si así lo gobernaba el destino, de la sangre y la vida. Allí entendí, sin que nadie me lo explicara, pues a nosotros los pobres nadie nos explicaba las cosas, como eso que nombran Patria, y que para mí no había sido hasta entonces más que un amargo cariño por los campos, las quebradas y los montes donde me ocultaba, y un fuerte rencor contra casi todo lo demás, porque casi todo lo demás estaba sólo para los perseguidores, podía trocarse en el constante motivo de nuestras mejores acciones y en el objeto amoroso de nuestros sentimientos. Allí escuché por vez primera el nombre de Francisco I. Madero. Allí aprendí a quererlo y reverenciarlo, pues venía él con su fe inque-

blanqueadas de cal: white-washed

las caballerizas, y el abrevadero, y el pesebre: the stables, the drinking trough and the manger

ultrajados: abused

amancillaban: tarnished the reputation of

andar echando balazos: to go around shooting

podía trocarse: could be changed

inquebrantable: unbreakable

brantable, y nos traía su luminoso Plan de San Luis, y nos mostraba su ansia de luchar, siendo él un rico, por nosotros los pobres y oprimidos.

Y sucedió, que viniendo yo una vez a concertarme con don Abraham González en mi casa, y estando allí reunido con José Sánchez y Eleuterio Soto, nos vimos sitiados por una fuerza de veinticinco rurales al mando de Claro Reza.

Quién era aquel individuo lo voy a decir. Había pasado por amigo mío y compañero, y me debía favores de ayuda y consideración. Un día, preso él en la cárcel por el robo de unos burros, pensó que la manera más pronta para el logro de su libertad era poner carta a don Juan Creel diciéndole que se comprometía a entregar en manos de la justicia a Pancho Villa, el famoso criminal de Durango que tantos daños estaba causando al Estado, a condición de que por esa entrega suya, a él lo pusieran en libertad y lo dieran de alta en el cuerpo de rurales. Y no vaciló en consumar aquella negra traición. Pero como siempre he tenido amigos en el campo y en los poblados, no me faltó esta vez un rural, nombrado José (del apellido no me recuerdo), que me contara inmediatamente cómo llevaban muy buen camino las agencias de Claro Reza, y por eso pude librarme entonces de mis perseguidores.

Aún sabiendo aquello, no logré impedir que mi compadre Eleuterio Soto, José Sánchez y yo nos viéramos sitiados en mi casa por la gente de Reza, ese mal hombre, y que al mirarnos así me turbara yo en mi ánimo. Porque no era sólo que corriéramos grande peligro al ser atacados por un antiguo compañero, conocedor de todos nuestros pasos. Es que se nos revolvía la cólera en nuestro cuerpo, y nos sacudía la indignación, de ver cómo correspondía aquel canalla los servicios que le había yo hecho.

Toda la noche nos la pasamos en guardia; mas cuando a eso de las cuatro de la madrugada nos apróntabamos a combatir, propuestos a matar o a que nos mataran, descubrimos con sorpresa cómo nuestros sitiadores se retiraban mansos y quedos y nos dejaban en paz.

Dijo mi compadre Eleuterio Soto:

—Así nos paga este traidor lo que con él y por él hemos sufrido. Yo le pido, compadre, que nos deje ir a buscarlo y a matarlo.

Plan de San Luis: a declaration by Francisco I. Madero that no government official can succeed himself and that everyone should have equal voting rights

al mirarnos así me . . . ánimo: seeing ourselves in this plight, I became uneasy

se nos revolvía la cólera: anger stirred up in us
canalla: scoundrel

sitiadores: besiegers
quedos: quietos

Le contesté yo:

—Sí, compadre. Es muy justo su deseo. Si usted quiere, iremos a buscar a Claro Reza, mas ha de ser con la condición de que lo hemos de matar dondequiera que lo hallemos,
5 mas que sea en el Palacio de Gobierno. ¿Le parece, compadre?
El me dijo:

—Sí, compadre. Me parece.

Convenidos en todo, nos fuimos a amanecer en la Presa de Chuvízcar. Luego, muy de mañana, y perfectamente monta-
10 dos, armados y municionados, según siempre andábamos, nos dedicamos a sólo buscar a Claro Reza, empezando nuestra exploración por la Avenida Zarco de la ciudad. Y es lo cierto que la buena suerte nos alumbraba. Porque fue en la dicha Avenida Zarco, en un expendio de carne situado frente
15 a «Las Quince Letras,» donde como si no viéramos a nadie, divisamos la persona de Claro Reza.

En viéndolo, una lluvia de balas le cayó en el cuerpo. A
los disparos, en pleno día y en lugar de mucho movimiento, corrió la gente y empezaron a juntarse y arremolinarse los
20 que querían ver el cadáver. Pero nosotros estábamos de ánimo para matar a todos los que se nos pusieran delante. Al paso fuimos saliendo por entre el gentío, que crecía a cada
momento, y cuando así fuera, y aunque todos nos miraban, nadie se atrevía a detenernos. Y lo que sucedió fue que muy
25 tranquilos nos alejamos nosotros por aquella avenida, sin que hombre alguno diera un paso para embarazarnos en nuestro camino.

Poco después, ya nosotros algo lejos, salieron a perseguirnos unos soldados, que, según yo creo, todos iban
30 pidiendo a Dios el fracaso de su persecución, pues en verdad que ni un momento tuvimos que arrear nosotros el aire de
nuestras cabalgaduras.

Subimos a la Sierra Azul, hasta un punto que nombran La Estacada. Allí empezamos a reclutar gente para la revolu-
35 ción maderista. Desde luego, sin grande esfuerzo, juntamos quince hombres de lo mejor.

Una tarde habló conmigo a solas Feliciano Domínguez, que era uno de los comprometidos. Me dijo él:

—Oiga usted, jefe. Mi tío Pedro Domínguez acaba de
40 volver de Chihuahua, adonde fue a pedir una autorización para recibirse de juez de acordada. Dice que nos va a perseguir sin descanso, y a mí me parece muy peligroso que se

reciba de juez. Yo lo siento mucho, jefe, porque es mi tío, y muy buena persona, y muy valiente; pero creo, por el bien de nuestra causa, que hay que matarlo. Mi tío Pedro Domínguez vive en el rancho del Encino.

5 Le respondí yo:

—Está usted en lo justo. Tenemos que acabar con todos esos hombres que sin oir la voz del pueblo ni la de su conciencia sostienen la tiranía y son origen de los muchos sufrimientos de los pobres. Ahora mismo, amiguito, tomamos
10 ocho hombres y nos vamos al rancho del Encino para quitarle a su tío todas esas ideas.

Así fue. Dejamos el resto de la gente en el campo de la Estacada, y yo y aquellos nueve hombres nos fuimos al rancho del Encino.

15 Cuando Pedro Domínguez nos vio bajar en dirección del dicho rancho, cogió su rifle y sus cartucheras y se aprontó a la defensa. Nosotros caímos derecho sobre la casa; pero Pedro, que era muy buen tirador, se parapetó detrás de una cerca y nos mató dos caballos. A uno de los nuestros, con-
20 forme lo vio salir por la puerta de la cocina, le puso una bala debajo de un ojo y lo dejó muerto. Entonces mi compadre Eleuterio Soto y yo nos echamos sobre la cerca, y en el momento en que uno de los muchos tiros de Pedro Domínguez vino a traspasarle el sombrero a mi compadre, yo le coloqué
25 a nuestro enemigo una bala en la caja de su cuerpo.

Sintiéndose herido él, salió del cercado a la carrera, y conforme corría, yo y mi compadre le pegamos otros dos tiros más. Pero todavía así tuvo alientos para brincar otra cerca, detrás de la cual cayó. Me acerqué yo entonces a
30 quitarle el rifle, que él, ya sin fuerzas, no conseguía palanquear. Pero era de tanta ley aquel hombre, que tan pronto como me tuvo cerca se me prendió a las mordidas, y en aquel momento llegó mi compadre Eleuterio y lo remató con un tiro de pistola en la cabeza.

35 Conforme estábamos rematando a Pedro Domínguez, salió de la casa de la familia un viejecito. Corriendo hacia nosotros y amenazándonos con el puño, nos gritaba furioso sus palabras. Nos decía el:

—¡Bandidos! ¡Bandidos!

40 Hasta que uno de nuestros muchachos levantó el rifle, apuntó y lo dejó muerto del primer tiro.

Así terminó aquello.

cartucheras: cartridge belts

vino a traspasarle: pierced through
la caja: the chest

no conseguía palanquear: was not able to use as a weapon

se me prendió a las mordidas: he bit me

La Cucaracha

Moderato

Arr. T. H. Adams

La cu - ca - ra - cha, la cu - ca - ra - cha ya no pue-de ca - mi -
nar por-que no tie - ne por-que le fal - ta di - ne-ro pa-ra gas -
tar. La cu - ca -tar u - na cu - ca - ra - cha
pin - ta le di - jo a una co - lo - ra - da, vá - mo - nos pa-ra mi
tie - rra a pa - sar la tem-po ra - da. -ra - da.

La cucaracha, la cucaracha
ya no puede caminar
porque no tiene
porque le falta
dinero para gastar.

Una cosa me da risa
Pancho Villa sin camisa.
Ya se van los carrancistas
porque vienen los villistas.

Diccionario

1. **ansia:** deseo, inquietud (anxiety, eagerness)
   Esperaban con (   ) la llegada de la novia.

2. **aprontábamos (aprontarse):** nos preparábamos con prontitud
   Nos (   ) a salir para no llegar tarde.

3. **apuntó (apuntar):** dirigió una arma (aimed, pointed at)
   El hombre (   ) el rifle cuidadosamente.

4. **balas:** proyectiles de las armas de fuego (bullets)
   Dos (   ) le penetraron el corazón.

5. **cerca:** barrera (fence)
   Una (   ) de adobe rodeaba la casa.

6. **coloqué (colocar):** puse a una persona o cosa en un lugar
   (   ) las sillas en el patio para la fiesta.

7. **conforme:** que conviene con una cosa, con arreglo a (accordingly, suitably, consistent with)
   El castigo no está (   ) con el crimen.

8. **descanso:** reposo (rest)
   Los revolucionarios lucharon sin (   ).

9. **desconfiaba (desconfiar):** no se fiaba de (distrusted)
   El jefe (   ) de sus soldados.

10. **emboscada:** acción de esconderse para sorprender al enemigo
    Los soldados fueron víctimas de una (   ).

11. **fracaso:** mal éxito (failure)
    Mi último examen de español fue un (   ) completo.

12. **matar:** quitar la vida (to kill)
    En tiempo de guerra, los soldados tienen que (   ) o ser matados.

13. **parapetarse:** protegerse, cubrirse
    El joven se puso detrás de la pared para (   ) de las muchas piedras que le estaban tirando.

14. **perseguido (perseguir):** seguido por un adversario, buscado (persecuted, pursued)
    A veces el (   ) se hace perseguidor.

15. **pláticas:** conversaciones, charlas
    Lo conozco muy bien. Hemos tenido varias (   ) interesantes.

16. **pleito:** disputa entre dos personas
    El juez trató de resolver el (   ) sin ofender a nadie.

17. **pleno:** lleno
    Fue un día (   ) de sol.

18. **preso:** se dice del criminal cogido por la justicia
    Quedó (   ) en la cárcel dos semanas y media.

19. **puño:** mano cerrada (fist)

Dio un golpe en la puerta con el (   ).

20. **rurales:** personas que viven en el campo

En la cuidad hay muchas diversiones, pero los (   ) pasan una vida monótona.

21. **tiros:** disparos, acciones de tirar (shots)

En la distancia se oían los (   ) de muchos cañones.

22. **zozobras:** inquietudes, preocupaciones (worries, anxieties)

Las dudas y las (   ) aumentaban en el alma del jefe.

Para la Comprensión

1. ¿A dónde iba Pancho Villa?

2. ¿De qué desconfiaba?

3. ¿Qué temía a cada instante?

4. Describa la casa de Villa en Chihuahua.

5. ¿Con quién tuvo pláticas Pancho Villa en su casa?

6. Nombre varios temas que discutían los dos hombres.

7. ¿Qué sucedió un día mientras que Villa hablaba con don Abraham González?

8. ¿Quién mandaba la fuerza de rurales que los sitiaron?

9. ¿Qué traición había propuesto Claro Reza?

10. ¿Cómo reaccionaron Villa y sus compañeros a tal traición?

11. ¿Cómo pasaron aquella noche?

12. ¿Qué pasó al amanecer?

13. ¿Dónde encontraron a Claro Reza por fin?

14. ¿Qué hicieron los revolucionarios al verlo?

15. ¿Qué hizo la gente al oir los tiros?

16. ¿Quiénes persiguieron a Villa y a sus compañeros después?

17. ¿A dónde subieron los revolucionarios entonces?

18. ¿Quién dijo que iba a perseguir a los revolucionarios sin descanso?

19. ¿Por qué tenían que matarle a él?

20. ¿Cómo se aprontó Pedro Domínguez a la defensa?

21. ¿Dónde se parapetó?

22. Haga un resumen oral de la muerte de Pedro Domínguez.

23. ¿Quién salió de la casa en aquel momento?

24. ¿Con qué amenazó a los revolucionarios?

25. ¿Qué gritaba el viejecito?

26. ¿Quién mató al viejecito?

Estructura

REPASO DEL PLUSCUAMPERFECTO

Según el modelo, cambie la oración para emplear el pluscuamperfecto.

MAESTRO: Yo llegué antes de la revolución.

ESTUDIANTE: Yo había llegado antes de la revolución.

MAESTRO: Tú llegaste antes de la revolución.

ESTUDIANTE: Tú habías llegado antes de la revolución.

1. El llegó antes de la revolución.
2. Ud. llegó antes de la revolución.
3. Nosotros llegamos antes de la revolución.
4. Ella llegó antes de la revolución.
5. Vosotros llegasteis antes de la revolución.
6. Ellos llegaron antes de la revolución.

Cambie la oración para emplear el pluscuamperfecto.

MAESTRO: La revolución comenzó.

ESTUDIANTE: La revolución había comenzado.

MAESTRO: La revolución terminó.

ESTUDIANTE: La revolución había terminado.

7. La revolución añadió dolor.

8. La revolución empezó.
9. La revolución costó mucho.
10. La revolución no duró.
11. La revolución perdió.
12. La revolución resultó mal.
13. La revolución se acabó.
14. La revolución separó hogares.

Conteste según el modelo.

> MAESTRO: ¿Habían estado ellos en Cuba?
>
> ESTUDIANTE: No, ellos no habían estado en Cuba, pero ella había estado allá.
>
> MAESTRO: ¿Habían vivido ellos en Cuba?
>
> ESTUDIANTE: No, ellos no habían vivido en Cuba, pero ella había vivido allá.

15. ¿Habían estudiado ellos en Cuba?
16. ¿Habían trabajado ellos en Cuba?
17. ¿Habían visitado ellos a Cuba?
18. ¿Habían pasado ellos por Cuba?
19. ¿Habían ido ellos para Cuba?
20. ¿Habían salido ellos de Cuba?
21. ¿Se habían quedado ellos en Cuba?
22. ¿Habían vuelto ellos a Cuba?

Según el modelo, cambie la oración para emplear el pluscuamperfecto.

> MAESTRO: Abriste la ventana antes de que llegáramos.
>
> ESTUDIANTE: Cuando llegamos, ya habías abierto la ventana.
>
> MAESTRO: Escribimos la carta antes de que se fueran.
>
> ESTUDIANTE: Cuando se fueron, ya habíamos escrito la carta.

23. Resolviste el problema antes de que te preguntara.
24. Escribiste las invitaciones antes de que se fijara la fecha.
25. Se murió antes de que se firmara el contrato.

26. Dijo que sí antes de que pidiéramos el permiso.
27. Rompimos los discos antes de que compraras el tocadiscos.
28. Nos pusimos el abrigo antes de que entrara María.
29. Vimos el piano antes de que se pusieran a cantar.
30. Hizo el vestido antes de que escogieras los adornos.
31. Cubriste las plantas antes de que granizara.
32. Volvieron antes de que acostáramos a los niños.

MODISMOS: *HAY QUE; HABIA QUE*

Cambie la oración según el modelo.

> MAESTRO: Es necesario pensar en construir.
>
> ESTUDIANTE: Hay que pensar en construir.
>
> MAESTRO: Es necesario ocupar los automóviles.
>
> ESTUDIANTE: Hay que ocupar los automóviles.

1. Es necesario manejar con cuidado.
2. Es necesario llegar antes de la revolución.
3. Es necesario apagar el incendio.
4. Es necesario defender a los niños.
5. Es necesario salvar a las mujeres.
6. Es necesario morir como valiente.

Responda en español.

> MAESTRO: La revolución no ha activado a la ciudad.
>
> ESTUDIANTE: Pero hay que activarla.
>
> MAESTRO: La revolución no ha alarmado a la ciudad.
>
> ESTUDIANTE: Pero hay que alarmarla.

7. La revolución no ha activado a la ciudad.
8. La revolución no ha alarmado a la ciudad.
9. La revolución no ha arruinado la ciudad.
10. La revolución no ha barrido la ciudad.
11. La revolución no ha cambiado la ciudad.
12. La revolución no ha destruido la ciudad.
13. La revolución no ha despertado la ciudad.

Según el modelo, cambie la oración para emplear el imperfecto.

> MAESTRO: Hay que iniciar la revolución.
>
> ESTUDIANTE: Había que iniciar la revolución.
>
> MAESTRO: Hay que terminar la revolución.
>
> ESTUDIANTE: Había que terminar la revolución.

14. Hay que ayudar a la revolución.
15. Hay que celebrar la revolución.
16. Hay que fomentar la revolución.
17. Hay que ganar la revolución.
18. Hay que olvidar la revolución.
19. Hay que recordar la revolución.
20. Hay que servir a la revolución.

IR + GERUNDIO

Cambie la oración según el modelo.

> MAESTRO: La revolución comenzaba.
>
> ESTUDIANTE: La revolución iba comenzando.
>
> MAESTRO: La revolución terminaba.
>
> ESTUDIANTE: La revolución iba terminando.

1. La revolución añadía dolor.
2. La revolución costaba mucho.
3. La revolución comenzaba.
4. La revolución empezaba.
5. La revolución perdía.
6. La revolución resultaba mal.
7. La revolución se acababa.
8. La revolución separaba hogares.

Cambie la oración según el modelo.

> MAESTRO: El policía iba andando por la calle.
>
> ESTUDIANTE: Los policías iban andando por la calle.
>
> MAESTRO: El niño iba tirando piedras.
>
> ESTUDIANTE: Los niños iban tirando piedras.

9. El radio iba dando la orden.
10. El soldado iba corriendo por la calle.
11. Ella iba llegando a hablarle.
12. El avión iba desapareciendo.
13. El capitán iba leyendo por la calle.
14. El soldado iba dando escopetazos.
15. El marino iba haciendo ruido.
16. El revolucionario iba sollozando.

ARDE EL LAUREL

por Gregorio López y Fuentes

Introducción

El nombre del general Victoriano Huerta se destaca durante la misma revolución que dio fama a Pancho Villa. En 1913 Huerta se apoderó de las riendas del gobierno y llegó a ser presidente de México. Como los demás presidentes, Huerta ordenó a sus tropas que suprimieran al revolucionario Zapata y a sus colaboradores. En *Arde El Laurel* vemos un encuentro típico entre las tropas federales (los huertistas) y los rebeldes (los zapatistas).

Guía de Estudio

El Laurel es el nombre de un pequeño pueblo indio. Comprende una hacienda de campo o ranchería y unas cuantas chozas de los indios que labran las tierras. En esta localidad, el jefe de las fuerzas zapatistas era Antonio Hernández.

Palabras Clave

1. El alarido de los perros despertó al ranchero.

   alarido: clamor, grito lastimero

2. Todo el horizonte estaba borroso por causa del humo del fuego.

   borroso: nebuloso (clouded, blurred)

3. Hace unos días sepultaron al difunto en el camposanto del pueblo.

   camposanto: cementerio

4. El señor Marcos está contrariado porque su hija se va a casar.

   contrariado: enojado, fastidiado, inquieto

5. Cuando mamá mete las papas en el aceite caliente, uno las oye chirriar desde la sala.

   chirriar: producir cierto sonido discordante (to sizzle, to hiss)

6. Se notó el desaliento en la cara del joven cuando su novia le dijo que no podía salir con él.

   desaliento: depresión, consternación

7. Los hijos del tío Antonio le ayudaron a desalojar a los federales de su ranchito.

   desalojar: sacar, echar, expulsar

8. La madera de la encina tiene gran utilidad en las construcciones.

   encina: árbol de madera dura (evergreen oak)

9. El tocino se encoge cuando se cocina demasiado.

   se encoge: se contrae, se hace pequeño (shrinks, contracts)

10. Los padres de la novia le hicieron muchos regalos para su boda, entre ellos todos los enseres de la cocina.

    enseres: utensilios (household goods)

11. Después del incendio los habitantes del pueblo limpiaron los escombros y empezaron la reconstrucción.

    escombros: ruinas, restos, residuos (ruins, debris)

12. Los revolucionarios no salieron de sus escondites en toda la noche porque allí estaban seguros.

    escondites: refugios (hiding places)

13. Podíamos ver los fogonazos de nuestro escondite en la sierra.

    fogonazos: llamas que produce la pólvora al hacer explosión (powder flashes)

14. La casa del hombre está en la hondonada del valle.

    hondonada: terreno hondo

15. El ruido del carnaval languidece después de la medianoche.

    languidece: pierde el vigor

16. El miramiento con que tratan los soldados al señor es extraño.

    miramiento: consideración, respecto

17. Ernesto, el hermano de Enrique, no puede hablar; es mudo.

    mudo: una persona que no puede hablar

18. Las tropas de Villa se replegaron para atacar otra vez con más fuerza y al fin ganaron.

    se replegaron: retiraron en orden (fell back, retreated in order)

19. Francisco Soltero iba a la retaguardia cuando lo asaltaron los soldados.

    retaguardia: tropa que camina detrás de un ejército (rearguard)

20. Se le puso pálido el semblante a Esperanza cuando supo que venía el doctor.

    semblante: cara, rostro

21. Los huertistas tirotean a los indios como si fueran animales.

    tirotean: disparan tiros (shoot at)

22. Adela y Santiago titubean entre ir al cine o quedarse en casa.

    titubean: dudan, vacilan

23. Desde el avión se veía el pueblo como envuelto en un vaho.

    vaho: niebla, neblina, vapor

L A NOCHE es fría. Un viento cortante hace temblar las ramas de los árboles en las huertas. Los pocos habitantes que han quedado en la ranchería titubean entre ir a pasar la noche, extremosa, en el monte, a la intemperie, o correr el riesgo de ser sorprendidos. Ayer fueron quemadas algunas rancherías más o menos distantes, sierra de por medio, porque las tropas huertistas dicen que ésa es la única manera de acabar con los rebeldes.

Los rezagados han visto alejarse numerosas familias, con sus cacharros, con sus hijos y sus perros. La ranchería presenta un aspecto borroso en medio de la noche más o menos clara. Todavía no cantan los gallos por primera vez y la ranchería da una impresión de medianoche, tal es su silencio. Apenas en algunas casas brilla una luz. Deben haberse quedado diez familias. En las serranías suele sonar un cuerno. Acaso un cabecilla da órdenes a sus gentes. Quizá algo se avecina, pues el toque es conocido como una llamada de tropa.

Se oye que llaman desesperadamente a una puerta, luego a otra . . . ¡Vienen los federales! ¡Están quemando *El Laurel!*

Ya nadie siente el frío, como si el calor del incendio distante los calentara. Ahora tiemblan de miedo las mujeres y los niños. Hay grupos que miran y comentan el incendio. Se ve como un abanico luminoso. Nadie pone en duda que *El Laurel* está siendo devorado por las llamas. Igualmente todos están acordes en que son los huertistas quienes le prendieron fuego.

A las primeras impresiones de simple sorpresa sigue el ímpetu de la fuga. Ya nadie podría contenerlos. Ni el mismo frío de la noche puede retenerlos un minuto más. Apresuradamente todos recogen de sus casas lo que más estiman. Los hombres, sus instrumentos de labranza, la escopeta y algunas ropas. Las mujeres, sus enseres de cocina y sus hijos. Por diversos rumbos abandonan la ranchería. Son grupos borrosos que caminan en medio de la noche y afrontan el viento helado que parece de la altiplanicie. Los hombres llevan a cuestas un muchacho, de la mano otro, y colgado al cuello algún hatillo de trapos. Las mujeres marchan atrás, también con algún niño en brazos.

De vez en cuando vuelven los ojos hacia el abanico luminoso. Las llamas del incendio recuerdan los campos que-

a la intemperie: outdoors, unsheltered

sierra de por medio: beyond the ridge

las tropas huertistas: the troops of Huerta (These were the federal or government troops of General Victoriano Huerta who had just seized power and became president of Mexico. Like other presidents before and after him, Huerta gave stern orders to suppress Zapata and his followers who held sway in the state of Morelos.)

rezagados: stragglers

la ranchería: El Laurel (a small Indian village)

altiplanicie: high plateau

hatillo de trapos: small bundle of clothes

mados en vísperas de las siembras. Y cada vez que miran el incendio aprietan más el paso, seguros de que bien pronto arderá la ranchería que acaban de abandonar, con sus propias casas y cuanto en ellas han dejado.

Van en busca de un refugio, en pleno monte, pensando en el jacal de milpa mejor disimulado, donde puedan recogerse sin hacer ruido, acallando a los perros y a los muchachos. La ranchería ya quedó atrás, más allá del arroyo con sus paredes encaladas, así, iluminada por la luna diagonal, parece un panteón.

Suenan de pronto algunos tiros disparejos con dirección al incendio. Debe ser lo mismo que ha sucedido en otras rancherías quemadas. Algunos habitantes, reacios a salir, por considerar que no deben nada, ya en pleno incendio, obligados por el fuego, huyen por las calles, como las ratas, y los huertistas los tirotean, entre carcajadas y blasfemias.

Ahora ya no son los tiros disparejos de un principio. Ahora hay descargas cerradas. El oído experto puede apreciar la distancia entre los que combaten. Los revolucionarios deben hallarse en las lomas con Hernández, que ha acudido a la defensa, aunque inútilmente, pues el incendio parece haberlo consumido todo.

Pasan las horas y el tiroteo languidece en ocasiones. Suena un tiro, que va rebotando de eco en eco. Silencio propio de la medianoche. De pronto, en la inmensa soledad del campo, brilla una luz, como si en las afueras de la ranchería se hubieran detenido unos arrieros a dormir y antes de dormirse estuvieran calentando sus alimentos. Ya son dos las luminarias. El fuego se extiende. Ahora es otra ranchería que arde también por obra de los huertistas, empeñados en dejar sin hogar a todos los habitantes de la región, como medio rigorista para reducirlos al orden.

En la densa oscuridad de la madrugada el incendio de la ranchería se destaca vivamente. Una gran extensión se ilumina. Se oyen los alaridos de los perros. También se oyen los gritos de quienes prenden fuego a las casas. El hecho de que no haya tiros indica que todos lograron salir. Pero a las últimas sombras de la noche se destaca un tiroteo. Pueden verse las luces de los fogonazos, dirigidos desde las afueras a los que se denuncian en los callejones a la luz del incendio.

Es un nuevo esfuerzo de los zapatistas, para desalojar a los federales y evitar que arda todo el caserío. Pocas esperanzas hay. No pudieron en *El Laurel*, favorable para el

jacal de milpa mejor disimulado: the most inconspicuous Indian shack (made of corn stalks)

reacios a salir por considerar: stubborn about leaving because they feel

los revolucionarios: the followers of Zapata as opposed to the federal government forces (In this particular locality the rebels are headed by Antonio Hernández who, after having served a short term in the army, returned to the hacienda to spread among his people the ideas of the agrarian revolt against the government. He convinced about fifty men to flee with him and join Zapata's army.)

ataque. . . . La mañana se presenta como envuelta en un leve vaho. No se sabe si es el humo de las quemazones o una delgada neblina propia de la noche friolera. Poco a poco van distinguiéndose los manchones negros de las casas quemadas
5 en la ranchería. Puede verse cómo, de los escombros, suben columnas de humo.

Lejos, en la hondonada que conduce a la casa de la hacienda, se distingue un cordón de puntos movibles. Son los federales. Los que miran desde sus escondites deben
10 pensar si la hacienda será quemada también. Por lo que puede verse en los claros del camino, calculada la distancia entre los que rompen la marcha y los que van a la retaguardia, deben ser unos doscientos hombres.

A pleno sol, hora y media después de que los federales
15 abandonaran la ranchería, llegan a la hacienda. Ya otras veces han pasado y del miramiento con que tratan los intereses del terrateniente se deduce que éste es bien visto por la Federación.

Al atardecer los campesinos han bajado a la ranchería
20 quemada. No quedan más que los escombros negros, en los cuales aún arden algunos maderámenes. Lo único que se salvó fue la iglesia, con su pequeña torre. Las gallinas, los cerdos y alguna vaca que brama a su hijo, vagan por entre las ruinas, por lo que fueron calles del lugar. Entre los pocos
25 vecinos reunidos hay ese estado de ánimo más dispuesto a la fuga que a quedarse. Mientras buscan en los sitios donde estuvieron sus casas algo que pueda haberse salvado, vuelven los ojos repetidas veces hacia el camino, temerosos de que vayan a regresar los federales. Han sido halladas dos rejas
30 de arado.

Quienes llegan son cinco revolucionarios. Bajan por la pequeña colina. Las carrilleras se destacan, cruzadas sobre el pecho, en el blanco de las ropas. Se reunen, se encuentran junto a la iglesia. Es un grupo no mayor de veinte individuos.
35 El saludo es una serie de interjecciones, todas ellas dirigidas a los huertistas.

—¡Cuarenta contra doscientos! Adivinaron los «jijos del maíz.»

Los muchachos andan por otra parte . . .
40 —En la vereda de la cañada está un federal muerto.

—Lo quemaremos, para que los zopilotes no se hagan huertistas.

quemazones: fires

la hacienda: the estate from which Antonio Hernández ran away

es bien visto por la Federación: is favorably looked upon by the government

maderámenes: wooden framework of the houses

rejas de arado: plough shares

carrilleras: ammunition straps

jijos del maíz: vulgar name (Translate as "those scoundrels.")

zopilotes: buzzards

Ellos dicen que por acá hasta los ratones son revolucionarios, y por eso prenden fuego a las casas.

—¿Y de qué sirve que lo quememos si mataron a Antonio?

—¡Cierre el pico! ¿No habíamos convenido en que se guardaría el secreto de la muerte del jefe?

—¡Hombre! Todos estos hermanos son de confianza. ¿Por qué habíamos de ocultárselo?

—¡Bueno! Pero el que vaya a contarlo entre extraños, paga con el pellejo. ¿Cuándo se te quitará lo pico flojo?

Los vecinos, inermes, inquieren cómo fue la muerte del jefe. El que encabeza la pequeña partida está notoriamente contrariado con que la noticia haya salido de su pequeño círculo. Se rehusa a dar informes y deja la tarea al que ha llamado «pico flojo.»

Comienza por decir que cuando estaban ardiendo las primeras casas, Antonio se dirigió con unos cuantos a atacar a los huertistas. Cayeron de sorpresa y desde luego hicieron a los huertistas algunos muertos. Los incendiarios se replegaron, y al ver que eran pocos los atacantes, ejecutaron un movimiento envolvente obligándolos a huir, imposibilitados de poder salvar el rancho.

Se concretaron a hacer fuego desde la serranía cercana, pretendiendo cazar a los que se destacaban mejor a la luz del incendio. Muchos de ellos vieron arder sus propias casas, quebrándose los dedos de aflicción, en la impotencia de salvarlas. Cuando los federales salieron en dirección a la otra ranchería, Antonio se descolgó por el costado Norte de las lomas y fue a ponerles una emboscada, donde les hizo algunas bajas, y luego, a corta tierra, vino a parapetarse en las mejores de las casas. Fueron los tiros oídos poco después de que comenzara el incendio.

Antonio estaba dispuesto a todo, hasta que le dieran «corral,» pero faltaba parque. A la hora de abandonar las casas, bajo el fuego de los atacantes, de pronto Antonio se pegó a la pared, con el puño cerrado puesto fuertemente contra el pecho. Pudo decir a los que estaban más cerca:

—¡Váyanse ustedes! . . . ¡Estoy herido!

Lo tomaron por los brazos, y como se conduce a un borracho, fue llevado casi en peso, arrastrando los pies. Ya a la salida de la ranchería echó sangre por la boca y murió.

Cuenta «Pico flojo» que él mismo se lo echó a cuestas, caminó con él algún tiempo, y ya en el monte improvisaron una camilla y se lo llevaron muy lejos. Con los cañones de

cierre el pico: slang expression meaning "Be quiet."

¿Cuándo . . . flojo?: slang expression meaning "When will you be quiet?"
inermes: defenseless

a corta tierra: making a short cut

hasta que . . . "corral": even to the point of being besieged

fue llevado casi en peso: was carried almost bodily

las carabinas y los machetes hicieron un agujero al pie de una encina, a la orilla de un arroyo, y allí lo enterraron. Ellos saben dónde. Cuando cambien los tiempos lo sacarán para enterrarlo en un camposanto.

5   El relato ha puesto un gran desaliento en todos los semblantes. Se quedan mudos durante algunos segundos. De pronto, como si fueran movidos por un mismo resorte espiritual, se dirigen hacia el lugar donde se halla el federal muerto. Lo toman, ya un tanto rígido, por manos y pies, y 10 así lo llevan hasta un montón de escombros, que todavía humea. Le ponen encima palizada y zacate, tomados de las casas cercanas no consumidas completamente por el fuego.

   Contemplan, vengativos, como el cadáver se flexiona, se encoge y hasta parece querer sentarse. El fuego hace chi-15 rriar la grasa y la carne.

palizada y zacate: a funeral pyre of wooden stakes and grass

Diccionario

1. **alarido:** clamor, grito lastimero
El (   ) del perro se oía desde la casa.

2. **arrieros:** muleteros, transportadores
Los (   ) llegaron con las mulas cargadas de leña.

3. **se avecina (avecinarse):** se acerca, se aproxima
Cuando la tempestad (   ), todos cierran las ventanas y las puertas.

4. **borroso:** nebuloso (clouded, blurred)
Cuando entra la neblina del mar, el puerto se pone (   ).

5. **callejones:** calles pequeñas y estrechas (alleys)
Los (   ) del barrio no tenían salidas.

6. **camposanto:** cementerio
Enterraron a don Manuel en el (   ) el siete de marzo de 1918.

7. **cacharros:** platos y vasijas de loza ordinaria (coarse earthenware)
Los indios llevaban consigo todos los (   ) de la cocina.

8. **colina:** altura, loma, montecito
El camino a la casa de Toño desaparecía al ascender la (   ) y era muy fácil perder la dirección.

9. **contrariado:** enojado, fastidiado, inquieto
Pancho se quedó (   ) porque Rosa no quiso salir con él.

10. **chirriar:** producir cierto sonido discordante (to sizzle, to hiss)
El aceite caliente hace (   ) la carne cuando la están cocinando.

11. **desaliento:** depresión, consternación
El (   ) del niño le causó tristeza a su mamá.

12. **desalojar:** sacar, echar, expulsar
El dueño de la casa quiere (   ) a Julián porque no le pagó la renta.

13. **disparejos:** desiguales, de partes diferentes
Ninguno de los tiros (   ) le dio al blanco.

14. **encaladas:** blanqueadas (whitewashed)
Todas las casas de Matlapa tienen las paredes (   ).

Adelita

Allegretto   F   C₇   F   Arr. T. H. Adams

Si A - de - li - ta se fue - ra con o - tro le se - gui -

rí - a la hue - lla sin ce - sar, por va -

po - res y bu - ques de gue - rra y por tie -

rra en un tren mi - li - tar. Si A - de -

li - ta qui - sie - ra ser mi es - po - sa si A - de -

Y si acaso yo muero en la guerra
y si mi cuerpo en la sierra va a quedar,
Adelita por Dios te lo ruego
que por mí no vayas a llorar.

Que no llores por mi yo te lo ruego
porque muero cumpliendo mi deber
de libertar a mi amada Patria
de el que quiere imponer su poder.

15. **encina:** árbol de madera dura (evergreen oak)

En el huerto de mi tío había una (   ) muy alta.

16. **se encoge (encogerse):** se contrae, se hace pequeño (shrinks, contracts)

La ropa corriente (   ) cuando se lava con agua caliente.

17. **enseres:** utensilios (household goods)

Mi tía tenía unas cucharas viejas entre los (   ) de la cocina.

18. **escombros:** ruinas, restos, residuos

Alfredo encontró un reloj de oro en los (   ) del incendio.

19. **escondites:** refugios (hiding places)

Los habitantes del pueblo tenían sus (   ) en la sierra.

20. **estiman (estimar):** quieren, aman, valúan

Los padres de Netita (   ) mucho a su novio.

21. **fogonazos:** llamas producidas por la pólvora al hacer explosión (powder flashes)

El Día de la Raza se ven los (   ) en el parque desde la casa de Lupita.

22. **hondonada:** terreno hondo

El gordo tiene una casa en la (   ) cerca de la pared encalada.

23. **labranza:** labor agrícola

El indio no tiene un tractor entre sus instrumentos de (   ) porque no tiene dinero para comprarlo.

24. **languidece (languidecer):** pierde el vigor

La música en el baile (   ) cuando se cansan los músicos.

25. **manchones:** manchas grandes (spots)

Después del incendio se veían sólo los (   ) de las casas quemadas.

26. **miramiento:** consideración, respecto

Don Ramón está un poco sospechoso del (   ) con que trata Juan a Estela.

27. **mudo:** persona que no puede hablar

El hijo del panadero no podía vender el pan porque era (   ).

28. **se replegaron (replegarse):** se retiraron en orden (fell back, retreated in order)

Los soldados (   ) para reorganizar el ataque.

29. **retaguardia:** tropa que camina detrás de un ejército

A veces es más peligroso ir a la (   ).

30. **semblante:** rostro, cara

Doña Margarita tenía un (   ) estoico como una reina.

31. **suele (soler):** acostumbra, tiene la costumbre de

La fiesta (   ) ser muy divertida.

32. **tirotean (tirotear):** disparan tiros (shoot at)

Carlos y Rodolfo (   ) a los leones como si fueran gatos.

33. **titubean (titubear):** dudan, vacilan

Los novios (   ) entre casarse o seguir estudiando.

34. **vaho:** niebla, neblina, vapor

Se veía la casa del viejo como envuelta en un (   ).

Para la Comprensión

1. ¿Entre qué dos decisiones titubean los habitantes?

2. Según los huertistas, ¿por qué queman las rancherías?

3. ¿Qué aspecto presenta la ranchería en medio de la noche?

4. ¿Cuántas familias se quedan?

5. ¿Qué suele sonar en las serranías?

6. ¿Qué grito de alarma dan cuando llaman a las puertas de los campesinos?

7. ¿Qué se está quemando?

8. ¿Quiénes le prendieron fuego al Laurel?

Arde El Laurel   319

9. ¿Qué recogen de sus casas antes de irse?

10. Describa el éxodo de los campesinos.

11. Mientras caminan ¿qué hacen de vez en cuando?

12. ¿A dónde van?

13. ¿Qué se oyen sonar con dirección al incendio?

14. ¿Dónde estarán los revolucionarios?

15. Describa el incendio de la ranchería a la madrugada.

16. ¿Quiénes tratan de desalojar a los federales?

17. ¿Cómo se presenta la mañana? Descríbala.

18. ¿Cuándo llegan los federales a la hacienda?

19. Describa lo que encuentran los campesinos al bajar a la ranchería.

20. ¿Quiénes llegan a la ranchería por una pequeña colina?

21. ¿Dónde se reunen?

22. ¿Quién ha muerto?

23. ¿A quién le toca relatar lo de la muerte del jefe?

24. Diga usted cómo mataron al jefe.

25. ¿Cómo se llamaba el jefe?

26. Relate algo de los últimos momentos de su vida.

27. Diga dónde y cómo lo enterraron.

28. ¿Cuándo lo enterrarán en un camposanto?

29. ¿Qué hacen con el federal muerto?

30. Describa esta última escena.

Estructura

VOZ PASIVA: *SER* + PARTICIPIO PASADO
Cambie el sujeto y el verbo a la forma plural según el modelo.

MAESTRO: El rancho fue quemado ayer.

ESTUDIANTE: Los ranchos fueron quemados ayer.

MAESTRO: La hacienda fue quemada anoche.

ESTUDIANTE: Las haciendas fueron quemadas anoche.

1. La hacienda fue destruida ayer.
2. El plan fue bien visto en el congreso.
3. El niño fue llevado en brazos.
4. La familia fue conducida a un lugar seguro.
5. El tiro fue oído en el rancho.
6. La mujer fue detenida en el camino.

Cambie la oración según el modelo.

MAESTRO: Se vio la destrucción.

ESTUDIANTE: Fue vista la destrucción.

MAESTRO: Se oyeron los gritos.

ESTUDIANTE: Fueron oídos los gritos.

7. Se consideró la idea.
8. Se completó el proyecto.
9. Se instalaron otros jefes.
10. Se vieron las luces.
11. Se iluminó una gran extensión.
12. Se perdieron los sitios favorables.

Cambie la oración según el modelo.

MAESTRO: Marcos vio la batalla desde la altura.

ESTUDIANTE: La batalla fue vista por Marcos desde la altura.

MAESTRO: Los federales mataron a los rebeldes.

ESTUDIANTE: Los rebeldes fueron matados por los federales.

13. El general fusiló al capitán.
14. Las madres llevaron a los niños en brazos.
15. Las vecinas trajeron una camilla.
16. El fuego quemó la hacienda.
17. Los zapatistas enterraron el cuerpo.
18. Antonio dirigió la emboscada.
19. El sargento escribió las cartas.
20. Los revolucionarios abandonaron los ranchos.

EJERCICIOS CREATIVOS

UNA ESPERANZA

1. ¿Cuáles son los aspectos trágicos de la muerte de Luis?

2. Imagine que a usted, como a Luis, le espera la muerte. ¿En qué pensaría?

MEMORIAS DE PANCHO VILLA

3. Prepare un informe breve acerca de los siguientes hombres y el papel que hicieron en la revolución mexicana de 1910–1917: Porfirio Díaz, Francisco Madero, Victoriano Huerta, Emiliano Zapata, Pancho Villa.

4. Cite ejemplos de:
   a. lo triste de una revolución
   b. lo inútil de una revolución
   c. los triunfos y los éxitos que puedan resultar de una revolución.

ARDE EL LAUREL

5. En esta selección estamos compartiendo en la desilusión tremenda de los que están perdiendo todo lo que poseen. ¿Ha sufrido Ud. algún contratiempo o frustración? Relate tal experiencia a la clase.

6. Exprese sus ideas de cómo se deben resolver grandes diferencias de opiniones políticas. ¿Qué organizaciones tenemos para tratar de evitar conflictos nacionales o internacionales?

"The Sob" *por David Alfaro Siqueiros* (Collection, The Museum of Modern Art, New York)

Cuadro 15 · LA MUERTE

Preparando la Escena. *La muerte ha sido siempre rodeada de misterio y acompañada de dudas y temores. Sólo pensar en la muerte evoca varias reacciones: el salvaje no puede explicarla; los viejos y los enfermos a veces le dan la bienvenida; los niños, si la consideran de alguna manera, la consideran como un sueño prolongado; los jóvenes creen que es algo que ocurre a los demás. Algunos la examinan desde el punto de vista de la religión o de la filosofía que tienen del más allá. Muchos la temen; otros se burlan de ella. Pero la muerte es todavía inevitable, y todos nosotros tendremos que prepararnos para el día que llegue.*

322

TRANSITO

por Luis Segundo de Silvestre

Introducción

Tránsito, un cuadro de costumbres escrito por Don Luis Segundo de Silvestre, es una novela de amor con un fin trágico.

La acción ocurre en las orillas del río Magdalena en la tierra caliente de Colombia.

Los personajes principales son: Tránsito, una chica colombiana, guapa y determinada, que se enamora locamente a primera vista, y Andrés, el objeto de sus atenciones.

Francamente confesando su amor Tránsito sigue a Andrés por todas partes, pero el desconcertado caballero la desprecia. Cuando la heroína es fatalmente herida, Andrés tiene que presenciar su muerte. Cuando es ya demasiado tarde, se da cuenta del amor que siente por ella.

En el trozo que sigue Andrés cuenta los trágicos detalles de la muerte de Tránsito.

Guía de Estudio

En un cuadro de costumbres el énfasis se da a la cultura y a las costumbres de la gente en una localidad. La acción se limita a la región. El interés principal gira en torno de los detalles, los incidentes, y las personas de aquella región. En *Tránsito* el autor nos habla de las costumbres en la tierra caliente de Colombia.

Como muchos de los colombianos Tránsito es católica. Para los que aceptan la fe católica, hay varias costumbres y ciertos ritos establecidos al prepararse para la muerte y la vida del más allá. Al leer esta selección podemos presenciar los íntimos y conmovedores detalles de los últimos momentos en la vida de Tránsito.

Palabras Clave

1. Me acerqué todo lo que pude.
   me acerqué: me aproximé (drew closer)

2. Ya me ahogaba de tristeza el otro día.
   me ahogaba: moría por falta de respiración

3. Se incorporó asiéndose de su mano.
   asiéndose: cogiendo, agarrando (seizing)

4. Yo tengo que confesarme antes de morir.
   confesarme: declarar mis pecados

5. La muchacha tenía bonitas facciones.
   facciones: fisonomía, cara (features)

6. Ella tenía una frente hermosa.
   frente: parte superior del rostro (forehead)

7. A veces la gente llora lágrimas de cocodrilo.
   lágrimas: gotas que caen de los ojos al llorar (tears)

8. El cura rezó por la muchacha.
   rezó: dijo las oraciones usadas por la Iglesia (prayed)

9. Ella no quería soltar a su novio.
   soltar: dejar, poner en libertad

L LEGO EL médico quien examinó la herida y la declaró mortal por no ser posible la extracción del proyectil y prescribió lo que había que hacer.

En seguida fue llamado el señor cura, quien vino inmediatamente.

Me acerqué a Tránsito con el cura y le dije:

—Aquí está el señor cura.

5 Me pareció que no había oído; mas, tras breve espacio abrió los ojos, me miró, miró al sacerdote y los volvió a cerrar.

—Hija mía,—le dijo el cura,—hija mía, es necesario pensar en Dios.

Volvió a abrir ella los ojos y me miró fijamente. Comprendí 10 que me interrogaba.

—Es preciso, amiga mía, hacer lo que desea el señor cura, —le dije.

—No puedo confesarme.

—¿No puedes hablar?—le pregunté.

15 —Hablar sí puedo, pero . . .

Comprendí que no quería hablar delante del cura, y le supliqué que se saliera por un momento. Convino en ello el buen sacerdote.

convino en ello: agreed to it

Quedamos solos, me acerqué a la enferma nuevamente y 20 le toqué la frente que ardía.

—¡Tránsito!

Se asió de mi mano y la cubrió de besos. Yo no sabía qué hacer. El tiempo pasaba, y aquella pobre se agravaba a ojos vistas.

se agravaba a ojos vistas: was getting worse before my very eyes

25 —Te confesarás, ¿no es verdad?

—¡Si tú me lo mandas, sí!

—No te lo mando; te lo suplico; es preciso pensar en Dios, en la otra vida.

—¿Y podré confesarme?—dijo ella.

30 —¿Y por qué no?

—Pero si me confieso . . . no te volveré a ver más a ti . . . ¡Ah! no me confieso.

—Tránsito, amiga mía,—le dije cayendo de rodillas delante del lecho,—naciste cristiana, Dios te llama a gozar de su 35 gloria. Has sido muy desgraciada. Puede decirse que no has vivido. Va a empezar la vida eterna para ti . . . Confiésate. ¿Qué importa separarnos ahora si nos hemos de separar mañana, quizá esta noche, tal vez dentro de una hora?

—Si he de morir, quiero morir sin soltar esta mano,—me 40 dijo asiéndose nuevamente de la mía, que no había soltado por completo.

"Cavalier of Death" *por Sal-
vador Dalí* (Collection, The
Museum of Modern Art,
New York)

Mi angustia era indecible. Gruesas gotas de sudor me
caían de la frente, y me parecía que una mano de hierro me
ahogaba la voz en la garganta.

    Largo rato continuó ella así, asida de mi mano, y veía yo
5 dibujarse las sombras de la muerte en aquel rostro peregrino.
Hice un esfuerzo. Volví a rogarle; mas permaneció inflexible.
Llegué hasta amenazarla con irme y entonces se sonrió y
me dijo:

aquel rostro peregrino: that rare
face

—Aún tengo fuerzas y me iré detrás.

Aquella lucha no podía continuar, y ya iba yo a llamar en mi auxilio al señor cura, pero no quise provocar una sacudida violenta. Intenté el último esfuerzo y le dije:

⁵ —Dime: ¿no me contaste que cuando recibías la comunión en tu niñez, te ponías bonita . . . ? ¿Quieres privarme del gusto de que te vea transformada en ángel?

Siguió un espacio de angustioso silencio. La pobre muchacha reflexionaba. En sus pálidas facciones se veía retratada la ¹⁰ ucha entre el ángel bueno y el malo.

Al fin triunfó el ángel bueno. Dos lágrimas rodaron por las pálidas mejillas de la muchacha. Aquel recuerdo de su primera comunión la había vencido.

—Me confesaré,—dijo. —Que entre el señor cura. Volvió a ¹⁵ besar mi mano y me dijo al soltarla:

—¡Adiós, adiós, no me olvides nunca, nunca!

—¡Jamás!—le contesté.

No pude resistir. Tuve la debilidad de imprimir en su frente mi primero y último beso, y salí conmovido y con los ²⁰ ojos llenos de lágrimas.

Hice una señal al señor cura, sin decir una palabra, porque no podía. El buen sacerdote entró. Yo me puse de rodillas y oré con todo el fervor de mi alma.

Así pasó media hora, al cabo de la cual salió el señor cura ²⁵ y se acercó a mí y me dijo al oído:

—Le ruego que no entre más ni hable recio de manera que ella lo oiga. Lo mejor sería que usted se fuera de aquí.

—Irme, imposible, señor cura. No entraré; me estaré callado.

—¿Me lo promete usted?

³⁰ —Sí, señor cura.

—Bien, muy bien. Voy a traerle el Santo Viático y la Extremaunción.

En ese momento llegaron la madre y las hermanas de Tránsito. No quise presenciar aquella escena de dolor y salí ³⁵ con el cura quien iba a traer el Santísimo.

A las siete de la noche volvió el cura y rezó las oraciones de los agonizantes. Encomendó el alma de aquella infeliz a Dios, y cuando salió, ya había exhalado el último suspiro. Al salir, me dijo el cura:

⁴⁰ —Ya acabó, pero está en el Cielo. Mañana temprano la enterraremos. Será a las seis. Yo le enviaré la mortaja porque así se lo prometí.

---

no quise provocar una sacudida violenta: I didn't want to cause a sudden shock

recio: loud

Santo Viático y la Extremaunción: Viaticum and Extreme Unction (sacraments administered to the dying)

Santísimo: the Holy Sacrament

las oraciones de los agonizantes: prayers for the dying

la mortaja: shroud

Después de que salió el cura entré en el aposento. Jamás olvidaré aquella cara angelical en cuyas facciones se marcaba la señal del reposo absoluto. Tenía los ojos cerrados como si durmiese, y una sonrisa celestial parecía vagar en sus pálidos labios.

Todos los presentes nos arrodillamos, y empezó la señora dueña de la casa el rosario. Al terminar éste, entró el Sacristán de parte del cura con el sudario que había ofrecido. Lo recibí. Era un vestido blanco de desposada, una corona de blancas flores y una palma.

Entregué a la madre el vestido y salí al patio porque me ahogaba. Quería llorar y gritar donde nadie me viese ni oyese.

Al cabo de una hora volví al cuarto a pasar la noche velando el cadáver con los demás.

Jamás la olvidaré. Me parecía con su vestido blanco una estatua sepulcral de mármol. Aún después de tantos años, cuando cierro los ojos y pienso en ella, me parece que la veo.

Al día siguiente trajo un carpintero el cajón que yo le había pedido. La pusieron en él, y la llevamos a la iglesia a las siete de la mañana. El cura había dispuesto el entierro con sencillez cristiana. Después del Oficio de difuntos y de la misa rezada, el cura, con capa pluvial y precedido de la cruz y de los ciriales, acompañó el cadáver al cementerio. Diez o doce personas formábamos el fúnebre cortejo.

Cuando llegamos, ya la fosa estaba abierta. El cura rezó el salmo *De Profundis* y el ataúd fue clavado y puesto en el fondo de ella. A poco rato el suelo estaba nivelado. Clavamos allí una tosca cruz de madera, en cuyos brazos habíamos trazado, con un clavo ardiendo, lo siguiente:

TRANSITO

Post Tenebras, Lucem

y sembramos al pie de ella una enredadera que llaman en la comarca cundeamor.

---

en cuyas facciones . . . del reposo absoluto: on whose features was marked the sign of total peace

el rosario: the rosary
el Sacristán: the sexton of the church
el sudario: the shroud

una estatua sepulcral de mármol: a monumental statue of marble

el Oficio de difuntos: the service for the dead
capa pluvial: cope (a vestment)
los ciriales: candlesticks
el fúnebre cortejo; the funeral procession
la fosa: the grave
De Profundis: "Out of the Depths" (Latin, 130th psalm, often sung or read at funerals)
el ataúd: the coffin

Post Tenebras, Lucem: After darkness, light

cundeamor: a vine

Diccionario

1. **me acerqué (acercarse):** me aproximé (drew near)
   Cuando ella me llamó, yo (   ).

2. **me ahogaba (ahogarse):** moría por falta de respiración
   Por poco (   ) cuando me cubrieron la boca y la nariz.

3. **aposento:** cuarto de una casa

   Todos estaban en el (   ) de arriba.

4. **asiéndose (asirse):** cogiendo, agarrando (seizing)

   Estaba (   ) de su mano, cuando se acercaba la muerte.

5. **confesarme (confesarse):** declarar mis pecados

   Tendré que (   ) ante el cura.

6. **desgraciada:** infeliz

   Una persona sin fortuna es una persona (   ).

7. **dibujarse:** reproducir con un lápiz o una pluma la forma de los objetos

   El dolor puede (   ) en la cara.

8. **enredadera:** planta que sube por las varas, cuerdas etc. (climbing plant)

   En la pared de mi casa hay una (   ).

9. **facciones:** fisionomía, cara (features)

   Sus (   ) eran las de un ser divino.

10. **frente:** parte superior del rostro (forehead)

    Dicen que la (   ) indica la inteligencia de la persona.

11. **herida:** golpe, lesión (wound)

    Tránsito había sufrido una (   ) mortal.

12. **lágrimas:** gotas que caen de los ojos al llorar (tears)

    Las (   ) le corrían en profusión.

13. **lecho:** cama

    El enfermo estaba en un (   ) de dolor.

14. **mejilla:** carrillo, parte de la cara (cheek)

    Me dio un beso en la (   ).

15. **nivelado (nivelar):** equilibrado (leveled)

    Al llenar la tumba, quedó el suelo (   ).

16. **oré (orar):** recé, dije las oraciones de la Iglesia (prayed)

    Yo (   ) para pedir la ayuda de Dios.

17. **retratada (retratar):** descrita, dibujada (pictured)

    En la sonrisa de sus labios se veía (   ) la felicidad.

18. **rezó (rezar):** oró, dijo las oraciones de la Iglesia

    Cuando el cura (   ), todos se pusieron de rodillas.

19. **sembramos (sembrar):** plantamos

    Nosotros (   ) flores en el jardín.

20. **soltar:** dejar, poner en libertad (to let go)

    Es difícil (   ) a la persona que uno quiere.

21. **supliqué (suplicar):** pedí

    Le (   ) que escribiera la lección.

22. **tosca:** cruda (rough)

    Le pusieron una (   ) cruz en la tumba.

23. **vagar:** andar, jugar

    Cuando él dormía, una sonrisa parecía (   ) en sus labios.

Para la Comprensión

1. ¿Quién examinó la herida?

2. ¿Qué declaró el médico cuando examinó la herida?

3. ¿A quién llamaron en seguida?

4. Cuando Tránsito supo que el cura había llegado, ¿qué hizo?

5. ¿Qué le dijo el cura a Tránsito?

6. ¿Por qué le trajeron al cura?

7. ¿Por qué salió el cura de donde estaba Tránsito?

8. ¿Qué hizo Tránsito cuando quedó sola con Andrés?

9. ¿Por qué querían que se confesara?

10. Tránsito temía confesarse: ¿por qué?

11. ¿Cómo quería morir Tránsito?

12. Describa la angustia de Andrés cuando Tránsito le habló de aquella manera.

13. Cuando Andrés amenazó irse, ¿qué le dijo ella?

14. ¿Cómo se ponía Tránsito cuando recibía la comunión en su niñez?

15. ¿Dónde se veían evidencias de la lucha entre el ángel bueno y el malo?

16. ¿Cuál ángel triunfó?

17. ¿Qué venció a Tránsito?

18. Cuando decidió confesarse, ¿qué dijo Tránsito?

19. ¿A quién se lo dijo?

20. ¿Qué hizo Andrés al salir?

21. ¿Cuánto más o menos duró la confesión?

22. ¿Aceptó Andrés el ruego del cura?

23. ¿A qué acuerdo llegaron?

24. ¿Cuándo llegaron las hermanas de Tránsito?

25. ¿A qué hora volvió el cura?

26. Describa los últimos acontecimientos de ese día.

27. ¿Cómo era el sudario?

28. ¿Qué hizo la gente durante la noche?

29. ¿Qué parecía Tránsito vestida de blanco?

30. Relate algunos detalles del entierro.

Estructura

PRESENTE DE SUBJUNTIVO DE VERBOS DE CAMBIO ORTOGRAFICO

Al emplear el sujeto nuevo, haga los cambios necesarios.

MAESTRO: Quieren que saque el premio.
ESTUDIANTE: Quieren que saque el premio.
MAESTRO: [tú]
ESTUDIANTE: Quieren que saques el premio.

1. [él]
2. [nosotros]
3. [Uds.]
4. [ellas]

Me piden que toque el piano.
5. [tú]
6. [él]
7. [nosotros]
8. [Uds.]
9. [ellas]

Me dicen que me acerque un poco.
10. [tú]
11. [él]
12. [nosotros]
13. [Uds.]
14. [ellas]

COSTUMBRES DEL DIA DE LOS DIFUNTOS

Introducción

Los ejemplos más clásicos del sentir latinoamericano con respecto a la muerte se pueden ver los días primero y dos de noviembre. El primero es el día de «todos los santos»; el segundo es el día de «los difuntos.» En estas fechas los cementerios de varios países hispanoamericanos se visten de gala. Por las calles y en las tiendas se ven coronas, tarjetas de duelo, flores negras, cirios, panes, y pasteles especiales, todo destinado a que la gente cumpla con las viejas costumbres de honrar a los muertos queridos.

Este artículo apareció en *El Comercio*, periódico de Quito, Ecuador, el 2 de noviembre de 1962.

Guía de Estudio

Los indios salasacas habitan una región en la parte central del Ecuador. Durante los primeros días de noviembre, año tras año, honran a los difuntos con ritos especiales. ¡Beben y bailan en las tumbas!

Palabras Clave

1. Los dueños aumentaban el sueldo de los criados cada tres meses.

   aumentaban: acrecentaban, amplificaban (increased)

2. Encendieron tres cirios según el número de los fallecidos.

fallecidos: muertos, difuntos

3. Los indios celebran de otra manera a los finados.

   finados: muertos, difuntos, fallecidos

4. Había un hueco en la pared.

   hueco: cavidad, agujero (hole, hollow)

5. El 2 de noviembre es un día de júbilo para los salasacas.

   júbilo: alegría (joy)

6. Para los niños los caramelos son manjares deliciosos.

   manjares: comestibles, alimento (food, tidbits)

7. El pobre depositó su ofrenda en el altar.

   ofrenda: lo que se ofrece a Dios (religious offering)

8. De vez en cuando el jefe tomaba un pan y lo partía.

   partía: dividía en dos o más partes

El Arreglo de los Nichos (*El Comercio*, Quito, Ecuador)

EL 2 DE noviembre no tiene para los salasacas el significado fúnebre y doloroso que para nosotros, que recordamos la memoria de nuestros muertos adornando su tumba con las flores del recuerdo y con la oración honda-
5 mente sentida.

Los indómitos indios salasacas que se asientan entre Ambato y Pelileo celebran de otra manera los finados. Para ellos es un día de júbilo porque se reunen con sus difuntos, comen con ellos, con ellos conversan y hacen vida común, con una
10 serie de ceremonias que son preparadas minuciosamente unos días antes del 2 de noviembre.

Los salasacas se acercan a las tumbas de sus parientes, les llaman, les ofrecen manjares, vino y saludos y en su nombre, luego de la ofrenda, beben y bailan unos dos o tres días con
15 honda satisfacción.

Unos días antes, especialmente cuando Pelileo aún no era borrado por el terremoto, numerosas personas del cantón dedicaban días y noches a la preparación del pan especial de los Finados y del vino también especial, hecho con agua de
20 panela, un poco de aguardiente y maíz.

El pan compuesto de una masa compacta que formaba su cuerpo principal, tenía una corteza que dejaba entre ella y la migaja un espacio vacío. Es decir que ese pan era inflado como un globo. Tenía diferentes formas, las de tórtolas y
25 soldaditos.

En canastas forradas de tela blanca, era exhibido de las puertas de diversas tiendas de la población.

Los indios salasacas bajaban a Pelileo a proveerse del pan de Finados y del vino para su «ofrenda.»
30 En «macanas» multicolores, portaban el pan y el vino a sus casas; en el centro de la choza, los velaban ceremoniosamente, sin dejar que persona alguna toque la ofrenda especial para los difuntos.

El día de Finados, vestidos de sus mejores ponchos y
35 calzoncillos bordados, los indios en tropel bajaban en las primeras horas de la mañana para ocupar su sitio en el cementerio, tratando de ubicarse sobre el lugar en donde fue enterrado su difunto.

Largas hileras de salasacas y de otros indios de los alrede-
40 dores acudían al cementerio el 2 de noviembre, apresurados y con la obsesión de la ofrenda.

con la oración hondamente sentida: with deeply felt prayer

que se asientan entre Ambato y Pelileo: who have settled in the area between the towns of Ambato and Pelileo

hecho con . . . maíz: made with brown sugar water, a little whiskey and corn

corteza: crust
la migaja: the doughy part of the bread
tórtolas: turtledoves

canastas forradas de tela blanca: baskets lined with white cloth

macanas: shawls, cloths

acudían: were present at

Compra y Venta de «Guaguas»
(*El Comercio*, Quito, Ecuador)

Llegados al lugar, arreglaban con trozos de tejas una especie de urna bajo la que colocaban los cirios encendidos, protegiéndolos del viento y de las travesuras de los muchachos de la población. Junto a ellos, tendían sobre la tierra una
5 macana limpia y sobre ella, en montones de acuerdo con el número de fallecidos, colocaban el pan de los difuntos. Hacían un hueco en la tierra desnuda y en él intermitentemente iban vaciando el vino. Mientras guardaban al comienzo un solemne silencio, hablaban, conforme avanzaba
10 el día, de las costumbres, de la memoria de los fallecidos a los que recordaban.

De tiempo en tiempo, el indio que hacía de jefe del grupo tomaba un pan de alguno de los montones y lo partía. Si

arreglaban . . . urna: they arranged with pieces of roof tile a kind of covering

coincidía con alguno cuya parte hueca era considerable, el indio ceremoniosamente anunciaba a los demás: «El difunto está comiendo ya.»

El vino que lentamente desaparecía absorbido por la tierra servía también para que los indios creyeran en la espantosa sed del muerto que, sin haber bebido un año entero, estaba pendiente de esta bebida.

Poco a poco, conforme avanzaba el día, los indios, partían el pan y aumentaban la ración de vino en el agujero de la tierra. «El difunto tiene mucha hambre» decían solemnemente. «Al difunto se le ha secado la garganta» repetían al ver como el vino desaparecía en la tierra.

Algunos indios, especialmente las parcialidades de Pilahuín, a más del pan y del vino aumentaban su ofrenda con cuyes asados y con papas frías colocadas en montones, según el número de fallecidos en la familia.

Ellos, más considerados con sus muertos, creen que necesitan de un suculento almuerzo anual y por esta causa, aumentan su ofrenda.

Cuando había llegado la una o dos de la tarde, el indio jefe volvía a controlar el pan y el vino y al encontrarlos ahuecado e inflado al uno y absorbido por la tierra al otro, exclamaba: «Los difuntos han comido y han bebido a su gusto. Dios sea bendito.»

De inmediato recogían el pan de la ofrenda en la misma macana y guardaban las sobras de vino. Después de besar ceremoniosamente la tierra de la tumba se levantaban y se dirigían al lugar señalado para la «recordación.» Allí devoraban con ansia y con escándalo el pan y tomaban el vino ahora del «banquete de sus muertos.» Luego venía la chicha hasta que los indios, ebrios, rodaban entre los restos de la ofrenda y del vino.

las parcialidades de Pilahuín: the faction or group from the town of Pilahuín

cuyes asados: roasted guinea pigs

ahuecado e inflado: hollow and puffed up

la chicha: a fermented beverage made from maize, popular with many of the Indians of South America

Diccionario

1. **aumentaban (aumentar):** acrecentaban, amplificaban (increased)

   Trabajando día y noche (-) su pequeña fortuna.

2. **calzoncillos:** pantalones

   Los indios llevan (   ) bordados en días de fiesta.

3. **fallecidos:** muertos, difuntos

   Construyeron un monumento para honrar a los (   ).

4. **finados:** muertos, difuntos, fallecidos

   El 2 de noviembre es dedicado a los (   ).

5. **hueco:** cavidad, agujero (hole, hollow)

   Los pájaros construyeron el nido en un (   ) del árbol.

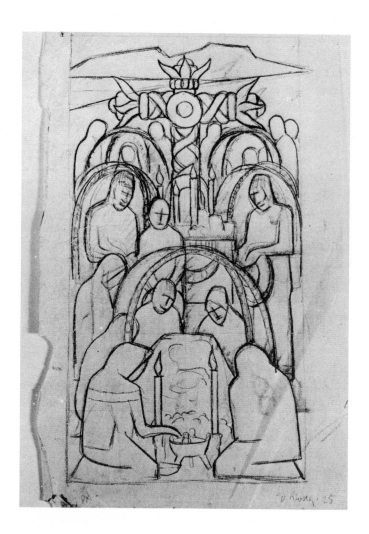

"Day of the Dead in the Country" *por Diego Rivera* (Collection, The Museum of Modern Art, New York)

6. **indómitos:** se dice de las personas que no se pueden domar (unruly, untamed)

   Los yaquis han sido siempre indios (   ) y orgullosos.

7. **júbilo:** alegría (joy)

   El 4 de julio es un día de (   ) para todos los norteamericanos.

8. **manjares:** comestibles, alimento (food, tidbits)

   Prepararon (   ) de todas clases para la fiesta del domingo.

9. **minuciosamente:** completamente, con atención a los detalles y las cosas insignificantes (minutely, thoroughly)

   Examinaron el documento (   ) para determinar si era auténtico

10. **ofrenda:** lo que se ofrece a Dios (religious offering)

    Colocaron la (   ) en el altar.

11. **partía (partir):** dividía en dos o más partes

    Mi madre (   ) la torta para ofrecer un pedazo a cada persona.

12. **terremoto:** temblor de tierra (earthquake)

El pueblo fue destruido por un (   ).

13. **ubicarse:** situarse, establecerse en cierto lugar

En ese día, los indios van a (   ) sobre las tumbas.

Para la Comprensión

1. ¿Cómo recordamos la memoria de nuestros muertos?

2. ¿Dónde se asientan los indios salasacas?

3. ¿Por qué es para ellos un día de júbilo el 2 de noviembre?

4. ¿Cómo son preparadas las ceremonias del 2 de noviembre?

5. ¿Qué ofrecen los salasacas a los difuntos?

6. ¿Con qué se hace el vino especial?

7. ¿Cómo se llama la parte exterior del pan?

8. ¿Cómo se llama la parte interior del pan?

9. ¿Qué formas tenía el pan especial?

10. ¿En qué llevaban el pan y el vino a sus casas?

11. ¿Dónde los colocaban?

12. ¿Cómo se visten los indios en el día de finados?

13. ¿Dónde tratan de ubicarse en el cementerio?

14. ¿Cómo protegen del viento los cirios encendidos?

15. ¿De qué otra cosa los protegen?

16. ¿Qué hacían en la tierra?

17. ¿De qué hablaban los indios, conforme avanzaba el día?

18. ¿Quién partía el pan de vez en cuando?

19. ¿Para qué servía el vino absorbido por la tierra?

20. ¿Quiénes aumentaban su ofrenda con cuyes asados?

21. ¿Qué creen los indios de Pilahuín?

22. ¿Qué hacen los indios en el lugar señalado para la «recordación»?

23. Por último ¿qué bebida toman?

Estructura

PRETERITO DE VERBOS DE CAMBIO ORTOGRAFICO (-CAR)

Según el modelo, cambie la oración para emplear el pretérito.

> MAESTRO: Me acerco a la esquina.
>
> ESTUDIANTE: Me acerqué a la esquina.
>
> MAESTRO: En vacaciones pesco en el río.
>
> ESTUDIANTE: En vacaciones pesqué en el río.

1. Después de comer mastico chicle.
2. Toco el piano durante el día.
3. Busco una buena comedia.
4. Saco buenas notas en historia.
5. Explico la costumbre.
6. Indico las tres siguientes lecciones.
7. Comunico las noticias de hoy.

EL PARTICIPIO COMO ADJETIVO

Combine las dos oraciones según el modelo.

> MAESTRO: Me acerqué a una ventana. La ventana estaba cerrada.
>
> ESTUDIANTE: Me acerqué a una ventana cerrada.
>
> MAESTRO: Encontrarán unos tacos. Los tacos estarán fritos.
>
> ESTUDIANTE: Encontrarán unos tacos fritos.

1. Compramos un pan. El pan estaba rebanado.
2. Tengo una pelota. La pelota está pintada.
3. Le dieron unos sellos. Los sellos estaban cancelados.
4. Lavé una camisa. La camisa estaba rota.
5. Recibió una carta. La carta estaba abierta.
6. Traes un libro. El libro está maltratado.
7. Llevaba una chaqueta. La chaqueta estaba manchada.
8. Compré una casa. La casa estaba renovada.

LA MUERTE DE JOSELITO

por Gregorio Corrochano

Introducción

Gregorio Corrochano, redactor de *ABC* (periódico español), fue el único revistero taurino que asistió a la corrida que el dieciséis de mayo de 1920 le costó a Joselito la vida.

La primera noticia de la cogida de Joselito en Talavera de la Reina se conoció en Madrid a las siete y media de la tarde del domingo, día dieciséis. A los pocos momentos se extendía por la capital y toda España.

Joselito había toreado 670 corridas . . . 18 en la temporada . . . y matado 1530 toros. Había sido cogido cuatro veces.

El martes por la tarde fue llevado el cadáver a la estación de Atocha para su traslado a Sevilla donde recibió sepultura en el cementerio de San Fernando.

Guía de Estudio

Los toreros se rodean, además de sus cuadrillas, sus agentes y los muchos aficionados, de revisteros taurinos. Es muy importante tener buenas relaciones con los agentes de publicidad para mantener el nombre del torero y sus éxitos ante el público. A veces torero y reportero llegan a ser muy buenos amigos. Evidentemente tal amistad existía entre Corrochano y Joselito. Por eso era tan difícil escribir la narración. ¡Basta perder a un amigo íntimo! ¡Imagínese el dolor del periodista al tener que escribir los trágicos detalles para sus lectores!

Los latinos suelen dar rienda suelta a sus emociones. No tienen vergüenza por ellas y creen que es necesario expresarlas; generalmente no entienden a quien no los manifieste. Son sentimentales y compasivos. Es evidente en este artículo que con la muerte de Joselito el periodista sentía algo muy personal.

Palabras Clave

1. Un toro bailador se mueve mucho.
   bailador: uno que baila

2. En la plaza de toros hay una barrera para proteger al torero.
   barrera: parapeto (barricade)

3. El muchacho cogió la manzana con la punta de la navaja.
   cogió: agarró, levantó

4. Siempre hay corridas los domingos.
   corridas: fiestas en que se lidian toros en una plaza cerrada (bull fights)

5. El médico trabaja en la enfermería.
   enfermería: lugar o cuarto destinado para enfermos

6. Los mejores toros vienen de la ganadería Julingue.
   ganadería: cría del ganado, hacienda de ganado (cattle ranch)

7. Lo contrario a la verdad es la mentira.
   mentira: contrario a la verdad, fábula, ficción (lie)

8. La capa roja cuelga de la muleta.
   muleta: bastón de que cuelga una capa encarnada y que sirve al matador (red flag used by the bull fighter, rod that holds the red flag)

9. La barrera estaba hecha de tablas viejas.
   tablas: piezas de madera, anchas y estrechas y poco gruesas (boards)

10. A los españoles les gusta mucho el toreo.
    toreo: el arte de torear, lidiar

11. Luis Procuna fue un gran torero.
    torero: el que torea, matador

TODO LO que ocurre me parece una pesadilla. Lo he visto y no lo creo. Me cuesta un esfuerzo terrible escribir: A Joselito le ha matado un toro. Pero así es, así ha ocurrido: a Joselito le ha matado un toro en Talavera de la Reina. Estoy bajo la terrible impresión de la tragedia. No quisiera ser el cronista a quien la fatalidad le reservó esta narración. Estoy entristecido y, sin embargo, tengo que escribir. Escribiré; sería mi sino, como el del pobre Joselito sería el de venir a morir aquí.

Le ha matado el toro quinto; se llamaba Bailador, tenía cinco años, era negro, muy chico, muy corto de pitones y sólo pesaba doscientos sesenta kilos; pertenecía a la ganadería de la viuda de Ortega, un cruce de Veragua y Santa Coloma.

Salió el quinto toro, un toro cornicorto, y Joselito me indicó con el gesto que el toro no le gustaba. Yo le contesté que a mi tampoco me agradaba. Uno de tantos comentarios mudos como Joselito y yo hacíamos en las corridas. Más tarde le indiqué que el toro era burriciego. El me dijo que había perdido la vista el toro en los caballos. Y salió a matar. El toro se defendía y estaba bronco. José medio lo dominó con la muleta, y el toro se fue a las tablas cerca de mi barrera. Oí perfectamente que Joselito le dijo al Cuco dos veces:—Quítate, Enrique, que está el toro contigo y por eso no toma la muleta. El Cuco se cambió de lugar. Joselito lo sacaba con pases de tirón muy trabajosamente, pues el toro apenas le embestía. José, que estaba muy cerca, dándole con la muleta en la cara se retiró. Entonces el toro, acaso porque le viera mejor por el defecto de la vista ya apuntado, se le arrancó fuerte y pronto, inesperadamente, en un momento en que el torero no hacía nada, sino que se disponía a hacer. A José, a quien indudablemente sorprendió el toro, no le dio tiempo de nada, ni de darle salida ni de quitarse de allí, a pesar de sus facultades. No hizo mas que adelantarle la muleta para taparle y parar el golpe. El toro le cogió de lleno, le enganchó por el muslo derecho, y en el aire le dio una cornada seca y certera en el bajo vientre. Cayó José mortalmente herido, se contrajo, y el toro le derrotó en el suelo, pero no le recogió.

Talavera de la Reina: a town in Spain, southwest of Madrid

a quien . . . esta narración: for whom fate reserved this tale

un cruce de Veragua y Santa Coloma: a cross between these two breeds.
cornicorto: shorthorned

burriciego: shortsighted

el Cuco: a nickname for one of the men in Joselito's cuadrilla.
Quítate, Enrique . . . muleta: Move away, Enrique, for the bull is watching you, and therefore isn't responding to the muleta.
lo sacaba . . . trabajosamente: drew him away from the barrier laboriously with certain "passes"
se le arrancó . . . inesperadamente: charged hard, quickly, unexpectedly

le cogió de lleno . . . el bajo vientre: got him squarely, hooked him in the right thigh, and while he was in the air, gave him an abrupt, well-aimed thrust with the horns in the lower abdomen

Cuando le incorporaron me miró con cara de angustia, y me senaló con la mano la ingle, al mismo tiempo que se recogía los intestinos que se asomaban.

Al Cuco que le llevaba a la enfermería, le dijo:—¡A Mascarell, que avisen a Mascarell! Y ya no habló más. Le dio el colapso.

Sus íntimos amigos Leandro Villar y Darío López, salieron, sin perder un minuto, para Madrid en busca de los doctores Mascarell y Goyanes. Todo inútil. Apenas recorrerían unos minutos, ya su pobre amigo no tenía necesidad de la ciencia que iban a buscar.

Mientras tanto, en la enfermería los médicos Sanguino, Ortega, Muñoz, Luque, Pajares y no sé si alguno más, cuidaban de reaccionarle con suero, cafeína, alcanfor . . . ; nada, todo inútil porque el pobre torero no reaccionaba. Sólo hubo un momento de esperanza en que movió los brazos para caer nuevamente en el sopor, y cuando su cuñado, Sánchez Mejía, muerto el último toro, entraba corriendo en la enfermería, (ya alarmado por el rumor de la plaza y el ir y venir de la gente por el callejón) expiraba Joselito de *shock* traumático.

Yo le he visto muerto. Le he visto y no lo creo. He visto como le quitaban del cuello el retrato de su madre y una medalla de la Virgen de la Esperanza, deformada por un toro en San Sebastián. Me parecía dormido. No puedo creer que muriera quien unos minutos antes era la alegría de esta plaza y el sueño de todas las empresas. Me parece mentira que haya muerto quien llegó hace unas horas conmigo. Me parece mentira, pero es la realidad, la trágica realidad. A Joselito le ha matado un toro, y yo tengo que contarlo, que es otra dolorosa realidad. Porque lo terrible no es sólo que a un torero le mate un toro, sino la manera, las circunstancias de este caso concreto. Con Joselito no ha muerto solamente un torero, sino la figura representativa del toreo, y quien sabe si la fiesta misma.

cuidaban . . . alcanfor: were trying to revive him with serum, caffein, and camphor

San Sebastián: a city in northern Spain (Apparently during a bullfight there Joselito's good-luck medal had been bent out of shape.)

Diccionario

1. **agradaba (agradar):** complacía, contentaba, gustaba (it was pleasing)
   A la maestra le (   ) ver a los alumnos estudiar.

2. **bailador:** uno que baila
   Un muchacho (   ) siempre es popular.

3. **barrera:** parapeto (barricade)
   En relaciones humanas, un puente es mejor que una (   ).

4. **bronco:** rudo, agrio

   El toro le pareció (   ) aunque pequeño.

5. **cogió (coger):** agarró, levantó

   El toro (   ) al caballo con la punta de los pitones.

6. **corridas:** fiestas en que se lidian toros en una plaza cerrada (bull fights)

   En mi pueblo no hay (   ).

7. **cuñado:** hermano de uno de los esposos respecto del otro (brother-in-law)

   Sánchez Mejía era (   ) de Joselito.

8. **derrotó (derrotar):** venció

   El perro (   ) al pobre gatito.

9. **empresas:** cosas que se comienzan (enterprises)

   Los jóvenes inteligentes tienen muchas (   ).

10. **enfermería:** lugar o cuarto destinado para enfermos

    La (   ) está cerca del hospital de emergencia.

11. **ganadería:** cría del ganado, hacienda de ganado (cattle ranch)

    Los toros de la (   ) Julingue son muy famosos.

12. **mentira:** contrario a la verdad, fábula, ficción (lie)

    El que dice (   ) no dice la verdad.

13. **muleta:** bastón en que cuelga una capa encarnada y que sirve al matador (red flag used by the bullfighter, rod that holds the red flag)

    El torero que usa bien la (   ) casi siempre gana.

14. **pesadilla:** sueño angustioso (nightmare)

    La vida de un torero es una (   ).

15. **sino:** destino

    El (   ) del toro por lo general es la muerte.

16. **sopor:** sueño letárgico

    Después del accidente cayó en un (   ) terrible.

17. **tablas:** piezas de madera, anchas y estrechas y poco gruesas (boards)

    Las (   ) de la barrera eran viejas.

18. **toreo:** el arte de torear, lidiar

    Los que no conocen el (   ), no saben apreciarlo.

19. **torero:** el que torea, matador

    Sin valor, el (   ) no sirve para nada.

Para la Comprensión

1. ¿Qué le parece al cronista todo lo que ocurre?

2. ¿Cree lo que ha visto?

3. ¿Qué ha visto?

4. ¿A quién ha matado un toro?

5. ¿En qué pueblo ocurrió la tragedia?

6. Describa la actitud del cronista al escribir.

7. ¿Cómo se llamaba el toro que mató a Joselito?

8. Describa al toro.

9. ¿Le gustaba el toro a Joselito?

10. ¿Cómo lo sabemos?

11. ¿Tenía buena vista el toro?

12. ¿Cómo perdió la vista el toro?

13. ¿De qué manera sorprendió el toro a José?

14. ¿Cómo cogió el toro al torero?

15. ¿Fue herido Joselito mortalmente o no?

16. ¿Quién lo llevó a la enfermería?

17. ¿Qué fueron las últimas palabras de Joselito?

18. ¿Quiénes eran sus íntimos amigos?

19. ¿A qué fueron a Madrid?

20. ¿Cómo trataron los médicos de hacerlo reaccionar?

21. ¿Quién entró en la enfermería al morir Joselito?

22. Cuando murió Joselito ¿qué le quitaron del cuello?

23. ¿Qué le parecía mentira al cronista?

24. ¿Cuáles son las dos realidades dolorosas que menciona el cronista?

25. Según este cronista, ¿qué era Joselito?

Estructura

EL SUBJUNTIVO CON *CREER*

Según el modelo, cambie la oración principal al negativo para emplear el subjuntivo.

> MAESTRO: Creo que no tienen hambre.
>
> ESTUDIANTE: No creo que tengan hambre.
>
> MAESTRO: Creemos que no lo comprenden bien.
>
> ESTUDIANTE: No creemos que lo comprendan bien.

1. Creo que no les gusta.
2. Creen que no lo sabes.
3. Creo que no traen la leche.
4. Creemos que no se baña todos los días.
5. Juan cree que no podemos salir.
6. Creo que no trabajan mucho.

Según el modelo, cambie la oración para emplear el subjuntivo.

> MAESTRO: ¿Estudiarán por la noche?
>
> ESTUDIANTE: ¿Crees que estudien por la noche?
>
> MAESTRO: ¿Necesitarán nuestra ayuda?
>
> ESTUDIANTE: ¿Crees que necesiten nuestra ayuda?

7. ¿Cantarán en el coro?
8. ¿Tendrán frío?
9. ¿Sabrá bailar?
10. ¿Comerán pescado frito?
11. ¿Se despertará temprano?
12. ¿Venderán la casa?

Según el modelo, cambie la oración para emplear el subjuntivo.

> MAESTRO: ¿Habrán llegado tarde?
>
> ESTUDIANTE: ¿Crees que hayan llegado tarde?
>
> MAESTRO: ¿Habremos hecho bien?
>
> ESTUDIANTE: ¿Crees que hayamos hecho bien?

13. ¿Habrá traído la carne?
14. ¿Se habrá perdido mi tía?
15. ¿Habrá salido bien la foto?
16. ¿Los habremos convencido?
17. ¿Habrán entendido bien la lección?
18. ¿Habré esperado demasiado?

Combine las dos oraciones y use la forma apropiada del subjuntivo.

> MAESTRO: ¿Habrá muerto? No lo puedo creer.
>
> ESTUDIANTE: No puedo creer que haya muerto. Parece mentira que haya muerto.
>
> MAESTRO: ¿Ganará tanto dinero? No lo puedo creer.
>
> ESTUDIANTE: No puedo creer que gane tanto dinero. Parece mentira que gane tanto dinero.

19. ¿Habrá vuelto tan pronto? No lo puedo creer.
20. ¿Necesitarán un préstamo? No lo puedo creer.
21. ¿Sabrá coser la señorita Carmencita? No lo puedo creer.
22. ¿Ya será médico? No lo puedo creer.
23. ¿Se lo habrán prometido? No lo puedo creer.
24. ¿Habrá comprado esas joyas? No lo puedo creer.
25. ¿Habrá leído todos esos libros? No lo puedo creer.
26. ¿Habrá fracasado otra vez en su misión? No lo puedo creer.

EJERCICIOS CREATIVOS

TRANSITO

1. En esta selección vemos la importancia de la religión en la vida de los personajes. Haga una lista de los pasajes que revelan esto.

2. Muchas costumbres concernientes a la muerte son diferentes de las nuestras. Anótelas.

3. Exprese en un párrafo quién, en su opinión, sufría más—la que moría o él que nos relata la tragedia. Dé ejemplos.

COSTUMBRES DEL DIA DE LOS DIFUNTOS

4. Sigue una lista de adjetivos descriptivos: ¿Cuáles describen esta selección?

absurda	universal	seria
ridícula	incomprensible	exclusiva
mórbida	indígena	aburrida
interesante	inesperada	humorosa
grotesca	expresiva	fea
primorosa	emocionante	pagana
nativa	inútil	religiosa
desagradable	necia	fúnebre
típica	alegre	triste

5. Se observa el primero de noviembre en varias iglesias con misas o ceremonias especiales. Pero ¿hay algún día en que nacionalmente honramos a los muertos?

LA MUERTE DE JOSELITO

6. Imaginemos que Ud. es periodista de algún país de Latinoamérica. Después de recibir las noticias tristes y paralizantes, Ud. tiene que escribir un obituario de Joselito para el periódico. (Tome Ud. en cuenta que universalmente se consideró que él poseía una técnica perfecta. Su amigo íntimo, Juan Belmonte, rehusó creer que un toro le había matado porque Joselito «es un torero perfecto.»)

7. La muerte de una persona bien conocida y querida afecta profundamente al pueblo. A veces lo deja en un estado de *shock*. Escriba una composición describiendo cómo la muerte de tal persona ha entristecido una ciudad o una nación.

8. Hay cierto vocabulario que pertenece solamente a la fiesta taurina. Repase esta selección y también la selección titulada «El matador» buscando las palabras clave que se asocian con la corrida de toros. Escoja diez y escriba una frase usando cada una.

La Fiesta de San Fermín, Pamplona, España (Spanish National Tourist Office)

Cuadro 16 • LA FURIA ESPAÑOLA

Preparando la Escena. *Se explicará el título de esta unidad, si se piensa que la emoción es una de las formas de expresión con que la cultura de un pueblo se manifiesta y se transmite.*

España es una tierra de fuego y de serenidad a la vez. Es la madre de muchos pueblos en todos los horizontes del mundo. En pleno desarrollo del renacimiento dio a Europa un nuevo mundo, descubriendo las Américas. La furia indomable del español lo llevó a modificar todo un hemisferio. Esa impetuosidad lo hizo fundador de un imperio nuevo para los reyes católicos.

De las naciones de este imperio extrajo grandes riquezas. De unas llevó oro y de otras llevó plata. Pero al extraer valores auríferos de unas y argentinos de otras, en todas dejó semillas de cultura hispánica destinadas a producir fruto permanente. A cambio de metales que perecen dejó el Cristianismo como base de su fe; el idioma castellano como base de su comunicación y, la furia española como base psicológica de su progreso. Fue esta última la que por fin movió a estos mismos pueblos a separarse de la madre patria.

El hombre americano, el indio, como se ha convenido en llamarle impropiamente, aceptó esa furia y la fundió en un mestizaje inquebrantable. El fuego español y el bronce indio se unieron formando los hijos occidentales de la madre patria.

PÓLVORA EN FIESTAS

por Francisco López Sanz

Introducción

Para conocer al pamplonés es necesario penetrar sus emociones. Por eso Pamplona siempre será un enigma admirable. Tres explosiones iguales producen tres emociones distintas. ¿Por qué? Porque se oyen a diferentes tiempos. El tiempo es uno de los factores que determinan la emoción del pamplonés.

La serenidad del tranquilo y el furor del entusiasta se agitan por los eventos festivos. La pólvora quemada agita una especie de sensación, el ruido otra, y la anticipación otra. El pamplonés es un complexo de furia, pasión, tranquilidad, serenidad, y paz.

Guía de Estudio

En este cuento vemos como tres diferentes explosiones de pólvora producen tres diferentes emociones. Los tres cohetes hacen un ruido tremendo. Los tres se disparan del mismo sitio. Pero la anticipación que precede cada cohete determina la furia del pueblo al oírlo.

Un cohete da principio al festejo. Otro cohete da comienzo a los fuegos artificiales. Otro empieza el estampido matinal de los toros, los toros de Pamplona. Este último cohete llena los corazones de una emoción sin igual, porque es el que deja salir los toros por las calles. Los toros corren al lado de muchos locos que corren con ellos.

Palabras Clave

1. Los muebles están bien acomodados en el cuarto.
   acomodados: puestos en sitio conveniente

2. Los muchachos estaban alocados con el juego.

   alocados: que tienen cosas de loco o que parecen locos

3. El bullicio de la calle era un tumulto.
   bullicio: ruido de la multitud

4. En los Estados Unidos se usan mucho los cohetes el cuatro de julio.
   cohetes: artificios de pólvora que se lanzan a lo alto, donde estallan produciendo luz y ruido (skyrockets)

5. El turista estaba compaginando sus actividades del día.
   compaginando: poniendo en orden

6. Los ánimos se ponen en vilo durante la fiesta de Pamplona.
   en vilo: dícese de lo que está suspendido en el aire, en suspensión

7. Los artistas trabajan con esmero.
   esmero: sumo cuidado que se pone en hacer las cosas

8. El estampido del cohete se oye de lejos.
   estampido: ruido fuerte producido por una detonación

9. En el ruedo los toros parecen fieras.
   fieras: animales salvajes

10. Durante la fiesta todo el mundo se mueve en un giro constante.
    giro: movimiento circular

11. El artista pirotécnico hace cohetes.
    pirotécnico: relativo a explosivos

12. La pólvora se usa para hacer cohetes.
    pólvora: mezcla muy inflamable de salitre, carbón, y azufre, que sirve para disparar proyectiles

13. Los cohetes son presagios de la fiesta.
    presagios: señales que indican el porvenir

HAY EN nuestras fiestas tres cohetes característicos disparados a diferentes horas y para advertir diversos motivos, que si son iguales en el ruido, en la detonación, producen emociones distintas. Porque los tres provocan
5 su emoción correspondiente, en unos más, en otros menos. A éstos un cohete les emociona de una forma, y aquéllos de otra. Pero que los tres producen emoción, anhelo, ilusión, ansiedad, eso no hay quien lo discuta ni menos quien lo niegue. Con toda la pólvora que se quema en las fiestas,
10 ningún chupinazo provoca ese movimiento de expectación con repercusión emocional como los tres cohetes de los que vamos a hablar a continuación y que podíamos calificarlos de cohetes anunciadores.

chupinazo: explosión

EL DE LAS DOCE

15 Pregunten ustedes a cualquiera, hombre o mujer, grande o chico, joven o viejo, a ver si se emociona cuando oye el estampido del primer cohete que se dispara el 6 de julio desde el balcón del Ayuntamiento coincidiendo con las campanadas de las doce, y verán lo que les contestan. Es el
20 cohete anunciador de las fiestas. Es el que rompe el fuego y tras el que comienza el ruido y el bullicio, las músicas y el jaleo callejero. Es el que pone en tensión a todos los que ya se sienten atraídos por el bullicio. Es el que paraliza el esfuerzo del trabajo y hace andar de cabeza, nerviosos y
25 alocados, a los que no tienen más remedio que continuar junto al mostrador sirviendo, precisamente a quien acude de compras pensando en las fiestas. El cohete anunciador saca de sus casillas a todos los que han vivido los Sanfermines desde niños, por mayores que sean, a los que todavía no son
30 más que niños y llevan solamente una ilusión infantil y a los jóvenes que esperan divertirse largamente porque para eso son las fiestas. A todos les cosquillea el gusano de la emoción desde que han escuchado el ruidoso cohete anunciador que da rienda suelta al bullicio y hace perder la cabeza para
35 arrojarse alegremente en esa locura sanferminesca, que es la locura de la diversión, del regocijo y de la fortaleza.

jaleo callejero: a popular dance, danced in the streets; merriment, gaiety

Sanfermines: fiestas de San Fermín

cosquillea: tickle

rienda suelta: free rein

EL DE LOS FUEGOS

«Vamos a ver si cenamos pronto, porque hemos de ver los fuegos artificiales. Eso sí que no nos lo perdemos.» Esa suele ser la frase de muchos en esa hora en que se queda mirando al reloj y compaginando el espacio de tiempo que pueda quedar para la cena. Porque aunque para unos los fuegos sean una cosa insustancial que se quema en seguida, artificio deslumbrador, pólvora, humo, nada, para muchos, sin embargo, es el espectáculo o uno de los espectáculos más gratos, y, desde luego, de los más económicos. Y los que no quieren perdérselo cenan de prisa. Salen precipitadamente de casa y van veloces por la calle, pero, con todo, muchas veces les sorprende antes de tiempo el cohete nocturno anunciador del festejo polvorístico. Este despierta en ellos esa emoción, ese temor de que van a llegar tarde, ese miedo que ya tenían de que iban a ser sorprendidos por el anuncio ruidoso antes de estar en su sitio. Y con esa emoción, la preocupación de que otros nuevos disparos acercarán más el momento de comenzar a ser devorado por el fuego lo que con tanto esmero preparó el artista pirotécnico. Los entusiasmados con ese espectáculo luminoso y detonador corren jadeantes hasta La Plaza del Castillo con su emoción y su anhelo de no perderse ni una chispa porque la pirotécnia les encanta, les enciende y les deja con la boca abierta. ¡Aaah!

polvorístico: pirotécnico (of fire-works)

EL DEL ENCIERRO

encierro: round up of the bulls

¡Ah! Este estampido matinal sí que no habrá quien niegue que produce una emoción subida. ¡Y qué emoción! Mientras llega la hora y todavía no es el momento de los sustos, esto es cuando el público marcha tranquilamente hacia la Plaza o a los numerosos balcones que siempre están reservados para los infinitos amigos, la cosa transcurre con naturalidad. Pero cuando cada uno está acomodado en su puesto, acomodado o incomodado, o incómodo, desde luego, y la hora se acerca, empieza el nerviosismo. Se consulta el reloj y como en los partidos de fútbol en los que se gana justamente, pero se puede perder y se desea su pronta terminación, se dice: «Pues, ya es la hora.» Y en aquel momento resuena en el espacio la explosión que pone en vilo a todo el mundo tras un giro instintivo e irremediable. No es más que un simple cohete, pero lo que anuncia y significa, lleva a los corazones un latir acelerado. En aquel momento lo invade todo de emoción ante el presagio de los toros corriendo sueltos por las calles junto a muchos locos que marchan entre las fieras y que debían estar atados. La explosión del cohete es el comunicado rápido de que ya en aquel instante ha empezado el espectáculo más fuerte. El que pone el alma en un hilo. El que en momentos produce escalofríos y paraliza la sangre. El que hace cambiar de color y a veces volver la vista a otro lado o echarse ingenuamente las manos a la cara para no ver

5 la tragedia que se cree eminente. La tragedia que no es otra cosa que alarma y emoción. Esa emoción que sacude los nervios de miles y miles de almas cuando el estampido del cohete de la mañana avisa que ya corren los toros por las calles y al que no se retire lo retirarán ellos. ¡Sin embargo,

10 tantos hay que no se retiran y son los toros que tienen que retirarse asustados . . . !

En la pólvora que se gasta en nuestras fiestas, que suele ser bastante, he ahí esos tres cohetes que nunca faltan. Son necesarios, porque sin ellos, ¿cómo se anunciaría el principio

15 de las fiestas, el principio de los fuegos y el comienzo del encierro? Y como se produciría la expectación, el movimiento de nervios, las reacciones naturales que producen esos tres cohetes iguales con sus tres emociones diferentes?

Diccionario

1. **acomodados:** puestos en sitio conveniente
Los invitados fueron (   ) primero, y entonces la familia se sentó.

2. **alocados:** que tienen cosas de loco o que parecen locos
Todos estaban (   ) después de cinco días de fiesta.

3. **anhelo:** deseo vehemente (strong desire)
Los cohetes de Pamplona producen un gran (   ) de fiestas.

4. **bullicio:** ruido de la multitud
Se podía oir el (   ) por las ventanas cerradas.

5. **chispas:** partículas encendidas que saltan de la lumbre (sparks)
Los cohetes producen (   ) luminosas.

6. **cohetes:** artificios de pólvora que se lanzan a lo alto, donde estallan produciendo luz y ruido
Los (   ) anuncian varias fases de la fiesta.

7. **compaginando (compaginar):** poniendo en orden
Pasamos la mañana entera (   ) las preparaciones para la conferencia.

8. **comunicado:** aviso oficioso que se transmite a la prensa (communiqué to the press)
La explosión del cohete sirve de (   ) al pueblo.

9. **cualquiera:** pronombre indeterminado, designa una persona indeterminada (anyone)
Pregunte a (   ) cómo es Pamplona.

10. **deslumbrador:** que deslumbra u ofusca (dazzling, glaring)
El cohete (   ) alegró a todo el pueblo.

11. **en vilo:** dícese de lo que está suspendido en el aire, en suspensión
El no saber el resultado del concurso los tenía todos (   ).

12. **esmero:** sumo cuidado que se pone en hacer las cosas

Para ese trabajo hay que buscar alguien que trabaje con (   ).

13. **estampido:** ruido fuerte producido por una detonación

El cohete produjo un (   ) que se oyó por toda la ciudad.

14. **festejo:** fiesta

Los toros de Pamplona traen un espíritu de (   ) a todos.

15. **fieras:** animales salvajes

Entre las (   ) de Africa hay leones.

16. **giro:** movimiento circular

El bailador dio un (   ) muy natural.

17. **grato:** placentero, agradable (pleasing)

El recuerdo del festejo es muy (   ).

18. **pirotécnico:** relativo a explosivos

El arte (   ) es el arte de preparar fuegos artificiales y cohetes.

19. **pólvora:** mezcla muy inflamable de salitre, carbón, y azufre, que sirve para disparar proyectiles

Los chinos de tiempos antiguos usaban la (   ) para los fuegos artificiales.

20. **presagio:** señal que indica el porvenir

Ella consideró su sueño mal (   ).

Para la Comprensión

1. ¿De cuántos cohetes habla el cuento?
2. ¿Qué producen los cohetes?
3. ¿Se disparan a la misma hora?
4. ¿Contienen pólvora los cohetes?
5. ¿Cuánta pólvora se quema en las fiestas de Pamplona?
6. ¿Qué día se dispara el cohete de las doce?
7. ¿De dónde se dispara?
8. ¿Qué función tiene el cohete de las doce?
9. ¿Cuál cohete comienza el jaleo callejero?
10. ¿Tienen estos cohetes el mismo efecto en todos los que los oyen?
11. ¿Qué hacen los que no quieren perderse el cohete de los fuegos?
12. ¿Cómo corren los entusiasmados al espectáculo luminoso?
13. ¿En dónde se ven los fuegos artificiales?
14. ¿De dónde observan algunos el encierro de los toros?
15. ¿Cuál es el cohete que suelta los toros por las calles?
16. ¿Por qué se pone nerviosa la gente al esperar el cohete del encierro?
17. Describa el efecto que produce el cohete del encierro.
18. Compare el espectáculo que produce este cohete con el de los otros dos cohetes.
19. ¿Ocasiona muchas tragedias este cohete?
20. ¿Corren los toros solos por las calles?
21. ¿Son necesarios los tres cohetes? ¿Por qué?

Estructura

PRESENTE DE SUBJUNTIVO EN ORACIONES SUBORDINADAS ADJETIVAS

Responda según el modelo, empleando la forma apropiada del subjuntivo.

MAESTRO: ¿Qué buscas?

ESTUDIANTE: Busco un libro que esté bien escrito.

MAESTRO: ¿Qué deseas?

ESTUDIANTE: Deseo un libro que esté bien escrito.

1. ¿Qué prefieres?
2. ¿Qué buscas?
3. ¿Qué deseas?
4. ¿Qué pides?
5. ¿Qué necesitas?
6. ¿Qué no tienes?
7. ¿Qué quieres?
8. ¿Qué te hace falta?

Según el modelo, cambie la oración para emplear el subjuntivo.

> MAESTRO: Ningún cohete anuncia la fiesta.
>
> ESTUDIANTE: No hay cohete que anuncie la fiesta.
>
> MAESTRO: Nadie niega eso.
>
> ESTUDIANTE: No hay quien niegue eso.

9. Ningún alumno se queda en casa.
10. Ningún libro le gusta tanto.
11. Nadie sabe tanto.
12. Ninguna pluma cuesta tanto.
13. Ningún libro es tan bueno.
14. Nadie vive dos siglos.

Combine las dos oraciones para emplear el subjuntivo.

> MAESTRO: Busco un pueblo. Debe ser como Pamplona.
>
> ESTUDIANTE: Busco un pueblo que sea como Pamplona.
>
> MAESTRO: Busco a alguien. Debe negar lo dicho.
>
> ESTUDIANTE: Busco a alguien que niegue lo dicho.

15. Quiero música. Debe llegar al corazón.
16. Deseo un curso. Debe ser más fácil.
17. Busco un libro. Debe dar las respuestas.
18. Necesito hallar un hotel. Debe tener buen servicio.
19. Estoy buscando un restorán. Debe estar limpio.
20. Quiero un maestro. Debe ser francés.

Según el modelo, cambie la oración para emplear el subjuntivo.

> MAESTRO: Aceptaré cualquier libro si tú me lo das.
>
> ESTUDIANTE: Aceptaré cualquier libro que tú me des.
>
> MAESTRO: Cerraré cualquier puerta si tú la abres.
>
> ESTUDIANTE: Cerraré cualquier puerta que tú abras.

21. Me pondré cualquier sombrero si Uds. me lo compran.
22. Cantaremos cualquier canción si tú nos la enseñas.
23. Recitaré cualquier poema si lo escribe Juan.
24. Invitaremos a cualquier muchacha si la quieres traer.
25. Estudiaré cualquier idioma si lo sabe María.
26. Se fijarán en cualquier vestido si tú lo llevas.

EL INFINITIVO CON PREPOSICIONES

Repita Ud. las oraciones siguientes.

1. Al estallar el cohete comenzó la fiesta.
2. Entre cantar y bailar se pasó la noche.
3. Antes de sonar el timbre, estudiaban.
4. Con leer y escribir, aprendían.
5. De hablar y reír no se cansaban.
6. En cantar y bailar se pasaba el tiempo.
7. Hasta dormir en la clase querían.
8. Para hablar español, hay que oirlo.
9. Por sacar una A, estudia sin cesar.
10. Sin comer, pasa largas horas.

Cambie la oración, según el modelo.

> MAESTRO: Estalla el cohete y corren los muchachos.
>
> ESTUDIANTE: Al estallar el cohete, corren los muchachos.
>
> MAESTRO: Suena el timbre y salen los alumnos.
>
> ESTUDIANTE: Al sonar el timbre, salen los alumnos.

11. Cae el telón y se levantan los espectadores.
12. Chilla la sirena y se alarma la gente.
13. Sopla el viento y caen las hojas.
14. Sale la luna y se alumbra el lago.
15. Sube el calor y nos vamos a la playa.
16. Suena la trompeta y ríen los niños.

Combine las oraciones según el modelo.

> MAESTRO: Sonó el timbre. Se fueron los alumnos.

Estudiante: Al sonar el timbre, se fueron
　　　　　los alumnos.

Maestro: El equipo jugaba. Yo gritaba.

Estudiante: Al jugar el equipo, yo gritaba.

17. La música tocaba. La gente bailaba.

18. Los niños corrieron. Los viejos comenzaron
    a gritar.
19. Terminaron el trabajo. Salieron.
20. Salieron. Se despidieron.
21. Oyeron el ruido. Fueron a investigar.
22. Vieron la lluvia. Volvieron a casa.

SAN FERMIN

por Alfredo Martín Masa

Introducción

Con el disparo ritual de un cohete y un
«Viva San Fermín» comienzan las fiestas pam-
plonesas. Con extraordinario éxito de concurrencia y de júbilo popular, a las doce horas del
día seis de julio, se verifica el ritual que comienza las fiestas.

En el momento que se escucha el cohetazo,
sólo se vive para los «Sanfermines.» Animación
por todas partes, que va en aumento conforme
las horas pasan. La furia española da rienda
suelta a todas sus pasiones.

Este cuento es el relato que un periodista
hace de la Fiesta de San Fermín, celebrada en
Pamplona. El espectáculo del cohete de las
doce horas no es muy antiguo. Sin embargo ha
impresionado al pueblo de tal modo que ocupa
un lugar muy especial en los números del programa de los Sanfermines.

Guía de Estudio

El autor de este artículo nos hace sentir la
conmoción y locura de esta fiesta por medio
del contraste. Al principio vemos a Pamplona
como aparece 357 días del año hasta el 7 de
julio cuando—¡Cuidado, hombre! ¡Todo el mundo se ha vuelto loco!

La descripción es tan detallada que se desarrolla delante de sus ojos como si estuviera
viendo una película.

Palabras Clave

1. La vida de los pueblos pequeños a veces es
   muy aburrida.
   aburrida: cansada, fastidiada

2. La madre acaricia a su niño.
   acaricia: trata con amor y ternura

3. Los toros querían ampararse.
   ampararse: protegerse

4. Al conjuro de la explosión sueltan los toros.
   conjuro: señal que tiene significado especial

5. El pañuelo es de un rojo chillón.
   chillón: de color demasiado subido, agudo,
   desagradable

6. El alcalde usa una chistera.
   chistera: sombrero de copa alta

7. Ya se acerca la fecha de las fiestas de San
   Fermín.
   fecha: día

8. Los toros fijan los ojos en la capa roja.
   fijan: ponen atención en una cosa

9. Los españoles llenan los garrafones de vino.
   garrafones: botellas grandes

10. Para hacer té se usa agua hirviente.
    hirviente: que hierve (boiling)

11. Miguel tenía pavor a los toros.

pavor: terror, gran miedo

12. Pamplona es una ciudad recoleta.

recoleta: religiosa, que vive tranquilamente

13. El timbalero toca su timbal con mucho ritmo.

timbalero: el tocador del timbal (kettle-drummer)

PAMPLONA ... UNA ciudad norteña, de algo más de cien mil habitantes, recoleta, silenciosa, mística, casi aburrida 357 días y que al conjuro de un chupinazo que rasga el cielo a las doce horas del 6 de julio de cada año,
5 pierde la razón. Y aquella vida cenobítica se rompe para ampararse en un pañuelo de rojo subido y sumergirse durante ocho fechas, toda entera, en la vorágine del ruido. La ciudad se pierde entre el bullicio de la música, el estampido de los cohetes, el calor, el humo asfixiante unido al olor de
10 aceite hirviente por el que pasan miles de kilómetros de churros. El alarido de las muchedumbres enloquece, igual que el pavor de los pitones de las fieras que acarician masas de cuerpos jóvenes, jadeantes, que huyen de la muerte y fijan ansiosos sus ojos en la salvación que puede encontrarse en la
15 misma tierra, o en cualquier relieve que levante un metro sobre el nivel del suelo.

El único desafío de toro y hombre, en lucha noble, de igual a igual, apenas nacido el sol, dura instantes solamente. Más no soportarían corazones de carne. Se acaba cuando empieza
20 el día, cuando alegre y retadora rasga una jota el circo taurino que trenzan en el suelo ibero miles de pies vestidos de alpargatas de cintas coloradas.

Se inicia el desfile, un desfile más de la victoria. Se escuchan pasodobles y marchas. Se elevan por brazos atletas, cual
25 gigantes y romanas copas, garrafones protegidos por paja que dejan caer de sus anchas bocas, los mejores caldos de España.

Gigantes y cabezudos, gaiteros y chistularis, flamean las banderas al viento que dora el trigo. Los caballitos suben y
30 bajan, ruedan y ruedan y se pierde la clásica música de sus cimbalillos con la del Siglo que propagan inarmónicos altavoces. En la paz de un jardincillo que contrasta con la pe-

cenobítica: rutinaria, casi monástica

churros: long fritters or doughnuts

trenzan: prance, braid
alpargatas: rope sandals

gigantes y . . . flamean las banderas: carnival-like characters, bagpipe players and regional musicians wave their banners

El 7 de julio, Pamplona, España (Spanish National Tourist Office)

queñez del banco y la mole de un hotel de once plantas, duerme un navarrico. Lo despierta el trepidar de la tierra que se resiente ante los 21 cañonazos que anuncian que de San Lorenzo sale, solemne y señor . . . EL SANTO de rostro
5 tostado, acompañado de autoridades.

Ritmo, colorido, mareo, polvo, sol, alcohol en sus múltiples preparados, feria del toro, que se confunde con los mejores ajos de la Ribera. Alegran los solos de bombo o de corno inglés, gracia y salero de ellos, belleza del mujerío en traje
10 de casa con airosas faldas de múltiples ojuelos, atrayentes blusitas de percal. El aire agita el pañuelo chillón. Se sube el clavel hasta el pelo y canta el himno de la juventud y el triunfo de una raza que cita al cornupeto y le quiebra con la elegancia de un antiguo rito. En la Presidencia, el alcalde
15 que saluda, sonriente, chistera en mano: en el tabloncillo el timbalero de gala que estrena el oficio y en el tendido de sombra el pamplonica de siempre, retira el habano de la boca y suelta el grito de guerra que resuena en todo el coso ¡VIVA SAN FERMIN!, a la par que se abre el chiquero y
20 pisa la arena bravo y asombrado, cegado por la luz y el color, el primero de abono.

la mole: bulk, massiveness
navarrico: native of Navarra

ajos: goings on
corno inglés: English horn

ojuelos: eyelet, lace

cornupeto: animal that attacks with horns, that butts

tabloncillo: last row of seats in bullring

habano: Havana cigar

coso: enclosure, main street

chiquero: corral

el primero de abono: the first bull

Diccionario

1. **aburrida (aburrir):** cansada, fastidiada
   La conversación de esos dos hombres puede ser muy (   ).

2. **acaricia (acariciar):** trata con amor y ternura
   La niña (   ) a su gatito.

3. **ampararse:** protegerse
   El hombre abrió su paraguas para (   ) de la lluvia.

4. **ansioso:** que tiene inquietud (anxious)
   El joven estaba (   ) esperando los toros.

5. **bombo:** tambor grande (large drum)
   En las fiestas de Pamplona tocan solos de (   ).

6. **conjuro:** súplica
   No podía ignorar el (   ) de venganza.

7. **chillón:** de color demasiado subido, agudo, desagradable
   Las cortinas eran de un verde (   ).

8. **chistera:** sombrero de copa alta
   Su peinado le hacía parecer como si llevase una (   ).

9. **fecha:** día
   La (   ) de la gran reunión es el 4 de mayo.

10. **fijan (fijar):** ponen atención en una cosa
    Todos (   ) la vista en el toro.

11. **gaitero:** uno que toca la gaita (bag-pipe player)
    El (   ) toca en las fiestas de Pamplona.

12. **garrafón:** botella grande
    Juan rompió el (   ) sin saberlo.

13. **hirviente:** que hierve (boiling)
    Para hacer ese plato hay que comenzar con agua (   ).

14. **inarmónica:** que falta de armonía, (inharmonious)
    A veces en las fiestas hay música (   ).

15. **mareo:** turbación de la cabeza y del estómago (dizziness, sea sickness)
    El ruido a veces causa (   ).

16. **pavor:** terror, gran miedo
    Los relámpagos les causaron gran (   ) a los niños.

17. **recoleta:** religiosa
    El monje lleva una vida (   ).

18. **retador:** que desafía a otro (challenger)
    En la fiesta de toros el torero es el (   ).

19. **timbalero:** el tocador del timbal (kettle-drummer)
    Pasó dos horas escuchando al (   ).

20. **trepidar:** temblar (to shake, the shaking, vibration)
    El (   ) de la explosión asusta y alegra a la vez.

Para la Comprensión

1. ¿En qué parte de España se encuentra Pamplona?

2. ¿Cómo vive Pamplona la mayor parte del año?

3. ¿Qué causa el cambio de actividad entre los habitantes?

4. ¿Cuánto duran las fiestas de Pamplona?

5. Describa la actividad del primer día.

6. ¿Cuál actividad produce más ruido?

7. ¿Cuánto dura el desafío entre toro y hombre? ¿Por qué?

8. ¿Cuándo se acaba este encuentro?

9. Describa la transición entre la lucha con los toros y el bailar de la jota.

10. Describa el desfile que sigue.

11. ¿Hay algo semejante a los caballitos que suben y bajan en los Estados Unidos?

12. Conforme a este escrito, ¿dónde está un navarrico dormido?

13. ¿Qué lo despierta?

14. Relate cómo afecta esta fiesta todos los sentidos del hombre.
15. ¿Dónde está el alcalde?
16. Descríbalo. ¿Qué hace?

Estructura

CONSTRUCCIONES REFLEXIVAS

Repita Ud. las oraciones siguientes.

1. Se alegra en la fiesta.
2. Se despierta con el timbre.
3. Se encuentra entre la gente.
4. Se pierde en el estudio.
5. Se prepara para la clase.
6. Se viste de alpargatas.
7. Se toma toda la limonada.
8. Se quita el sombrero.

Cambie el pronombre y el verbo, manteniendo la forma reflexiva.

MAESTRO: Me pierdo entre el bullicio.

ESTUDIANTE: Me pierdo entre el bullicio.

MAESTRO: [tú]

ESTUDIANTE: Te pierdes entre el bullicio.

9. [yo]
10. [tú]
11. [él]
12. [Ud.]
13. [nosotros]
14. [vosotros]
15. [ellas]
16. [Uds.]

Use el pronombre reflexivo apropiado.

MAESTRO: Puso el abrigo al salir.

ESTUDIANTE: Se puso el abrigo al salir.

MAESTRO: Callaron inmediatamente.

ESTUDIANTE: Se callaron inmediatamente.

17. Siempre desayuno a las ocho.
18. Eduardo despertó muy temprano.
19. Elena enfermó gravemente.
20. Ayer paseamos por el parque.
21. Ya regresaron de México.
22. Subiré al aposento.

MANOLO EL INTRÉPIDO

por Florinda Cavaldón

Introducción

Manolo, torero valiente, vivió orgulloso de su arte. Tuvo valor para enfrentarse con la vida. Pidió y mereció aplausos del público. Su leyenda vive todavía en los paises hispanos. Sabía que sólo el diablo podía causarle la muerte y lo decía a sus amigos después de las corridas. Un día en la arena, en frente de una gran multitud «El Diablo» lo mató.

Guía de Estudio

Note Ud. las cualidades de carácter necesarias para ser un gran matador. ¿Qué exige el público de sus héroes?

Lo que hace aún más dramática la descripción de la última corrida de Manolo es el elemento de ironía. Si cree Ud. que el destino de un hombre es predeterminado, le va a gustar muchísimo este relato.

Palabras Clave

1. Su éxito como alumno atestigua su inteligencia.

   atestigua: declara como testigo

2. La multitud delirante siempre aplaude al héroe.

   delirante: entusiasmada

3. La alabanza de otros es mejor que la jactancia.

   jactancia: alabanza propia (bragging)

4. Manolete se jactaba porque era el mejor torero.

   se jactaba: se alababa (bragged)

5. A un muchacho valiente, nada lo hace medroso.

   medroso: tímido, miedoso

6. Las mocedades de los alumnos son muy activas.

   mocedades: época de la vida que va desde la infancia hasta la edad adulta

7. Manolo fue un gran novillero.

   novillero: torero que lidia novillos (bullfighter that fights young bulls)

8. Un torero pusilánime nunca será un gran matador.

   pusilánime: cobarde

E RA MANOLO un magnífico torero. Lo había sido desde su época de espontáneo, cuando siendo apenas un mozalbete, se arrojaba a los ruedos cuando la ocasión le parecía propicia. Posteriormente de allí surgió un novillero,

5 y su arrojo y coraje se tornaron en gracia y asimismo se tornaron en orgullo. Se jactaba de ser de los mejores en la fiesta brava, y hasta parecía creerse indestructible e impregnable.

mozalbete: mozo muy joven

«A mí nada me hace medroso ni pusilánime,» decía, «sola-

10 mente el diablo. Y seguiré siendo Manolo el atrevido, pues nadie acabará conmigo, solamente el diablo.» Y así continuó su vida de taurómaco, de triunfo en triunfo.

Y pasó de ser novillero a ser el gran matador, recibiendo su alternativa de manos de su padrino, el buen Paco, a quien

15 había conocido desde sus mocedades.

alternativa: authorization that the full-fledged *matador* gives to the *novillero* that he may perform alternating with him, thus recognizing him as an equal

Y no hubo corrida de donde no saliera en hombros de la delirante multitud. Salía llevando en sus manos, como los gladiadores romanos llevaban sus trofeos, un par de orejas o un rabo, atestiguando así a su maestría y su bravura.

20 Después de las corridas se reunían sus amistades y los aficionados a brindar con él. Siempre exclamaba con orgullo y seguro de sí mismo: «Nadie acabará conmigo, solamente el diablo,» y todos se reunían a su alegría y algunos lo miraban con envidia y con admiración.

"The Family of the Gypsy Bullfighter" *por Ignacio Zuloaga* (The Hispanic Society of America)

Empero la vida del torero lleva siempre sus amarguras a igual que otras vidas. Y en una tarde plena de sol, de claveles y de mujeres hermosas, Manolo recibió la cornada que pusiera fin a sus triunfos, a sus jactancias, a su orgullo.

empero: pero, sin embargo

5 Y al encontrarse tendido en la arena, sintiendo que la vida se le escapaba, sus ojos que miraban hacia la puerta del toril de donde había salido su enemigo, pudieron percibir el nombre con el cual se había marcado al toro que en suerte le tocara: «DIABLO.»

toril: donde encierran los toros

Diccionario

1. **acabar con:** exterminar, destruir, matar
   Al matador le gustaba creer que sólo el diablo podía (   ) él.

2. **amistades:** amigos, relaciones
   Se consideró afortunado en tener tantas buenas (   ).

3. **atestigua (atestiguar):** declara como testigo
   Ella es la única que vio el accidente y (   ) que Juan no tuvo la culpa.

4. **cornada:** golpe dado por el toro con el cuerno
   Su dolorosa muerte fue el resultado de una (   ).

5. **delirante:** entusiasmada

La reacción (   ) del público le agradó mucho.

6. **hombros:** la parte superior del cuerpo de una persona (shoulders)

Salió del partido en (   ) de sus amigos entusiasmados.

7. **intrépido:** sin temor

Su ataque (   ) les causó a todos admiración.

8. **se jactaba (jactarse):** se alababa (bragged)

(   ) de saber tantas cosas.

9. **jactancia:** alabanza propia (bragging)

Habló de sus hazañas con (   ).

10. **medroso:** tímido, miedoso

El niño era demasiado (   ) para jugar al fútbol.

11. **mocedades:** época de la vida que va desde la infancia hasta la edad adulta

Había conocido a don Octavio desde sus (   ).

12. **novillero:** torero que lidia novillos (bull-fighter that fights young bulls)

Su coraje de (   ) le ganó gran fama.

13. **pusilánime:** cobarde

El toreo no es para el individuo (   ).

14. **rabo:** cola (tail)

Había toreado tan bien que le concedieron al torero las dos orejas y el (   ).

Para la Comprensión

1. ¿Qué clase de torero era Manolo?

2. ¿A qué edad ya se arrojaba a los ruedos?

3. ¿Era orgulloso o humilde Manolo? ¿Cómo lo sabe?

4. ¿Sólo quién podía asustar a Manolo?

5. Relate algo sobresaliente de su vida de torero.

6. ¿Cómo lo sacaba la multitud de la arena?

7. ¿Qué evidencias daba de su bravura y destreza?

8. ¿A dónde iba después de las corridas?

9. Cuando tomaba con sus amigos, ¿qué hacía?

10. Describa la muerte de Manolo.

11. ¿Cómo se llamaba el toro que por fin lo mató?

Estructura

EL ARTICULO INDEFINIDO

Según el modelo, cambie la oración para emplear la palabra nueva.

MAESTRO: El era aventurero. (atrevido)

ESTUDIANTE: El era un aventurero atrevido.

MAESTRO: El era deportista. (famoso)

ESTUDIANTE: El era un deportista famoso.

1. El era republicano. (convencido)
2. El era maestro. (preparado)
3. El era comerciante. (rico)
4. El era jugador. (magnífico)
5. El era pintor. (conocido)
6. El era médico. (estimado)

REPASO DEL IMPERFECTO

Cambie la oración según el modelo.

MAESTRO: Manolo es magnífico.

ESTUDIANTE: Manolo era magnífico.

MAESTRO: Es una delirante multitud.

ESTUDIANTE: Era una delirante multitud.

1. Somos amigas íntimas.
2. Son unos artistas famosos.
3. Jiménez es un autor célebre.
4. Es un bolero pobre.
5. Son unos boxeadores ricos.
6. Juan es un cantante capaz.
7. Eres una chica alegre.

USO REDUNDANTE DEL PRONOMBRE

Repita Ud. las oraciones siguientes.

1. A mí todo me alegra.
2. A ti todo te alegra.

3. A él todo le alegra.
4. A ella todo le alegra.
5. A Ud. todo le alegra.
6. A nosotros todo nos alegra.
7. A vosotros todo os alegra.
8. A ellos todo les alegra.

Según el modelo, cambie la oración del singular al plural.

> MAESTRO: A él le gusta leer.
>
> ESTUDIANTE: A ellos les gusta leer.
>
> MAESTRO: A él le gusta escribir.
>
> ESTUDIANTE: A ellos les gusta escribir.

9. A él le gusta ser activo.
10. A él le gusta ser agradable.
11. A él le gusta ser amable.
12. A él le gusta ser bueno.
13. A él le gusta ser cariñoso.
14. A él le gusta ser diferente.
15. A él le gusta ser generoso.
16. A él le gusta ser obediente.

Según el modelo, cambie la oración para emplear el verbo nuevo.

> MAESTRO: A mí todo me alegra.
>
> ESTUDIANTE: A mí todo me alegra.
>
> MAESTRO: asusta
>
> ESTUDIANTE: A mí todo me asusta.

17. aflige
18. alegra
19. ayuda
20. beneficia
21. cuesta
22. daña
23. duele
24. falta

EL IMPERFECTO DE SUBJUNTIVO

Repita Ud. las oraciones siguientes.

1. Nunca creyó que tuviera miedo.
2. Nunca dejó que lo alabara la gente.
3. Nunca dudó que saliera triunfante.
4. Nunca esperó que corriera el toro.
5. Nunca temió que ganara el otro.
6. Nunca pensó que faltara el agua.
7. Nunca permitió que dudaran ellos.
8. Nunca quiso que supiera ella.

Cambie el verbo de la oración subordinada al plural.

> MAESTRO: Dudó que saliera triunfante.
>
> ESTUDIANTE: Dudó que salieran triunfantes.
>
> MAESTRO: No creyó que tuviera miedo.
>
> ESTUDIANTE: No creyó que tuvieran miedo.

9. Exigió que lo hiciera bien.
10. Esperaba que corriera el niño.
11. Negó que fuera su libro.
12. No pensó que llegara tarde.
13. No permitió que saliera temprano.
14. Pidió que lo llevara a casa.
15. Prefirió que lo llevara a pie.
16. Temía que ganara el premio.

Cambie la oración según el modelo.

> MAESTRO: No cree que Juan sea inteligente.
>
> ESTUDIANTE: No creía que Juan fuera inteligente.
>
> MAESTRO: Duda que sea sabio.
>
> ESTUDIANTE: Dudaba que fuera sabio.

17. No quiere que sea tan generoso.
18. No quiere que sea tan atrevido.
19. Duda que sea un mozalbete.
20. Duda que sea buen alumno.
21. Niega que sepa leer.
22. Niega que sepa escribir.
23. No cree que sepa hablar.
24. No cree que sepa estudiar.

Al cambiar el sujeto, use la forma apropiada del imperfecto de subjuntivo.

> MAESTRO: Quería que yo fuera atleta.
>
> ESTUDIANTE: Quería que yo fuera atleta.
>
> MAESTRO: tú

ESTUDIANTE: Quería que tú fueras atleta.

Quería que yo fuera alumno.
25. tú
26. él
27. ella
28. Ud.
29. nosotros
30. vosotros
31. ellos

EL REFLEXIVO DE RECIPROCIDAD
Combine las oraciones según el modelo.

MAESTRO: Juan me estima. Yo estimo a Juan.

ESTUDIANTE: Juan y yo nos estimamos.

MAESTRO: María quiere a José. José quiere a María.

ESTUDIANTE: María y José se quieren.

1. María me ayuda. Yo ayudo a María.
2. Juan golpeó a Pedro. Pedro golpeó a Juan.
3. Jorge cuida a Antonio. Antonio cuida a Jorge.
4. Marta me miró. Yo miré a Marta.
5. Pedro saludó a Elena. Elena saludó a Pedro.
6. Jorge aprecia a Juan. Juan aprecia a Jorge.

EJERCICIOS CREATIVOS

POLVORA EN FIESTAS Y SAN FERMIN

1. Escriba una composición describiendo la fiesta de Pamplona. Estas preguntas le servirán de guía:
   a. ¿Dónde se celebra la fiesta?
   b. ¿Cuándo?
   c. ¿Cómo es Pamplona por lo general?
   d. ¿Cómo se cambia durante la fiesta?
   e. ¿Qué produce grandes emociones?
   f. ¿Cuándo se oyen y cuál es el motivo de cada uno?
   g. ¿Cuál etapa es la más singular?
2. Compare las fiestas de Pamplona con otra fiesta que Ud. conozca.
3. Mencione una parte del mundo donde una fiesta como ésta no sería posible y por qué.
4. ¿Qué haría Ud. si le tocara estar en Pamplona el 6 de julio? ¿Por qué?
5. Si Ud. tuviera máquina fotográfica, ¿que escenas le gustaría sacar?

MANOLO EL INTREPIDO

6. Dé en sus propias palabras un resumen de este cuento dramático.
7. Describa la ironía del episodio.
8. Por lo general cuando hay corrida la plaza está llena, pero para los aficionados que no pueden ir, la televisión y la radio les llevan la emoción y la acción a sus hogares. Tome Ud. el papel de anunciador de radio y describa los últimos momentos emocionantes de Manolo.
9. Compare la multitud en una corrida con la multitud en un partido de fútbol. Diga en qué consisten las diferencias.
10. Compare la vida de un torero con la de un campeón de boxeo, incluyendo estas ideas: la preparación y el entrenamiento, las cualidades necesarias, las recompensas económicas, la admiración del público, el probable número de años que pueden trabajar.

Los Caracoles,
Barcelona, España

Cuadro 17 · EL ALIMENTO

Preparando la Escena. «*La comida sigue en la Edad de Piedra.*» *Así dice Joaquín de Entrambasaguas.* «*En la comida, como en la música, el secreto está en la instrumentación.*» *Así dice Juan Antonio de Zunzunegui.* «*La cocina española no admite el truco ni la alquimia.*»[1] *Así dice Luis Antonio de Vega.* «*Los mejores freidores y los mejores toreros son casi siempre andaluces.*» *Así dice Antonio Diaz-Cañabate.*

Las diversas opiniones expresadas por estos luminarios españoles son pruebas de que el alimento, en España como en cualquier país del mundo, es un asunto de mucha importancia y de constante consideración.

Las selecciones de este cuadro son: una narración general de la cocina y los vinos de España; una entrevista personal con un español que trata de la cocina española; un ensayo informal concerniente a la paella.

¡Seguramente este cuadro despertará el apetito!

[1] **no admite el truco ni la alquimia:** does not allow for trickery or chemical wizardry

ENTREVISTA CON JOAQUIN DE ENTRAMBASAGUAS

Introducción

España es una gigantesca parrilla[2] al sol donde se come bien y donde se sabe beber. Un reportero de la revista *Mundo Hispánico* convocó a varios artistas e ingenios para que hablasen de la cocina española. Entre los entrevistados estaba Joaquín de Entrambasaguas. Siguen las preguntas y las respuestas de la entrevista.

Guía de Estudio

Al considerar a los consumidores del alimento, hay que señalar a tres tipos distintos: los glotones, que comen cualquier cosa y con exceso; los indiferentes, que no reaccionan ni se preocupan mucho de la comida; y los gastrónomos, los expertos aficionados a comer muy bien. ¡Es evidente que don Joaquín de Entrambasaguas es un gastrónomo de primera clase!

Note Ud. el idioma de la gastronomía. Se parece mucho en su sensibilidad al lenguaje que se usa para describir una obra de arte.

Observe también qué tipo de hombre es el gastrónomo.

Palabras Clave

1. El señor González fue el anfitrión.

   anfitrión: invitante, invitador (host)

2. El asado de carne de becerro es muy tierno.

   asado: carne expuesta al fuego seco para cocinarla (roast)

3. Doña María hace un plato exquisito con carne de cordero.

   cordero: la oveja que no pasa de un año (lamb)

² **parrilla:** grill

4. Alfredo y Rodolfo miran con desdén los platos orientales.

   desdén: desprecio, indiferencia

5. Todos los alumnos van al restorán Matador a comer fabada.

   fabada: potaje español de Asturias (a mixture of pork and beans)

6. A la niña de don Ramón le gustan las granadas verdes.

   granadas: especie de frutas (pomegranates)

7. La abuela de Daniel cree que la gente de hoy es más dada a la grosería que la del siglo pasado.

   grosería: descortesía, rudeza

8. Flavia come todas sus ensaladas con mahonesa.

   mahonesa: mayonesa, salsa que se sirve generalmente con las carnes frías (mayonnaise)

9. Los cocineros dan diversos matices a las comidas, según su gusto personal.

   matices: gradaciones, tonos de sabor

10. La nata es la parte mejor de la leche hervida.

    nata: crema

11. En el café de don Pancho sirven una olla podrida que no tiene igual.

    olla podrida: un platillo que contiene jamón, aves, embutidos, etc.

12. No todos los que dicen que saben hacer paella saben hacerla.

    paella: plato de arroz con carne, legumbres, mariscos, etc., de Valencia

13. Judith se ve mucho mejor con su peinado sencillo.

peinado: arreglo de pelo

14. Al nene le dieron sólo una pizquita de carne porque estaba muy caliente.

pizquita: porción pequeña

15. Los abuelos de Miguelito comen pote porque no tienen dientes.

pote: un cocido (a kind of stew)

16. Doña Luisa tiene una receta vieja para el cocido.

receta: nota que indica la manera de hacer una cosa, prescripción (recipe)

17. A Luis le encantan los tallos de apio.

tallos: parte de la planta que sostiene las hojas y la fruta (stalks, stems)

18. El doctor le dijo a Carlos que sólo comiera carne de ternera.

ternera: vaquilla, becerra (veal)

19. Emilio y Alvino trajeron un cesto lleno de truchas que sacaron del río.

truchas: especie de peces (trout)

REPORTERO: ¿De qué persona o personaje le gustaría ser anfitrión?

JOAQUIN: No quisiera sentar a mi mesa a ningún *personaje.* Casi todos, si tuvieron el gusto como es debido, lo perdieron
5 en tanto banquete. Siento, en cambio, con gusto a una persona, sin distinción de clase ni condición, capaz de discernir y saborear una buena comida o un buen vino. Pero de ésas van quedando pocas, y de éstos menos.

REPORTERO: ¿Dónde le llevaría a comer?

10 JOAQUIN: A mi mesa, naturalmente. Me parecería del peor gusto pagarle la comida en un restorán (así, y no el restaurante, de espaldas al idioma), por bueno que fuera, aunque ahora, tan propicia la gente a la grosería, como poco hogareña, se estile. En mi casa puedo ordenar lo que deseo,
15 sin fallo posible, y dispongo de mi pequeña y muy cuidada cave de vinos de mesa, de buenas reservas. Conste que el único premio literario que he recibido en mi vida ha sido por un estudio gastronómico de los vinos de la Rioja.

REPORTERO: Si tuviera que elegir una cocina regional
20 española para siempre, ¿cuál escogería? ¿Y por qué?

JOAQUIN: La pregunta tiene muy poco de gastronomía y menos de *gourmet,* pero la contesto salvando lo posible de la catástrofe que significa. La cocina de Castilla la Vieja, porque su único plato que impone, el puchero, admite ma-
25 tices muy diferentes: desde la olla podrida o poderosa al

propicia: inclined to
hogareña: domestic, home bound
fallo: error
cave: bodega (wine cellar)

gourmet: expert in food and wine
puchero: stew

Joaquín de Entrambasaguas
(*Mundo Hispánico,* Madrid
Spain)

cocidito, antiguo apaño de una casa y aún se puede traducir
a *la petite marmite,* con cierto acento francés de la gran
época (no de *la belle époque,* con muslos de *can-can* en vez
de muslos de gallina), o al *bollito di manzo* italiano, o, si se
5 me apura, a la *canja* portuguesa, etcétera. Y, en cambio, las
materias gastronómicas que produce, sin obligar a una uni-
lateral interpretación (como la paella valenciana, varia pero
firme en sus leyes, o la fabada asturiana, o el pote gallego, de
graduación distinta, pero característicos en sus leyes), son de
10 primer orden: ternera o cordero castellanos, legumbres y
verduras sabrosísimas, truchas y cangrejos sin par (aún no
contando la salida al mar, con sus pescados y mariscos
riquísimos, y sus quesos y manteca deliciosos de Santander);

apaño: knack

la **petite marmite:** a French
dish

la **belle époque:** period at end
of the nineteenth century

bollito di manzo: Italian dish

la **canja:** Portuguese dish

su pan, de prestigio secular; sus vinos, pocos, pero selectos; su quesería de Burgos, Villalón, etc. . . . Con todo ello, siguiendo las normas de la región, tan amplias y liberales, y haciendo un guiño a Francia, ¡qué cocina para siempre!

haciendo un guiño: overlooking, winking at

5 REPORTERO: Denos una definición literaria de la cocina española.

JOAQUIN: La cocina española, mucho mejor de lo que algunos idiotas creen, reblandecidos por los alimentos latosos y las colas y *tails* de todas clases (¡y qué manía ésta de
10 menear el rabo, como los perros, cuando se les da de comer!), lo que no va es al compás del resto de la cultura. Mientras el Cantar del Cid ha llegado a Juan Ramón Jiménez, la cueva de Altamira a Picasso, la comida sigue en la Edad de Piedra muchas veces, pero, como la piedra, también, ¡qué
15 honrada y firme es, con nobleza material para labrarla y pulirla!

reblandecidos: softened
latosos: boring, from cans

menear: to wag

el Cantar del Cid: epic poem of Spain

REPORTERO: ¿Se atreve usted a facilitarnos una receta original?

JOAQUIN: ¿Por qué no, si estoy preparando un *Manual de*
20 *Gastronomía*, para ver si se aprende a comer? Espero que sea el libro que más me consuele económicamente. Y ahí va una receta, inédita, aunque saboreada repetidas veces en casa, donde las ensaladas tienen cierto prestigio, en desacuerdo con el desdén que por ellas (paisaje de la comida) se siente
25 entre nosotros.

Ensalada Navideña
(Para María Teresa Bosch de Lara,
por lo bien que se come en su casa)

Prepárense a partes iguales tallos de apio tierno y blanco
30 y cogollitos de lechuga que sean fresquísimos y estén muy limpios. En los tallos de apio, de dos dedos de largo, rellénese la hendidura con queso de tipo Gervais, mezclado con sal y pimienta inglesa; los cogollitos salpíquense, entre sus hojas, con nueces mondadas, pica-
35 dísimas, y una pizquita (¡qué bien van los diminutivos a la cocina y que mal a la literatura!) de pimentón dulce, muy reciente. Colóquense mezclados tallos y cogollos y cúbranse con una mahonesa (de Mahón, su origen, claro es) no muy espesa a la que se ha mezclado sal, bastante
40 limón, una mitad de nata líquida, fresca y sin batir, y una cucharadita de mostaza francesa. Salpíquese por

cogollitos: hearts of lettuce

rellénese la hendidura: fill the hollow of the celery stalk

salpíquense: spatter, put a dash of
nueces mondadas: shelled nuts

encima con granos recién mondados de una buena granada y déjese enfriar muy bien en la nevera. Al servirla, después de contemplada, para facilitar los jugos gástricos que han de digerirla, se revuelve reiteradamente y se come.

Va muy bien con los asados de ternera, cordero, aves (ignoro si de caballo, hoy de moda como los peinados, entre pirámide y sorbete), y con ello un buen vino tinto de poco cuerpo, pero de fino *bouquet* y bien *chambré*. Y perdóneseme el empleo inevitable del idioma de la gastronomía, ya que no me leen mis tatarabuelos de 1808.

sorbete: top hat
bouquet: aroma, fragrance
chambré: at room temperature
tatarabuelos: great-great-grand-
     parents

Diccionario

1. **anfitrión:** invitante, invitador (host)
   Alvaro Holguín, el solterón del barrio, es un (   ) muy célebre.

2. **asado:** carne expuesta al fuego seco para cocinarla (roast)
   Del (   ) que hicieron el domingo, tuvieron bastante carne para comer toda la semana.

3. **batir:** golpear con fuerza alguna cosa (to beat)
   Tienes que (   ) los huevos para hacer una tortilla buena.

4. **cordero:** la oveja que no pasa de un año (lamb)
   La familia Romero preparó un (   ) para la fiesta.

5. **desdén:** desprecio, indiferencia
   Anita veía a su novio de otro tiempo con (   ).

6. **fabada:** potaje español de Asturias (a mixture of pork and beans)
   La familia Elgorriaga introdujo la (   ) al pueblo donde vive Jorge.

7. **gastronomía:** arte de comer bien
   Muchos hombres se interesan por la (   ).

8. **granadas:** especie de frutas (pomegranates)
   Los españoles trajeron las (   ) a Norteamérica.

9. **grosería:** descortesía, rudeza
   Desde que establecieron la escuela en el pueblo, se ve menos (   ) en el trato de la gente.

10. **mahonesa:** mayonesa, salsa que se sirve generalmente con las carnes frías (mayonnaise)
    La (   ) es una salsa de aceite y huevos muy batidos.

11. **matices:** gradaciones, tonos de sabor
    Los platillos regionales tienen todos los (   ) que cada familia les da.

12. **nata:** crema
    En el restorán Nayarit le ponen la (   ) de la leche al arroz dulce.

13. **nevera:** refrigeradora
    No es costumbre poner los plátanos en la (   ).

14. **olla podrida:** plato que contiene jamón, aves, embutidos, etc.
    La (   ) es uno de los platos españoles que se ha imitado más.

15. **paella:** plato de arroz con carne, legumbres, mariscos, etc., de Valencia

Nadie hace la (   ) como los valencianos.

16. **peinado:** arreglo del pelo

El (   ) de Carolina era una obra de arte.

17. **pizquita:** porción pequeña

A los niños les dieron sólo una (   ) del pastel para que no se enfermaran.

18. **pote:** un cocido (a kind of stew)

En casa de los Ramírez nunca hacen (   ) porque no les gusta.

19. **pulir:** dar lustre, hacer brillar

El escultor labró la piedra pero no la pudo (   ).

20. **queso:** alimento obtenido haciendo fermentar la leche cuajada (cheese)

A los ratones les gusta mucho el (   ).

21. **receta:** nota que indica la manera de hacer algo, prescripción (recipe)

¿Tiene Ud. una (   ) para paella valenciana?

22. **saborear:** deleitarse con el sabor de algo, probar (to taste, to enjoy eating food)

Don Ramón prefiere comer despacio para (   ) bien la comida.

23. **tallos:** parte de la planta que sostiene las hojas y la fruta (stalks, stems)

Los (   ) de apio son buenos con queso.

24. **ternera:** vaquilla, becerra (veal)

La señora Armenta sirvió carne de (   ) a todos los invitados.

25. **truchas:** especie de peces (trout)

Todos los muchachos del colegio se fueron a pescar (   ) en el río Medina.

Para la Comprensión

1. ¿Quiénes son los protagonistas de esta entrevista?

2. ¿De cuáles personas van quedando pocas?

3. ¿A dónde llevaría don Joaquín a su invitado?

4. ¿Por qué no le pagaría la comida en un restorán?

5. ¿Por qué lo llevaría a su mesa?

6. ¿Cuántos premios literarios ha ganado don Joaquín?

7. ¿Qué clase de estudio hizo?

8. ¿Cuál fue la tercera pregunta del reportero?

9. Según don Joaquín, ¿qué carácter tenía esta pregunta?

10. ¿De dónde es el puchero?

11. ¿A cuántos otros platos se parece el puchero?

12. ¿Qué plato famoso viene de Valencia?

13. Relate algo de la confección de la paella.

14. ¿Camina la cocina española al compás del resto de la cultura?

15. ¿Dónde sigue la comida según don Joaquín?

16. ¿Qué clase de manual está preparando don Joaquín?

17. ¿Qué esperanzas tiene de ese libro?

18. Cuando el reportero le pidió una receta original a don Joaquín, ¿qué hizo?

19. ¿Cómo se llama la receta?

20. ¿Qué clase de receta es?

21. ¿A quién dedicó la receta?

22. ¿Por qué?

23. Relate lo que pueda del contenido de esa receta.

24. ¿Qué es lo último que se hace con la ensalada antes de servirla?

25. ¿Por qué se revuelve tanto?

26. ¿Con qué platos va esta ensalada?

27. ¿Qué vino recomienda don Joaquín?

28. ¿Es posible hablar de la comida sin el idioma gastronómico?

EL SUBJUNTIVO EN ORACIONES
SUBORDINADAS ADVERBIALES

Cambie la oración según el modelo.

> MAESTRO: Aunque sea muy bueno, no lo
> voy a comprar.
>
> ESTUDIANTE: Por bueno que sea, no lo voy
> a comprar.
>
> MAESTRO: Aunque parezca muy largo el
> viaje, Juan quiere ir.
>
> ESTUDIANTE: Por largo que parezca el
> viaje, Juan quiere ir.

1. Aunque esté muy duro el pan, nos lo comeremos.
2. Aunque resulte muy caro, cómpratelo.
3. Aunque salga muy barato, es sabroso.
4. Aunque sea muy difícil, lo haces.
5. Aunque sea inútil, iremos allá.
6. Aunque esté muy bonito, no te queda bien.

Cambie la oración según el modelo.

> MAESTRO: Aunque tenga poco dinero, te
> llevaré al cine.
>
> ESTUDIANTE: Por poco dinero que tenga, te
> llevaré al cine.
>
> MAESTRO: Aunque haga mucho calor, no
> pienso comprar abanico.
>
> ESTUDIANTE: Por mucho calor que haga, no
> pienso comprar abanico.

7. Aunque haga muchos vestidos, nunca aprenderá.
8. Aunque viaje mucho, no me canso.
9. Aunque tome mucha agua, no se me quita la sed.
10. Aunque traiga pocas manzanas, serán bastantes.
11. Aunque estudie mucho, no aprendo.
12. Aunque vengan pocas niñas a la fiesta, se divertirán.

Cambie la oración según el modelo.

> MAESTRO: Aunque saliera muy bueno el
> rojo, preferiría el verde.
>
> ESTUDIANTE: Por bueno que saliera el rojo,
> preferiría el verde.
>
> MAESTRO: Aunque comiéramos mucho, no
> nos llenábamos.
>
> ESTUDIANTE: Por mucho que comiéramos,
> no nos llenábamos.

13. Aunque tuviera mucho sueño, no quería dormir.
14. Aunque fuera muy malo, lo compraría.
15. Aunque tomara mucha leche, no se me quitaría la sed.
16. Aunque lloviera mucho, tendríamos que salir.
17. Aunque estuviera cansado, acabaría el trabajo.
18. Aunque hiciera mucho frío, salían a jugar.

LA COCINA Y SUS VINOS

Introducción

España es un país de contrastes en todo sentido. La variedad de paisaje geográfico, de clima, de vegetación, de población, de costumbres típicas y originales, de arquitectura, y de trajes regionales, llega hasta la cocina y sus vinos.

Esta narración apareció en *España 1959*, publicación de la secretaria general técnica, sección de documentación.

Guía de Estudio

Esta selección da una vista general de la cocina y los vinos de España. Como abunda en nombres de ciudades y de provincias, coloque usted en un mapa de España (en blanco) los diversos lugares mencionados y sus respectivos alimentos y vinos.

Palabras Clave

1. La señora Ruiz cocina con mucho acierto.

    acierto: tacto, buena mano

2. Los españoles tienen un modo especial de aderezar sus comidas.

    aderezar: sazonar, condimentar

3. El limón es más agrio que la toronja.

    agrio: ácido (sour)

4. A Luis le curaron el resfriado con aceite de bacalao.

    bacalao: especie de pez (codfish)

5. El cante andaluz es un cante gitano.

    cante: canto

6. La carne de res se cuece más fácilmente que la de puerco.

    cuece: cocina, guisa

7. El freidor andaluz es el que cocina con más gusto.

    freidor: persona que hace o vende pescado frito (fry cook, fish vendor)

8. No hay dos españoles que hagan el gazpacho de igual manera.

9. Doña Pepa sabe guisar cualquier plato.

    guisar: cocinar, cocer

10. Hay unas sopas que se comen con migas.

    migas: pedacitos de pan

11. A don Ramón le gustan más los vinos rojos que los pálidos.

    pálidos: vinos amarillos, vinos blancos

12. El mejor plato se llevó la palma en el concurso.

    palma: premio

13. En la vinatería de Guasti embotellan el vino sano para venderlo pronto.

    sano: fresco

14. También mis amigos americanos toman sidra.

    sidra: bebida alcohólica que se saca de las manzanas (cider)

15. Juan, el carnicero de la comarca, corta la carne en tajadas anchas.

    tajadas: secciones, porciones, trozos

16. Los vinos claros son más secos que los tintos.

    tintos: vinos rojos

17. En España como en Francia, hay regiones vinícolas muy ricas.

    vinícolas: relativas al cultivo de la vid y la fabricación del vino

gazpacho: sopa fría hecha con pan, aceite, legumbres crudas, y otros ingredientes

T AN RICA y variada como sus vinos es la cocina española. Tiene España una cocina clásica, histórica, tradicional, enriquecida por la aportación de los diversos modos regionales de guisar, aderezar, endulzar y conservar los productos naturales de cada comarca.

En los monasterios de Alcántara y Guadalupe, de Extremadura, se guardaban los recetarios más ricos que de una

aportación: contribution

Una Bodega (Spanish National Tourist Office)

cocina pueden tenerse y que las tropas de Napoleón llevaron a Francia, afrancesando algunas recetas, pero sin poder eludir el famoso nombre de Alcántara, que aún conservan muchos platos franceses *a la mode d'Alcantara*. La abun-
5 dancia de bellotas en los campos extremeños y la consi- guiente abundancia de ganado porcino ha hecho que Extremadura se caracterice fundamentalmente por los embu- tidos. Los jamones y chorizos de Montánchez tienen ganada buena fama.
10 De Andalucía conviene destacar un plato que ha sobre- pasado las fronteras: el gazpacho. Es un alimento refrescante, exigido por los calores tórridos del clima andaluz. No hay una receta especial en cuanto al modo de hacerse. Todo está en la labor de paciencia del mojado, lento, persistente, pro-

bellotas: acorns
porcino: of the pork family
embutidos: sausages

longado, de sus componentes y en el acierto y medida en que se los mezcla. Ahora bien, el tomate y el pimiento, el ajo y la miga de pan, que de todo esto hay en un gazpacho, también tiene su importancia en cuanto a su calidad y a la
5 manera de administrarlo.

Rica es Andalucía, la baja Andalucía, en productos ictio-lógicos. El pescado frito de las ciudades andaluzas ha llegado a ser un modo nacional de comerlo. El pescado del freidor es inimitable. Se distingue del que preparan los cocineros
10 como se distingue el vino de Jerez de los otros vinos, la espada de Toledo de las otras espadas y las aceitunas de Sevilla de las otras aceitunas. Y esto ya por la manera especial y misteriosa de cortar las tajadas, ya por el temple del aceite, ya por la gran cantidad de líquido que contiene la
15 tan oronda sartén, ya por el aroma que pueden prestarse nadando a un tiempo en el ambiente, mojamas, lenguados, lisas, salmonetes, pescadillas y sardinas.

Por Madrid pasa el meridiano del garbanzo, leguminosa básica en el comer español. El cocido madrileño ha llegado
20 a constituir un plato nacional. Es el plato del pueblo. Se prepara con carne, chorizo y legumbres, todo lo cual se cuece y sazona junto con los peculiares garbanzos. Es un plato que sabe ampliarse o estrecharse según la grandeza o humildad de cada mesa.
25 Castellanas son también las sopas de ajo, que gozan de gran popularidad por sus virtudes terapéuticas, y sobre todo por su baratura.

En Levante vamos a encontrar otro de los elementos bási-cos del comer español: el arroz. El arroz a la valenciana o la
30 paella, es un plato español que se ha industrializado y se exporta. Precisa la paella cocer a fuego muy activo, pre-firiendo el de llama, a fin de que no se interrumpa el hervor. Al arroz acompaña una buena mezcolanza de carne y pes-cado, siendo éstos los chipirones, la merluza, el bonito, el
35 rape, amén de los mariscos, llevándose entre éstos la palma el langostino.

De Levante vamos a pasar a Asturias en busca de otro de los platos españoles, que tienen fama en el mundo, muy particularmente entre los americanos de habla española: la
40 fabada. Es comida que por su fortaleza es mucho más apro-piada para los días crudos de invierno que para las jornadas de agosto. Requiere más que cualquier otro alimento acom-

productos ictiológicos: fish products

temple: the nature, temperament

oronda sartén: a frying pan that is squat and "bellied"
mojamas . . . sardinas: types of fish, specifically, dry, salted tunny fish, sole, river fish, sur-mullets, hake, and sardines

baratura: cheapness
Levante: the east

mezcolanza: hodgepodge
chipirones, la merluza . . . ma-riscos: varieties of fish, spe-cifically, cuttle fish, merluce, striped tunny, "el rape," be-sides shellfish

pañar con buenos tientos de sidra de la tierra. Numerosas
son las recetas. En una de ellas pueden encontrarse hirviendo
judías blancas, un pedazo de lacón, una oreja de cerdo, una
morcilla asturiana, longaniza, un pedazo de cecina, tocino y
5 cebolla.

En el recetario del comer hispano hay mucho lugar para la
riquísima variedad de platos vascos; así el bacalao a la
vizcaína, que también se ha internacionalizado. No pueden
olvidarse las cocochas de merluza, parte gelatinosa del ani-
10 mal y manjar que resulta de una finura extraordinaria. Y toda
una rica variedad de guisos de mariscos y pescados a la
vizcaína.

Cataluña tiene una rica cocina. En 1477 se edita en Barcelona el primer libro de cocina de España y uno de los pri-
15 meros del mundo. Con la designación «a la catalana» se
pueden encontrar un centenar o más de preparados de
huevos, carnes, pescados y legumbres. Desde la zarzuela de
mariscos, hasta la curadella, desde las perdices estofadas,
hasta los pollos y los pavos asados, desde el bacalao hasta
20 las codornices.

A esta breve síntesis habría que añadir la riqueza de las
golosinerías españolas. Si cada plato serio o formal, fuerte o
suave, tiene su región, cada postre o golosina guarda también
el suyo. Los turrones, anises y peladillas y las figuritas de
25 mazapán; los polvorones y los alfajores andaluces; las mantecadas de Astorga, en tierras leonesas; las yemas de San
Leandro, en Sevilla; el flan y los pestiños. Sin olvidar la
riquísima producción frutera del suelo español, en la que
destaca la naranja.

30 A esta riqueza y variedad alimenticias, tiene que seguir
necesariamente una producción vinícola rica y variada
también.

El cultivo de la vid está muy extendido en España, rara es
la provincia que no dedica algunas hectáreas a este cultivo.
35 Sin embargo, la calidad y la difusión de estos vinos no está
repartida por el mapa nacional en igual proporción. Como
en el cante andaluz hay vinos grandes y vinos chicos. Vinos
grandes los andaluces, Jerez, San Lúcar de Barrameda,
Montilla, y Moriles, los manchegos, los catalanes y los rioja-
40 nos. Los demás son para andar por casa, como dice el dicho
popular . . . son vinos chicos.

Conocidos en todo el mundo son los vinos de Jerez a cuya
elaboración y producción está dedicada toda la comarca. En

lacón: shoulder or forethigh of an animal
morcilla: blood pudding
longaniza: pork sausage
cecina: dried beef

cocochas de merluza: gelatinous parts of the merluce or hake fish

curadella: a type of codfish
perdices estofadas: stuffed partridges
codornices: quail

golosinerías españolas: Spanish sweets
turrones . . . mazapán: types of confection, specifically, nougat, aniseeds, sugar almonds, and marzipan
polvorones . . . andaluces: powdered nut and honey confections from Andalucía.
mantecadas: a type of butter cooky
yemas: candied egg yolks
flan y pestiños: custard and fritters

hectáreas: a land measurement of approximately 2½ acres

vinos grandes: expensive wines
vinos chicos: table wines

septiembre se celebran con gran brillantez las fiestas de la vendimia, dedicadas cada año a un país consumidor de sus vinos.

En San Lúcar de Barrameda, junto a la desembocadura
5 del Guadalquivir, se produce la manzanilla. Es el más tibio, tenue y delicado de España, que depende en su ser de tal manera del ambiente, que fuera de San Lúcar se convierte en vino fino.

Yendo Guadalquivir arriba, en la parte meridional de la
10 provincia de Córdoba, encontramos otra comarca gran productora de vinos: Montilla y Moriles. Vinos finos, transparentes y secos con una graduación que va de los quince a los diecisiete grados; ricos en color, levemente amargosos y de aroma penetrante.

15 Pero antes de dejar las tierras andaluzas conviene fijar la atención sobre los vinos de Málaga: Dulces moscateles, Pedro Ximénez, y el famoso Lágrima Cristi, que tiene también un excelente blanco selecto y un blanco añejo buen amigo de los famosos pescados malagueños.

20 El condado de Niebla, en la provincia de Huelva, es de las comarcas españolas más ricas en producciones de vinos; 10,000 hectáreas de sus tierras están dedicadas a viñedos. Es un vino ancho y dorado, sano y joven que no suele embotellarse.

25 Dejando Andalucía penetramos en la Mancha, otra de las regiones españolas de mayor producción vinícola. Vinos ricos, en colorido, en sabor y en alcohol. Tintos y blancos, Valdepeñas, Tomelloso, Socuéllamos, son los nombres de estos centros manchegos productores de vino, del que tantos
30 elogios hizo don Quijote ante la bodega del Caballero del Verde Gabán.

Subiendo por Castilla la Vieja encontramos otra zona de singular importancia en la producción de vinos: La Rioja. Sus vinos son de aroma inferior y menos violentos que otros
35 españoles, de riqueza alcohólica media y de sabor definido. Su tipo principal es tinto seco, que no quiere decir áspero. Los hay también blancos y claretes dulces, semisecos y muy secos. Uno de los principales dones de este vino es la rica variedad de su color. Logroño, Fuenmayor, El Ciego, y Haro
40 son los centros productores.

Asimismo se da en la región de Valladolid uno de los mejores tintos de España: El Vega-Sicilia. Son también notables los vinos de Rueda, Toro y el clarete de Cigales.

fiestas de vendimia: vintage or grape festivals

blanco añejo: aged white wine

ancho y dorado: rich and golden

Toda Cataluña está llena de zonas que producen exce-
lentes vinos: los pálidos de Panadés, las malvasías de Sitges,
los claretes de Valls y la Salve, los tintos de Mataró y Alella,
los rosados y suaves de baja graduación de la Conca de Bar-
5 bera. Y naturalmente, los del Priorato. Pero hay otro vino de
tipo generoso muy apreciado en el extranjero. Este vino se
llama Tarragona y se cría en todo el término de esta ciudad
y en el campo de Reus. Sus colores son rojo obscuro y dorado
rojizo. Copas de vino de Tarragona se beben en Alemania,
10 Inglaterra, Bélgica, Suecia y Dinamarca.

    Navarra produce vinos claretes y rojizos, finos y suaves en
Tieba, Cintruénigo y Corella. Tudela tiene un tinto dulce y
espirituoso parecido al Borgoña.

    Aragón tiene el vino dorado de Borja, los dulces de Paniza
15 y Garnacha, tinto de Consuenda y aromático de Hospital, el
clarete agrio de Mirabueno y Campos de Cariñena.

    Por último en la costa de Levante nos encontramos una
región que ocupa en cuanto a viñedos el segundo lugar y en
cuanto a vinos el tercero después de la Mancha y Cataluña.
20 Tiene vinos moscateles, vinos tinto de Requena y Utiel,
blanco y clarete de Turis y Chestes.

malvasías: wine from grapes of the Sitges region

Diccionario

1. **acierto:** tacto, buena mano
   María cocina con más (   ) que su hermana menor.

2. **aderezar:** sazonar, condimentar
   El cocinero del Hotel Castellana sabe
   (   ) bien todos los platos españoles.

3. **afrancesando (afrancesar):** dando cualidades francesas
   París ha enriquecido su cocina (   )
   muchos platos españoles.

4. **agrio:** ácido (sour)
   A Juan no le gusta lo (   ); por eso no
   come limones.

5. **bacalao:** especie de pez (codfish)
   En Alaska igual que en España, se come
   mucho el (   ).

6. **cante:** canto
   El (   ) de los gitanos es algo grande y
   misterioso.

7. **cuece (cocer):** cocina, guisa
   Doña Panchita (   ) la sopa por largas
   horas para darle gusto.

8. **freidor:** uno que hace o vende pescado frito
   (fry cook, fish vendor)
   Benito Marrufo es el (   ) del café Vera
   Cruz.

9. **gazpacho:** sopa fría hecha con pan, aceite,
   legumbres crudas, y otros ingredientes
   Yo he comido (   ) muchas veces pero
   nunca he encontrado dos platos iguales.

10. **guisar:** cocinar, cocer
    Petra es tan buena para (   ) platos sa-
    brosos como su mamá.

11. **hervor:** acción de llegar el agua a la ebullición (100°), cocinar con agua hirviente (the boiling)

El gusto de algunos potajes consiste en el ( ) que se les dé.

12. **langostinos:** género de crustáceos marinos de carne muy apreciada (prawns, shrimplike seafood)

La paella valenciana siempre contiene ( ).

13. **migas:** pedacitos de pan

El caldo de cebolla es muy sabroso con ( ) tostadas.

14. **pálidos:** vinos amarillos, vinos blancos

Los vinos rojos se usan cuando uno come carne, los ( ) cuando uno come pescado.

15. **palma:** premio

El cocinero del Hotel Cortez se llevó la ( ) por la paella que cocinó.

16. **sano:** fresco

El vino ( ) se vende por menos precio que el añejo.

17. **sidra:** bebida alcohólica que se saca de las manzanas (cider)

Todos tomaron ( ) durante la tertulia, menos el viejo; él tomó vino nada más.

18. **tajadas:** secciones, porciones, trozos

En el café Jalisco sirven bien; dan unas ( ) de carne bastante grandes.

19. **tintos:** vinos rojos

A Lucía le gustan los vinos pálidos, pero a su esposo le gustan más los ( ).

20. **variada:** diversa, diferente

En el restaurán del Hotel Cima, la cocina es ( ) y sabrosa.

21. **vinícola:** relativa al cultivo de la vid y la fabricación del vino

La producción ( ) de Córdoba es una fuente de riqueza para la nación.

Para la Comprensión

1. Describa la cocina española.
2. ¿Cómo es enriquecida esta cocina?
3. ¿Dónde se guardan los recetarios más ricos?
4. ¿Quiénes se llevaron las recetas españolas a Francia?
5. ¿Qué es lo que ha hecho que Extremadura se caracterice por los embutidos?
6. En Montánchez ¿qué comida famosa hay?
7. ¿De dónde viene el gazpacho?
8. Describa Ud. ese alimento.
9. ¿Cuántas recetas especiales hay para su confección?
10. ¿Cómo se hace el gazpacho? ¿Cuáles son sus ingredientes?
11. ¿Qué productos le han traído fama a la cocina de Andalucía?
12. ¿Cuál es la legumbre básica en la comida española?
13. ¿Qué fama ha logrado el cocido madrileño?
14. ¿Cómo se prepara este plato?
15. ¿Qué cualidades tienen las sopas de ajo?
16. ¿Dónde encontramos el arroz?
17. Describa la paella.
18. ¿Dónde se originó?
19. ¿Qué plato famoso viene de Asturias?
20. ¿Por qué es mejor la fabada en el invierno?
21. ¿Con qué bebida debe acompañarse la fabada?
22. Describa un plato vasco que tenga fama mundial.
23. ¿Cómo se pueden identificar los platos vascos?
24. ¿Dónde y cuándo se editó el primer libro de cocina de España?
25. Mencione algunos de los platos que se pueden encontrar «a la catalana.»

26. ¿Cuál región produce más postres o golosinas?

27. Mencione algunas de estas golosinas, dando su procedencia.

28. ¿Dónde se produce el vino en España?

29. Mencione algunos de los vinos.

Estructura

COMPARACIONES DE IGUALDAD

Use *tanto como* en la oración.

MAESTRO: Tú no hablaste menos que yo.

ESTUDIANTE: Tú hablaste tanto como yo.

MAESTRO: Ellos no nadan menos que ellas.

ESTUDIANTE: Ellos nadan tanto como ellas.

1. Marta no comía menos que Elisa.
2. Esta maleta no pesa menos que la otra.
3. Juan y Pedro no aprenden menos que tú.
4. En esta caja no cabe menos que en la blanca.
5. No llevaremos menos que Julio.
6. Tu perro no ladra menos que el nuestro.

Use la forma apropiada *tanto, tantos, tanta, tantas* más el nombre más *como*.

MAESTRO: No leí menos libros que María.

ESTUDIANTE: Leí tantos libros como María.

MAESTRO: Elena no tiene menos prisa que la maestra.

ESTUDIANTE: Elena tiene tanta prisa como la maestra.

7. Hoy no hace menos calor que ayer.
8. No compraremos menos helados que dulces.
9. No tenían menos sueño que nosotros.
10. La niña no rompió menos tazas que vasos.
11. No hicimos menos té que café.
12. La historia no tiene menos importancia que la geografía.

Use *tan* más el adjetivo o adverbio más *como*.

MAESTRO: María no es menos rica que Alicia.

ESTUDIANTE: María es tan rica como Alicia.

MAESTRO: Los niños no parecían menos inteligentes que las niñas.

ESTUDIANTE: Los niños parecían tan inteligentes como las niñas.

13. Ellos no estaban menos divertidos que Elena.
14. José no es menos estudioso que Pedro.
15. No estamos menos cansados que Uds.
16. Este libro no sale menos caro que aquél.
17. Mi lección no era menos difícil que la tuya.
18. Tu hermana no es menos guapa que tú.

GRACIOSOS PERSONAJES DE MI HUERTA

por Isabel Gordon

(Traducido por Joaquín Méndez Rivas y Luis MacGregor)

Introducción

Entre las escrituras más encantadoras del mundo moderno están las destinadas para los niños. Existe una literatura infantil muy sana y rica cuyo contenido sirve para aumentar los conocimientos, ejercitar la imaginación y enriquecer la vida...cuentos donde intervienen animales, historietas cómicas, relatos de miedo, hazañas de héroes, libros de viaje al extranjero, temas hogareños. Aunque con la edad los gustos varíen, todos están de acuerdo que esta literatura infantil es una delicia.

Guía de Estudio

Esta lectura incluye el preámbulo de la autora y una serie de pequeñas composiciones poéticas presentando frutas y legumbres como si fueran graciosos personajes de su jardín.

Esto de atribuir a las plantas la figura, los sentimientos y el lenguaje de una persona se llama «la personificación,» una construcción muy popular en la literatura infantil.

Palabras Clave

1. Su afán es de dar gran placer a todos sus amigos.

   afán: ansia, gran deseo, anhelo

2. Enrique come las alcachofas con mucha mantequilla.

   alcachofas: especie de plantas comestibles (artichokes)

3. Mi madre usa castañas para rellenar el pavo en Noche Buena.

   castañas: fruto del castaño (chestnuts)

4. Los espárragos preparados con salsa holandesa son muy sabrosos.

   espárragos: plantas cuyos tallos tiernos son comestibles (asparagus)

5. A veces los pimientos son muy picantes.

   picantes: que pican mucho (hot, highly seasoned)

6. Flores bonitas crecen en la pradera.

   pradera: campo, tierra fértil (meadow)

7. De la remolacha se extrae gran cantidad de azúcar.

   remolacha: planta de raíz grande y carnosa (beet)

8. Dicen cosas unas veces amables y otras rezongonas.

   rezongonas: gruñonas, dichas entre dientes (grumbling, muttered)

UNA SEMILLITA, amiguitos míos, es en realidad una promesa de una planta o de un árbol, envuelta enteramente en una pequeña cubierta obscura. Si se le planta en el suelo, crecerá, y cuando tenga la edad suficiente, dará
5 frutos, porque Dios lo ha dispuesto así.

Entre todas las criaturas de la Madre Naturaleza, las frutas y los vegetales son, probablemente, los más útiles para nosotros. Dondequiera que vayamos, nos encontramos frente a algunos de estos pequeños hijos de la Tierra, listos
10 para ayudarnos, dándonos alimento y haciéndonos la vida más fácil y más alegre.

Yo los he visto en mi huerta, transformados en seres vivientes y graciosos, como pequeños amiguitos simpáticos, que mueven la cabeza, hacen señas y se dicen cosas unas
15 veces amables y otras rezongonas. Quizás vosotros no podáis verlos nunca como yo los he visto. Por eso os quiero

contar cómo son estos graciosos personajes que hay en mi huerta y que quizás también existan en la huerta de vuestros papás, en las de vuestros amigos o en los valles y praderas que alegremente crucéis durante los días felices de vacaciones.

5 Rábano es una criatura muy bella de la pradera,
que tiene su nacimiento junto con la primavera;
con las cebollas pequeñas, todos llenos de alegría,
juegan desde que se asoma hasta que se oculta el día.

Exclamó la Cebolla de España: —Yo no sé
10 por qué llora la gente cada vez que me ve;
soy una chica amable, amiga sin desliz,
dispuesta a hacer a todos y a cada uno feliz.—

El cambiante Espárrago brota en primavera
al oír del ave la canción primera.
15 Su vestido es blanco, mas pronto lo pierde
porque el sol brillante lo convierte en verde.

Dijo la Espinaca: —Con mi verde traje
soy como una reina de noble linaje;
y también me siento llena de contento
20 porque de los niños soy grato alimento.—

Las Damas Zanahorias marchan a la iglesia
todos los domingos, como en una hilera.
Lo mismo las altas que las bajas, llevan
una pluma verde en su cabellera.

25 —Todos saben, —nos dice la Remolacha,
—que soy dulce y muy buena de condición;
y aunque de mi gordura no me envanezco,
mi color es muy mío, sin discusión.—

La joven Alcachofa con cariño
30 exclamó: —Nunca deja de sorprenderme
por qué a todos les dicen, viejo o niño,
cómo han de comportarse para comerme.—

La Dama Melón dijo alarmada:
—¿Cómo tendré en la cama a estas criaturas?
35 Antes que revolverlas o perderlas,
me las voy a amarrar a la cintura.—

Los muchachos Mostaza crecen tan alto
que pasan de las tapias cual dando un salto;

pero son muy picantes a su manera;
por esta circunstancia se quedan fuera.

Dijo el Ajo un día: —Mi hogar y familia
los tuve en el suelo sin par de Sicilia.
5   Hoy de todas partes soy la bendición
porque a la comida le doy la sazón.—

El Plátano lleva siempre un fuerte abrigo
que al llegar al cuello muy bien se apretó,
y es que como nace en tierra caliente,
10   siente mucho el frío; más que tú y que yo.

La Caña de Azúcar es una damita
en verdad muy dulce al par que bonita.
Nos brinda su azúcar, sus mieles también,
con lo que las cosas nos saben más bien.

15   Este señor, Té Verde, del Japón vino
y es un hombre arrugado, pequeño y fino.
Nos dice: —Mi té es algo bajado del cielo;
¿lo quiere con azúcar, con leche o con hielo?

La Castaña nos dice: —Trabajo y no regaño
20   para vivir; relleno el pavo en Noche Buena;
y tostada soy muy sabrosa y tierna.
Podréis reconocerme por mi abrigo castaño.—

—Yo trabajo, —nos dice la noble dama Trigo
—por darle de comer al mundo; ése es mi afán;
25   y estoy feliz y alegre y hasta el mundo bendigo
cuando no hay gente alguna que carece de pan.—

De todo un aristócrata la Nuez inglesa
tiene el andar y el tipo. Pomposa y gruesa,
viene de una familia noble y añeja
30   que surgió con la Biblia; así es de vieja.

Diccionario

1. **afán:** ansia, gran deseo, anhelo
   Los soldados lucharon con (   ).

2. **alcachofas:** especie de plantas comestibles (artichokes)
   A Joselito no le gusta comer (   ).

3. **amarrar:** atar (to tie)
   Voy a (   ) el perro para que no se escape.

4. **añeja:** vieja, que tiene muchos años
   Viene de una familia noble y (   ).

5. **bendición:** acción y efecto de bendecir

El cura dio la (   ) a los recién casados.

6. **carece (carecer):** no tiene algo, le falta algo

(   ) de dinero y no puede hacer el viaje.

7. **castañas:** fruto del castaño (chestnuts)

Las (   ) tostadas son sabrosísimas.

8. **comportarse:** portarse, conducirse

Cada persona será pagada según la manera de (   ).

9. **desliz:** falta

María es una amiga sin (   ), dispuesta a ser amable con todos.

10. **me envanezco (envanecerse):** me pongo vanidoso (I become vain)

De mis notas en la clase de matemáticas no (   ).

11. **espárragos:** plantas cuyos tallos tiernos son comestibles (asparagus)

La criada prepara una ensalada de (   ) fríos.

12. **hielo:** agua solidificada por el frío (ice)

Cuando hace calor tomo limonada con mucho (   ).

13. **picantes:** que pican mucho (hot, highly seasoned)

Muchos platos mexicanos son muy (   ).

14. **pomposa:** magnífica, espléndida

Los toreros hicieron una entrada (   ).

15. **pradera:** campo, tierra fértil (meadow)

Las vacas pastaban en la (   ).

16. **regaño (regañar):** gruño, doy muestras de enfado (I grumble, I growl)

Aunque tengo que trabajar durante las vacaciones, no (   ) mucho.

17. **remolacha:** planta de raíz grande y carnosa (beet)

La (   ) tiene un color bonito.

18. **rezongonas:** gruñonas, dichas entre dientes (grumbling, muttered)

No lo estiman porque siempre dice cosas (   ).

Para la Comprensión

1. ¿En qué estación del año nacen los Rábanos?
2. ¿Qué hace la gente cada vez que ve la Cebolla?
3. ¿Qué está dispuesta a hacer la Cebolla de España?
4. ¿De qué color es el Espárrago al principio?
5. ¿En qué color lo convierte el sol?
6. ¿Cómo luce la Espinaca con su traje verde?
7. ¿Cómo crecen las Damas Zanahorias?
8. ¿Qué llevan en su cabellera?
9. Describa la Remolacha.
10. ¿Cómo se come la Alcachofa?
11. ¿Qué va a hacer la Dama Melón para no perder a sus «nenes»?
12. ¿Cómo crecen los muchachos Mostaza?
13. ¿Por qué se quedan fuera los muchachos Mostaza?
14. ¿De dónde venía la familia del Ajo?
15. ¿Qué le da el Ajo a la comida?
16. ¿Qué lleva el Plátano?
17. ¿Por qué siente mucho frío el Plátano?
18. ¿Qué contribución hace la Caña de Azúcar al alimento?
19. ¿De qué país vino el Té Verde?
20. ¿Qué clase de hombre es?
21. ¿Qué hace la Castaña en Noche Buena?
22. ¿Cómo podemos reconocer la Castaña?
23. ¿Por qué trabaja la dama Trigo?
24. ¿Cuándo está feliz ella?
25. ¿Cómo es la Nuez inglesa?

Estructura

LOS ADJETIVOS APOCOPADOS

Use el adjetivo en su forma apocopada.

MAESTRO: Jorge es un estudiante. (bueno)

ESTUDIANTE: Jorge es un buen estudiante.

MAESTRO: Gané el lugar en el concurso (primero).

ESTUDIANTE: Gané el primer lugar en el concurso.

1. Este es un ejemplo. (malo)
2. Es el día que vienen. (tercero)
3. Don Carlos es un músico. (grande)
4. Buscaremos libro para la clase. (alguno)
5. Escoja Ud. tema. (cualquiera)
6. No encontramos asiento. (ninguno)
7. Compraron naranjas. (ciento)
8. Hay niños en la clase. (veintiuno)

EJERCICIOS CREATIVOS

ENTREVISTA CON JOAQUIN DE ENTRAMBASAGUAS

1. Dé una descripción de las cualidades que posee don Joaquín de Entrambasaguas que lo hacen un gastrónomo de primera clase.
2. Imagínese que es Ud. un experto en la cocina de los Estados Unidos. ¿Cómo respondería Ud. a las mismas preguntas que hizo el reportero a don Joaquín, con respecto a nuestra cocina nacional?
3. Trate de describir sin el uso de fotos a dibujos algunos de nuestros platos más típicos. Se debe hablar en términos muy específicos y claros como si intentara convencer a un español de lo buenos que son.

LA COCINA Y SUS VINOS

4. En un párrafo describa cómo la variedad de paisaje geográfico, de clima y de vegetación de España se refleja en su cocina y sus vinos.
5. Si Ud. hiciese un viaje a España y tuviese la oportunidad de probar un plato de cada región, ¿cuál escogería y por qué? Dé una breve descripición de cada plato. ¿Qué vinos le gustaría probar?

GRACIOSOS PERSONAJES DE MI HUERTA

6. Todos conocemos las frutas comunes (como el plátano, la piña, la manzana) que podemos comprar en el mercado. No son tan bien conocidos los siguientes. Busque detalles para discutir en clase.

mango	aguacate	granada
papaya	tuna	guayaba
chirimoya		

7. De todos los platos españoles, el que ha ganado más fama universal es la paella. Es un plato sabrosísimo en el cual se combinan varios ingredientes. De una región a otra varía la preparación de este plato, sustituyéndose o añadiéndose los ingredientes accesibles. Haga Ud. una receta original para la paella y prepare Ud. para discutir en clase la variedad de ingredientes y preparaciones.

8. Cambie las palabras en letra bastardilla de la segunda persona, estilo íntimo (tú, te, tu, y los verbos), a la tercera persona o estilo formal de la segunda persona (Ud., le, su y los verbos).

GONZALO: ¡Qué suerte *encontrarte* en *tu* cuarto! Quería *invitarte* a comer conmigo.

RAMON: Gracias, Gonzalo, por la invitación. ¿Me *puedes* esperar un momento o es que *tienes* mucha prisa?

GONZALO: No, nada de eso, pero sí tengo hambre. ¿*Tú* no?

RAMON: Me muero de hambre. Sobre todo después de *oirte* hablar de la paella esta mañana.

GONZALO: Sí que es buena la paella. ¿No *te* parece?

RAMON: No sé. Nunca la he probado.

GONZALO: ¡No me *digas*! *Tienes* dos meses de estar aquí y todavía no *has comido* el plato más típico. ¡*Fíjate*! Entonces, voy a *llevarte* al mejor restorán para la paella. Quiero que *conozcas* todas las cosas buenas de mi país, y seguramente la paella valenciana es una de ellas.

RAMON: Otra vez, gracias. *Te* lo agradezco mucho.

CONFIRMACION DE ESTRUCTURAS

1 • EL HUMORISMO

Una carta a Dios

VERBOS CON PREPOSICIONES

Verbos como *comenzar, empezar, ir, ponerse, principiar,* y *venir* llevan *a* con el infinitivo.

1. Comenzó a nevar.
2. Comenzó a soplar.
3. Comenzó a helar.
4. Comenzó a hacer fresco.
5. Comenzó a hacer viento.
6. Comenzó a hacer calor.
7. Vengan a escuchar.
8. Vengan a trabajar.
9. Vengan a leer.
10. Vengan a sembrar.
11. Vengan a escribir.
12. Vengan a cenar.
13. Vengan a oir.
14. Vengan a firmar.

EL ARTICULO NEUTRO *LO*

Cualquier adjetivo empleado como sustantivo puede llevar el artículo neutro *lo* si no se refiere a nombre masculino (*el niño bueno → el bueno*) o femenino (*la niña buena → la buena*).

1. Lo último me parece interesante.
2. Lo fantástico me parece interesante.
3. Lo contrario me parece interesante.
4. Lo difícil me parece interesante.
5. Lo fácil me parece interesante.
6. Lo irónico me parece interesante.
7. Lo cómico me parece interesante.
8. Hablaron de lo espléndido de la comida.
9. Hablaron de lo interesante del libro.
10. Hablaron de lo importante de las elecciones.
11. Hablaron de lo irónico de la carta.
12. Hablaron de lo apropiado del adjetivo.

EL IMPERFECTO CON *CADA VEZ QUE*

1. Hablábamos de las películas cada vez que salía el profesor.
2. Me levantaba cada vez que sonaba el timbre.
3. Soñaba cada vez que me dormía.
4. El actor salía cada vez que le aplaudían.

EL IMPERFECTO + *CUANDO* + EL *PRETERITO*

El imperfecto de *estar* (*estábamos*) con participio presente (*jugando*) expresa acción continuada incompleta en el pasado. El pretérito (*llegó*) expresa acción terminada.

1. Estábamos jugando cuando llegó Juan.
2. Estábamos leyendo cuando llegó Juan.
3. Estábamos bailando cuando llegó Juan.
4. Estábamos cocinando cuando llegó Juan.
5. Estábamos escribiendo cuando llegó Juan.
6. Estábamos cantando cuando llegó Juan.
7. Estábamos comiendo cuando llegó Juan.
8. Estábamos trabajando cuando llegó Juan.
9. Estábamos estudiando cuando llegó Juan.
10. Estábamos durmiendo cuando llegó Juan.

EL ARTICULO NEUTRO *LO*

1. Comimos lo más sabroso.
2. Se fijaron en lo más importante.
3. Arregló todo lo descompuesto.
4. Olvidarás todo lo feo.
5. A veces escogen lo más típico.
6. Buscabas lo más fresco.
7. Nos dieron lo mejor.
8. Nos dieron lo más grande.
9. Nos dieron lo típico.
10. Nos dieron lo contrario.
11. Nos dieron lo más feo.
12. Nos dieron lo peor.
13. Nos dieron lo más bonito.

Los tres cuervos

EL VERBO *IR*

1. Nosotros vamos a comunicarlo a la oficina.
2. Miguel va a comunicarlo a la oficina.
3. Tú vas a comunicarlo a la oficina.
4. Los soldados van a comunicarlo a la oficina.
5. Elena va a comunicarlo a la oficina.
6. Ud. va a comunicarlo a la oficina.

EJERCICIOS CON EL IMPERFECTO
Y EL PRETERITO

1. Estábamos leyendo cuando empezó a llover.
2. Estábamos leyendo cuando sonó el teléfono.
3. Estábamos leyendo cuando vino mi tía.
4. Estábamos leyendo cuando me llamó.
5. Hablamos con Juan toda la mañana. Estuvimos hablando con Juan toda la mañana.
6. Hablamos con Juan hasta que dejó de llover. Estuvimos hablando con Juan hasta que dejó de llover.
7. Hablamos con Juan hasta medianoche. Estuvimos hablando con Juan hasta medianoche.
8. Hablamos con Juan durante dos horas. Estuvimos hablando con Juan durante dos horas.
9. Hablamos con Juan todo el santo día. Estuvimos hablando con Juan todo el santo día.
10. Estuvimos cortando el césped hasta que empezó a llover.
11. Estuvimos jugando con los niños hasta que empezó a llover.
12. Estuvimos caminando en el parque hasta que empezó a llover.
13. Estuvimos comiendo en el jardín hasta que empezó a llover.
14. Estuvimos practicando el español hasta que empezó a llover.
15. Estuvimos bailando en el patio hasta que empezó a llover.
16. Juan estuvo bailando toda la tarde.
17. Juan y María estuvieron bailando toda la tarde.
18. Tu prima estuvo bailando toda la tarde.
19. Tú estuviste bailando toda la tarde.
20. Yo estuve bailando toda la tarde.
21. Estábamos comiendo cuando empezó a llover.
22. Estábamos esperando a María cuando empezó a llover.
23. Estábamos estudiando cuando empezó a llover.
24. Estábamos hablando del tiempo cuando empezó a llover.
25. Estábamos escribiendo una carta cuando empezó a llover.
26. Estábamos durmiendo cuando empezó a llover.

Importancia de los signos de puntuación

EL SUBJUNTIVO CON EXPRESIONES
IMPERSONALES

Use el subjuntivo con expresiones impersonales + *que*.

34. Es dudoso que venga Eduardo hoy.
35. Es mejor que venga Eduardo hoy.
36. Es fácil que venga Eduardo hoy.
37. Es conveniente que venga Eduardo hoy.
38. Es difícil que venga Eduardo hoy.
39. Es preferible que venga Eduardo hoy.
40. Es raro que venga Eduardo hoy.
41. Es posible que venga Eduardo hoy.
42. Es necesario que Ud. oiga.
43. Es necesario que Ud. sepa.
44. Es necesario que usted siga.
45. Es necesario que usted salga.
46. Es necesario que usted venga.
47. Es dudoso que él lo haga.
48. Es dudoso que él lo traiga.
49. Es dudoso que él lo sea.
50. Es dudoso que él lo dé.
51. Es dudoso que él lo tenga.

2 • TIPOS DEL MUNDO HISPANICO

El rastreador

MODISMO: *VOLVER A* + INFINITIVO

Volver **lleva *a* con el infinitivo y expresa la repetición de la acción.**

1. No volvemos a viajar en tren.
2. Volveremos a ver esa película.
3. Vuelve a sonar el teléfono.
4. Volverán a ir a la tienda.
5. Volví a comer huevos con jamón.
6. Volviste a revelar el secreto.

EL PLUSCUAMPERFECTO

Dijeron (pretérito) expresa tiempo pasado. *Había* + participio pasado (pluscuamperfecto) expresa pasado anterior al otro pasado o antepasado.

10. Dijeron que no habíamos visto la mejor parte.
11. Dijeron que Elena no había lavado la ropa.
12. Dijeron que el caballo había tirado la carreta calle abajo.
13. Dijeron que tú no habías estudiado la lección.
14. Dijeron que Uds. habían viajado mucho.
15. Dijeron que yo no había pagado la cuenta.
16. Dijeron que Pablo y Paco se habían perdido en la muchedumbre.
17. Dijeron que tú y yo habíamos colaborado con el enemigo.

MODISMO: *HACER* + EXPRESION DE TIEMPO

Use *que* + pluscuamperfecto con *hacía* + expresión de tiempo. Omita el *que* cuando el verbo principal precede a hacer.

1. Hacía una hora que había venido mi hermana.
2. Hacía tres semanas que lo había visto.
3. Hacía cinco días que habían escogido el modelo.
4. Hacía media hora que te habías desayunado.
5. Hacía varios días que había llegado.
6. Quitamos el letrero hace dos años.
7. José vendió el piano hace un mes.
8. Nos invitó a cenar hace tres días.
9. Recibí su carta hace mucho tiempo.

MODISMO: *DARSE CUENTA (DE)*

Los pronombres reflexivos son:

(yo) *me*	(nosotros) *nos*
(tú) *te*	(vosotros) *os*
(Ud., él, ella) *se*	(Uds., ellos, ellas) *se*

1. Nos dimos cuenta de su cumpleaños.
2. Nos dimos cuenta de la fiesta.
3. Nos dimos cuenta de la función.
4. Nos dimos cuenta del juego.
5. Nos dimos cuenta del peligro.
6. Nos dimos cuenta de la ventaja.
7. Nos dimos cuenta de la sorpresa.
8. Nosotros pronto nos daremos cuenta del problema.
9. Yo pronto me daré cuenta del problema.
10. Ellas pronto se darán cuenta del problema.
11. Ella pronto se dará cuenta del problema.
12. Maruja pronto se dará cuenta del problema.
13. Paco y yo pronto nos daremos cuenta del problema.

El matador

EL SUPERLATIVO CON *-ISIMO*

1. El camino es larguísimo.
2. Tú eres guapísima.
3. Los cuartos son pequeñísimos.
4. Esta agua es purísima.
5. Las nubes se ven blanquísimas.
6. Estoy cansadísimo.

SUBJUNTIVO: CONCORDANCIA DE TIEMPOS

El presente de indicativo en la oración principal lleva el presente de subjuntivo en la subordinada. El pretérito de indicativo lleva el imperfecto de subjuntivo.

1. Me dice que venga a las tres. Me dijo que viniera a las tres.
2. Me dice que ayude a María. Me dijo que ayudara a María.
3. Me dice que busque la corbata roja. Me dijo que buscara la corbata roja.

4. Me dice que no vuelva tarde. Me dijo que no volviera tarde.
5. Me dice que lleve la carta al profesor. Me dijo que llevara la carta al profesor.
6. Me dice que coma la sopa. Me dijo que comiera la sopa.

Campito, payador de Pachacama

EL SUBJUNTIVO CON *PARA QUE*

1. Traeré los libros para que estudien.
2. Traeré los libros para que estudiemos.
3. Traeré los libros para que estudie.
4. Traeré los libros para que estudie.
5. Arregló la cama para que me acostara.
6. Arregló la cama para que nos acostáramos.
7. Arregló la cama para que se acostara.
8. Arregló la cama para que se acostara Juan.
9. Arregló la cama para que te acostaras.
10. Arregló la cama para que se acostara.
11. Compraremos un jabón para que te bañes.
12. Compraremos un jabón para que se bañe.
13. Compraremos un jabón para que me bañe.
14. Compraremos un jabón para que se bañen.
15. Compraremos un jabón para que se bañe.
16. Compraremos un jabón para que se bañen.
17. Cantaron en la fiesta para que no nos enfadáramos.
18. Cantaron en la fiesta para que no te enfadaras.
19. Cantaron en la fiesta para que no se enfadara.
20. Cantaron en la fiesta para que no me enfadara.
21. Cantaron en la fiesta para que no se enfadaran Uds.
22. Cantaron en la fiesta para que no se enfadaran.
23. Tocan los discos para que nos divirtamos.
24. Tocan los discos para que te diviertas.
25. Tocan los discos para que se divierta.
26. Tocan los discos para que me divierta.
27. Tocan los discos para que se divierta.
28. Tocan los discos para que se diviertan.
29. Llevaste un cuchillo para que cortáramos la carne.
30. Llevaste un cuchillo para que cortara la carne.
31. Llevaste un cuchillo para que cortaran la carne.
32. Llevaste un cuchillo para que cortara la carne.
33. Llevaste un cuchillo para que cortara la carne.
34. Llevaste un cuchillo para que cortaran la carne.
35. Llevaste un cuchillo paro que cortara la carne.
36. Llevaste un cuchillo para que cortaran la carne.
37. Llevaste un cuchillo para que cortaramos la carne.
38. Llevaste un cuchillo para que cortara la carne.

EL SUBJUNTIVO CON OTRAS
CONJUNCIONES + *QUE*

1. Traeremos el libro para que repitan la lección.
2. Traeremos el libro para que comprendan mejor.
3. Traeremos el libro para que escojan un modelo.
4. Traeremos el libro para que se fijen en los nombres.
5. Compraré el coche antes de que pintes la casa.
6. Compraré el coche antes de que arregles el jardín.
7. Compraré el coche antes de que gastes el dinero.
8. Compraré el coche antes de que acabes el curso.
9. Compraré el coche antes de que pagues la cuenta.
10. Arreglarán la puerta con tal (de) que escojamos la pintura.
11. Arreglarán la puerta con tal (de) que olvidemos lo que pasó.
12. Arreglarán la puerta con tal (de) que paguemos pronto.

Confirmación de estructuras 383

13. Arreglarán la puerta con tal (de) que compremos otra cortina.
14. Arreglarán la puerta con tal (de) que estemos contentos.
15. No arreglarán la puerta a menos que escojamos la pintura.
16. No arreglarán la puerta a menos que olvidemos lo que pasó.
17. No arreglarán la puerta a menos que paguemos pronto.
18. No arreglarán la puerta a menos que compremos otra cortina.
19. No arreglarán la puerta a menos que estemos contentos.

CONJUNCIONES Y CONCORDANCIA DEL SUBJUNTIVO

El futuro y el presente de indicativo en la oración principal llevan el presente de subjuntivo en la subordinada. El imperfecto y el pretérito de indicativo llevan el imperfecto de subjuntivo.

1. Dejaba a la niña a menos que lloviera.
2. Volví pronto con tal que me esperaran.
3. Me quedé en caso de que llamaran por teléfono.
4. Los bañaba antes de que se acostaran.

3 • EL HEROISMO

Bolívar

EL ARTICULO INDEFINIDO CON PREDICADO NOMINAL MODIFICADO

1. Ese hombre es un poeta famoso.
2. Mi amigo es un profesor bueno.
3. Bolívar fue un militar célebre.
4. Tu hermano es un soldado valiente.
5. Quiere ser un orador conocido.
6. Juan es un español alto.
7. Ese señor es un catalán orgulloso.
8. Ese joven es un colombiano simpático.

9. El caballero es un venezolano rico.
10. Mi tío es comerciante.
11. Bolívar fue militar.
12. Mi hermano es carpintero.
13. Quiere ser artista.
14. El amigo de Juan es soldado.
15. Pedro es vasco.
16. Es torero.
17. Ese viejo es peruano.
18. Don Ramón es mexicano.

USO DE *SINO*

11. No quiero pesos sino dólares.
12. No quiero camisa sino suéter.
13. No quiero leche sino agua.
14. No quiero pastel sino helado.
15. No quiero café sino chocolate.
16. No quiero enemigos sino amigos.
17. No quiero una novela francesa sino una novela española.
18. No quiero un radio sino un televisor.

El Alcázar no se rinde

FORMAS DEL IMPERATIVO

El imperativo con *Ud., Uds.* tiene la misma forma que el presente de subjuntivo.

1. Canten Uds. en voz alta.
2. Busquen Uds. un libro nuevo.
3. Caminen Uds. despacio.
4. Respondan Uds. en español.
5. Toquen Uds. la campana.
6. Duerman Uds. en esa cama.
7. Vayan Uds. al centro.
8. Arrojen Uds. el papel.
9. No pida Ud. un vaso de agua.
10. No cante Ud. en voz alta.
11. No busque Ud. un libro nuevo.
12. No camine Ud. despacio.
13. No responda Ud. en español.
14. No toque Ud. la campana.
15. No duerma Ud. en esa cama.
16. No vaya Ud. al centro.
17. No arroje Ud. el papel.

El imperativo plural, estilo familiar, se forma cambiando la *r* del infinitivo a *d:*

leer   *leed*
escribir   *escribid*
dar   *dad*

18. Leed en español.
19. Escribid en la pizarra.
20. Dad un grito.
21. Hablad con entusiasmo.
22. Buscad por todas partes.
23. Abrid las ventanas.
24. Cerrad las ventanas.
25. Comed despacio.

La forma negativa del imperativo es igual al presente de subjuntivo:

no leas (tú)
no lea (Ud.)
no lean (Uds.)

26. No leas en español.
27. No escribas en la pizarra.
28. No des un grito.
29. No hables con entusiasmo.
30. No busques por todas partes.
31. No abras las ventanas.
32. No cierres las ventanas.
33. No comas despacio.
34. Y bien, señores, vamos a responder en español.
35. Y bien, señores, vamos a seguir este camino.
36. Y bien, señores, vamos a escribir la carta juntos.
37. Y bien, señores, vamos a comer ahora mismo.
38. Y bien, señores, vamos a mirar al maestro.
39. Y bien, señores, vamos a preparar una buena comida.
40. Y bien, señores, vamos a jugar al béisbol.
41. Y bien, señores, vamos a repetir las oraciones en coro.
42. Y bien, señores, vamos a leer de la vida de Bolívar.

SUBJUNTIVO COMO MANDATO INDIRECTO

El presente de subjuntivo con *que* expresa deseo, y se puede usar como mandato indirecto.

11. Que entren las chicas.
12. Que lo lean los alumnos.
13. Que lo escriban los jóvenes.
14. Que descansen en paz.
15. Que sufran los culpables.
16. Que lo hagan los amigos de Juan.
17. Que lo reciten ellos.
18. Que nos visiten ellas.
19. Que salgan las criadas.
20. Que salgan ellos.
21. Que lean los alumnos.
22. Que descanse el obrero.
23. Que se levanten los hombres.
24. Que trabaje el perezoso.
25. Que cante la chica.
26. Que baile Rosa.
27. Que responda él.
28. Que se acuesten los niños.

Héroes de una aventura que glorifica a España

ADVERBIOS TERMINADOS EN *-MENTE*

11. El coronel se levantó pausadamente.
12. Les habló tranquilamente.
13. Cruzaron el río penosamente.
14. Se encontraron frecuentemente.
15. Estudió la lección detenidamente.
16. Eran las diez aproximadamente.
17. Salió de la clase rápidamente.
18. La niña cantó dulcemente.

4 · LA LEYENDA

El lago encantado

MODISMOS: *NO + VERBO + NADA; NO + VERBO + QUE*

1. No habrá qué hacer.
2. No llevaré qué tomar.
3. No trajiste qué estudiar.

4. No tenía qué comprar.
5. No hay qué corregir.
6. No hallarán qué envolver.

PRONOMBRE COMO COMPLEMENTO INDIRECTO

1. Trató de conseguirle la urna.
2. Trató de darle la urna.
3. Trató de ofrecerle la urna.
4. Trató de entregarle la urna.
5. Trató de prestarle la urna.
6. Trató de dejarle la urna.
7. Me consiguieron el libro de historia.
8. Me dieron el libro de historia.
9. Me robaron el libro de historia.
10. Me ofrecieron el libro de historia.
11. Me entregaron el libro de historia.
12. Me quitaron el libro de historia.
13. Me dejaron el libro de historia.

LA VOZ PASIVA CON SE

La construcción con *se* hace oficio de voz pasiva cuando el sujeto es desconocido o no tiene interés.

1. Se hará el trabajo. El trabajo se hará.
2. Se pintó la casa. La casa se pintó.
3. Se vende el coche. El coche se vende.
4. Se corta el césped. El césped se corta.
5. Se lavó el traje. El traje se lavó.
6. Se comprará la medicina. La medicina se comprará.
7. Se cierran los bancos los domingos.
8. Se contestaron las cartas ayer.
9. Se sabrán las noticias mañana.
10. Se llenaron las canastas.
11. Se rompieron los platos.
12. Se repetirán las lecciones.

El pirata sin cabeza

SUSTANTIVOS MASCULINOS QUE TERMINAN EN A

Son femeninos la mayoría de los nombres terminados en *a,* pero son masculinos los de origen griego como: *el planeta, el mapa, el cometa, el problema, el sistema.*

1. ¿Cuáles son los cometas?
2. ¿Cuáles son los problemas?
3. ¿Cuáles son los sistemas?
4. ¿Cuáles son los síntomas?
5. ¿Cuáles son los temas?
6. ¿Cuáles son los emblemas?
7. ¿Cuáles son los piratas?
8. ¿Cuáles son los colegas?

ADJETIVOS POSESIVOS

1. Tráeme la guitarra mía. Tráeme las guitarras mías.
2. Toma el cuadro tuyo. Toma los cuadros tuyos.
3. Vete a la amiga tuya. Vete a las amigas tuyas.
4. Dame el retrato suyo. Dame los retratos suyos.
5. Mira la corbata suya. Mira las corbatas suyas.
6. Lee el artículo nuestro. Lee los artículos nuestros.
7. Ven a la fiesta nuestra. Ven a las fiestas nuestras.

PRONOMBRES POSESIVOS

1. ¿Dónde está la mía? ¿Dónde están las mías?
2. ¿Dónde está el mío? ¿Dónde están los míos?
3. ¿Dónde está el nuestro? ¿Dónde están los nuestros?
4. ¿Dónde está la nuestra? ¿Dónde están las nuestras?
5. ¿Dónde está el tuyo? ¿Dónde están los tuyos?
6. ¿Dónde está la tuya? ¿Dónde están las tuyas?
7. ¿Dónde está el suyo? ¿Dónde están los suyos?
8. ¿Dónde está la suya? ¿Dónde están las suyas?

Las sirenas del río Ulúa

VERBOS DE CAMBIO ORTOGRAFICO
(-GER, -GIR)

El sonido de g en *corregir, recoger, elegir, etc.,* se representa con la letra *j* delante de *a, o, u: ja, ge, gi, jo, ju.*

Presente de Indicativo y Presente de Subjuntivo

1. Sí, siempre los escojo.
2. Sí, siempre las elijo.
3. Sí, siempre los dirijo.
4. Sí, siempre las corrijo.
5. Sí, siempre las protejo.
6. Sí, siempre los exijo.
7. Quiero que nosotros recojamos las cartas.
8. Quiero que ellos recojan las cartas.
9. Quiero que María recoja las cartas.
10. Quiero que mis amigos recojan las cartas.
11. Quiero que ella recoja las cartas.
12. ¿Quieres que nosotros corrijamos a los niños?
13. ¿Quieres que yo corrija a los niños?
14. ¿Quieres que Elisa corrija a los niños?
15. ¿Quieres que mis tíos corrijan a los niños?
16. ¿Quieres que mi tío y yo corrijamos a los niños?
17. Juan quiere que mi tío y yo protejamos los documentos.
18. Juan quiere que tú protejas los documentos.
19. Juan quiere que Marta proteja los documentos.
20. Juan quiere que ellas protejan los documentos.
21. Juan quiere que Jorge proteja los documentos.
22. Queremos que tú escojas el postre.
23. Queremos que él escoja el postre.
24. Queremos que ellos escojan el postre.
25. Queremos que Juan escoja el postre.
26. Queremos que Marta y Juan escojan el postre.
27. Quieren que tú lo dirijas.
28. Quieren que él lo dirija.
29. Quieren que nosotros lo dirijamos.
30. Quieren que ellos lo dirijan.
31. Quizá Juan proteja al niño.
32. Quizá escojan los colores para las cortinas.
33. Quizá corrija Marta el trabajo.
34. Quizá elijamos un nuevo presidente.
35. Quizá dirijan el negocio de su tío.
36. Quizá escoja Pedro el menú para mañana.
37. Quizá lo recojamos antes de la fiesta.

5 • LA SUPERSTICION

El trovador

POSICION DEL COMPLEMENTO INDIRECTO

Ponga antes del verbo el pronombre personal como complemento directo o indirecto:

> *Los* están friendo.
> *Se lo* estaban arreglando.

Como variación de estilo puede ir después del verbo:

> Están friéndo*los.*
> Estaban arreglándo*selo.*

Ponga el pronombre después del verbo en órdenes afirmativas:

> Búsca*lo.*
> Pónga*lo.*

En órdenes negativas los pronombres preceden:

> *No lo ponga.*
> *No se lo busque.*

1. Los están friendo para la cena.
2. Lo estoy buscando en el periódico.
3. Lo estabas preparando cuando llegamos.
4. Se lo estaban arreglando ayer.
5. Le estábamos haciendo burla.

LOS ADVERBIOS TEMINADOS EN *-MENTE*

Muchos adjetivos forman adverbios con *-mente:*

alto, alta	*altamente*
bueno, buena	*buenamente*
rico, rica	*ricamente*
reciente	*recientemente*

Confirmación de estructuras   387

Use la base femenina (alta, buena, rica).

1. Generalmente los muchachos no comen mucho.
2. Recientemente los muchachos no comen mucho.
3. Efectivamente los muchachos no comen mucho.
4. Continuamente los muchachos no comen mucho.
5. Estudian tres horas generalmente.
6. Estudian tres horas continuamente.
7. Estudian tres horas precisamente.
8. Estudian tres horas detenidamente.
9. ¿Escribes diariamente el inglés?
10. ¿Escribes perfectamente el inglés?
11. ¿Escribes continuamente el inglés?
12. ¿Escribes generalmente el inglés?

MODISMO: *RECIEN* + PARTICIPIO PASADO

1. Este hombre esta recién casado. Es un hombre recién casado.
2. Esas flores están recién cortadas. Son flores recién cortadas.
3. Esta casa está recién pintada. Es una casa recién pintada.
4. Ese libro está recién publicado. Es un libro recién publicado.
5. El piano está recién comprado. Es un piano recién comprado.

El tesoro de Buzagá

EL SUBJUNTIVO: CONCORDANCIA DE TIEMPO

Subjuntivo: Use *que* + presente de subjuntivo en la oración subordinada con el futuro en la oración principal o subordinante:

> *Esperaremos* a *que lleguen*
> Dice que *esperará* a *que llegue*

Use *que* + imperfecto de subjuntivo en la oración subordinada con el pretérito o el condicional en la principal o subordinante:

> Dijo que *esperaría* a *que llegara*
> Dijo que *esperó* a *que llegara*

1. Esperaremos a que los muchachos lleguen con el coche.
2. Esperaremos a que mi hermano traiga los helados.
3. Esperaremos a que mis amigos las escriban.
4. Esperaremos a que tu tío nos lo regale.
5. Esperaremos a que los jóvenes les hablen.
6. Esperaremos a que Carlos vaya pronto.
7. Esperaremos a que tengas más tiempo.
8. Dijo que esperaría a que llegaran los muchachos.
9. Dijo que esperaría a que trajeran los helados.
10. Dijo que esperaría a que Lalo las escribiera.
11. Dijo que esperaría a que me llamaras por teléfono.
12. Dijo que esperaría a que Lope pasara por la casa.
13. Dijo que esperaría a que tuviéramos que salir.

La lechuza

POR Y PARA

Use *para* cuando quiera indicar el objetivo proyectado (punto, tiempo, estado, motivo):

> *Venían para la casa*
> Iremos *para Navidad*

Use *por* cuando quiera indicar razón o causa, substitución, o marco (lugar, tiempo):

Lo veremos *por Navidad* (marco: tiempo)
Caminó *por el parque* (marco: lugar)
Escribió la carta *por su hermano* (substitución)
Un peso por el boleto (substitución)
Iré al campo por las flores (razón o causa)

1. Venían para la casa.
2. Caminaba para el centro.
3. Viajan para Europa.
4. Corría para la tienda.
5. Lo traerán para diciembre.
6. Lo veremos para Navidad.

7. Iremos para su cumpleaños.
8. Estará terminado para 1980.
9. Lo tendremos para enero.
10. Lo traerán por diciembre.
11. Lo veremos por Navidad.
12. Iremos por su cumpleaños.
13. Estará terminado por 1980.
14. Lo tendremos por enero.
15. Caminó por el parque.
16. Estuvieron por el bosque.
17. Caminamos por la escuela.
18. Anduvimos por la selva.
19. Los vio por la playa.
20. Yo lo llevé al centro por Pedro.
21. Fuimos al mercado por María.
22. ¿Hiciste la cena por tu mamá?
23. Escribió la carta por su hermano.
24. Hizo el viaje por el presidente.
25. Les ofrecí un peso por el boleto.
26. ¿Me das tu libro por mi pluma?
27. Nos prometió uno nuevo por el viejo.
28. Te daría todo mi dinero por tu tocadiscos.
29. Pidió un suéter rojo por el verde.
30. Iré al campo por las flores.
31. Fue a Acapulco por su mamá.
32. Entremos a la tienda por unos dulces.
33. ¿Cuándo vas a la escuela por los libros?
34. Quisiéramos ir a la ciudad por mi hermano.
35. Entraron a la casa por su abrigo.

6 • PRECEPTOS PARA JOVENES HISPANOHABLANTES

Cinco requisitos para ser una novia feliz

PREPOSICIONES CON COMPLEMENTOS
PERSONALES: *CON, PARA, POR, SIN, DE*

La forma reflexiva de los pronombres personanales con la preposición *con* es:

(yo) *conmigo*
(tú) *contigo*
(Ud., él, ella) *consigo*

(nosotros) *con nosotros (-as)*
(vosotros) *con vosotros (-as)*
(Uds., ellos, ellas) *consigo*

8. Tú llevarás el premio contigo.
9. Ud. llevará el premio consigo.
10. Roberto llevará el premio consigo.
11. Felipe y Luis llevarán el premio consigo.
12. Yo llevaré el premio conmigo.
13. Nosotros llevaremos el premio con nosotros.
14. Uds. llevarán el premio consigo.

La forma no reflexiva del pronombre personal con la preposición *con* es:

conmigo	con nosotros
contigo	con vosotros
con Ud.	con Uds.
con él, ella, ello	con ellos, ellas

24. Quieren ir con Ud.
25. Quieren ir contigo.
26. Quieren ir con nosotros.
27. Quieren ir con él.
28. Quieren ir con Uds.
29. Quieren ir conmigo.
30. Quieren ir con ellos.

La forma del pronombre personal en frase de preposición es:

$$\left.\begin{array}{c} \text{sin} \\ \text{por} \\ \text{para} \\ \text{de} \end{array}\right\} + \left\{\begin{array}{l} \textit{mí} \\ \textit{ti} \\ \textit{si} \\ \textit{Ud.} \\ \textit{él, ella, ello} \\ \textit{nosotros} \\ \textit{vosotros} \\ \textit{Uds.} \\ \textit{ellos ellas} \end{array}\right.$$

39. Salieron sin ella.
40. Pasan por Ud.
41. Es para ellos.
42. Está cerca de ti.
43. Fueron con Uds.

44. Son para nosotros.
45. Están lejos de Ud.
46. Se fue sin ellos.

MANDATOS DE VERBOS REFLEXIVOS

Ponga el pronombre reflexivo después del verbo en las órdenes afirmativas:

Párate
Levántese

Póngalo antes del verbo en las órdenes negativas:

No *te* pares
No *se* siente

1. Levántese al entrar la señora.
2. Siéntese con sus compañeras.
3. Muévase con cuidado.
4. Mírense en el agua.
5. Quítese el sombrero.
6. Póngase el traje de luces.
7. Báñese en el lago.
8. Lávense las manos.
9. No se siente cerca de mí.
10. No se mueva ahora.
11. No se miren en el espejo.
12. No se pongan los calcetines.
13. No se quite la chaquetilla.
14. No se bañen esta noche.
15. No se lave las manos con jabón.
16. No se acuesten a las diez.
17. Párate delante del espejo.
18. Quédate en el coche.
19. ¡Imagínate un torero!
20. Cállate o me voy.
21. Acuérdate de las direcciones.
22. Tómate la medicina.
23. Considérate afortunado.
24. Cálmate, no hay peligro.
25. Cómete tu sopa.
26. No te quedes a ver el programa.
27. No te calles. Lo vas a olvidar.
28. No te acuerdes de nuestra promesa.
29. No te sientes aquí a mi lado.
30. No te levantes para ofrecerle la silla.
31. No te pongas la camisa nueva.

Abecé del amor

PRONOMBRES RELATIVOS: *QUE, CUAL, QUIEN*

Los pronombres relativos pueden enlazar una oración subordinada con un nombre de la oración principal:

Vimos *la capital, que está en fiestas.*
Vimos *la capital, la cual* está en fiestas.
Vimos a *Juan, a quien saludé.*

Use *quien* para personas cuando no es sujeto:

Juan, a quien, de quien, con quien

Use *que* para personas como sujeto:

Consuelo, que tiene . . . Juan, que vive

Use *que* o *cual* para lo demás:

la capital, que . . . la capital, la cual

***Quien* y *cual* concuerdan en número con el antecedente:**

Llegó *la señora, a quien*
Llegaron *las señoras, a quienes*
Llegó *el día de la fiesta, el cual*

El artículo concuerda también en género y número con el antecedente:

Llegó *el día, el cual*
Llegaron *las fiestas, las cuales*

1. Vivirás en esta casa que es mi hogar.
2. Sabes la primera lección que es amar y honrar a tu marido.
3. Todas no aprenden el no que es una lección importante.
4. Acepta este regalo que es mi corazón.
5. En el parque hemos visto a los jóvenes que son novios.
6. Estoy en la casa de Consuelo que tiene unas revistas nuevas.
7. Fuimos a Santiago que cuenta con muchos lugares bellos.
8. Leímos de Lima que conserva sus tradiciones antiguas.
9. Pasaron por la sala y por el comedor, el cual es grande.

10. Me habló de las costumbres del país, las cuales son interesantes.
11. Nos dio la llave del edificio, la cual llevo aquí.
12. Le dieron el libro, el cual era muy pequeño.
13. Dará exhibiciones en el museo, a las cuales ha invitado a sus amigos.
14. Nos dijo los detalles de las cartas, los cuales eran chistosos.
15. Me mostró los documentos y las cartas, los cuales encontré interesantes.
16. En la isla había oro, el cual llevaron consigo.
17. ¿Llegó la señora de quien compré mi coche?
18. Ha venido Pablo de quien te escribí.
19. Conozco a tus padres con quienes fui a la corrida.
20. Saqué fotos del torero con quien seguí platicando.
21. Esperamos a Vicente a quien llamamos hace poco.
22. Pronto entró Aurora a quien saludamos cordialmente.
23. Estos son mis vecinos de quienes recibí una tarjeta postal.
24. Se rieron de los espectadores a quienes vieron en la plaza.

El arte de decir «no»

EJERCICIOS DE SUSTITUCION CON LOS PRONOMBRES REDUNDANTES

Las formas del pronombre como complemento indirecto y con la preposición *a* son:

a mí	*me*	a nosotros	*nos*
a ti	*te*	a vosotros	*os*
a Ud.		a Uds.	
a él	*le*	a ellos	*les*
a ella		a ellas	
a ello			

Para dar énfasis o evitar ambigüedad se expresan las dos formas:

a él le gusta
a ti te significa

En general se expresa sólo el segundo pronombre:

nos resultan graves
me gusta la feria

1. Esas atenciones nos resultan graves.
2. Esas atenciones nos resultan serias.
3. Esas atenciones nos resultan ridículas.
4. Esas atenciones nos resultan incómodas.
5. Esas atenciones nos resultan una pérdida de tiempo.
6. A ti te resultan molestas estas noticias.
7. A ti te resultan serias estas noticias.
8. A Uds. les resultan serias estas noticias.
9. A Uds. les resultan graves estas noticias.
10. A Pablo le resultan graves estas noticias.
11. A Pablo le resultan incómodas estas noticias.
12. A los interesados les resultan incómodas estas noticias.
13. A ti te significa una pérdida de tiempo.
14. A ti te significa una inconveniencia.
15. A los padres les significa una inconveniencia.
16. A los padres les significa un honor.
17. A mí me significa un honor.
18. A mí me significa una catástrofe.
19. A nosotros nos significa una catástrofe.
20. A nosotros nos significa una maravilla.
21. Me gusta la feria.
22. Me gustan las tertulias.
23. Me gusta hacer compras en esta tienda.
24. Me gustan los toros.
25. Me gusta el letrero.
26. A mí me gusta esa película.
27. A los estudiantes les gusta esa película.
28. A ti te gusta esa película.
29. A Ud. le gusta esa película.
30. A él le gusta esa película.
31. A Uds. les gusta esa película.
32. A ellos les gusta esa película.
33. A María le gusta esa película.

7 · EL INDIO

La yaqui hermosa

FORMAS Y EXPRESIONES NEGATIVAS

Expresiones afirmativas y negativas opuestas:

a veces   *nunca*   alguna   *ninguna*

también	tampoco	alguien	nadie
algún	ningún	algo	nada
alguno	ninguno		

1. Ninguna de las mujeres dejó su bolsa.
2. Nunca tengo dolor de cabeza.
3. A nadie le gustará este libro.
4. Yo tampoco compré boletos para la función.
5. Nada llegará en el correo de hoy.
6. Ningún periódico publicará esta noticia.
7. Nunca vamos a nadar al río.
8. Nadie me ofreció un refresco.
9. Tampoco nos lo sirvieron frío.
10. Nada fantástico pasó en el teatro.

Construcción negativa con *no*:

íbamos	no íbamos
encontraron	no encontraron
llevará	no llevará

Use *no* delante del verbo para la construcción negativa. La construcción negativa doble es correcta en español: *llevará algo: no llevará nada.*

11. No iba a venir nadie a la casa.
12. No compramos tampoco limonadas.
13. No quería hablar con ninguna maestra.
14. En mi pueblo no hace mucho calor nunca.
15. Jorge no quiere tomar nada.
16. No vamos de vacaciones nunca en el invierno.
17. No encontraré ningún buen restorán.
18. No llamará a nadie por teléfono.
19. No van a vender tampoco el coche.
20. No le contó nada a su mamá.

Construcciones de adverbio negativo con *no* y sin *no*:

no juegan nunca	nunca juegan
no quiso nadie	nadie quiso
no necesitan tampoco	tampoco necesitan

El adverbio negativo (*nadie, nunca, tampoco*) precede al verbo sin *no*, y va después del verbo con *no*.

21. Nada te ofrezco para tomar porque no tengo.

22. Nadie nos visita los lunes.
23. Nunca nos acostamos después de las diez.
24. Tampoco vieron a tu prima en la Avenida Juárez.
25. Ninguno arregló su cuarto.
26. Nada aprendí ayer.

MODISMO: *NEGARSE A*

1. Juan se negaba a lavar el coche.
2. Nos negamos a caminar al centro.
3. ¿Te niegas a hacer el viaje?
4. Se niega a ser médico.
5. Eduardo se niega a regalar su perro.
6. Me negué a servir los refrescos en botella.

Raza de bronce

MODISMOS: *PONERSE DE PIE;
PONERSE DE RODILLAS*

1. Se pusieron de rodillas para besarle la mano.
2. Te pusiste de pie en seguida.
3. María se pone de rodillas para lavar el piso.
4. Me pondré de pie para darle mi asiento.

MODISMO: *PONERSE* + ADJETIVO

1. María se puso triste cuando oyó la noticia.
2. María se puso roja cuando oyó la noticia.
3. María se puso contenta cuando oyó la noticia.
4. María se puso feliz cuando oyó la noticia.
5. María se puso enojada cuando oyó la noticia.
6. Jorge se puso alegre cuando oyó la noticia.
7. Jorge se puso triste cuando oyó la noticia.
8. Jorge se puso rojo cuando oyó la noticia.
9. Jorge se puso contento cuando oyó la noticia.
10. Jorge se puso feliz cuando oyó la noticia.
11. Jorge se puso enojado cuando oyó la noticia.
12. Mis hermanos se pusieron alegres cuando oyeron la noticia.
13. Mis hermanos se pusieron tristes cuando oyeron la noticia.

14. Mis hermanos se pusieron rojos cuando oyeron la noticia.
15. Mis hermanos se pusieron contentos cuando oyeron la noticia.
16. Mis hermanos se pusieron felices cuando oyeron la noticia.
17. Mis hermanos se pusieron enojados cuando oyeron la noticia.
18. María y Carmen se pusieron alegres cuando oyeron la noticia.
19. María y Carmen se pusieron tristes cuando oyeron la noticia.
20. María y Carmen se pusieron rojas cuando oyeron la noticia.
21. María y Carmen se pusieron contentas cuando oyeron la noticia.
22. María y Carmen se pusieron felices cuando oyeron la noticia.
23. María y Carmen se pusieron enojadas cuando oyeron la noticia.

MODISMO: *PONERSE A* + VERBO

1. Se puso a contestar las cartas.
2. Siempre te pones a trabajar muy temprano.
3. Nunca se ponían a estudiar antes de la cena.
4. ¡Qué pronto te pusiste a sembrar!
5. Ya me puse a enseñarles inglés.
6. ¿Cuándo se ponen a preparar los postres?

MODISMO: *DE VERAS*

1. De veras está bueno el cuento.
2. De veras olvidé el libro.
3. ¿De veras acabaron el helado?
4. De veras sabemos bailar muy bien.
5. ¿De veras está enfermo tu hijo?
6. De veras están estudiando español.

MODISMO: *AL* + INFINITIVO

1. Al terminar de cantar, nos aplaudieron.
2. Al abrir la puerta, viste a tu amiga.
3. Al despertarse, llámennos.
4. Al salir de la casa, tomamos un taxi.
5. Al encontrar el libro, se pondrá a estudiar.
6. Al levantarte de la mesa, tiraste la leche.

MODISMO: *EN VEZ DE*

1. Salió con María en vez de con Elisa.
2. Vamos a la ciudad en vez de al rancho.
3. Compré zapatos en vez de botas.
4. Nos vieron en el hotel en vez de en el cine.
5. Tomaremos leche en vez de café.
6. Tráenos helados en vez de dulces.
7. Compró una casa en vez de salir de vacaciones.
8. Contestó la carta en vez de leer el cuento.
9. Nos acostamos temprano en vez de esperar a Marta.
10. Viajaremos en coche en vez de tomar el avión.
11. Nadaban en la piscina en vez de jugar al beísbol.
12. Les daré este juguete en vez de comprar otro regalo.
13. Me quedaré en casa en vez de irme al cine.

¡Quién sabe!

TIEMPOS Y FRASES VERBALES

1. ¿Qué es lo que habías estudiado?
2. ¿Qué es lo que traes?
3. ¿Qué es lo que has traído?
4. ¿Qué es lo que traías?
5. ¿Qué es lo que habías traído?
6. ¿Qué es lo que comes?
7. ¿Qué es lo que necesitas?
8. ¿Qué es lo que has comido?
9. ¿Qué es lo que leías?
10. ¿Qué es lo que habías llevado?
11. ¿Qué es lo que vendes?
12. ¿Qué es lo que has leído?
13. ¿Qué es lo que llevabas?
14. ¿Qué es lo que habías vendido?
15. ¿Qué era lo que habías vendido?
16. ¿Qué era lo que comías?

8 • LA LIBERTAD

Miguel Hidalgo y Costilla

MODISMOS CON *ESTAR* Y *SER*

El verbo *estar* puede llevar como complemento una frase de preposición usada como adverbio:

está *de acuerdo; en la escuela*

un adverbio de modo: está *seguro*

un adjetivo usado como adverbio: está *alegre*

un participio pasado: está *cansado*

1. Estoy de acuerdo contigo.
2. Están de acuerdo con nosotros.
3. ¿Estás de acuerdo conmigo?
4. El profesor está de acuerdo con los alumnos.
5. Estoy de acuerdo con Marta.
6. No estamos de acuerdo con ellas.
7. Están seguros de nuestra competencia.
8. Estoy seguro de la importancia de los idiomas.
9. Las muchachas están seguras de la necesidad de esto.
10. Estamos seguros de su preparación.
11. Juan está seguro de tus conocimientos.
12. Mis amigos están seguros de nuestra participación.
13. No están seguros de nuestra competencia.
14. No estoy seguro de la importancia de los idiomas.
15. Las muchachas no están seguras de la necesidad de esto.
16. No estamos seguros de su preparación.
17. Juan no está seguro de tus conocimientos.
18. Mis amigos no están seguros de nuestra participación.
19. Estamos alegres.
20. El pan está duro.
21. Las muchachas están furiosas.
22. El césped está verde.
23. El hombre está enfermo.
24. Elena está elegante.
25. Elisa está cansada.
26. Estamos acostados.
27. Los niños están dormidos.
28. Estoy asustado.
29. Las muchachas están sentadas.
30. Tú estás aburrido.
31. La biblioteca está en la Avenida Madero.
32. Elena y Juan están en un largo viaje.
33. Las revistas están en esa mesa.
34. La familia está en el club.
35. La niña está en la escuela.

El verbo *ser* puede llevar como complemento una frase de preposición indicando origen:

es *de San Antonio, Texas*

36. Somos de San Antonio.
37. Esta loza es del Japón.
38. Elena y Elisa son de Morelia.
39. La plata es del Perú.
40. Eres de Guadalajara.
41. Las flores son de la plaza.

Con días y ollas venceremos

MODISMO: *QUITARSE* + (LA ROPA)

La conjunción *y* enlaza dos elementos equivalentes sintácticamente:

nombre con nombre: *María y Alicia*
nombre con pronombre: *Pedro y yo*
pronombre con pronombre: *Tú y yo*

Por cortesía, *yo* se pone al final.

1. Pedro y yo nos quitaremos el saco.
2. Mi primo y José se quitan los zapatos.
3. Marta y Elisa se quitaron el suéter.
4. Tú y yo nos quitamos la camisa.

MODISMO: *SIN EMBARGO*

La expresión *sin embargo* enlaza dos oraciones e indica que la segunda es contraria (o excepción) a la primera:

Comí. Sin embargo, no tenía hambre.

1. No leí el libro. Sin embargo, me gustaría mucho.

2. No encontraron asiento. Sin embargo, llegaron a tiempo.
3. Fue a la fiesta. Sin embargo, no sabe bailar.
4. Quiere hacer el viaje. Sin embargo, no tiene coche.
5. No tardaremos en llegar. Sin embargo, está lejos.
6. Seguiremos estudiando. Sin embargo, estamos muy cansados.

MODISMO: *PONERSE* + (LA ROPA)

El pronombre reflexivo (*me, te, se, nos, os, se*) combina dos sujetos enlazados por la conjunción *y*:

Tú y yo *nos* ponemos el cinturón.

1. Jorge y Eduardo se pondrán los calcetines.
2. María y Elena se pusieron los aretes.
3. Roberto y Juan se ponen la gorra.
4. Tú y yo nos pusimos el uniforme.

MODISMO: *HACER UN VIAJE*

Modismos: *hacer un viaje* = ir

1. Todos los años hacemos un viaje a Yucatán.
2. Hiciste un viaje en avión.
3. Quisiera hacer un viaje a Cuernavaca contigo.
4. Queremos hacer un viaje en otoño.
5. ¿Cuándo vas a hacer un viaje a la costa?
6. Hicieron un viaje en tren.

MODISMO: *DEBER* (O *DEBER DE*) + INFINITIVO

Modismos: *deber* + infinitivo = obligación (en muchos casos)

1. Deben comer bien.
2. Debe estudiar esta noche.
3. Debo ayudar a María.
4. Debe comprar el libro.
5. Debes escribir la carta.
6. Debemos hacer ese trabajo.

Modismos: *deber* (*de*) + infinitivo también puede expresar una suposición:

Debe (de) tener mucho sueño.

7. Ya debe estar hecha la cena. Ya debe de estar hecha la cena.
8. Debes tener sueño. Debes de tener sueño.
9. Deben haber estudiado mucho. Deben de haber estudiado mucho.
10. Debe gustarles mucho. Debe de gustarles mucho.

TIEMPOS Y FRASES VERBALES

El futuro perfecto es una frase verbal formada por el futuro de *haber* + participio pasado de otro verbo:

habrán seguido

El condicional perfecto es una frase verbal formada por el condicional de *haber* + participio pasado de otro verbo:

habrían servido

1. Habrán hecho un viaje a la Argentina. Habrían hecho un viaje a la Argentina.
2. Se habrán metido en muchas dificultades. Se habrían metido en muchas dificultades.
3. Habremos hecho un papel muy importante. Habríamos hecho un papel muy importante.
4. Habremos vendido nuestra casa de campo. Habríamos vendido nuestra casa de campo.
5. Te habrás tomado todos los refrescos. Te habrías tomado todos los refrescos.
6. Habré perdido el nuevo libro de historia. Habría perdido el nuevo libro de historia.
7. Habían leído muchos libros. Habrían leído muchos libros.

Los dos libertadores

EL PRONOMBRE RELATIVO: *CUYO*

Use *cuyo* para enlazar el sujeto de la oración subordinada con el nombre a que se refiere:

El *señor, cuyo sombrero* está aquí, se marchó.

Cuyo concuerda con el sujeto de la oración subordinada en género y número:

> el señor, *cuyo sombrero*
> el señor, *cuya corbata*
> el señor, *cuyos sombreros*
> el señor, *cuyas corbatas*

1. El señor, cuya esposa es ciega, acaba de llamar.
2. Los jefes, cuyo ejército cruzó las montañas, no estaban de acuerdo.
3. San Martín, cuya estatua está en la plaza, es el héroe argentino.
4. Mi madre, cuyos padres eran de España, es de Bolivia.
5. Los libertadores, cuya vida pública hemos relatado, son Bolívar y San Martín.
6. La Argentina, cuya historia es interesante, es un gran país.
7. México, cuyo héroe es el padre Hidalgo, luchó muchos años.
8. Hoy Venezuela, cuyo gobierno es una democracia, es libre.

FORMAS INTERROGATIVAS:
¿DE QUIEN? ¿DE QUIENES?

Use *de quién* + el verbo *ser* para preguntar quién es el dueño:

> *¿De quién es* el sombrero? Es de Juan.

Use *de quiénes* cuando sabe que el dueño es más de uno (plural):

> *¿De quiénes son* estos sombreros? Son de ellos.

El verbo concuerda en número con lo poseído, no con el dueño:

> ¿De quién *es el sombrero?* Es de Juan.
> ¿De quién *son los sombreros?* Son de Juan.

1. ¿De quién es el tesoro? Es del pirata.
2. ¿De quiénes son los rifles? Son de los soldados.
3. ¿De quién es la foto? Es de Alberto.
4. ¿De quién era la espada? Era de San Martín.

5. ¿De quiénes eran los documentos? Eran de mis abuelos.
6. ¿De quién era el rancho? Era del campesino.
7. ¿De quién es aquella huerta?
8. ¿De quién son esos jardines?
9. ¿De quién era ese barco?
10. ¿De quién es el venado?
11. ¿De quién eran los galeones?
12. ¿De quién era la joya?

9 · EL CONFLICTO

En el fondo del caño hay un negrito

CONCORDANCIA DE TIEMPOS Y
FRASES VERBALES

Series de oraciones
Use *si* + imperfecto de subjuntivo en la oración subordinada con el condicional en la principal:

> *si ayudaras, acabaríamos*
> *si quitaras, podrías*
> *si hubieras comido, habrías resistido*

1. Si buscaran a María, la hallarían.
2. Si lo escucháramos con atención, entenderíamos.
3. Si pidiera dulces, me los darían.
4. Si nos invitaran a bailar, tendríamos que ir.
5. Si te despertaras temprano, iríamos al campo.
6. Si comprara los zapatos, me los pondría para la fiesta.
7. Si nos avisaran, iríamos a esperar el tren.
8. Si miraran el reloj, se darían cuenta de la hora.
9. Si se fijaran en el precio, no escogerían este modelo.
10. Si nos desayunáramos temprano, no comeríamos mucho.
11. Si hubiera comido poco, no se habría enfermado.
12. Si hubiera escuchado las noticias, habría sabido lo que pasó.

13. Si lo hubiéramos recibido ayer, te lo habríamos dicho.
14. Si hubieran visto el otro, lo habrían comprado.
15. Si no se hubiera acercado al agua, no habría caído en el lago.
16. Si hubiera tenido cinco centavos, habría tomado el camión.
17. Si lo hubieran cuidado bien, no se habría ahogado.

Los tres besos

EL IMPERATIVO: FORMA AFIRMATIVA Y
NEGATIVA EN ESTILO FAMILIAR (O INTIMO)

Las órdenes negativas se forman con *no* + presente de subjuntivo:

habla (tú)	*no hables*
hable (Ud.)	*no hable*
hablad (vosotros)	*no habléis*
hablen (Uds.)	*no hablen*

1. No me los des.
2. No busques el periódico.
3. No abras la puerta.
4. No acabes tu helado.
5. No ayudes a Juan con su trabajo.
6. No olvides lo que pasó.
7. No invites a tus amigas.
8. No te acuestes temprano.
9. No subas por la maleta.
10. No pidas la cuenta.
11. No les enseñes la foto.

EL IMPERATIVO: FORMA AFIRMATIVA Y
NEGATIVA EN ESTILO GENERAL (O FORMAL)

1. No vaya Ud. a los toros.
2. No los compre Ud. en esa tienda.
3. No pida Ud. el café.
4. No exija Ud. los trabajos para el lunes.
5. No se arrodille Ud. aquí.
6. No lo describa Ud. en detalle.
7. No traiga Ud. a su familia.
8. No discuta Ud. el precio.

9. No se asome Ud. a la ventana.
10. No pase Ud. por el puente.

El día del juicio

EL INFINITIVO CON PREPOSICIONES

Algunas preposiciones compuestas con *de* + infinitivo hacen oficio de complemento circunstancial:

> *después de estudiar*
> *antes de estudiar*
> *a punto de estudiar*

1. Saldremos todos juntos después de ver las fotos.
2. Fue al teatro después de lavar el coche.
3. Buscaron el sombrero después de comprar el vestido.
4. Se cambiarán después de vender la casa vieja.
5. Fuimos a comer después de tomar un refresco.
6. Se van a la escuela después de estudiar la lección.
7. Llamaré a María después de vestirme.
8. Recibiste esa carta antes de vender la pintura.
9. Nos bañamos antes de desayunarnos.
10. Examinará la casa antes de escoger los colores.
11. Envolviste el regalo antes de ir al correo.
12. Compraron el tocadiscos antes de romper los discos.
13. Pagaremos la cuenta antes de recoger las compras.
14. Corta el césped antes de tomar el refresco. Toma el refresco después de cortar el césped.
15. Ve por el pan antes de jugar con el niño. Juega con el niño después de ir por el pan.
16. Lava el patio antes de sacar las sillas. Saca las sillas después de lavar el patio.
17. Escribe la carta antes de buscar un buzón. Busca un buzón después de escribir la carta.

18. Quítate el sombrero antes de ponerte a trabajar. Ponte a trabajar después de quitarte el sombrero.
19. Lee el cuento antes de describir la escena. Describe la escena después de leer el cuento.
20. Estoy a punto de caerme.
21. Estábamos a punto de vender el coche.
22. Estuvo a punto de regresarse.
23. Estás a punto de quemarte la camisa.
24. Estaba a punto de olvidar la invitación.
25. Estás a punto de llegar tarde.

10 · LA AVENTURA

A la deriva

REPASO DE PRONOMBRES REFLEXIVOS

Véase la página 382.

1. Nos quedamos en la biblioteca.
2. Te quedaste en la biblioteca.
3. Se quedaron en la biblioteca.
4. Nos sentíamos mucho mejor.
5. Te sentías mucho mejor.
6. Me sentía mucho mejor.
7. Se sentían mucho mejor.
8. Se desayunarán antes de salir.
9. Me desayunaré antes de salir.
10. Se desayunará antes de salir.
11. Nos desayunaremos antes de salir.
12. No me atrevo a preguntar.
13. No se atreve a preguntar.
14. No te atreves a preguntar.
15. No se atreven a preguntar.
16. Se levantó tarde.
17. Nos levantamos tarde.
18. Se levantaron tarde.
19. Me levanté tarde.
20. Nos imaginamos que sí.
21. Se imaginan que sí.
22. Me imagino que sí.
23. Se imagina que sí.
24. Nos caímos al agua.
25. Me caí al agua.

26. Te caíste al agua.
27. Se cayó al agua.
28. Te pondrás a preparar la comida.
29. Se pondrán a preparar la comida.
30. Se pondrá a preparar la comida.
31. Nos pondremos a preparar la comida.
32. Se pierden fácilmente.
33. Nos perdemos fácilmente.
34. Se pierde fácilmente.
35. Te pierdes fácilmente.
36. Se compraron una camisa.
37. Se compró una camisa.
38. Me compré una camisa.
39. Nos compramos una camisa.
40. Se lavaron la cara.
41. Te lavaste la cara.
42. Se lavó la cara.
43. Nos lavamos la cara.
44. Te lo aprenderías de memoria.
45. Se lo aprendería de memoria.

Cuatro mujeres en el ruedo

EL PRESENTE DE SUBJUNTIVO CON ¡OJALÁ!

Ojalá lleva el verbo en subjuntivo:

Presente:	Ojalá (que) *hable*
	Ojalá (que) no *hable*
Imperfecto:	Ojalá (que) *hablara*
	Ojalá (que) no *hablara*
	Ojalá (que) *hubiera* toreado
	Ojalá (que) no *hubiera* toreado

Transformación en la forma del presente de subjuntivo de verbos en -cer, -cir:

$$ce, ci \rightarrow zca$$

conocer *conozca, conozcas, conozcamos*
traducir *traduzca, traduzcas, traduzcamos*

1. ¡Ojalá que parezca fácil!
2. ¡Ojalá que traduzcamos todo el libro!
3. ¡Ojalá que no conduzca al desastre!
4. ¡Ojalá que nos compadezcan!
5. ¡Ojalá que nos luzcamos en el examen!
6. ¡Ojalá que produzcas mucho material!

EL IMPERFECTO DE SUBJUNTIVO
CON ¡OJALA!

1. ¡Ojalá que supieran las fechas de la corrida!
2. ¡Ojalá que te sintieras mejor!
3. ¡Ojalá que no careciera de nada!
4. ¡Ojalá que tuvieran que escoger otra carrera!
5. ¡Ojalá que adornara su pelo con flores!
6. ¡Ojalá que nos luciéramos en el ruedo!
7. ¡Ojalá que conociéramos a las rejoneadoras!
8. ¡Ojalá que leyeran estos libros!
9. ¡Ojalá que saliéramos para ir al cine!

EL PLUSCUAMPERFECTO DE
SUBJUNTIVO CON ¡OJALA!

1. ¡Ojalá que hubieras presentado a las heroínas!
2. ¡Ojalá que hubieran ido a Alcalá de Henares!
3. ¡Ojalá que hubiera sido fácil aprenderlo!
4. ¡Ojalá que hubiéramos dado la vuelta!
5. ¡Ojalá que hubieran lucido el traje portugués!
6. ¡Ojalá que hubieran toreado en Madrid!
7. ¡Ojalá que hubiéramos salido contentos!
8. ¡Ojalá que hubieras dormido toda la noche!
9. ¡Ojalá que hubieran cumplido con su deber!
10. ¡Ojalá que hubiéramos hecho un viaje interesante!
11. ¡Ojalá que hubiera hablado con su novia!

La historia de Pedro Serrano

VERBO + COMPLEMENTO DIRECTO

Los verbos transitivos llevan *complemento directo:*

> *escucharemos las noticias*
> *miraron la televisión*
> *busque* Ud. *el periódico*
> *pedí la dirección*
> *esperaba el paquete*

1. Escucharemos el radio.
2. Escucharemos las noticias.
3. Escucharemos el disco.
4. Escucharemos la orquesta.
5. Escucharemos el programa.
6. Escucharemos el sermón.
7. Miraron la televisión.
8. Miraron la película.
9. Miraron la luna.
10. Miraron el panorama.
11. Miraron el paisaje.
12. Miraron el monumento.
13. Miraron el libro.
14. Busque Ud. la revista.
15. Busque Ud. la dirección.
16. Busque Ud. la página.
17. Busque Ud. la oficina.
18. Busque Ud. la piscina.
19. Busque Ud. el teléfono.
20. Busque Ud. el mapa
21. Busque Ud. el salón.
22. Pedí la dirección.
23. Pedí la comida.
24. Pedí la caja.
25. Pedí la maleta.
26. Pedí el diccionario.
27. Pedí el disco.
28. Pedí la botella.
29. Esperaba el paquete.
30. Esperaba el coche.
31. Esperaba el camión.
32. Esperaba el tren.
33. Esperaba la noticia.
34. Esperaba el regalo.
35. Esperaba la noche.

VERBO + A + INFINITIVO

Algunos verbos pueden llevar *a* + **infinitivo como complemento:**

> *ayudaron a hacer*
> *enseñaron a hablar*
> *mandaron a comprar*
> *invitaron a ir*

1. Tú me ayudaste a hacer la tarea.
2. Los muchachos me ayudaron a hacer la tarea.
3. Uds. me ayudaron a hacer la tarea.
4. Le ayudaron a hacer la tarea.

5. Nos ayudaron a hacer la tarea.
6. Los ayudaron a hacer la tarea.
7. Los ayudaron a hacer la tarea.
8. Te ayudaron a hacer la tarea.
9. Nos ayudaron a vender los libros.
10. Nos ayudaron a escoger modelo.
11. Nos ayudaron a lavar la ropa.
12. Nos ayudaron a buscar programa.
13. Tú me enseñarás a hablar francés y español.
14. Mis amigos me enseñarán a hablar francés y español.
15. Juan me enseñará a hablar francés y español.
16. Uds. me enseñarán a hablar francés y español.
17. Le enseñarán a hablar francés y español.
18. Le enseñarán a hablar francés y español.
19. Nos enseñarán a hablar francés y español.
20. Les enseñarán a hablar francés y español.
21. Les enseñarán a hablar francés y español.
22. Te enseñarán a hablar francés y español.
23. Te enseñarán a remar bien.
24. Te enseñarán a tocar el piano.
25. Te enseñarán a bailar el vals.
26. Te enseñarán a manejar el coche.
27. Mi tía me mandó a comprar la leche para hoy y para mañana.
28. Tú me mandaste a comprar la leche para hoy y para mañana.
29. Ellos me mandaron a comprar la leche para hoy y para mañana.
30. Uds. me mandaron a comprar la leche para hoy y para mañana.
31. Le mandaron a comprar la leche para hoy y para mañana.
32. La mandaron a comprar la leche para hoy y para mañana.
33. Nos mandaron a comprar la leche para hoy y para mañana.
34. Los mandaron a comprar la leche para hoy y para mañana.
35. Los mandaron a comprar la leche para hoy y para mañana.
36. Te mandaron a comprar la leche para hoy y para mañana.
37. Te mandaron a traer el pan.
38. Te mandaron a llevar lo necesario.
39. Te mandaron a buscar una sirvienta.
40. Te mandaron a sacar dinero del banco.
41. Te mandaron a limpiar el coche.
42. Yo te invité a ir al cine.
43. El te invitó a ir al cine.
44. Tus amigas te invitaron a ir al cine.
45. Nosotros te invitamos a ir al cine.
46. Le invitaron a ir al cine.
47. La invitaron a ir al cine.
48. Nos invitaron a ir al cine.
49. Los invitaron a ir al cine.
50. Los invitaron a ir al cine.
51. Te invitaron a ir al cine.
52. La invitaron a comer tacos.
53. La invitaron a pasear en coche.
54. La invitaron a cenar con ellos.
55. La invitaron a tomar un refresco.
56. La invitaron a cantar en el coro.

VERBO + QUE + SUBJUNTIVO

1. Te pedí que me ayudaras a pintar.
2. Convino que lo hiciéramos pronto.
3. Procuraron que nadie lo supiera.
4. Quisimos que nos invitasen al concierto.
5. Necesitaste que fuésemos contigo.
6. Desearon que los dejaras solos.

11 · EL AMOR

Varios efectos del amor

PRESENTE DEL VERBO *SABER*

La oración subordinada puede ser complemento directo:

Sabemos *que el amor tiene varios efectos.*

1. El sabe que el amor tiene varios efectos.
2. Sabemos que el amor tiene varios efectos.
3. Sabes que el amor tiene varios efectos.
4. Ud. sabe que el amor tiene varios efectos.
5. Juan sabe que el amor tiene varios efectos.

6. María sabe que el amor tiene varios efectos.
7. Los viejos saben que el amor tiene varios efectos.

La oración subordinada puede ser el sujeto de la principal:

> *Quienes estudian* aprenden.
> *El que estudia* aprende.

11. El que busca, halla.
12. El que estudia, aprende.
13. El que mucho habla, mucho yerra.
14. El que camina despacio, llega tarde.
15. El que lo hace, es castigado.
16. El que viaja debe llevar un mapa.
17. El que cree eso no es muy inteligente.
18. El que mucho observa, mucho sabe.
19. El que mucho come, mucho engorda.
20. Quienes buscan, hallan.
21. Quienes estudian, aprenden.
22. Quienes mucho hablan, mucho yerran.
23. Quienes caminan despacio, llegan tarde.
24. Quienes lo hacen, son castigados.
25. Quienes viajan deben llevar un mapa.
26. Quienes creen eso no son muy inteligentes.

El sombrero de tres picos

EL PARTICIPIO PRESENTE

15. probando, desmayándose, sabiéndolo
16. amando, atreviéndose, tomándole
17. cabiendo, poniéndose, plantándola
18. hallando, exponiéndose, arrollándola
19. advirtiendo, asomándose, comprendiéndolo
20. agarrando, destacándose, esperándote
21. prosiguiendo, riéndose, escribiéndolo
22. refregando, lavándose, viéndolos

ESTAR + PARTICIPIO PRESENTE

El participio presente puede ser complemento del verbo *estar*: *está esperando*.

1. La ciudad está esperando un bombardeo.
2. Me está hablando de una manera tan formal.
3. Los niños están comiendo uvas de la parra.
4. Estoy escribiendo una carta a mi sobrino.
5. Lola está cantando una canción española.
6. ¿Qué está haciendo Ud?
7. Están leyendo un libro de literatura.
8. La ciudad estaba esperando un bombardeo.
9. Me estaba hablando de una manera tan formal.
10. Los niños estaban comiendo uvas de la parra.
11. Estaba escribiendo una carta a mi sobrino.
12. Lola estaba cantando una canción española.
13. ¿Qué estaba haciendo Ud?
14. Estaban leyendo un libro de literatura.

SEGUIR + PARTICIPIO PRESENTE

El participio presente puede ser complemento del verbo *seguir*: *sigue hablando*.

1. La molinera sigue aguardando la declaración del corregidor.
2. Me sigue hablando de una manera tan formal.
3. Los niños siguen comiendo uvas de la parra.
4. Sigo escribiendo una carta a mi sobrino.
5. Lola sigue cantando una canción española.
6. ¿Qué sigue haciendo Ud?
7. Siguen leyendo un libro de literatura.

EL IMPERFECTO DE SUBJUNTIVO
CON *COMO SI*

Use el imperfecto de subjuntivo con *como si*:

> **Habla (habló, hablaba, hablará)**
> *como si supiera* el idioma.

9. Hablaban como si supieran el idioma.
10. Hablaban como si tuvieran bastante dinero.
11. Hablaban como si pudieran pagar la cuenta.
12. Hablaban como si conocieran al profesor.
13. Hablaban como si asistieran a esta escuela.
14. Hablaban como si vinieran en seguida.

15. Hablaban como si se dieran cuenta del problema.
16. Hablaban como si estuvieran solos.
17. Hablaban como si vieran todo por la primera vez.

El abanico

EL CONDICIONAL

Use *si* + imperfecto de subjuntivo en la oración subordinada con el condicional en la principal:

> *Si fuera* barato, ella *usaría* el perfume.

(Vea también la página 396.)

1. Si fuera necesario, ella usaría el abanico.
2. Si fuera barato, Ud. compraría el abrigo.
3. Si fuera posible, nosotros lo haríamos.
4. Si fuera práctico, Uds. harían el viaje.
5. Si fuera necesario, ellas usarían el abanico.
6. Si fuera barato, mis padres comprarían el abrigo.

12 • SENTIMIENTOS Y PASIONES

Mi padre

ORDENES AFIRMATIVAS Y NEGATIVAS

Use el imperativo para dar órdenes afirmativas en estilo familiar:

> *pega el sobre, llega temprano, entrega los libros*

Use el subjuntivo para dar órdenes en estilo formal:

> *pegue el sobre, llegue temprano, entregue los libros, peguemos el sobre, lleguemos temprano, entreguemos los libros*

Use el subjuntivo para órdenes negativas en los dos estilos:

> *no pegue el sobre, no pegues el sobre*

17. Pega bien el sobre.
18. Pegue bien el sobre.
19. Peguemos bien el sobre.

20. Peguen bien el sobre.
21. Llega temprano a la escuela.
22. Llegue temprano a la escuela.
23. Lleguemos temprano a la escuela.
24. Lleguen temprano a la escuela.
25. Entrega los libros a la biblioteca.
26. Entregue los libros a la biblioteca.
27. Entreguemos los libros a la biblioteca.
28. Entreguen los libros a la biblioteca.
29. Fumiga la casa.
30. Fumigue la casa.
31. Fumiguemos la casa.
32. Fumiguen la casa.

La pared

EL SUBJUNTIVO CON EXPRESIONES IMPERSONALES

Use el presente de subjuntivo en la oración subordinada con el presente de indicativo en la principal:

> *es* posible que yo *vaya*

Use el imperfecto de subjuntivo en la oración subordinada con el imperfecto de subjuntivo en la principal:

> *era* posible que yo *fuera*

1. Es posible que yo vaya en tren.
2. Es posible que nosotros vayamos en tren.
3. Es posible que tú vayas en tren.
4. Es posible que Uds. vayan en tren.
5. Es posible que ellos vayan en tren.
6. Era posible que yo fuera en tren.
7. Era posible que Uds. fueran en tren.
8. Era posible que nosotros fuéramos en tren.
9. Era posible que ellos fueran en tren.
10. Era posible que tú fueras en tren.
11. Es imposible que tú olvides esa película.
12. Es imposible que yo olvide esa película.
13. Es imposible que Jorge olvide esa película.
14. Es imposible que las muchachas olviden esa película.
15. Es imposible que nosotros olvidemos esa película.

16. Es imposible que mis amigos olviden esa película.
17. Era imposible que tú olvidaras esa película.
18. Era imposible que yo olvidara esa película.
19. Era imposible que Jorge olvidara esa película.
20. Era imposible que las muchachas olvidaran esa película.
21. Era imposible que nosotros olvidáramos esa película.
22. Era imposible que mis amigos olvidaran esa película.
23. Es necesario que nosotros hablemos con el profesor.
24. Es necesario que ustedes hablen con el profesor.
25. Es necesario que tú hables con el profesor.
26. Es necesario que yo hable con el profesor.
27. Es necesario que Pedro y María hablen con el profesor.
28. Es necesario que Alicia hable con el profesor.
29. Era necesario que nosotros habláramos con el profesor.
30. Era necesario que Uds. hablaran con el profesor.
31. Era necesario que tú hablaras con el profesor.
32. Era necesario que yo hablara con el profesor.
33. Era necesario que Pedro y María hablaran con el profesor.
34. Era necesario que Alicia hablara con el profesor.
35. Es inútil que yo vuelva a preguntar. Era inútil que yo volviera a preguntar.
36. Es inútil que tú vuelvas a preguntar. Era inútil que tú volvieras a preguntar.
37. Es inútil que Elena vuelva a preguntar. Era inútil que Elena volviera a preguntar.
38. Es inútil que nosotros volvamos a preguntar. Era inútil que nosotros volviéramos a preguntar.
39. Es inútil que Uds. vuelvan a preguntar. Era inútil que Uds. volvieran a preguntar.
40. Es inútil que los alumnos vuelvan a preguntar. Era inútil que los alumnos volvieran a preguntar.
41. Es imposible que yo insista. Era imposible que yo insistiera.
42. Es imposible que nosotros insistamos. Era imposible que nosotros insistiéramos.
43. Es imposible que tú insistas. Era imposible que tú insistieras.
44. Es imposible que Uds. insistan. Era imposible que Uds. insistieran.
45. Es imposible que él insista. Era imposible que él insistiera.
46. Es imposible que ellos insistan. Era imposible que ellos insistieran.

El potrillo roano

COMO SI Y EL IMPERFECTO DE SUBJUNTIVO

Use el imperfecto de subjuntivo con *como si*:

Juan *habla (habló, hablaba, hablará)* español *como si fuera* mexicano.

(Vea también la página 401.)

1. El niño corre como si estuviera asustado.
2. María abre la boca como si quisiera cantar.
3. Brincamos como si supiéramos bailar.
4. Compra mucho papel como si escribiera un libro.
5. Habla de Jorge como si lo extrañara mucho.
6. El cielo se está nublando como si fuera a llover.

POCO A POCO CON *IR* + PARTICIPIO PASADO

Modismos: *ir* + participio presente indica que la acción del participio es gradual—*poco a poco*:

> *voy comprando los libros*
> *poco a poco voy comprándolos*

1. Vas contestando las cartas. Poco a poco vas contestando las cartas.
2. Van lavando los platos. Poco a poco van lavando los platos.

3. Ese árbol va creciendo. Poco a poco ese árbol va creciendo.
4. Vamos escogiendo los modelos. Poco a poco vamos escogiendo los modelos.
5. Voy leyendo los libros. Poco a poco voy leyendo los libros.
6. Van visitando los museos. Poco a poco van visitando los museos.

13 · LOS DIAS DE FIESTA

México: regocijo de Navidad

ADJETIVOS Y PRONOMBRES DEMOSTRATIVOS

Los adjetivos demostrativos *(este, ese, aquel)* concuerdan en género y número con el nombre que modifican:

Singular Masculino	Singular Femenino
este abanico	*esta chica*
ese abanico	*esa chica*
aquel abanico	*aquella chica*
Plural Masculino	**Plural Femenino**
estos abanicos	*estas chicas*
esos abanicos	*esas chicas*
aquellos abanicos	*aquellas chicas*

1. Este abanico es de España. Ese abanico es de España. Aquel abanico es de España.
2. Estos robles son altos. Esos robles son altos. Aquellos robles son altos.
3. Esta chica es muy guapa. Esa chica es muy guapa. Aquella chica es muy guapa.
4. Estas naves son francesas. Esas naves son francesas. Aquellas naves son francesas.
5. Esta mesa está rota. Esa mesa está rota. Aquella mesa está rota.
6. Estos cirios son pequeños. Esos cirios son pequeños. Aquellos cirios son pequeños.

Los pronombres demostrativos *(éste, ése, aquél)* son iguales a los adjetivos demostrativos. Se usan cuando no es necesario mencionar el nombre a que se refieren:

¿Te gusta el *abanico*? *Este* es de España.

Concuerdan en género y número con el nombre a que se refieren:

Singular Masculino:	*éste, ése, aquél*
Singular Femenino:	*ésta, ésa, aquélla*
Plural Masculino:	*éstos, ésos, aquéllos*
Plural Femenino:	*éstas, ésas, aquéllas*

7. Dijo que ésta es de barro.
8. Dijo que éstas son amigas.
9. Dijo que entre éstas va la de los Reyes Magos.
10. Dijo que éste es de seda.
11. Dijo que éste es popular en días navideños.
12. Dijo que éstos siempre nos rechazan.
13. Dijo que ésos son muy solicitados.
14. Dijo que ésa es de barro.
15. Dijo que ése es de seda.
16. Dijo que ése es popular en días navideños.
17. Dijo que ésos son amigos.
18. Dijo que ésas son bonitas.
19. Dijo que aquéllos son muy solicitados.
20. Dijo que aquélla es de barro.
21. Dijo que aquél es de seda.
22. Dijo que aquéllas son amigas.
23. Dijo que aquél es popular en días navideños.
24. Dijo que aquéllas son bonitas.
25. Estos hombres son franceses pero aquéllos son españoles.
26. Estas leyendas son interesantes pero ésas son aburridas.
27. Este ejercicio es difícil pero ése es fácil.
28. Esta mujer baila bien pero ésa canta bien.
29. Esta estatua es de piedra pero aquélla es de madera.
30. Estos árboles son pinos pero ésos son robles.

Semana Santa bajo la Giralda

FORMAS ESPECIALES DE LAS CONJUNCIONES DISYUNTIVAS (Y, O)

La conjunción *y* se cambia a *e* delante del sonido /i/:

moverse e incorporarse
mosquitos e insectos

1. Trató de moverse la pierna e incorporarse.
2. Hablaba en una voz suave e implorante.
3. La tempestad destruyó muchos árboles e inundó el pueblo.
4. Es un poeta conocido e ilustre.
5. Es un cuento interesante e imaginativo.
6. Esta silla es vieja e incómoda para nosotros.
7. El burro es un animal perezoso e independiente.
8. Es una ciudad de catedrales e iglesias.
9. Hay muchos mosquitos e insectos en este lugar.
10. Estudiamos francés e italiano.

La conjunción *o* se cambia a *u* delante del sonido /o/:

piano u órgano
ayer u hoy

11. ¿Usan cazuelas u ollas para preparar la comida?
12. ¿Tiene Ud. piano u órgano en la sala?
13. ¿Es un rancho de vacas u ovejas?
14. ¿Buscaba fama u honor el conquistador?
15. ¿Es cuestión de minutos u horas?
16. ¿Lo compraste en una platería u hojalatería?
17. ¿Fueron al cine ayer u hoy María y Pablo?
18. ¿Gritaron «¡Viva!» u «¡Olé!»?
19. ¿Van a recordar u olvidar los detalles?
20. ¿Había setenta u ochenta alumnos en la clase de aquella escuela?
21. ¿Baila Ud. de esta manera u otra?
22. ¿Son indios amistosos u hostiles éstos?

El Carnaval en Latinoamérica

PRESENTE, PRETERITO, Y PRESENTE DE SUBJUNTIVO DE CIERTOS VERBOS QUE CAMBIAN LA RADICAL (*E → IE, I*)

El pretérito de indicativo de verbos como *sentir* (Clase II: *e → ie + e → i*) cambia la radical *e → i* en la 3ª persona singular y plural:

sentir	*sintió, sintieron*
hervir	*hirvió, hirvieron*
divertir	*divirtió, divirtieron*
referir	*refirió, refirieron*
herir	*hirió, hirieron*
convertir	*convirtió, convirtieron*

1. El agua hirvió.
2. Mi amigo se divirtió en las fiestas.
3. ¿A qué se refirió Ud.?
4. El picador hirió al toro con la pica.
5. No se sintió bien.
6. Se convirtió al catolicismo.
7. A veces los chicos mintieron.
8. Mis padres prefirieron bailar el vals.
9. Se divirtieron mucho durante las vacaciones de Navidad.
10. Se sintieron muy enfermos.
11. Convirtieron los cheques en dólares.
12. Los picadores hirieron al toro con la pica.

El presente de subjuntivo de verbos como *sentir* (Clase II: *e → ie + e → i*) cambia la radical *e → i* en la 1ª persona plural:

sentir	*sintamos*	hervir	*hirvamos*
mentir	*mintamos*	convertir	*convirtamos*
preferir	*prefiramos*	referir	*refiramos*
divertir	*divirtamos*	herir	*hiramos*

13. Insiste en que nosotros hirvamos el agua.
14. Desea que nosotros convirtamos los billetes.
15. Se alegran de que nosotros nos divirtamos en la fiesta.
16. El profesor aconseja que (nosotros) nos refiramos al diccionario.
17. Mi padre no quiere que nosotros mintamos.
18. Es lástima que nosotros hiramos a los animales.

14 · LA REVOLUCION

Una esperanza

REPASO DEL IMPERFECTO

1. Luis recordaba su adolescencia.
2. Luis recordaba su escuela.

3. Luis recordaba su juventud.
4. Luis recordaba su niñez.
5. Luis recordaba su patria.
6. Luis recordaba a su familia.
7. Luis recordaba a sus amigos.
8. Luis recordaba a su hermano.
9. Luis recordaba a sus maestros.
10. Luis recordaba a su compañero.
11. Iban a morir.
12. Llegaban a la época reciente de su vida.
13. No podían creerlo.
14. Salían por un instante.
15. Sollozaban con temor.
16. Tornaban a ver su pasado.
17. Volvían pronto.
18. Eran políticos.
19. No veían a sus tíos durante el verano.
20. Los sacerdotes rezaban con ellos.
21. No me permitían ir al cine.
22. Llegaba a la época reciente de su vida.
23. No podía creerlo.
24. Salía por un instante.
25. Sollozaba con temor.
26. Tornaba a ver su pasado.
27. Iba a morir.
28. Volvía pronto.
29. Era político.
30. No veía a sus tíos durante el verano.
31. El sacerdote rezaba con ellos.

EL PRESENTE DE SUBJUNTIVO

Use *que* + presente de subjuntivo en sentido hipotético en la oración subordinada con el presente de indicativo en la principal.

1. Espero que sospeche la verdad.
2. Niego que sospeche la verdad.
3. No creo que sospeche la verdad.
4. No pienso que sospeche la verdad.
5. No quiero que sospeche la verdad.
6. No pretendo que sospeche la verdad.
7. No siento que sospeche la verdad.
8. Les dice que confiesen.
9. Les dice que empiecen.
10. Les dice que escuchen.

11. Les dice que no hablen.
12. Les dice que no se muevan.
13. Les dice que oigan.
14. Les dice que procuren dominar su júbilo.
15. Les dice que no sospechen.
16. Yo no creo que escuche con miedo.
17. Yo no creo que hable mucho.
18. Yo no creo que se mueva bien.
19. Yo no creo que oiga todo.
20. Yo no creo que presienta la muerte.
21. Yo no creo que procure dominarse.
22. Yo no creo que sospeche la verdad.
23. Yo no creo que tenga miedo de morir.

EL IMPERFECTO DE SUBJUNTIVO

Use *que* + imperfecto de subjuntivo en la oración subordinada con el imperfecto de indicativo en la principal. Las formas en *-se* y *-ra* del imperfecto de subjuntivo representan solamente distintos estilos. No hay diferencia básica entre ellas.

1. Rezaba para que volviera salvo.
2. No querían que María sospechara la verdad.
3. El cura le pidió que escuchara.
4. También le pidió que se arrodillara.
5. Me dijo que no volviera.
6. Le dijeron que saliera.
7. No creyó que hiciéramos el viaje.

Memorias de Pancho Villa

REPASO DEL PLUSCUAMPERFECTO

Use el imperfecto de *haber* + participio pasado para acción completada antes de un tiempo pasado.

1. El había llegado antes de la revolución.
2. Ud. había llegado antes de la revolución.
3. Nosotros habíamos llegado antes de la revolución.
4. Ella había llegado antes de la revolución.
5. Vosotros habíais llegado antes de la revolución.

6. Ellos habían llegado antes de la revolución.
7. La revolución había añadido dolor.
8. La revolución había empezado.
9. La revolución había costado mucho.
10. La revolución no había durado.
11. La revolución había perdido.
12. La revolución había resultado mal.
13. La revolución se había acabado.
14. La revolución había separado hogares.
15. No, ellos no habían estudiado en Cuba, pero ella había estudiado allá.
16. No, ellos no habían trabajado en Cuba, pero ella había trabajado allá.
17. No, ellos no habían visitado a Cuba, pero ella había visitado allá.
18. No, ellos no habían pasado por Cuba, pero ella había pasado por allá.
19. No, ellos no habían ido para Cuba, pero ella había ido para allá.
20. No, ellos no habían salido de Cuba, pero ella había salido de allá.
21. No, ellos no se habían quedado en Cuba, pero ella se había quedado allá.
22. No, ellos no habían vuelto a Cuba, pero ella había vuelto allá.
23. Cuando te preguntó, ya habías resuelto el problema.
24. Cuando se fijó la fecha, ya habías escrito las invitaciones.
25. Cuando se firmó el contrato, ya se había muerto.
26. Cuando pedimos el permiso, ya había dicho que sí.
27. Cuando compraste el tocadiscos, ya habíamos roto los discos.
28. Cuando entró María, ya nos habíamos puesto el abrigo.
29. Cuando se pusieron a cantar, ya habíamos visto el piano.
30. Cuando escogiste los adornos, ya había hecho el vestido.
31. Cuando granizó, ya habías cubierto las plantas.
32. Cuando acostamos a los niños, ya habían vuelto.

MODISMOS: *HAY QUE; HABIA QUE*

Use *hay (había, hubo, habrá)* + *que* +infinitivo para expresar obligación.

1. Hay que manejar con cuidado.
2. Hay que llegar antes de la revolución.
3. Hay que apagar el incendio.
4. Hay que defender a los niños.
5. Hay que salvar a las mujeres.
6. Hay que morir como valiente.
7. Pero hay que activarla.
8. Pero hay que alarmarla.
9. Pero hay que arruinarla.
10. Pero hay que barrerla.
11. Pero hay que cambiarla.
12. Pero hay que destruirla.
13. Pero hay que despertarla.
14. Había que ayudar a la revolución.
15. Había que celebrar la revolución.
16. Había que fomentar la revolución.
17. Había que ganar la revolución.
18. Había que olvidar la revolución.
19. Había que recordar la revolución.
20. Había que servir a la revolución.

IR + PARTICIPIO PRESENTE

Use *ir* + participio presente para expresar acción continuada (progresiva).

1. La revolución iba añadiendo dolor.
2. La revolución iba costando mucho.
3. La revolución iba comenzando.
4. La revolución iba empezando.
5. La revolución iba perdiendo.
6. La revolución iba resultando mal.
7. La revolución se iba acabando.
8. La revolución iba separando hogares.
9. Los radios iban dando la orden.
10. Los soldados iban corriendo por la calle.
11. Ellas iban llegando a hablarle.
12. Los aviones iban desapareciendo.
13. Los capitanes iban leyendo por la calle.
14. Los soldados iban dando escopetazos.
15. Los marinos iban haciendo ruido.
16. Los revolucionarios iban sollozando.

Arde El Laurel

VOZ PASIVA: *SER* + PARTICIPIO PASADO

Use *ser* + participio pasado para oraciones impersonales pasivas:

> Las haciendas *fueron destruidas* ayer.
> Las cartas *fueron escritas* por el sargento.

1. Las haciendas fueron destruidas ayer.
2. Los planes fueron bien vistos en el congreso.
3. Los niños fueron llevados en brazos.
4. Las familias fueron conducidas a un lugar seguro.
5. Los tiros fueron oídos en el rancho.
6. Las mujeres fueron detenidas en el camino.
7. Fue considerada la idea.
8. Fue completado el proyecto.
9. Fueron instalados otros jefes.
10. Fueron vistas las luces.
11. Fue iluminada una gran extensión.
12. Fueron perdidos los sitios favorables.
13. El capitán fue fusilado por el general.
14. Los niños fueron llevados en brazos por las madres.
15. Una camilla fue traída por los vecinos.
16. La hacienda fue quemada por el fuego.
17. El cuerpo fue enterrado por los zapatistas.
18. La emboscada fue dirigida por Antonio.
19. Las cartas fueron escritas por el sargento.
20. Los ranchos fueron abandonados por los revolucionarios.

15 · LA MUERTE

Tránsito

PRESENTE DE SUBJUNTIVO DE VERBOS
DE CAMBIO ORTOGRAFICO

Use *que* + subjuntivo en sentido hipotético cuando el sujeto del segundo verbo es diferente del primero:

> (ellos) quieren *que* (tú) *saques* el premio

Ortografía: En los verbos terminados en *-car* el sonido /k/ se representa con *qu* delante de *e*, *i*: ca, que, qui, co, cu.

sacar	*saque, saqué*
tocar	*toque, toqué*
acercar	*acerque, acerqué*
masticar	*mastique, mastiqué*
buscar	*busque, busqué*
explicar	*explique, expliqué*
indicar	*indique, indiqué*

1. Quieren que saque el premio.
2. Quieren que saquemos el premio.
3. Quieren que saquen el premio.
4. Quieren que saquen el premio.
5. Te piden que toques el piano.
6. Le piden que toque el piano.
7. Nos piden que toquemos el piano.
8. Les piden que toquen el piano.
9. Les piden que toquen el piano.
10. Te dicen que te acerques un poco.
11. Le dicen que se acerque un poco.
12. Nos dicen que nos acerquemos un poco.
13. Les dicen que se acerquen un poco.
14. Les dicen que se acerquen un poco.

Costumbres del día de los difuntos

PRETERITO DE VERBOS DE CAMBIO
ORTOGRAFICO (*-CAR*)

1. Después de comer mastiqué chicle.
2. Toqué el piano durante el día.
3. Busqué una buena comedia.
4. Saqué buenas notas en historia.
5. Expliqué la costumbre.
6. Indiqué las tres siguientes lecciones.
7. Comuniqué las noticias de hoy.

EL PARTICIPIO PASADO COMO ADJETIVO

Use el participio pasado como adjetivo modificando a un nombre:

> ventana *cerrada*

Concuerda en género y número con el nombre:

> libro *cerrado*
> ventana *cerrada*
> libros *cerrados*
> ventanas *cerradas*

1. Compramos un pan rebanado.
2. Tengo una pelota pintada.
3. Le dieron unos sellos cancelados.
4. Lavé una camisa rota.
5. Recibió una carta abierta.
6. Traes un libro maltratado.
7. Llevaba una chaqueta manchada.
8. Compré una casa renovada.

La muerte de Joselito

EL SUBJUNTIVO CON *CREER*

Use *que* + subjuntivo con construcciones verbales que expresan incredulidad o duda:

> *No creo que venga.*
> *¿Crees que venga?*
> *No puedo creer que venga.*
> *Parece mentira que venga.*

1. No creo que les guste.
2. No creen que lo sepas.
3. No creo que traigan la leche.
4. No creemos que se bañe todos los días.
5. Juan no cree que podamos salir.
6. No creo que trabajen mucho.
7. ¿Crees que canten en el coro?
8. ¿Crees que tengan frío?
9. ¿Crees que sepa bailar?
10. ¿Crees que coman pescado frito?
11. ¿Crees que se despierte temprano?
12. ¿Crees que vendan la casa?
13. ¿Crees que haya traído la carne?
14. ¿Crees que se haya perdido mi tía?
15. ¿Crees que haya salido bien la foto?
16. ¿Crees que los hayamos convencido?
17. ¿Crees que hayan entendido bien la lección?
18. ¿Crees que haya esperado demasiado?
19. No puedo creer que haya vuelto tan pronto. Parece mentira que haya vuelto tan pronto.

20. No puedo creer que necesiten un préstamo. Parece mentira que necesiten un préstamo.
21. No puedo creer que la señorita Carmencita sepa coser. Parece mentira que la señorita Carmencita sepa coser.
22. No puedo creer que ya sea médico. Parece mentira que ya sea médico.
23. No puedo creer que se lo hayan prometido. Parece mentira que se lo hayan prometido.
24. No puedo creer que haya comprado esas joyas. Parece mentira que haya comprado esas joyas.
25. No puedo creer que haya leído todos esos libros. Parece mentira que haya leído todos esos libros.
26. No puedo creer que haya fracasado otra vez en su misión. Parece mentira que haya fracasado otra vez en su misión.

16 · LA FURIA ESPAÑOLA

Pólvora en fiestas

PRESENTE DE SUBJUNTIVO EN ORACIONES SUBORDINADAS ADJETIVAS

Use *que* + subjuntivo para modificar a un nombre empleado en sentido hipotético:

> *Busco* un *libro que esté* bien escrito

o no existente:

> *No tengo* un *libro que esté* bien escrito

1. Prefiero un libro que esté bien escrito.
2. Busco un libro que esté bien escrito.
3. Deseo un libro que esté bien escrito.
4. Pido un libro que esté bien escrito.
5. Necesito un libro que esté bien escrito.
6. No tengo un libro que esté bien escrito.
7. Quiero un libro que esté bien escrito.
8. Me hace falta un libro que esté bien escrito.
9. No hay alumno que se quede en casa.
10. No hay libro que le guste tanto.
11. No hay quien sepa tanto.
12. No hay pluma que cueste tanto.
13. No hay libro que sea tan bueno.

14. No hay quien viva dos siglos.
15. Quiero música que llegue al corazón.
16. Deseo un curso que sea más fácil.
17. Busco un libro que dé las respuestas.
18. Necesito hallar un hotel que tenga buen servicio.
19. Estoy buscando un restorán que esté limpio.
20. Quiero un maestro que sea francés.
21. Me pondré cualquier sombrero que Uds. me compren.
22. Cantaremos cualquier canción que tú nos enseñes.
23. Recitaré cualquier poema que Juan escriba.
24. Invitaremos a cualquier muchacha que quieras traer.
25. Estudiaré cualquier idioma que María sepa.
26. Se fijarán en cualquier vestido que tú lleves.

EL INFINITIVO CON PREPOSICIONES

Puede usar *al* + infinitivo como complemento circunstancial:

Al sonar **el timbre, salen los alumnos**

11. Al caer el telón, se levantan los espectadores.
12. Al chillar la sirena, se alarma la gente.
13. Al soplar el viento, caen las hojas.
14. Al salir la luna, se alumbra el lago.
15. Al subir el calor, nos vamos a la playa.
16. Al sonar la trompeta, ríen los niños.
17. Al tocar la música, la gente bailaba.
18. Al correr los niños, los viejos comenzaron a gritar.
19. Al terminar el trabajo, salieron.
20. Al salir, se despidieron.
21. Al oir el ruido, fueron a investigar.
22. Al ver la lluvia, volvieron a casa.

San Fermín

CONSTRUCCIONES REFLEXIVAS

9. Me pierdo entre el bullicio.
10. Te pierdes entre el bullicio.
11. Se pierde entre el bullicio.
12. Se pierde entre el bullicio.

13. Nos perdemos entre el bullicio.
14. Os perdéis entre el bullicio.
15. Se pierden entre el bullicio.
16. Se pierden entre el bullicio.
17. Siempre me desayuno a las ocho.
18. Eduardo se despertó muy temprano.
19. Elena se enfermó gravemente.
20. Ayer nos paseamos por el parque.
21. Ya se regresaron de México.
22. Me subiré al aposento.

Manolo el intrépido

EL ARTICULO INDEFINIDO

Se usa el artículo indefinido con predicado nominal modificado:

Pablo es soldado. (valiente)
Pablo es *un soldado valiente*.

1. El era un republicano convencido.
2. El era un maestro preparado.
3. El era un comerciante rico.
4. El era un jugador magnífico.
5. El era un pintor conocido.
6. El era un médico estimado.

REPASO DEL IMPERFECTO

1. Eramos amigas íntimas.
2. Eran unos artistas famosos.
3. Jiménez era un autor célebre.
4. Era un bolero pobre.
5. Eran unos boxeadores ricos.
6. Juan era un cantante capaz.
7. Eras una chica alegre.

USO REDUNDANTE DEL PRONOMBRE

Puede usar el pronombre doble (pronombre redundante) para dar más fuerza:

les gusta → *a ellos les* gusta
me alegra → *a mí me* alegra

9. A ellos les gusta ser activos.
10. A ellos les gusta ser agradables.
11. A ellos les gusta ser amables.

12. A ellos les gusta ser buenos.
13. A ellos les gusta ser cariñosos.
14. A ellos les gusta ser diferentes.
15. A ellos les gusta ser generosos.
16. A ellos les gusta ser obedientes.
17. A mí todo me aflige.
18. A mí todo me alegra.
19. A mí todo me ayuda.
20. A mí todo me beneficia.
21. A mí todo me cuesta.
22. A mí todo me daña.
23. A mí todo me duele.
24. A mí todo me falta.

EL IMPERFECTO DE SUBJUNTIVO

Vea la página 406.

9. Exigió que lo hicieran bien.
10. Esperaba que corrieran los niños.
11. Negó que fueran sus libros.
12. No pensó que llegaran tarde.
13. No permitió que salieran temprano.
14. Pidió que lo llevaran a casa.
15. Prefirió que lo llevaran a pie.
16. Temía que ganaran el premio.
17. No quería que fuera tan generoso.
18. No quería que fuera tan atrevido.
19. Dudaba que fuera un mozalbete.
20. Dudaba que fuera buen alumno.
21. Negaba que supiera leer.
22. Negaba que supiera escribir.
23. No creía que supiera hablar.
24. No creía que supiera estudiar.
25. Quería que tú fueras alumno.
26. Quería que él fuera alumno.
27. Quería que ella fuera alumna.
28. Quería que Ud. fuera alumna.
29. Quería que nosotros fuéramos alumnos.
30. Quería que vosotros fuerais alumnos.
31. Quería que ellos fueran alumnos.

EL REFLEXIVO DE RECIPROCIDAD

Los pronombres recíprocos son iguales que los reflexivos plurales: *nos, os, se*

1. María y yo nos ayudamos.
2. Juan y Pedro se golpearon.
3. Jorge y Antonio se cuidan.
4. Marta y yo nos miramos.
5. Pedro y Elena se saludaron.
6. Jorge y Juan se aprecian.

17 · EL ALIMENTO

Entrevista con Joaquín de Entrambasaguas

EL SUBJUNTIVO EN ORACIONES
SUBORDINADAS ADVERBIALES

Subjuntivo con modismos: Use *que* **+ subjuntivo con la frase** *por* **+ adjetivo:**

> *por bonito que esté,*
> *por mucho frío que hiciera,*

Use el presente de subjuntivo con el presente o futuro de indicativo en la oración principal:

> *por bonito que esté,* **no te** *queda* **bien**

Use el pretérito de subjuntivo con el condicional en la oración principal:

por mucho frío que hiciera, saldrían **a jugar**

1. Por duro que esté el pan, nos lo comeremos.
2. Por caro que resulte, cómpratelo.
3. Por barato que salga, es sabroso.
4. Por difícil que sea, lo haces.
5. Por inútil que sea, iremos allá.
6. Por bonito que esté, no te queda bien.
7. Por muchos vestidos que haga, nunca aprenderá.
8. Por mucho que viaje, no me canso.
9. Por mucha agua que tome, no se me quita la sed.
10. Por pocas manzanas que traiga, serán bastantes.
11. Por mucho que estudie, no aprendo.
12. Por pocas niñas que vengan a la fiesta, se divertirán.
13. Por mucho sueño que tuviera, no quería dormir.

14. Por malo que fuera, lo compraría.
15. Por mucha leche que tomara, no se me quitaría la sed.
16. Por mucho que lloviera, tendríamos que salir.
17. Por cansado que estuviera, acabaría el trabajo.
18. Por mucho frío que hiciera, salían a jugar.

La cocina y sus vinos

COMPARACIONES DE IGUALDAD

Comparación de igualdad: Use *tanto como* o *tanto* + nombre + *como* para la comparación de igualdad:

> Tu perro ladra *tanto como* el mío
> Hicimos *tanto té como* café

o use *tan* + adjetivo + *como* o *tan* + adverbio + *como*

> Tu hermana es *tan guapa como* tú.

1. Marta comía tanto como Elisa.
2. Esta maleta pesa tanto como la otra.
3. Juan y Pedro aprenden tanto como tú.
4. En esta caja cabe tanto como en la blanca.
5. Llevaremos tanto como Julio.
6. Tu perro ladra tanto como el nuestro.
7. Hoy hace tanto calor como ayer.
8. Compraremos tantos helados como dulces.
9. Tenían tanto sueño como nosotros.
10. La niña rompió tantas tazas como vasos.
11. Hicimos tanto té como café.

12. La historia tiene tanta importancia **como** la geografía.
13. Ellos estaban tan divertidos como Elena.
14. José es tan estudioso como Pedro.
15. Estamos tan cansados como ustedes.
16. Este libro sale tan caro como aquél.
17. Mi lección era tan difícil como la tuya.
18. Tu hermana es tan guapa como tú.

Graciosos personajes de mi huerta

LOS ADJETIVOS APOCOPADOS

Algunos adjetivos se acortan cuando preceden a un nombre masculino singular:

> *buen* libro (bueno)
> *mal* libro (malo)
> *primer* libro (primero)
> *tercer* libro (tercero)
> *gran* libro (grande)
> *algún* libro (alguno)
> *ningún* libro (ninguno)
> *cualquier* libro (cualquiera)
> *cien* libros (ciento)
> *veintiún* libros (veintiuno)

1. Este es un mal ejemplo.
2. Es el tercer día que vienen.
3. Don Carlos es un gran músico.
4. Buscaremos algún libro para la clase.
5. Escoja Ud. cualquier tema.
6. No encontramos ningún asiento.
7. Compraron cien naranjas.
8. Hay veintiún niños en la clase.

VOCABULARIO

abajo below

abandonar to abandon

abanico *m* fan

abarcar to include all in one look, to clasp, to embrace

abatir to knock down, to overthrow; to discourage

abertura *f* opening

abeto *m* fir tree

abierto open, clear

aborrecer to hate

abrazar to embrace, to hug

abrigar to shelter, to protect, to harbor

abrigo *m* overcoat

abrir to open, to unlock

abrumar to annoy

absolución *f* absolution, pardon

absorber to absorb

abultamiento *m* enlargement, swelling

abundar to be abundant

aburrido boring, tiresome

aburrirse to become bored

acabar to finish, to complete

— con to exterminate, to destroy, to kill

— de to have just

acabo *m* end

acariciar to fondle, to caress

acaso perhaps

acaudalado wealthy

acaudillar to lead, to command

acceder to give in, to yield

accesorio accessory, additional

aceite *m* oil

aceituna *f* olive

aceptar to accept

acequia *f* canal; ditch

acercarse to draw near, to approach

acertar (ie) to figure out correctly

— a to happen upon, to hit by chance

acíbar *m* bitterness, displeasure

acierto *m* ability; knack

aclarado explained

aclarar to make clear

acomodado arranged, accommodated; convenient, fit

acomodar to arrange, to accommodate

acompañar to accompany

acompasado rhythmic, measured

aconsejar to advise

acontecimiento *m* event, happening

acordarse (ue) to remember

acorde coinciding in opinion, agreed

acostarse (ue) to go to bed, to retire

acrecentar (ie) to increase

actuación *f* acting; performance

actual present, existing at the present time

actuar to act

acudir to rush to; to rush to the aid of

acuerdo *m* resolution; opinion; advice, agreement

de — con in keeping with

acusación *f* accusation

acusar to accuse, to blame

achicharrado overcooked; burned

adaptar to adapt

adecuado adequate, sufficient

adelantar to advance; to move forward

adelante ahead, forward

en — in the future

adelgazar to thin down; to lose weight

además furthermore, besides, in addition to

adentro inside, within

adentros *m* insides, entrails; the innermost thoughts

aderezar to embellish; to season, to prepare food

administrar to manage

adolescente adolescent

adormecer to make one sleepy; to fall asleep

advertido noticed, observed

advertir (ie) to notice, to observe; to warn

aficionado fond of, having a taste for; a fan of

afilar to sharpen

afilado sharp, cutting

afiliarse to join, to affiliate oneself with

afligido sad, afflicted, inconsolable, grieving

afligirse to grieve

afortunado fortunate

afrancesar to give French qualities to, to be or become like the French in thought, language, etc.

afuera outside

agachar to bend down; to stoop, to crouch

agarrar to grasp, to grab, to seize

agente *m* agent

agitar to agitate; to move; to wave; to shake

— se to become excited

agonía _f_ agony

agradar to please, to be pleasing

agradecer to be grateful, to be thankful

agraviar to offend, to wrong

agraviado offended, wronged, injured

agregar to add; to join

agrio sour, bitter

agrupar to group; to cluster

agua _f_ (**el —**) water

aguacate _m_ avocado

aguacero _m_ heavy shower

aguardar to wait

aguardiente _m_ brandy, whisky

agudo pointed, sharp

agüero _m_ sign, omen, forewarning

agujero _m_ hole

a gusto at one's will, to one's taste or judgment

ahogado drowned

ahogar to drown, to choke, to smother

— **se** to drown, to choke, to be suffocated

ahora now

ahorrar to save, to economize; to spare

ahuecado hollowed out

ahumar to smoke (food), to cover with smoke and soot

aire _m_ air

airoso graceful; lively

aislarse to isolate oneself, to draw apart

ajo _m_ garlic

ajusticiado _m_ criminal sentenced to death

ala _f_ (**el —**) wing

alabanza _f_ praise, commendation, glory

alabastrino of alabaster

alabastro _m_ alabaster

alamar _m_ frog, button, braid trim, tassel

alambre _m_ wire

alarido _m_ howl, outcry, shout

alarmar to alarm

alba _f_ (**el —**) dawn

albergar to lodge

al cabo at the end of

alcachofa _f_ artichoke

alcalde _m_ mayor

alcanzar to overtake; to reach

alcázar _m_ fortress

alcoba _f_ bedroom

alcohol _m_ alcohol

aldea _f_ village, hamlet

alegre happy

alegremente happily

alegría _f_ joy, happiness, glee

alejar to remove to a distance; to withdraw

alentado spirited, courageous

aleta _f_ small wing; fin of a fish

alfarería _f_ pottery; pottery shop

alfarero _m_ potter

algazara _f_ shout of a multitude; din, clamor

algo something; somewhat

alguien someone

alguno some, any, someone, something

al hilo parallel, side by side, the length of

alianza _f_ alliance; union

aliento _m_ breath

alimenticio nourishing

alimento _m_ food, nutrition

alma _f_ (**el —**) soul; human being

almacén _m_ store, shop; depository

almeja _f_ clam

alocado wild, reckless

alojarse to lodge; to be lodged

al parecer seemingly, apparently, to all appearances

alrededor about, around

altanero arrogant, haughty, insolent

altas high; story above ground floor; upstairs

altavoz _m_ loudspeaker

alternar to alternate (with)

altibajos _m_ ups and downs

altiplanicie _f_ highlands, high plateau

altivo proud, haughty

alud _m_ avalanche

alumbrar to light, to light up

alzar to raise

allá over there

allende beyond, on the other side

allí there (nearby)

amable kind, affable, likeable

amanecer to dawn

amanecer _m_ daybreak

amasar to knead

amante _m_ and _f_ lover; (-ing) sweetheart

amapola _f_ poppy

amar to love

amargo bitter

amargura _f_ bitterness

amarillento yellowish

a más no poder to the utmost

amazona _f_ horsewoman

ambientado furnished with atmosphere

ambiente _m_ environment, atmosphere

ambos both

amenaza _f_ threat

amenazada threatened, placed in danger

amenazar to threaten

amigo _m_ friend

amistad _f_ friend; friendship

amistoso affable, amicable, friendly

amo _m_ master, boss

amontonamiento piling up, accumulating

amor _m_ love

— **propio** _m_ self-love; pride

ampararse to defend oneself; to seek shelter, to claim protection

ampliarse to make larger

anales _m_ historical records

anatomía _f_ anatomy

anca _f_ (**el —**) rump

ancho wide, broad

anclar to anchor

andanada _f_ grandstand; broadside, salvo, naval salute, continuous discharge

anécdota *f* anecdote (a short narrative of a particular incident of an interesting nature)

anfitrión *m* host

ángulo *m* corner

angustia *f* anguish

angustioso anguished, worried

anhelo *m* strong desire

anillo *m* ring

ánimo *m* courage

animoso brave, spirited

anoche last night

anonadado humbled

ansia *f* anxiety, eagerness

ansioso anxious

ante before; above all

antecesor *m* ancestor

antemano with anticipation; beforehand

anterior previous; one before

antes before

anticipo *m* advance; advance payment

antiguo old, ancient

antojar (se) to occur to one; to have a whim

antojo *m* whim, fancy

antónimo *m* antonym

antorcha *f* torch light

anunciador *m* announcer

añadir to add

apagado extinguished

apagar to extinguish, to put out

aparato *m* apparatus

aparecer to appear

apartar to set apart

apasionado passionate, emotional

apellido *m* last name

apenar to cause pain or sorrow

apenas scarcely, as soon as

apio *m* celery

aplacado calmed, placated

aplacar to appease, to pacify

apodar to nickname

apoderado *m* representative; attorney; administrator

apoderarse de to take possession of

apogeo *m* peak (of career)

aposento *m* room of a house

apostar (ue) to bet, wager, to post soldiers; to emulate

apote abundantly

apoyar to lean

apoyado leaning on

apreciar to appreciate; to think highly of

apresuradamente hurriedly

apretar (ie) to squeeze; to make tight; to hasten (the step)

aprontarse to prepare quickly

apropiado appropriate, proper

aprovechar to take advantage of; to profit; to progress

apuesto elegant, refined

apuntar to aim; to point out

apurarse to worry

aquel, aquella that

aquí here

arañar to scratch

arañazo *m* scratch

ara *f* (el —) altar

en —s de on the altars of

árbol *m* tree

archivo *m* file; place where records are kept

arco *m* arch, archway

— iris rainbow

arder to burn

ardiente ardent, burning

arena *f* sand; arena

arrabal *m* district, suburb; slum

arrancada *f* sudden departure

arrancar to pull out; to pull by the roots

arrastrar to drag

arrastre *m* the dragging; place through which dead bulls are dragged from arena

arrebatar to seize, to snatch away; to carry off

arriba up, upstairs; hurrah

arriero *m* muleteer

arriesgado adventurous, daring, risky

arriesgar to risk

arrimar (se) to get close; to seek protection or shelter

arrodillado kneeling

arrodillarse to kneel down

arrojar to throw; to throw out; to throw down

arrojo *m* fearlessness, dash, boldness, daring

arrollado coiled

arrollar to roll up, to coil

arroyo *m* small stream; gulley or ditch formed by stream of water

arroz *m* rice

arrugando wrinkling

arrugar to wrinkle

artefacto *m* tool, gadget, appliance

artesa *f* trough; bowl for making bread

artesano *m* skilled worker

artículo *m* article

asado *m* the roast

asaltar to attack, to assault

asar to roast

ascender to rise

asediar to besiege, to attack

asegurar to fasten, to make secure

—se to be sure, to assure oneself

asentarse (ie) to be established, to reside

asesinar to murder

asesinato *m* assassination

aseveración *f* assertion

así so; thus; like this

asimismo exactly; so, too; in like manner

asir to seize, to take hold

asistir (a) to attend

asomarse to put out; to look out; to peek

asombrado surprised, amazed

asombro *m* surprise, astonishment

aspecto *m* aspect, appearance

áspero rough, uneven, harsh

aspiración *f* dream, desire, wish

aspirar to aspire, to desire

astado with horns

astro *m* star; heavenly body

astucia *f* cunning, slyness
asturiana from Asturias
astuto astute, cunning, sly
asunto *m* matter
asustado frightened
atacar to attack
atado tied
ataque *m* attack
atar to tie, to bind
atardecer *m* nightfall, dusk, late afternoon
aterrado terrified
atestiguar to witness, to attest, to give evidence
atracar to moor, to make the shore
atraer to attract, to draw
atraído attracted
atrapar to catch, to overtake
atrás behind
atravesar (ie) to cross
atrayente attractive
atreverse to dare; to decide to; to venture
atrevido daring, bold
atribuir to attribute, to consider as the cause
atroz atrocious, horrible
audacia *f* daring, boldness
auditor *m* listener; judge
augusto august, majestic
aullar to howl
aumentar to increase
aún even
aunque though, notwithstanding, even if
aurea golden
aurífero containing or producing gold
aurora *f* dawn
ausencia *f* absence
autor *m* author
auténtico real, true, authentic
autorizar to authorize, to give permission
auxiliar to aid, to help; helping
auxilio *m* aid, help
avanzar to advance
avariento avaricious, greedy
ave *f* (el —) bird; fowl

avecinarse to get near, to approach
avergonzado ashamed, embarrassed
avergonzar (üe) to shame — se to feel ashamed
ávidamente greedily
avisar to warn, to notify
aviso *m* warning
avistar to sight
axioma *m* axiom; maxim
aya *f* (el —) governess, instructress
ayer yesterday
ayuda *f* help
ayudar to help, to assist
ayuno *m* fast (without food)
azahar *m* orange blossom
azotaina *f* whipping
azote *m* lash with a whip
azucena *f* lily

bacalao *m* codfish
bahía *f* bay
bailador *m* dancer
bailar to dance
baileteando dancing, bobbing up and down
bajar to get down, to descend
bajo low; short
bala *f* bullet
balbuciente stuttering, stammering
balbucir to stutter, to stammer
bañarse to bathe, to take a bath
bandeja *f* tray, platter
banderilla *f* banderilla, barbed dart used in bullfighting
baraja *f* pack of cards; game of cards
barba *f* beard; chin
borda *f* board; railing
barra *f* bar, rod; sandbar
barrer to sweep
barrera *f* barrier, barricade
barriada *f* district of town or city
barril *m* barrel
barrio *m* district, neighborhood
barro *m* clay; mud

básicamente basically
bastante enough
bastar to be enough
batel *m* small boat
batir to beat; to whip
beber to drink
bellaco *m* villain, rogue
belleza *f* beauty
bello beautiful
bendecir to bless
beneficio *m* good fortune; benefit; favor; profits
bergantín *m* brig, brigantine, a kind of ship
besar to kiss
beso *m* kiss
bestia *f* beast, animal
bicho *m* animal, beast
bienes *m* property; possessions
bienestar well-being
bienvenido *m* welcome
billete *m* bill (money); ticket
blanco white
dar en el — to hit the mark
blanduzco soft
blanquizco whitish
blasfemia *f* blasphemy, verbal insult
bloque *m* block
blusa *f* blouse
bobo *m* fool, simpleton
boca *f* mouth
boda *f* nuptials, wedding, marriage
bodega *f* cellar; warehouse
bofetada *f* slap
bohemio Bohemian
bohío *m* hut
bolita *f* little ball
bolsillo *m* pocket, purse
bombardeo *m* bombing
bombo *m* large drum
borbollón *m* gush, spout of water
borde *m* edge
borracho drunk
borrado erased
borrar to erase
borroso clouded; blurred
bosque *m* wood, forest; grove

bota *f* small leather wine bag
bote *m* boat; jug; bucket
botella *f* bottle
bordado embroidered
bordado *m* embroidery
botín *m* booty
bramar to roar; to bellow (noise of an animal)
brazada *f* measure of distance; arm's length; armful
brazo *m* arm
breve brief, short
brindar to drink a toast
brío *m* vigor, spirit, enterprise
broma *f* joke, jest
bronce *m* bronze
bronco rough, harsh, coarse
brotar to bud, to bloom; to burst forth
brujería *f* witchcraft, sorcery
bruja *f* witch, sorceress, hag
brujo *m* sorcerer, wizard
brusco rough, coarse
buen good; well
   — mozo *m* good-looking fellow
buey *m* ox
buho *m* owl
bullicio *m* bustle, noise, uproar
bulto *m* bulk, anything which appears to be massive; package
buque *m* ship, boat
buriel *m* bull of dark reddish color
burla *f* jest, joke, fun, mockery; deceit
burlar to ridicule; to deceive; to mock, to make fun of
buscar to search, to look for
búsqueda *f* search
buzón *m* letter box

cabalgar to mount or ride on horseback
caballero *m* gentleman
caballo *m* horse
cabecilla *m* chief, leader
cabellera *f* hair
caber to fit

cabeza *f* head
cabildo *m* city hall
cabizbajo crestfallen, with head down
cabo *m* end
   al — de at the end of
   llevar a — to carry out (an order)
cacao *m* chocolate bean
cacahuate *m* peanut
cacharro *m* coarse earthenware utensil
cada each, every
cadáver *m* corpse
cadena *f* chain
caer to fall
   dejar — to drop
caja *f* box
cajón *m* large box; mailbox
calamidad *f* misfortune; mishap; misery
calcetines *m* socks
calcomania *f* decalcomania
caldo *m* soup, broth
calentar (ie) to heat
calidad *f* quality
calificar to qualify; to grade
calor *m* heat
calumniar to slander, to accuse falsely
calzoncillos *m* trousers, breeches
callado silent, quiet
callar to quiet, to hush
calle *f* street
callejón *m* alley
cama *f* bed
cámara *f* chamber
camarada *f* partner, companion
camarón *m* shrimp
cambiar to exchange; to shift, to change
cambio change
   en — on the other hand
camello camel
camilla stretcher
caminante *m* traveller, walker
camino *m* road; way
camionero *m* truck driver
camiseta *f* undershirt; short shirt with wide sleeves

campana *f* bell
campaña *f* campaign
campanada *f* sound of a bell
campesino *m* farmer
campo *m* field
camposanto *m* cemetery
canción *f* song
candilería *f* candle holder
cansado tired, weary
cansancio *m* fatigue
cansar to tire; to be tired
cantar to sing
cantidad *f* amount; quantity
cantón *m* district
caña *f* sugar cane, rum
cañada *f* brook, small stream
caño *m* narrow canal; channel
cañonazo *m* cannon shot
capataz *m* foreman
capaz able, capable
capitalino pertaining to or from the capital
capote *m* cloak; cape
caprichoso capricious, frivolous
cara *f* face
carabina *f* rifle
carácter *m* character; temper
caracterizar to characterize
carcajada *f* outburst of laughter
cárcel *f* jail
careta *f* mask
cargadito a little heavy on the side of, leans toward
cargado loaded; filled
cargar to burden, to load
cariátide *f* columns in the form of women or men
caricia *f* caress
caridad *f* charity
cariñoso affectionate
carne *f* meat
carpintero *m* carpenter
carrera *f* career, race, race track
   a la — at full speed
carreta *f* cart, wagon
carretera *f* highway
carretero *m* cartman; cartwright
carretón *m* float or platform (of a parade)
carrillera *f* cartridge belt

carroza *f* coach; elegant state coach, parade float

carruaje *m* vehicle; carriage; car

carta de marear *f* map of the sea; sea chart

cartel *m* poster, handbill, notice; announcement

cartero *m* mailman

cartón *m* cardboard

casa *f* house

en — at home

casaca *f* cape

casamiento *m* marriage; match; wedding

casarse to get married

caserío *m* village

casero domestic

caserón *m* big house

casilla *f* small house

caso *m* case; matter

en — de (que) in case

¡cáspita! upon my word! Heavens!

castañetear to rattle the castanets; to hit together

castellano Castilian; Spanish (language, grammar)

castigar to punish

castigo *m* punishment

casto chaste, pure

catalán from Catalonia

catorce fourteen

caucho *m* elastic gum, India rubber

caudal *m* fortune

caudillo *m* chief, leader

caza *f* the hunt

cazador *m* hunter

cazar to hunt (game)

cebar to feed a fire

cebolla *f* onion

ceder to cede, to give in to

cegado blinded

cegar (ie) to make blind

celeste sky blue

celosía *f* jealousy

celoso jealous

cenar to dine

ceniza *f* ash

centenar (es) *m* hundred(s)

cera *f* wax

cerca *f* fence

cercado *m* enclosure

cerco *m* fence

poner — to surround, to siege

cerdo *m* pig, hog, pork

cerrado closed; close together; thick

cerrar (ie) to close, to shut

cerro *m* hill

certera accurate, well-aimed

césped *m* grass

cicatriz *f* scar

ciego blind

cielo *m* sky, heaven

ciencia *f* science

cierto certain

por — certainly

cifra *f* cipher, code

cimbalillo *m* small cymbal

cincelado carved

cine *m* movie, picture show

cinta *f* ribbon

cintura *f* waist

cinturón *m* belt

circo *m* circus

circunspecto cautious, serious, considerate

circunstancia *f* circumstance

cirio *m* candle

cita *f* date, appointment

citar to quote; to make a date

ciudad *f* city

clarete *f* claret wine

claridad *f* clarity; understanding

clarín *f* trumpet

claro of course

clausurar to close; to end

clavado nailed, firmly fixed

clavar to nail

clavel *m* carnation

clavo *m* nail

clero *m* clergy

cliente *m* client, customer

cobarde *m* coward

cobrar to collect; to charge

cobre *m* copper

cocido cooked slightly

cocina *f* kitchen

codo *m* elbow

cofradía *f* confraternity, brotherhood, sisterhood

coger to seize; to catch; to gore

cohete *m* skyrocket

coincidir to coincide

cojín *m* pillow

cola *f* tail

colarse (ue) to filter

colchón *m* mattress

colega *m* colleague, close friend

colegio *m* school

colgar (ue) to hang

colina *f* hill

collar *m* necklace; dog collar

colmado (colmao) *m* store

colocar to place; to locate

colombino pertaining to Columbus; Columbian

colono *m* colonist, settler; tenant farmer

coloquio *m* talk, speech, discussion

colorido colorful, colored

comarca *f* region, district, territory

combate *m* combat

combativo aggressive, fighting

combinar to combine, to put together

comedor *m* dining room

comenzar (ie) to begin

comer to eat

cometer to commit; to perform

comida *f* meal; dinner

como as; how; since; like

compadre *m* pal, companion

compaginar to arrange in proper order, to put in order

compañero *m* friend, pal, companion

comparar to compare

comparecer to appear before

compartir to share

compás *m* rhythm

compasivo compassionate

compatriota *m* fellow countryman

competir (i) to compete
complacer to please
complacido content, pleased, satisfied
completar to finish
completo complete
componente component
componer to compose
comportamiento m behavior
comprar to buy, to purchase
comprender to understand
comprensión f comprehension, understanding
comprobar (ue) to verify, to confirm; to prove
comprometer to compromise; to bind by contract; to expose to danger
— se to become engaged
comprometido compromised; involved; engaged
comunicado m communiqué to the press
comunicar to communicate
comunión f communion
concebir (i) to conceive; to imagine
conceder to concede; grant; to admit
concerniente concerning
conciencia f conscience
concreto real, concrete; specific
concurrencia f crowd, gathering of people
concurrente m one in attendance
concurso m contest
concha f shell
condado m county
cóndor m condor, large bird of the eagle family
conducir to conduct, to lead, to guide
conectar to connect
confeccionar to make, to prepare; to fabricate
conferir (ie) to confer; to deliberate
confesarse (ie) to confess
confianza f confidence, trust
confiar to confide; to trust

conformar (se) to conform, to adjust; to agree in opinion
conforme accordingly; suitably; consistent with
confrontar to face
confundir to confuse
conjunción f joining, conjunction
conjunto m combination
conjuración f conspiracy
conjurado m conspirator
conjuro m entreaty, plea; conjuration
conmigo with me
conmovedor touching, moving
conmover to move, to touch, to affect
conocer to know, to be acquainted with
conocimiento m knowledge
conque so; so that
conquistador m conqueror
conquistar to conquer
conquista f conquest
consecuencia f consequence
en — consequently
consecutivo consecutive
conseguir (i) to obtain, to get
consejo m advice
consentir (ie) to consent
conservar to preserve; to keep
considerar to consider
consigo with himself
consiguiente consequent
de (por) — consequently
consistir (en) to consist of
consolar (ue) to console, to comfort
constar to be clear, evident; to be composed of
constituir to establish; to make, to form
construir to build, to construct
consuelo m consolation
consultar to consult; to talk over
consumidor m consumer
contar (ue) to count; to relate
contemplar to look at; to think about
contemporáneo contemporary

contendor m contender
contener to contain
contestar to reply
contigo with you
continuar to continue
contorno m contour; outline
contra against
contraer to acquire; to contract for, to contract
contrahecho deformed
contrariado annoyed, opposed, contradicted
convenir to agree
convencido convinced
convertir (ie) to convert; to change
convocar to call together
copa goblet; drink (of wine or other spirits); treetop
copla f ballad; verse; popular song
coquetear to flirt
coraje m courage, bravery; spirit
corazón m heart
corcel m horse, charger
cordero m lamb
cordón cord or string; a line of troops to prevent communication
cornada f thrust with the horns; a goring
corona f crown
coronar to complete; to crown
coronel m colonel
correa f toughness, resistance, flexibility
corregidor m a magistrate
correr to run
corresponder to correspond; to reciprocate
corrida f bullfight
corriente f trend, current, direction
corrompido corrupt
cortante biting, cutting
cortar to cut
cortejo m court; courtship, homage, cortege
cortesía f courtesy

corteza *f* outer shell, crust
cortina *f* curtain
cortísimo very short
cosa *f* thing
cosecha *f* harvest
costa *f* coast; cost
costado *m* side (anatomy)
costar (ue) to cost
costumbre *f* custom; habit
cotidiano daily, customary, everyday
cotizado quoted, listed; acclaimed
creado created
crear to create
crecer to grow; to raise
creencia *f* credence; credit; belief, creed
creer to believe
criar to raise, to rear
criollo *m* native to America (a Spaniard born in America)
cristal *m* crystal, glass; lens
cronista *m* reporter
crucificado crucified
crudo raw
crujir to creak, to crackle; to splinter
crup *m* croup; chest congestion
cruzado *m* crusader
cuadra *f* a block of houses
cuadrilla *f* group of four or more persons that cooperate in some venture
cuadro *m* picture; scene; square
cuajado full
cual which
cuales which (ones)
cualidades *f* qualities
cualquier whichever, whatever, whoever; any
cualquiera any; anyone
cuando when
cuanto as much
　¿cuánto? how much?
　en — as soon as
cuantioso abundant
Cuaresma *f* Lent; Lenten period
cuartel *m* barracks
cuarto fourth

cuarto *m* room
cubierto (de) covered (with)
cubrir to cover
cucharadita *f* little spoon; teaspoon
cuchicheo *m* whisper, whispering
cuchillo *m* knife
cuello *m* neck; collar
cuenta *f* account; computation, bill
　por su — on one's own
cuento *m* story
cuerda *f* rope; whip
cuerno *m* horn
cuerpo *m* body, matter; the bust; corpse; corporation
cuervo *m* crow
cuesta *f* hill; steep grade
　a —s on one's shoulders or back
　— arriba uphill
¡cuidado! be careful!
cuidar to take care of
culebra *f* snake
culinario culinary, relating to the art of cooking
culminación *f* fulfillment
culpa *f* guilt, fault
cumbre *f* peak; highest point
cumplir to fulfill; keep; comply with
cuñado *m* brother-in-law
cura *m* curate, minister, priest
curaca *m* governor; (Perú) chief, boss
curar to cure
curso *m* course
cushma *f* shirt worn by Indians
cuyo whose

chaquetilla *f* jacket
charco *m* puddle, pool
charro *m* Mexican horseman
chasqui *m* postboy, messenger
chico *m* small, small boy
chicha *f* alcoholic drink native to Indians of Ecuador
chifladura *f* mania; whimsical desire

chillido *m* screech, scream
chillón loud (of colors); sharp
chino Chinese
chipirón kind of cuttlefish
chiquillo *m* small boy
chiquitín *m* small boy
chirriar to hiss, to sizzle
chispa *f* spark
chistera *f* hat with a high crown, dress hat
chistoso funny
chocar to collide
cholo *m* half-breed; person of inferior social class
choque *m* collision
chorizo *m* sausage
choza *f* hut, cabin
chuparse to suck

dadivoso generous, liberal
daño *m* damage, harm
　hacer — to cause damage, harm, or injury
dar to give, to hit
　— con to find, to meet up with
　— en el blanco to hit the mark
　— se cuenta de to realize
　— se el gusto to take pleasure in; to have the pleasure of
debajo (de) under, below
deber to ought (to do something)
débil weak
debilidad *f* weakness
debutar to do or use for the first time
decapitar to behead
decir to say, to tell; to speak
declararse to declare one's opinion; to make a declaration of love
dedicar to dedicate
dedo *m* finger; toe
defender (ie) to defend
definir to define
degollar (üe) to decapitate, to behead

dejar to leave; to let; to allow

delantal *m* apron

delante before

— **de** in front of

deleitar to delight, to please

delincuente delinquent

delirante delirious

delito *m* crime

demanda *f* demand, complaint, claim

demás the other, the rest

demasiado too; too much

demostrar (ue) to demonstrate, to show

denodado brave, daring, intrepid

denominar to name, to call, entitle

dentadura *f* teeth

dentro inside, within

denunciar to denounce

depender to depend

derecho right; straight

deriva *f* ship's course; drift

derramar to shed; to spill

derrame cerebral *m* brain hemorrhage

derribar to knock down, to throw down

derrotar to defeat, to ruin

desacuerdo disagreement

desafiar to defy; to oppose; to challenge

desafío *m* challenge; duel

desaliento *m* dismay, depression of spirits

desalojar to dislodge, to oust

desaparecer to disappear

desarmado disarmed

desarmar to disarm

desarrollar to unroll, to unfold; to develop

desarrollo *m* development

desatar to untie, to unfasten

desbaratar to destroy, to smash; to rout, to force one to retreat

desbaratado destroyed, smashed; routed, forced to retreat

desbocado open-mouthed (as though breathless)

descalzo barefoot

descampado *m* open space; clear space without buildings or houses

descanso *m* rest

descender (ie) to descend; to go down

descolgar (ue) to unhook, to unfasten, to take down what has been hung up; to come down

descomponer to upset, to put out of order, to set at odds

desconcertar (ie) to bewilder, to confuse

desconfiar to distrust

desconocer not to recognize, not to know

desconocido unknown, unrecognizable

desconsoladísimo disconsolate, downhearted, very sad

descubridor *m* discoverer

descubrimiento *m* discovery

descubrir to discover; to uncover, to expose

descuidarse to be careless

desde from, since

— **luego** of course

desdén *m* disdain, scorn

desdentado with no teeth

desdicha *f* misery, unhappiness

desear to want, to desire

desembocadura *f* mouth of a river

desempeñar to fulfill; to carry out; to redeem

desencuadernado unruly, out of temper

desenfundar to take out of the holster or sheath, to unsheath

desengaño *m* disappointment

desenlace *m* development of plot

desenterrar (ie) to unearth, to dig up, to disinter

desenvolverse (ue) to unfold

desenvolvimiento *m* unfolding, development

deseoso desirous, eager

desesperación *f* despair

desfallecimiento *m* death

desfilar to pass in review, to file past; to parade

desfile *m* parade

desgraciadamente unfortunately

desgraciado unhappy, unfortunate

deshojar to strip off the leaves

deshonrar to disgrace; to scorn, to despise

desigual not equal

desigualado made unequal

desilusionar to disappoint

deslizar to slide, to glide, to flow; evade

deslumbrador dazzling, glaring

deslumbrante dazzling

deslumbrar to dazzle

desmayarse to faint

desmedirse (i) to forget oneself, to lose self-control

desmenuzado cut or torn into small pieces

desmontar to dismount, to come down

desnudar to undress, to strip

desnudo undressed, naked

desollar (ue) to skin

despacio slow

despacho *m* office, study, den

despertar (ie) to awaken

desplazar to displace

desplegar (ie) to unfold; to open or spread out

desplomarse to fall

despoblado uninhabited, deserted

desposados *m* the newlyweds

desposar to marry

desprecio *m* scorn, contempt

desprendido generous

despreocupación *f* state of not being worried

después (de) after

destacarse to stand out, to be conspicuous

desterrado exiled, deported

desterrar (ie) to expel, to exclude, to exile

destilar to distill

destino *m* destiny

destrozar to destroy, to break into pieces

destruir to destroy

desvanecer to disintegrate, to divide in minute parts; to take away, to make disappear

desviar to reroute, to change the route of

detallar to detail

detalle *m* detail

detener to detain, to arrest

detenidamente carefully; in detail

determinar to determine, to find out

detonación *f* explosion

detonador that which causes an explosion, fuse, detonator

detrás behind
—**de** in back of, behind

devolver (ue) to return (an object), to give back

devoto devout

diablo *m* devil

diabólico diabolical

diálogo *m* dialogue

¡diantre! *m* the devil! (an expression of awe or impatience)

diario daily

diario *m* newspaper

dibujar to sketch, to outline, to draw, to make a drawing

dibujarse to cast a shadow

dicha *f* joy, happiness

dicho aforementioned

diestro skilled, expert

difícil difficult, hard

dificultosamente with difficulty

difunto deceased, dead; late

difunto *m* corpse

digerir (ie) to digest

dignarse to condescend, to deign

dilatación *f* extension, amplification

dilatado extensive, vast

diminutivo diminutive, small

dinero *m* money

Dios *m* God, Lord

directivo directive, managing

dirigido addressed, directed

dirigir to direct, to lead

discernir to discern, to distinguish

discurso *m* speech; talk

discutir to discuss; to argue

disfraz *m* disguise

disimular to feign, to pretend; to hide the truth

disimulo *m* dissimulation, feigning, pretense; slyness, reserve

disipación *f* scattering, thinning out

disipar to dissipate, to scatter

disminuir to reduce, to slow down

disparar to hurl; to shoot

disparate *m* blunder, mistake; absurdity

disparejo uneven

disparo *m* shot

disperso scattered, loose, dispersed

displicencia *f* displeasure

displicentemente lazily

disponer to prepare, to arrange; to be willing

disputar to dispute

distinguir to distinguish

distinto different

diverso several

divertirse (ie) to enjoy oneself, to have a good time

divino divine

divisa *f* inheritance; share of the national wealth

divisar to distinguish (a person or object), to perceive

doce twelve

documentación *f* official papers

doler (ue) to grieve; to distress; to hurt

dolerse (ue) to repent; to regret

dolor *m* pain; grief; sorrow

doloroso sad; painful; sorrowful

domador *m* trainer

domar to tame; to train

dominar to dominate; to master; to overpower; to control

domingo *m* Sunday

don *m* gift; special grace for doing things, talent; don, title for a gentleman

doncella *f* maid, servant; maiden

donde where

dorar to gild, to paint gold

dormir (ue) to sleep
—**se** to fall asleep

doquier (dondequiera) wherever

dosis *f* dose

dotado gifted, talented

dotar to endow; to provide with a dowry

dote *m* and *f* dowry

dramaturgo *m* dramatist

ducado *m* ducat (old Spanish money)

duda *f* doubt, misgiving
sin — without a doubt

dueña *f* landlady; owner

dueño *f* owner; master

dulce sweet, pleasant, fresh, soft

durante during

duro hard, strong

ebrio intoxicated, drunk

ecuestre equestrian, pertaining to horses

echar to throw; to throw out, to expel; to dismiss; to drive away

editar to edit; to publish

efecto *m* effect, consequence
en — indeed, really

efectuar to accomplish

efluvio *m* exhalation; emission

efusión *f* effusion

ejecutar to execute, to perform, to make, to do

ejemplo *m* example

ejército *m* army

elaborar to elaborate, to go into detail

elegir (i) to elect; to select

elevar to raise, to lift

elogiable praiseworthy

elogio *m* praise

eludir to elude, to avoid

embajada *f* embassy

embarazar to embarrass

embarazoso embarrassing

embargar to restrain, to suspend, to hinder, to obstruct

embargo: sin embargo however, nevertheless

embelesar to amaze, to astonish, to charm

embestir (i) to attack

emboscada *f* ambush

embotellar to bottle

embriagado drunk

embutido *m* sausage

eminente prominent, outstanding

emoción *f* emotion

emparrado *m* arbor

empecinado stubborn

empedrado paved with stones, cobblestoned

empedrador *m* stone paver

empeñado determined, insistent

empeñar to oblige, to pledge, to promise

—se en to insist (upon)

emperador *m* emperor

empero yet, however, notwithstanding

empezar (ie) to begin

empleado *m* employee

emplear to employ, to use

empleo *m* job, work

emprender to undertake, to begin

empresa *f* enterprise, undertaking

empresario *m* promoter; theatrical manager; impresario

empujar to push

empuñar to grip

enamorar to make love; to court

— se de to fall in love with

enano *m* dwarf; small

encabezar to head; to lead

encalado whitewashed

encaminarse to take the road to; to be on the way to; to head for

encajonar to encase, to enclose

encaramarse to raise; to climb; to elevate oneself

encargado in charge, responsible

encargar to recommend; to take charge of anything

encarnizado bloody, hard-fought; fierce

encarnar to embody, to represent

encarrilar to guide, to put on the right road, to keep in line

encendido lighted; scarlet

encerrar (ie) to enclose

encima (de) on top (of)

encina *f* evergreen oak

enclavado embedded; nailed; firmly located

encoger (se) to shrink, to shrivel, to draw up

encomendar (ie) to entrust; to charge; to advise

encontrar (ue) to find; to meet or encounter

encorvado bent, curved, doubled over with age

encrucijada *f* crossroad; street intersection

enderezar(se) to straighten (up)

en derredor de around

endulzar to sweeten; to soften

enemigo *m* enemy

enfadarse to become angry

enfermedad *f* sickness, illness, malady

enfermería *f* infirmary

enfermo *m* the sick one; patient; ill

enflaquecer to become thin, to lose weight

enfrentar to oppose; to face

enfriar to cool

engalanado decorated, gaily festooned

enganchar to hook

engañar to deceive, to cheat

engaño *m* trick, act of deceit

engordar to fatten

engrandecer to make larger; to extend; to make something appear greater

engrosar to increase; to enlarge; to thicken

enigma *m* puzzle; riddle

enigmático puzzling

enloquecer (se) to madden; to go mad

enmarcado embroidered; framed

ennegrecer to blacken

ennegrecido blackened

ennoblecer to ennoble, to enrich

enojado annoyed, angry

enojar (se) to become angry

enredadera *f* vine; climbing plant

enriquecido enriched

enrojecido reddened

ensalada *f* salad

ensayo *m* rehearsal; practice; trial

en seguida immediately

enseñar to teach; to show

enseres *m* belongings; household goods

ensueño *m* dream; illusion

entender (ie) to understand

entendido wise, knowing, prudent

enternecido moved to compassion

entero entire, complete

enterrar (ie) to bury

entierro *m* burial, funeral

entonar to chant, to sing

entonces then, afterwards

entrada *f* entrance

dar — a to allow someone to enter

entrar to enter, to come in

entre between, among

entrega *f* act of rewarding; delivery; surrender

entregar to deliver; to hand over

entrenzar to braid

entretanto meanwhile

entretener to entertain

entretenido entertaining

entrevista *f* interview

entrevistar to interview

entristecer to make sad

entristecido saddened

enumerar to enumerate; to list

enviar to send

envidia *f* envy; selfishness

en vilo in the air; in suspense

envolvente surrounding

épico epic

época *f* epoch, period, era

epopeya *f* an epic poem

equino equestrian, pertaining to horses

equitación *f* horseback riding

equivocado wrong, in error, mistaken

equivocarse to mistake, to make an error; to be mistaken

erguido erect, straight; held up

erguir (i) to stand erect

erizarse to stand on end (hair); to bristle

esbelto tall, slender, well-built, graceful

escalofriante chilling, shivery

escalofrío *m* chill

escalonado distributed or situated in steps

escama *f* fish scale

escaparate *m* display case

escena *f* scene

esclavo *m* slave

escoger to choose, to select

escoltar to escort, to lead

escombro *m* rubble, ruin

esconder to hide

escondido hidden

a — s secretly

escondite *m* hiding place

escopeta *f* shotgun

escopetazo *m* shot from a gun; wound made with a shotgun

escribir to write

escritor *m* writer

escrúpulo *m* scruple; hesitation

escuchar to listen (to)

escudo *m* coin; shield; coat of arms

escultura *f* sculpture

esencia *f* essence, spice

esforzar (ue) to force

— **se** to make an effort

esfuerzo *m* effort

esmeralda *f* emerald

esmero *m* careful attention, painstaking

eso that

espacio *m* space, interval

espada *f* sword

espalda *f* back, shoulder

espantado frightened

espantar to scare, to frighten

espanto *m* fright, dread

espantoso frightful, dreadful

esparcir to spread

especie *f* sort, kind; species

espejo *m* mirror

esperanza *f* hope

esperar to hope, to wait

espeso thick

espina *f* thorn

espiral winding

espíritu *m* spirit; courage

esplendidez *f* splendor

espolear to spur, to spur on (a horse); to encourage

esposa *f* wife

esposo *m* husband

espuma *f* froth, foam

esqueleto *m* skeleton

esquiar to ski

esquivo disdainful, contemptuous

estación *f* station, season (of year)

estado *m* state

estafeta *f* post office

estampa *f* print, a figure or image printed

estampido *m* report of a gun or detonation; crack; explosion

estancia *f* small farm; ranch

estandarte *m* standard

estar puntuado to be punctuated

estilar to be accustomed; to be in fashion

estilo *m* style

estimar to esteem, to value

estirado stretched out, prolonged

estirar to stretch out, to extend

esto this

estocada *f* stockade, enclosure

estómago *m* stomach

estoque *m* sword, rapier used by bullfighters

estorbar to disturb, to bother

estotro this other; combined form of *este* and *otro*

estrangular to strangle

estrechar(se) to constrain; to narrow

— **la mano** to shake hands

estrecho straight; narrow

estrella *f* star

estremecer to shake, to make tremble

estreno *m* debut; first use or showing

estrofa *f* stanza

estudiar to study

estudio *m* study

estupefacto dumbfounded

eterna eternal, everlasting

evasión *f* evasion; escape

evitar to miss; to avoid

evocación *f* evocation, reminder

evocar to evoke, to call forth

evocativo evocative, recalling something, calling to mind

examinar to examine

excavar to dig

excelso elevated, sublime, lofty

exhalar to exhale

exhibir to exhibit, to show

existir to exist, to be

exigir to demand

éxito *m* success

tener — to be successful

expansionar to expand, to extend; to develop

expirar to die; to come to an end

explicar to explain

explotación *f* explosion

explotar to exploit

exponer to expose

— **se** to lay oneself open to

extasiar to be in ecstacy; to revel in

extender to spread, to extend

exterminar to eliminate

extinción *f* suppression; extinction

extracción extraction; background

extraer to extract

extranjero *m* foreign; foreigner

extrañar to seem strange, to surprise

— **se** to refuse

extrañeza *f* surprise, wonderment

extraviarse to get lost; to err

extremeño from Extremadura

extremoso extreme, very difficult or uncomfortable

fabada *f* a mixture of pork and beans

fabricación *f* manufacture

fabuloso fabulous, unusual

facciones *f* features (facial)

fácil easy

facilitar to facilitate, to make easy

fachada *f* façade, front of a building

faena *f* work, labor, task

falda *f* skirt

faltar to lack; to be missing

fallar to pass sentence, to render a verdict

fallecer to die

fallecido *m* deceased, dead

fama *f* fame; reputation

fantasma *m* phantom, apparition, ghost

faro *m* beacon; lighthouse

farol (farolillo) *m* lantern; bell-shaped flower; street lamp

fastuosísimo pompous, majestic; very gaudy, extremely ornate

fe *f* faith

fecha *f* day, date

felicidad *f* happiness

feliz happy

fénix *m* Phoenix; that which is exquisite or unique of its kind

feo ugly

feria *f* fair

ferviente fervent, ardent

fervor *m* earnestness, zeal, devotion

festejar to celebrate

festejo *m* feast, entertainment

ficha *f* chip, marker; domino

ficticioso fictitious, not real or true

fiebre *f* fever

fiel faithful, true

fiera *f* wild animal; savage

fiereza *f* ferocity, fierceness

fiesta *f* party; celebration

fijamente fixedly, steadfastly, intensely, firmly

fijar to fix; to fasten

— **se** to notice, to pay close attention, to fix attention on

fila *f* line, column, row

hacer — to line up

filial filial, love of a son or daughter

filmar to film for the screen

filosofía *f* philosophy

filosófico philosophic

fin *m* end

por — finally, at last

a — **de que** so that

finado *m* deceased, dead; pertaining to All Souls' Day

finura *f* fineness, gentility

firma *f* signature

flaco thin

flama *f* flame

flojamente lazily

flor *f* flower

flor y nata *f* the cream; the choice part

florecer to have flowers; to flourish

florín *m* florin (a silver coin)

flotar to float

fluvial fluvial, pertaining to rivers

foco *m* group of electric lights; spotlight; lightbulb; flashbulb

fogonazo *m* powder flash; flash of gunfire

fondo *m* bottom; depth; background

forjar to forge, to shape

formar to form; to shape

forrado lined or covered

fortaleza *f* fortress; strength

fortificar to fortify, to make strong

fortín *m* small fort

fracasar to fail

fracaso *m* failure

francamente frankly, openly

fragmentación fragmentation, breaking up

frasco *m* bottle, flask

frase *f* phrase, sentence

frecuencia *f* frequency

freidor *m* fry cook; fish vendor; fryer

fresco fresh; cool

fríamente coldly, cooly

frijol *m* bean (usually used in plural **frijoles**)

friolento sensitive to cold; chilly; indifferent

frito fried

frondoso leafy (with fronds)

frotarse to rub, to rub in

fruición *f* enjoyment; satisfaction

frutas *f* fruit

fuego *m* fire

hacer — to shoot

fuera out, outside

fuerza *f* force; power

fuerte strong

fuerte *m* fort

fuga *f* escape, flight
fugaz fleeting; running away; apt to escape
fulgurante shiny
fumigar to fumigate
fundado founded; established
fundador *m* founder
fundar to found; to establish
furor *m* fury, madness
furúnculo *m* boil
fusil *m* gun, rifle
fusilar to shoot

gaitero *m* bagpipe player
gala pertaining to festive occasion, gala
gallina *f* hen
gallo *m* rooster
   misa de — Midnight Mass on Christmas Eve
gana *f* will; desire
ganado *m* cattle
ganadería *f* cattle ranch; cattle raising
ganar to earn, to win
   — se la vida to earn a living
gangrenoso blood poisoned, gangrenous
garapiñada *f* sugar-coated sweets
garapiñado candied, sugar-coated
garbanzo *m* chickpea
garbo *m* grace, elegance
garganta *f* throat
garrafón *m* large bottle, large carafe
garza *f* heron
gastar to spend; to waste
gastronomía *f* art of eating well, gastronomy
gatear to crawl
gaucho *m* cowboy of the Argentine pampas
gazpacho *m* a Spanish cold soup made with bread, oil, raw vegetables, garlic, and other ingredients
gema *f* gem
gemido *m* groan; lament

generación *f* generation; age
genialidad *f* disposition
genio *m* genious; disposition
gente *f* people; crowd
gentileza *f* charm
gerente *m* manager
gesto *m* gesture; expression
gigante giant
girar to spin, to turn, to whirl around, to rotate
giro *m* turn, revolution, rotation, gyration
gitano *m* gypsy
globo *m* balloon, globe
glotón *m* glutton
gobierno *m* government
golosina *f* tidbit, delicacy, sweet morsel
golpe *m* blow, slap, hit
golpear to strike, to knock, to hit
golpecito *m* little tap
gordo fat
gorro *m* cap
gota *f* drop
gotita *f* little drop
gozar to enjoy; to find satisfaction
grado *m* grade; rank
gradualmente gradually
granada *f* pomegranate
grande large
granizar to hail
granizo *m* hail
granuja *m* urchin
gratis free
grato pleasing
grave serious
graznido *m* croak, caw of a bird
gritar to shout, to yell; to cry
gritería *f* shouting, yelling
grito *m* shout
grosería *f* rudeness, ill-breeding, coarseness
grosero indelicate, coarse, lacking good manners
grueso fat, bulky, heavy
guapísima very good-looking
guapo good-looking, pretty, handsome

guardar to keep; to save, to protect
   — se (de) to guard against, to avoid
guardiano watchful, vigilant
guarecer to shelter, to refuge
guarnecido trimmed, ornamented
guerra *f* war; hostility
guía *m* guide
guisa *f* manner, form, way
   a — de in the manner of
guisar to cook
gusano *m* worm
gustar to please
gusto *m* pleasure
   a — at one's will, to one's taste or judgment
   darse el — to enjoy

haba (el —) *f* bean; lima bean
haber to have (auxiliary)
habichuela *f* kidney bean
habilidad *f* ability; cleverness; talent
habitante *m* inhabitant
hacendado *m* landowner; rancher
hacer to make; to do
hacer daño to harm
hacer gracia to cause diversion, to amuse
hacer proa to head for; to set the prow for (nautical term)
hacer venir to have come
hada *f* (el —) fairy
hágale usted venir have him come
hallar to find; to discover; to observe
hambre *f* (el —) hunger
   tener — to be hungry
   pasar — to be hungry
harina *f* flour
hasta until; even; up to
hatillo *m* a small bundle; a few clothes
   — de trapón a few ragged clothes

hay there is, there are
hazaña f heroic deed; exploit
hechicero m witch; wizard
hechizar to bewitch; to injure by witchcraft
hecho m action; deed; fact
hechuras y andares f physical attributes and behavior
hegemonía f leadership
helado frozen
herencia f inheritance
herida f wound
herir (ie) to wound, to harm, to injure
hermoso beautiful
héroe m hero
heroína f heroine
hervir (ie) to boil
hervor m the boiling
hierba f grass; weed
hierro m iron; brand
hija f daughter
hijo m son
hijos m children
hila f narrow strip; shred
hilera f row, line, tier, file
hilo m thread
 al — parallel, side by side; the length of
hincapié m standing one's ground
hincarse to kneel, to kneel down
hinchazón f swelling; inflammation
hirviendo boiling
hirviente boiling
hispanoparlante m Spanish speaking person
hociquera f snout
hogar m home
hoguera f fire, bonfire; hearth
hoja f leaf; sheet of paper
hojalata f tin plate
hojalatería f the art of making tin plate or utensils; tin shop
hojear to turn the leaves of a book
hombre m man

hombro m shoulder
hondo deep
hondonada f dale, ravine, glen
hondureño of Honduras
honor m honor; fame; glory
honra f honor; reverence
honrado honest, honorable
horno m kiln; oven
hospedaje m lodging
hora f hour
hormona f hormone
hoya f hole, pit; basin of a river; dimple
huaso m horseman of Chile
hueco m hole; hollow
huella f track, footprint
huérfano m orphan
huerta f orchard; vegetable garden
huerto m orchard; fruit garden
hueso m bone
huevo m egg
huir to flee, to escape
húmedo damp, moist
humildad f humbleness, humility
humilde humble
humillación f humiliation
humillar to humble
humo m smoke
humorismo m humor
hundir to sink

ibero m Iberian
idioma m language
ídolo m idol
ignorar to be ignorant of
iglesia f church
igual similar, alike
igualdad f equality
ilustre illustrious, distinguished
imagen f image
imaginar to imagine
imán m magnet
impasible showing no emotion
imperceptible imperceptible, not visible
imperio m empire
ímpetu m impetus, stimulus

impetuosidad f impetuosity, rash behavior
impetuoso impetuous, violent, fierce
implorante imploring
imponer to advise, to give notice, to instruct in; to assert
importar to be important, to matter
impreciso uncertain
impregnable impossible to penetrate or conquer
imprimir to impress, to print
improvisar to improvise; to make use of
inarmónico inharmonious
incapaz incapable
incauto unwary; heedless
incendio m fire
incluir to include
incluso included
inconsciente unconscious
incontenible uncontrollable
incorporarse to straighten up; to join
incrustado incrusted, inlaid
indecible inexpressible; untold
indicar to point out, show
índice m index finger
indígena m and f native
indio m Indian
indomable unconquerable
indómito untamed; unruly; unchangeable
indudablemente unquestionably
inédita unedited
ineducado uneducated person
inerme disarmed
inerte still, motionless
inesperado unexpected
inevitable inevitable, unavoidable
infamia f infamy
infantil childlike, childish
infatigable tireless, untiring
infatigablemente untiringly
infantilidad f a thing for children or infants
infeliz unhappy; unfortunate

infierno *m* hell
infinito endless, boundless
informar to inform, tell
informe *m* report
infundir to instill, to inspire
ingeniería *f* engineering
ingenuidad *f* ingenuousness, innocence
ingenio *m* genius
ingenuamente cleverly
ingle *f* groin
ingrato ungrateful
ingrediente *m* ingredient
iniciar to start, to begin
inimitable unable to be imitated
inmediatamente immediately
inmóvil motionless, still
inmundo filthy, unclean
inolvidable unforgettable
inmutable unchanging, inalterable
inquebrantable unbreakable
inquietar to worry, to disturb
— **se** to become uneasy or worried
inquirir to inquire
insalubre unhealthy conditions
insensato insensitive
insólito unexpected
instalar to install
— **se** to move in, to settle
insurgente insurgent, rebel
insurrección *f* insurrection, uprising, rebellion
integridad *f* integrity; strength of character
intemperie *f* rough or bad weather
a la — outdoors
intendente *m* administrator; director
intentar to try, to attempt; to intend
intercesora *f* intercessor, the one who intercedes
interesarse to be interested in, to interest oneself in
intereses *m* interests; goods, possessions; business affairs
interminable endless

interior *m* inside, interior
internacionalizar to internationalize
internarse to go into, to close oneself up in
interrogar to question
interrumpir to interrupt
intimar to intimate, to suggest, to imply, to hint; to notify
íntimo intimate
intrépido daring, intrepid, fearless, courageous
intruso *m* intruder, one who enters without the right to
inundar to flood
inútil useless
invadir to invade
investigar to investigate
invierno *m* winter
ironía *f* irony
irónico ironical
irradiar to irradiate; to emit beams of light
irrealizable unable to fulfill
irremediablemente irremediably, hopelessly, incurably
ir to go
— **se** to go away
izquierdo left

jabón *m* soap
jaca *f* small horse, pony
jacal *m* hut
jactancia *f* bragging
jactarse to boast, to brag
jadeante panting
jamás ever, never
jamón *m* ham
jardín *m* garden
jardincillo *m* small garden
jaula *f* cage; cell
jefe *m* chief, head, leader, boss
hacer de — to act as chief
jinete *m* horseman, rider, equestrian
joroba *f* hump
jota *f* spirited dance of northern Spain; the letter "j"
joven young
joven *m* youth

joya *f* jewel
júbilo *m* joy, glee, merriment
jubón *m* doublet, jacket, bodice
judías *f* greenbeans
judío *m* Jew
juego *m* game
jueves *m* Thursday
juez *m* judge
jugador *m* player
jugar (ue) to play
jugo *m* juice
juguete *m* toy
juguetear to play around
juicio *m* judgment
juntar to join
junto together, near
— **a** next to
juramento *m* oath, vow
jurar to swear; to take an oath
justamente exactly, precisely
juventud *f* youth

lábaro *m* a symbol
labio *m* lip
labranza *f* tillage, farming; labor, work
labrar to work; to cultivate; to sculpture; to engrave
lacerante lacerating, sharp, cutting, piercing
lado *m* side
ladrón *m* thief, robber
lago *m* lake
lágrima *f* tear, teardrop
lamentación *f* sorrow; will
lamentar to deplore, to wail; to cry
langosta *f* locust; lobster
langostino *m* prawn, shrimplike sea food, small lobster
languidecer to languish, to lose vigor, to die out, to slow down
lanzar to hurl, to throw, to fling
— **se** to throw, to throw oneself into, to launch forth
lápiz *m* pencil
lastimar to hurt
latir to beat

latita f small can
laurel m laurel wreath of victory
lavandera f washwoman
lavar(se) to wash
leal loyal, faithful
leche f milk
lecho m bed
lector m reader
lechuza f barn owl
leer to read
legión f legion; horde, multitude
legua f league (measure of distance)
leguminosa of the bean family
lejano distant, remote
lejos distant, far away
— de far from
leña f firewood
lengua f tongue
lenguaje m language
lentitud f slowness, tardiness
lento slow
leonesa f from León
letra letter; handwriting
levantar to raise
— se to rise, to get up
leve light; slight, trifling
levemente lightly
ley f law; quality or strength
leyenda f legend
libertado freed, saved, liberated
libro m book
licor m liquor
líder m leader
lidia f bullfight
ligadura f where the knot is tied in a bandage, binding; subjection
ligero light, fast, nimble, swift; slight
ligeramente swiftly, quickly
limpiar to clean
lindo pretty, attractive
línea f line
líquido m liquid
liso smooth; straight
lisonja f flattery
listo ready, quick, intelligent

literario literary
localidad f locality; seat
locamente madly
loco mad, crazy, wild
locura f madness
lograr to manage to; to succeed in
loma f hill
lomo m loin; ridge
lo que sea whtever it might be
loza f chinaware; porcelain; pottery
libre free; taxi
lucimiento m brightness
lucir (se) to shine, to show off
lucha f struggle, fight
luego then, later, afterwards
desde — of course
de — after, very promptly
lugar m place, position
lúgubre sad, gloomy
lujoso lavish; luxurious, showy
luminaria f illumination, light
luminoso brilliant, shining
luna f moon; glass plate of a mirror
luz f light

llama f flame
llamar to call, to name
— se to be named
llanto m weeping; flood of tears
llanura f a vast tract of level ground; a prairie
llave f key
llegar to arrive
llenar to fill
lleno full, replenished; plenty
llevar to carry; to take; to wear
— a cabo to carry through, to carry out (an order)
— se chasco to be disappointed
llorar to cry, to weep
lluvia f rain

macana f a narrow shawl
macetazo m blow resulting from a flowerpot falling or being thrown

machete m long-bladed knife
macho m the robust; the fearless one; the he-man
madera f wood
maderamen m timber used for building a house; timber work
madre f mother
madrileño m of Madrid
madrina f godmother
madrugada f early morning
madrugar to get up early
madurez f maturity
maduro ripe
maestría f mastery, competence
maestro m master, teacher
mágico magic
magnate m a person of rank or wealth
mago m magician
mahonesa f mayonnaise
maíz m corn
malagradecido ungrateful
malagueño m from Málaga
maldad f badness, wickedness
maldito cursed
maleza f underbrush
malograrse to fail; to come to naught
malsano unhealthy, sickly
mancha f spot, mark, stain
manchego m of La Mancha, a province of Spain
manchón m spot, large spot
mandar to order, to command
mandato order, command
manejar to drive
manera f manner, way
manga f sleeve
manía f urge; whimsical desire; madness
manifestar (ie) to exhibit; to declare
manjar m food, victual, tidbit
mano f hand
mansamente meekly, tamely, slowly
manso, mansote docile, tame, meek
manteca f fat; lard

mantener to maintain, to support

manzanilla *f* kind of sweet wine

maña *f* skill; knack for doing

mañana *f* morning

mapamundi *m* map of the world

maquinal merely mechanical; unconscious

maquinalmente automatically

mar *m* sea

maravilla *f* wonder, marvel

marchar to march

marco *m* frame

mareo *m* dizziness; sea sickness

marido *m* husband

marisco *m* small shellfish

martillar to pound; to hammer

martillo *m* hammer

mas but

más more

masa *f* dough

masas *f* masses (of people)

máscara *f* mask

matanza *f* slaughter

matar to kill

mate *m* tea made from leaves of *yerba mate;* shade, tone

matinal morning

matiz *m* shade; gradation tone; blend

mayor greater; larger; superior; older

mayorcito *m* the largest; oldest

mazapán *m* a sweet paste of almonds, marzipan

meca *f* name of mosque that Arabs had in Córdoba

mecánica mechanic, mechanical

mecenas *m* sponsor; patron; protector

médico *m* doctor

medida *f* measurement

medio half

   en — de in the middle of

medios *m* the center of the bullring; ways, means

mediodía *m* noon

medir (se) (i) to measure

medroso timorous; fainthearted; cowardly

mejilla *f* cheek

mejor better

melancólico melancholy

menester *m* job; need

menor least, slight

   el (la) — the younger, the youngest

menos less

mentira *f* lie, untruth

menudo *m* small one, little one

mercado *m* market

mercancía merchandise

merced *f* favor, grace; mercy

merecer to deserve

meridiano *m* meridian; dividing line; noon

meridional southern

merienda *f* snack; lunch; light meal

mes *m* month

mesita *f* small table

mestizaje *m* relative to the mestizos or half-breed

meta *f* goal

metálica metallic

meter to put in

metro *m* meter, subway

mezcla *f* mixture; mortar; combination

mezclado mixed

mezclar to mix

miedo *m* fear

miedoso frightened, afraid

miel *f* honey

mientras while

   — tanto meanwhile

miga *f* crumb; soft part of bread; small piece

migaja *f* crumb of bread; inside part of a loaf of bread

mil *m* thousand

milagro *m* miracle

milagrosamente miraculously

milpa *f* corn patch

mimar to coax; to pet; to indulge

ministerio *m* ministry, government agency

minuciosamente minutely, thoroughly

mirada *f* gaze

miramiento *m* consideration, reflection

mirar to look at

mismo self

   él — himself, he himself

misterio *m* mystery

mitad *f* half; middle

mítico mythical

mocedad (mocedades) *f* youth

mocetón *m* a young man, a strapping youth

moda *f* style

modestia *f* modesty

modo *m* manner, form, way, mode

mojado damp, wet

mojar to moisten, to wet

   —se to get wet

moldear to mold, to shape

moldura *f* molding

molestar to bother

molesto annoying, irritating

molinera *f* miller's wife

molinero *m* the miller

molino *m* mill

momento *m* moment

   al — right away

monarquía *f* monarchy

moneda *f* coin

mono cute

monstruoso monstrous

montado mounted, on horseback

montar to mount; to ride

monte *m* mountain (range)

montera *f* bullfighter's hat

montón *m* pile

montura *f* saddle

morcilla *f* blood sausage

mordedura *f* bite

morder (ue) to bite

moreno dark; brunette

moribundo dying

morir (ue) to die

moro *m* Arabian, of the Moors

morro *m* bluff, highland

mortificado tormented

mortificar to worry

mostaza *f* mustard

mostrar (ue) to show

mostrador *m* counter; display case

motivo *m* motive; reason

mover (se) (ue) to move

mozo *m* youth; waiter

muchedumbre *f* crowd, mob

mudanza *f* move, change of domicile

mudarse to move, to change one's place of residence

mudo mute

muerte *f* death

muestra *f* sample

mujer *f* woman

mujerío *m* women's gathering

muleta *f* red flag used by the bullfighter, or the rod that holds the red flag; bullfighter's cape

mulita *f* small mule

multitud *f* crowd

mundanal wordly

mundial universal

mundo *m* world

muralla *f* wall

murmurar to murmur; to complain

muro *m* wall

músculo *m* muscle

muslo *m* thigh

nacer to be born

nacido born

nacimiento *m* birth; starting place; Nativity scene

nada nothing

nadar to swim

nadie no one, nobody

naranjal *m* orange grove

narración *f* story

nata *f* cream

natatorio pertaining to swimming

naturaleza *f* nature

navaja *f* razor; knife

navarro *m* from Navarra

nave *f* ship

navideña pertaining to Christmas

navío *m* large ship; warship

neblina *f* fog

necesario necessary

necesitar to need

necio stupid, foolish

negar (se) (ie) to deny; to lie; to refuse

negocio *m* business

negro black

netamente clearly

nevera *f* refrigerator; storage place to keep things cold

ni nor; not even

— siquiera not even (negative conjunction)

nido *m* nest

niñez *f* infancy, childhood

nivel *m* level

nivelar to level

noche *f* night

¿no le parece? doesn't it seem?

nombre *m* name

noreste northeast

norma *f* rule, regulation

norteña northern, from the north

notar to note, to notice

noticia *f* news; information

novedad *f* novelty

novela *f* novel

novia *f* sweetheart; fiancee; bride

novio *m* boyfriend; groom

noviazgo *m* engagement; courtship

novillero *m* amateur or apprentice bullfighter

nube *f* cloud

núcleo *m* nucleus

nuestro our, ours

nuevamente newly, recently

nunca never

obedecer to obey

obligar to oblige; to force

obra *f* work, act, labor, toil

obscuro dark

obsequiar to present with

observar to observe, to notice

obstinadamente stubbornly

obtener to obtain, to get

occidental western

ocioso idle, fruitless, useless

ocultar to hide

oculto hidden

ocupación *f* occupation

ocupar to occupy, to take possession of

—se de to take care of, to pay attention to

ocurren cosas things happen

ocurrir to occur, to happen

odiar to hate

odio *m* hatred

oficiar to officiate

oficio *m* manual work; occupation; trade

ofrecer to offer

ofrenda *f* religious offering

oído *m* ear, hearing

oir to hear, to listen

ojalá I wish; God grant

ojeada *f* glance

ojo *m* eye

oler (ue) to smell

olor *m* odor

olvidar to forget

—se de to forget

olla *f* clay or metal pot used for cooking

olla podrida *f* a Spanish dish with various ingredients like ham, fowl, sausage

omitir to omit, leave out

opacar to be dull; to darken

opaco opaque, not transparent

opresor *m* oppressor

oprimido oppressed

oprimir to squeeze, to subdue

orar to pray

oreja *f* ear

organizar to organize

órgano *m* organ

orgullo *m* pride

originar to start

orilla *f* edge; shore, bank (of a river)

oro *m* gold

ortografía *f* spelling

oscuro dark

oscuridad *f* darkness

osar to dare; to venture

otoño *m* autumn

otro another

otorgar to give, to grant, to confer

pacer to graze

paciencia *f* patience

padrino *m* godfather

paella *f* a Spanish dish (which originated in Valencia) made with rice and various ingredients like vegetables and sea food

pagar to pay

pago *m* payment

país *m* country

paisaje *m* landscape

paja *f* straw

pájaro *m* bird

paje *m* page (of a court)

pala *f* shovel; blade of an oar

palabra *f* word

palear to beat

palenque *m* stockade

paletilla *f* shoulder blade

pálido pale, pallid

palio canopy

palizada *f* sticks, branches

palma *f* palm; palm leaf; symbol of victory, prize

palmera *f* palm tree

palo *m* stick; tree

—s blows given with a stick

pampa *f* pampa, plain

pámpano *m* leaf; branch of the grape vine

pamplonés *m* resident of Pamplona

pamplónico *m* of Pamplona

panela *f* brown sugar

pantalla *f* light shade; screen; fireplace screen

pantalones *m* pants, trousers

pantanoso marshy, boggy

panteón *m* pantheon; cemetery

pantorrilla *f* calf of the leg

panza *f* belly, fat belly

panzudo big-bellied

paño *m* cloth

pañuelo *m* handkerchief

papas *f* potatoes

papel *m* paper, role

papel de China *m* tissue paper

par *m* pair

paraguas *m* umbrella

paraíso *m* paradise

paraje *m* spot, place

parálisis *m* paralysis

paralizar to paralyze, to stop

parapetarse to hide behind a parapet

para que in order that

parar to stop, to end

parcial partial

parcialidad *f* faction; party

parco scarce, meager

parecer to seem

—se to resemble

al — apparently; to all appearances

pared *f* wall

pareja *f* couple, partner

parejero *m* race horse

párpado *m* eyelid

parque *m* park; room

parra *f* grape vine; grape arbor

párrafo *m* paragraph

parrandista *m* one who "paints the town red"

parrilla *f* broiler; grating, grill

particular strange, peculiar; private

partido *m* party (political); advantage, profit

partir to divide, to distribute

pasar to pass, to happen

paseo *m* walk, stroll

dar un — to take a walk

pasillo *m* hall, corridor

pasión *f* emotion, passion

pasodoble *m* music or dance to rhythm of a two-step

pasto *m* pasture, grass

patentes *m* privileges, rights, advantages

pato *m* duck

patria *f* fatherland, native country

patrón *m* boss

pavonearse to strut

pavor *m* fear, dread, terror

pavoroso frightful, terrible

paya *f* an improvised poetical composition with guitar accompaniment

payador *m* the one who improvises songs or "payas" with guitar accompaniment

paz *f* peace

pecho *m* chest

peculiar peculiar, one's own, special

pedazo *m* piece

pedir (i) to request, to ask for

pegar to hit, to deal a blow, to strike, to beat; to stick together, to join

peinado *m* hair-do

peinar to comb

pelaje *m* character or nature of the hair, skin, hide

pelea *f* fight, struggle

pelear to fight

película *f* film

peligro *m* danger

peligroso dangerous

pellejo *m* skin, hide

pelo *m* hair

pelota *f* ball

pelotón *m* small group of soldiers, platoon

pena *f* grief, sorrow, affliction, pain

pendiente dependent, unfinished; paying attention to, attentive

penetrar to penetrate, to enter

penoso laborious, painful, arduous

pensamiento *m* thought

pensar (ie) (en) to think (about)

pensativo pensive, thoughtful

peña *f* large rock

peón *m* laborer

peor worse

pepita f nugget, small, round piece of metal

pequeño small

percibir to perceive, to observe

perder (ie) to lose

perdición f perdition, the act of losing

perdido lost

perdonar to pardon, to forgive

perecer to perish

peregrinar to travel, to roam; to make a pilgrimage

peregrino m pilgrim; strange, rare

periódico m newspaper

periodista m journalist

período m period, space of time

peripecia f change in fortune

perito m connoisseur, appraiser of goods, expert

perla f pearl

pero but, except

permanecer to remain

perseguido pursued, persecuted

perseguir (i) to pursue, to persecute

persistente persistent, determined

personaje m character (in a book or play); important person

pertenecer to belong

peruano m Peruvian

perro m dog

pesadamente heavily

pesadilla f nightmare

pesar to weigh; to regret; to cause sorrow

pescado m fish (when caught)

pescar to fish

pesebre m manger

peseta f unit of money

pesquisa f search

pez m fish

piadoso pious, godly, merciful

picada f incision made with a sharp instrument, puncture

picadísimo chopped finely

picar to sting, to bite; to stick (with sharp instrument)

pico m peak

pie m foot; base

piedraslunas f moonstones

piel f skin; hide; leather; fur

pierna f leg

pieza f room; piece

pillaje m pillage, looting, sacking

pimentón m paprika

pimienta f pepper

pincel m artist's brush

pinchazo m puncture, stab, prick

pino m pine tree

pintar to paint

pintura f painting

piña f pineapple

pirámide f pyramid

piropo m flattery, compliment

pirotécnico pyrotechnical, relating to explosives

pisada f footprint, step, hoofbeat

pisar to step on, tread upon

piscina f swimming pool

pisotear to trample, to tread under foot

pista f track, trail; trace, the footprint of an animal

pitón m antler, python

pizquita f a small portion, a bit

plantar to plant

plantita f small, tender plant

plato m plate, dish

plata f silver

plátano m banana

platería f trade of the silversmith or his shop

plática f talk, chat, conversation

platillo m cymbal

platónicamente platonically

pleito m dispute

pleno full of

plomo m lead

población f population; town

poblado populated

poblado m town

poblana from Puebla

pobre poor

pobrecillo poor little thing

pobreza f poverty

poder (ue) to be able

a más no — to the utmost

poder m power; force

poderoso powerful

poesía f poetry

pólvora f powder, gunpowder; artificial fireworks

polvoriento dusty

pollo m chicken

poner to put, to place

porcino m pig; pork

porción f portion, part, share

por lo visto apparently

por su cuenta on one's own

pormenor m detail

porque because, so that

portal m doorway, entry

porteño from the port city

porrazo m blow, knock

porvenir m future

posada f Christmas procession

posadero m innkeeper

poseer to possess

posible possible

posteriormente lastly, finally, at the end

postre dessert

póstumo after death

pote m a kind of stew

potrillo m colt, horse under three years old

potro m colt

precepto m rule

precipitación f haste

precipitar to rush

—se to throw oneself headlong

preciso necessary; exact, accurate

predicar to preach

predilecto favorite

predominar to predominate, to be outstanding; to prevail

preferido favorite, preferred

preferir (ie) to prefer

pregonar to cry out; to announce publicly; to hawk

pregunta f question

preguntar to ask

premio *m* prize

prender to pin on; to light, to turn on

preocupar to preoccupy
—**se** to worry

preparar to prepare

presa *m* dam

presagio *m* presage, omen, forewarning

prescribir to prescribe

presenciar to witness

preso arrested, imprisoned

preso *m* prisoner

prestar to lend, to loan
—**se** to offer or to lend oneself

prestigio *m* prestige

pretender to aspire to; to seek; to try; to pretend

pretexto *m* excuse

prevenir to prevent

prever to foresee, to know in advance

primer, primera, primero first

primor *m* beauty, exquisiteness

principio *m* the beginning
al — at the beginning

prisa *f* promptness, rush, haste

privar to deprive

privilegiado privileged

proa *f* prow

probar (**ue**) to prove; to taste; to try on

proceder to proceed; to begin

procurar to try, to attempt

prodigar to waste; to lavish; to misspend

producir to produce; to cause

prófugo *m* fugitive

prohibir to prohibit, to forbid

prolongado prolonged, dragged out

promedio *m* average

prometer to promise

pronto soon
de — suddenly

propagar to propagate; to enlarge

propiamente properly, fittingly

propicio favorable

propietario *m* proprietor, owner

propio one's own

proporcionado proportioned

prosa *f* prose

proseguir (**i**) to continue; to follow; to pursue

protagonista *m* leading character (of a play or novel)

proteger to protect

protegido protected

provecho *m* benefit

proveer to provide

provincia *f* province, rural area

provocar to provoke, to excite

proyectil *m* projectile, object hurled

psicología *f* psychology

pudrir to rot

pueblo *m* village, town

puente *m* bridge

puerta *f* door

puerto *m* port

puertorriqueño *m* person from Puerto Rico

pues *m* well, since, as

puesto *m* place; stall in a market

pulir to clean, to shine, to give luster to

puntillero *m* bullfighter's assistant who kills the bull with a poniard (dagger)

puntito *m* dot

puntuar to punctuate

punzada *f* sharp pain

puñada *f* blow with fist
a—**s** in fistfuls

puñal *m* dagger

puñetazo *m* blow with the fist

puño *m* fist

pupila *f* pupil (of eye)

puro *m* cigar; pure

pusilánime fainthearted; cowardly; pusillanimous

quebrada *f* narrow opening between two mountains; gorge; ravine

quebrado broken

quebrar (**ie**) to break

quedar (**se**) to remain, to stay

quedo quiet, still, gentle

¿qué hubo? what about?

queja *f* complaint; lament; protest

quemado burnt

quemante burning

quemar to burn

querer (**ie**) to want; to wish; to love

querida *f* loved one; lover; mistress

queso *m* cheese

quietud *f* rest, repose; quietness

quince fifteen

quinta *f* country house, villa

quinto fifth

quitar to remove
—**se** to take off

quite *m* the act of taking away

quizás maybe

rábano *m* radish

rabia *f* anger

rabo *m* tail

radial radial, pertaining to radio

radioemisora *f* radio station

raíz *m* root

rama *f* branch

ranchería *f* ranch; village

raptor *m* kidnapper, thief

rasgar to break, to tear, to scratch

rasgo *m* trait

rastreador *m* pathfinder, tracer, follower

rastro *m* track on the ground, trail

rato *m* while

raza *f* race

razón *f* reason, right

reacción *f* reaction

reaccionar to react, respond

realizar to fulfill (a dream or ambition)

reaparecer to appear again

real royal; real; true

rebajar to reduce, to lower (price)

rebelar to rebel

rebelión *f* uprising, rebellion

rebotar to bounce, to ricochet

recado *m* message

recámara *f* bedroom

recelo *m* suspicion, fear

receloso distrustful

receta *f* recipe; prescription

recetario *m* record of prescriptions

recibir to receive
   — **calabazas** to be given a cold shoulder, to be given the gate

reciente recent

recientemente recently

reclutar to recruit

recobrar to recover

recoger to pick up; to gather

recoleta recollect; religious

reconocer to recognize; to admit, to acknowledge

recordar (ue) to remember

recordación *f* remembrance, calling to recollection

recorrer to travel; to go over

recua *f* drove of beasts of burden

recuerdo *m* recollection, remembrance; reminder; memory; souvenir

recurso *m* recourse; appeal

rechazar to scorn, to turn down, to rebuff

redactor *m* editor

redecilla *f* net, railing

rededor around
   en — around

redentor *m* saving; redemption; redeemer

redoble *m* drum roll

redondel *m* a circle; bullring

redondo round

referir (ie) to refer

reflejarse to reflect

reflejo *m* reflex, reflection

reflexionar to reflect, to think over

refrán *m* refrain; saying

refregar (ie) to rub

regalar to give a gift

regalo *m* gift, present

regidor *m* city magistrate

registrar to register, to inspect, to examine

regla *f* rule

regocijo *m* joy, gladness

regresar to return

reina *f* queen

reir (se) (i) to laugh
   —**se de** to laugh at

riesgo *m* risk

reiteradamente repeatedly

reja *f* iron bar

rejilla *f* a small iron bar

rejón *m* barbed spear used in bullfighting

rejoneadora *f* woman who fights bulls using the *rejón*

rejoneo *m* fighting bulls with a *rejón* or barbed spear

relámpago *m* lightning

relampaguear to flash like lightning

relatar to narrate

relato *m* a story

relincho *m* neigh

relieve *m* relief

reloj *m* watch

rellenar to stuff, to fill

relumbroso shiny, glittering

remar to row

rematar to finish, to put an end to

remedio *m* remedy, solution

remolino *m* whirl; water spout; whirlpool; eddy

remover (ue) to stir up; to move from place to place

renacimiento *m* rebirth; Renaissance

rencor *m* rancor, bitterness

rendido submissive, humble

rendirse (i) to surrender; to be exhausted

renglón *m* line; line of business

renombre *m* renown, fame, honor

reñido at odds with another

reñir (i) to quarrel, to fight

reo *m* offender, culprit

repartir to distribute

repasar to review

repercusión repercussion

replegarse (ie) to fall back, to retreat in order

replicar to reply

reponer to reply, to answer

reponerse to recover oneself; to replace

reportaje *m* reporting, report

representar to act out, to represent

requerir (ie) to require

requisito *m* requirement

res *f* cattle

resbalarse to slip, to slide

rescate *m* ransom; redemption; exchange

reseca very dry

resentir (ie) to resent

reserva *m* reserve

resignarse to resign oneself; to accept (an idea or situation)

resistir to resist

resolver (ue) to resolve, to solve

resonar (ue) to resound, to echo

resorte *m* spring

respetar to respect

respeto *m* respect

respirar to breathe

responder to answer

respuesta *f* answer

restar to subtract

restos *f* remains

resultar to result (in), to turn out

retablo *m* magnificent decoration of altars, altarpiece

retador challenging

retador *m* challenger

retaguardia *f* rear guard

retirar to retire: to withdraw; to take away
   —**se** to leave

retractarse to retract oneself, to go back on one's word

retratado described, pictured, traced

retrato *m* portrait, photograph

retroceder to go back, to move backward, to retreat

reunir to assemble, to get together

revelar to reveal, to develop (a photo)

reventar (ie) to burst

reverenciar to respect

revista *f* magazine, review

revistero *m* reviewer

revivir to revive, to return to life

revolotear to flutter, to fly around

revolver (ue) to stir

rey *m* king

rezagado *m* remainder, straggler

rezar to pray

riachuelo *m* small river

ribera *f* bank, shore

rico rich

riego *m* irrigation

rienda *f* rein of a bridle

riesgo *m* risk, danger

rigorista very strict or severe

rima *f* rhyme

rincón *m* corner

riña *f* quarrel

riojano section of northcentral Spain

riqueza *f* richness, wealth

riquísimo very rich

risa *f* laugh

ritmo *m* rhythm

rito *m* rite, ceremony

robar to steal

roble *m* oak

robo *m* robbery, fraud

rocío *m* dew; drizzle; sprinkling

rodar (ue) to roll; to fall down

rodeada surrounded

rodear to surround

rodilla *f* knee

rogar (ue) to beg

romano pertaining to or from Rome

romper to break

ron *m* rum

ronco hoarse

ronda *f* act of going around at night; a processional

ropa *f* clothes

rosario *m* rosary

rostro *m* face

roto broken

rozadura *f* chafing; chafed spot

rubio blond

rudo rough, unpolished

rueda *f* wheel

ruedo *m* the circular area in which the bullfighter fights, arena for bullfighting

ruego *m* prayer, request

rugir to roar

ruido *m* noise

rumbo *m* direction; course, route

rumor *m* murmur, noise; sound of voices

rural rustic

rural *m* country dweller

rústico rustic

rutilante sparkling, brilliant

saber to know

sabiamente wisely

sabiduría *f* learning, knowledge

sabio wise

sabor *m* flavor

saborear to taste, to savor; to enjoy eating food

sabroso delicious, savory, tasty

sacar to remove; to take out; to take a picture

sacerdote *m* priest

saco *m* coat; jacket

sacudir to shake; to beat; to shake off

sagrado sacred

sal *f* salt

salero *m* salt cellar; witty ways; gracefulness

salida *f* exit; departure

salir (de) to leave, go out

salmo *m* psalm

saltar to jump

salto *m* spring, jump

salvador *m* savior, rescuer

salvaje *m* savage

salvar to save

sangre *f* blood

sangriento bloody

sano healthy

santo *m* saint; holy
  santísima holy

santiaguino *m* of Santiago

sargento *m* sergeant

satisfecho satisfied

sazonar to season

seco dry

secuestro stealing, kidnapping

secular lay, not related to the church

sed *f* thirst

seguida next, following
  en — right away

seguir to follow; to continue; to pursue

segundo espada one who helps the bullfighter; a second

seguramente surely

seguridad *f* certainty

sello *m* postage stamp

selva *f* jungle, forest, woods

semáforo *m* traffic light

semana *f* week

semblante *m* look, countenance, expression

sembrar (ie) to plant, to sow

semejante similar

semejanza *f* similarity

semejar to resemble

semiborrado hazy, not clear

semilla *f* seed

sencillo simple

sencillamente simply

sencillez *f* simplicity

senda *f* trail, path

sendero *m* path

sentarse (ie) to sit (down), to be seated

sentido felt, offended

sentido *m* sense, meaning

sentir (ie) to feel; to regret

señal *f* sign, mark; signal

señalar to signal; to point out

separar to separate
sepultar to bury
sepultura *f* burial; grave
sequedad *f* dryness
ser to be, to exist
ser *m* human being
será Ud. servido you will be obeyed, served
seriedad *f* seriousness
serio serious
serpentina *f* serpentine; rolled paper that is thrown on festive occasions
serranía *f* ridge of mountains; mountainous country
servir (i) to serve; to be good (for)
sesenta sixty
sí yes
   para — to himself
sidra *f* cider
siembra *f* the planting; sown field
siempre always
sien *f* temple, side of the forehead
sierra *f* rocky mountain; range
siglo *m* century
significado meaning
significar to mean
signo *m* sign
siguiente following; next
silabario *m* reader; book to teach reading; speller
silbar to whistle
silencio *m* silence
silencioso silent
silvestre wild
silla *f* chair; saddle
sillón *m* armchair
símbolo *m* symbol; sign
sin without
   — embargo nevertheless
sinfín *m* endless amount
sino but; except; besides
sino *m* destiny, fate
sintético synthetic, artificial
siquiera even
   ni — not even
sirena *f* siren; mermaid

sitio *m* place, site
soberbio arrogant, haughty, proud
sobornar to bribe
sobra *f* left-over; surplus
   de — in excess
sobrar to exceed, to have in excess
sobre over, above
sobre *m* envelope
sobrehumano superhuman
sobrepasar to exceed, to go beyond, to pass
sobresaliente outstanding
sobresaliente *m* a bullfighter's understudy or substitute
sobresaltado frightened, startled
sobrevivir to survive
sobrino *m* nephew
socorro *m* help
sofocado choked, suffocated
sofocar to suffocate
soga *f* rope
sol *m* sun
solar *m* yard, plot of ground
soldado *m* soldier
solemne solemn
soler (ue) to be in the habit of, to be accustomed to
solícito diligent, solicitous, careful
solicitud *f* solicitude, attention
solo alone
sólo only
soltar (ue) to let go, to let loose
soltero *m* bachelor
sollozar to sob, to weep
sombra *f* shadow; shade
sombría somber, sad, gloomy
someter to submit; to humble one's self; to subdue
sometido submitted; subjected
somnolencia *f* drowsiness
sonámbulo *m* sleepwalker; sleepwalking
sonar (ue) to sound; to ring
soneto *m* sonnet
sonido *m* sound, noise
sonreír (se) to smile
sonriente smiling; happy

sonrisa *f* smile
soñar (ue) con to dream about
sopa *f* soup
soplar to blow
sopor *m* sopor, lethargic sleep
soportar to bear, to put up with
sorber to sip
sordo quiet, muffled; deaf
sorprender to surprise
sorpresa *f* surprise
sorteo *m* drawing, raffle
sosegado quiet, calm, peaceful
sospechar to suspect
sostener to maintain, to hold, to keep
suave soft; pleasant, agreeable
suavidad *f* gentleness, softness
subido strong, loud
subir to go up
súbito sudden, quick, impetuous
sublevar to rebel, to rise in rebellion
sublimar to elevate, to exalt
suburbio *m* suburb, outskirts
suceder to happen
suceso *m* event, happening
sucio dirty
sudor *m* sweat, perspiration
sudoroso perspiring freely, sweating
sueldo *m* salary
suelo *m* ground; soil; floor
suelto loose
sueño *m* sleep; drowsiness
suerte *f* good fortune; fate; luck
sufrir to suffer
sufridor *m* sufferer
sugerir (ie) to hint, to suggest
sujetar to subdue
sujeto *m* subject
sumamente very, quite, exceedingly
sumar to add
sumergir (se) to submerge, to sink
sumiso meek, humble, resigned
superficie *f* surface; area
súplica *f* request, petition
suplicar to ask, to beg
supremo supreme

sureño from the south

surgir to surge, to rise; to make a sudden appearance

suspiro *m* sigh

sustituir to substitute

susto *m* scare, fright, sudden terror

suyo his, her, your, yours, their, theirs

tabla *f* board

tajada *f* slice, piece, portion

tal such, such a

taleguilla *f* breeches worn by bullfighters

tallo *m* stalk, stem

talón *m* heel

tamaño *m* size, dimension

tambor *m* drum

tampoco neither

tan so, as

tanto so much, as much

tantos so many, as many

tapar to cover

tapia *f* wall

tarde *f* afternoon

tarea *f* task, job

tartamudear to stammer

taurino taurine, relative to bulls or bullfighting

taurómaco *m* one fond of bull-fighting

taza *f* cup

técnico technical

teja *f* roof tile

tela *f* cloth, fabric

tema *m* theme, topic

temblar to tremble, to shake, to quiver

temblor *m* tremor, earthquake

temer to fear

temido feared

temor *m* fear

tempestad *f* storm

tempestuoso stormy

templado moderate

templar to temper, to calm, to moderate

temporada *f* season, period (of time)

temporal *m* storm

temprano early

tenazmente tenaciously, firmly, stubbornly

tender (ie) to stretch, to stretch out, to spread out

tendido *m* row of seats

tener to have, to possess
— **ganas** to wish, to want
— **la culpa** to be at fault, to be guilty

teniente *m* lieutenant

tentar (ie) to try, to try out

tenue soft, thin, delicate

teñir (i) to tint, to color

terapéutico therapeutic, curative

terminantemente positively

terminar to end, finish

término *m* end

ternera *f* veal

ternura *f* tenderness, fondness

terrateniente *m* landowner

terremoto *m* earthquake

terrestre terrestrial

terruño *m* piece of ground

tertulia *f* club, circle, afternoon or evening gathering

tesoro *m* treasure

testigo *m* witness
— **del hecho** *m* eyewitness

tétrico dark, gloomy

tibio tepid, lukewarm

tiburón *m* shark

tiempo *m* time

tiento *m* touch, feel, stroke

tierno tender, affectionate

tierra *f* land, earth, soil

tinta *f* ink

tinto *m* red wine

tintorería *f* dyer's shop; dry cleaner

tirar to pull, to draw

tirado pulled, drawn

tirador shooter, gunfighter

tirante drawn, taut, tense

tirar to shoot
— **una moneda** to flip a coin

tiro *m* shot

tirotear to shoot at

titubear to hesitate, to waver; stutter

título *m* title

toalla *f* towel

tocar to touch; to play

tocino *m* bacon

todavía still, yet, even

tomar to take, to drink

tono *m* tone

tontería *f* foolishness, nonsense

topacio *m* topaz

toque *m* ring, ringing (of a bell)

tordillo *m* the gray horse

torear to fight bulls

toreo *m* the art of bullfighting

torero *m* bullfighter

toril *m* bull pen

torna *f* return
en — de around

tornar to return, to do again

torno *m* turn

toro *m* bull

torpe dull, stupid, torpid, sluggish

tórrido torrid, hot

tórtola *f* turtle dove

torta *f* cake or loaf made of a bready dough

tortuga *f* turtle

torturador *m* torturer

tosco rough, crude

toser to cough

tostado toasted, light brown color

trabajar to work

tractorista *f* tractor driver

traducir to translate

traer to carry, to bring, to fetch

tragar to swallow

trágico tragic

trago *m* swallow; a drink

traición *f* betrayal, treason

traidor *m* traitor

traje *m* dress, suit

tranquera *f* palisade, gate made of wood crossbars

tranquilo tranquil, calm

transcurrir to pass, to elapse, to happen

transformar to change

transitar to travel, to pass (by a place)

transmitir to transmit, to pass along, to broadcast

transparente transparent, clear

tranvía *m* streetcar

tras after

traslado moved, changed from one place to another

tratar to treat, to handle, to discuss
—**de** to try

través *m* adversity, misfortune
a — **de** through

travesía *f* sea crossing

travesura *f* prank, frolic, caper

trecho *m* distance

tremendo tremendous

trémulo tremulous, quivering

tren *m* train

trepar to climb, to clamber

trepidar *m* shaking, vibration; to shake

tribunal *m* court of justice

trigo *m* wheat

tripulación *f* crew of a ship

triste sad

tristeza *f* sadness

triunfar to triumph

triunfo *m* triumph

trofeo *m* trophy, award

trono *m* throne

tropa *f* troop; multitude; drove of cattle

tropel *m* hurry, bustle, confusion, crowd

tropelía *f* abuse, injustice

tropezar (ie) to meet, to stumble upon

trotar to trot

trovador *m* troubadour; minstrel; poet

trozo *m* piece, part, segment

trucha *f* trout

trueno *m* thunder

turbación *f* confusion, disorder

turbante disturbing, upsetting

turbio troubled, disturbed, not clear

u or (before words beginning with *o* or *ho*)

ubicarse to be situated, to be located

último last, final

unción *f* unction
extremaunción Extreme Unction (Sacrament administered to one in danger of death)

único only; single

unidad *f* unity

uniforme *m* uniform

unir to unite, join together; to wed

uña *f* fingernail; toenail

urna *f* urn, jug

usado used; accustomed

usar to use; to wear
—**se** to be in vogue

utensilio *m* utensil, implement, tool

útil useful

utilizar to use

uva *f* grape

vaca *f* cow

vacación (usually *vacaciones*) *f* vacation

vaciar to empty, to drain
—**se** to spill; to divulge a secret

vacilar to hesitate; to be undecided

vacío empty; unloaded

vagabunda *f* vagabond; vagrant; tramp

vagar to wander, to roam

vago vague, indistinct; roving

vagón *m* railroad car, coach

vajilla *f* tableware

valentía *f* valor, courage, bravery

valer to favor, to protect; to cost

valiente brave

valor *m* courage, bravery, value, worth

vals *m* waltz

valla *f* fence, stockade

valle *m* valley

vamos al caso let's get to the point

vano vain, conceited

vaquero *m* herdsman, cowboy

vara *f* thrust with a picador's lance; yardstick

variado varied, diverse

variedad *f* variety

varilla *f* rib or stick of a fan

varón *m* male

vasallo *m* vassal, servant, subject

vasto vast, huge, extensive

vecino *m* neighbor

vejez *f* old age

vela *f* candle; sail

velar to watch over, to care for

velado hidden, guarded, secreted, protected, watched over

velocidad *f* speed

veloz fast, nimble, swift

vena *f* vein

venado *m* deer

vencedor *m* conqueror, winner

vencer to conquer, to defeat

vencido conquered, dominated

vendar to cover the eye, to bandage

vender to sell

veneno *m* poison

venganza *f* revenge

vengativo vindictive, revengeful

venida *f* arrival

venir to come, to arrive

ventaja *f* advantage

ventanilla *f* ticket window

ver to see, to look (into)

verano *m* summer

verdad *f* truth

verdadero true, certain

verde green, unripe

verdugo *m* hangman, executioner

verdura *f* vegetable

vereda *f* path, narrow trail

vergonzoso shameful, disgraceful

vergüenza *f* shame, embarrassment, shyness

   tener — to be ashamed

verificar (se) *m* to take place; to check, to confirm

vestido *m* dress

vez *f* time

   a veces sometimes

   de — en cuando once in a while, from time to time

   a la — at the same time

viajar to travel

víbora *f* viper, snake

victoria *f* victory, triumph

vid *f* vine, grapevine

vida *f* life

viejo old

viento *m* wind

vientre *m* abdomen

viernes *m* Friday

vigilia *f* vigil, watch

villancico *m* Christmas carol

vilmente vilely, basely, contemptibly

vinagre *m* vinegar

vindicar to avenge

vinícola pertaining to wine

vino *m* wine

vinos chicos *m* small wine measure; table wines

vinos grandes *m* large wine measure; expensive wines

viña *f* vineyard

virtud *f* virtue

visitante *m* caller, visitor

víspera *f* eve, evening or day before

vista *f* sight, view

visto seen

   por lo — apparently

viuda *f* widow

vivaz lively, bright

vivir to live

vivo alive, living

vocablo *m* word, term; language

voltear to turn over (around), to overturn

voluntad *f* will, determination; good will

volver (ue) to return, to come back

vomitar to vomit

vorágine *f* whirlpool

voz *f* voice

vuelta *f* turn

   dar la — to turn around

yacer to be lying down; to lie (as in the grave)

yegua *f* mare

yema *f* egg yolk

yerba (hierba) *f* grass

yesca *f* fuel; incentive; stimulation

yuyo *m* wild grass, weeds

zacate *m* grass; hay, fodder

zafarse to slip away, to get loose

zanahoria *f* carrot

zanja *f* ditch; irrigation canal

zanjón *m* deep ditch

¡zape! exclamation of aversion or surprise

zócalo *m* public square

zozobra *f* worry, anxiety

SOBRE LOS ARTISTAS

Estas breves notas biográficas representan los acontecimientos importantes de la vida de los artistas representados en el texto.

Salvador Dalí (1904–   )

Dalí, nacido en Cataluña, es representante del suprarrealismo en el arte español. En sus cuadros hay todos los elementos más extravagantes de esta escuela pictórica. Es el pintor más discutido de hoy.

Francisco de Goya (1746–1828)

El rey Carlos III le invitó a Goya a ornamentar el nuevo palacio de Madrid. Todos los palacios requerían tapices para adornar sus salas frías. Entre 1776 y 1791 Goya pintó unos cuarenta y cinco cuadros al óleo. La Real Fábrica de Tapices de Madrid copió estas escenas que hoy se pueden ver en El Prado. El año 1786 fué nombrado Pintor del Rey y más tarde Pintor de Cámara durante el reinado de Carlos IV. La obra que le dio al pintor mayor fama en el extranjero fue los *Caprichos*. Estos son aguafuertes que demuestran unos asuntos caprichosos de la vida como la vio el artista.

El Greco (Domenicus Théotocopoulos) (1540–1614)

Nacido en Creta este gran artista se encuentra en Venecia (Italia) a los veinte años. Allá estudia entre las glorias de Ticiano, Tintoretto, Veronés, y Miguel Angel. Pero es Toledo que le lleva a la madurez de su arte.

Muy notable en su obra es el alargamiento de las figuras. Algunos han dicho que es a causa de un defecto en la vista del pintor. Pocos son los que toman en serio esta explicación.

El cuadro titulado «El Cardenal» es una de sus más célebres retratos. Representa al cardenal inquisidor Guevara. Esta obra se encuentra hoy en el Metropolitan Museum of Art de Nueva York.

Para todo forastero o extranjero que por primera vez llega a la ciudad imperial es de rigor estacionarse, antes de cruzar el Tajo, en la colina de donde se ve la ciudad tal como la vió El Greco cuando la inmortalizó en su «Vista de Toledo.»

Juan Gris (1887–1927)

La muerte prematura de este pintor español en el pleno apogeo de su arte ha sido una gran pérdida para el mundo de las artes. Otro de los españoles de la escuela de París, era uno de los mayores exponentes del cubismo.

Roberto Montenegro (1885–   )

Nació en Guadalajara, Jalisco. Estudió en la academia de S. Carlos, Mexico, D. F. Viajó por Europa y también estudió allí. Organizó el Museo de Artes Populares en Mexico, D. F. en 1934.

Además de ser pintor es también fresquista, ilustrador, escenógrafo, grabador y editor.

Pablo Ruiz Picasso (1881–   )

El pintor español más renombrado de los tiempos modernos es Pablo Picasso. Nacido en Málaga, sus arlequines, sus músicos melancólicos, y sus mujeres masivas preocupan a todo el mundo.

En 1900 su padre, profesor de arte de una academia barcelonesa, le envió a París para continuar sus estudios. En 1903 se estableció en Francia definitivamente.

Su obra abarca desde lo realista y común de sus primeros cuadros atravész del cubismo hasta el simbolismo de «Guernica.»

Considerado por la mayoría de los críticos como la primera figura del arte contemporáneo, el insigne maestro andaluz reside y trabaja actualmente en Francia.

Diego María Rivera (1886–1957)

Nació en 1886 en Guanajuato. Rivera estudió en la Academia de San Carlos. En 1907 viajó a España para continuar con sus estudios.

Agrarian Leader Zapata es una variación del fresco que está en el Palacio de Cortés en Cuernavaca, México.

Durante toda su vida se ha interesado no sólo en los asuntos políticos de México sino también en los del mundo.

Diego Rodríguez de Silva y Velázquez (1599–1660)

Hijo de padre portugués y madre andaluza, estudió y trabajó en el estudio del pintor Pacheco. Años después se casó con la hija de su maestro. En 1623 fué a la corte y al servicio del rey, Felipe IV.

Son numerosas las obras maestras de Velázquez. Entre estas figuran Las Meninas, La Rendición de Breda, y Los Borrachos. Todo le interesó a Velázquez como tema. Desde los enanos y borrachos hasta las infantas, todos se encontraron fielmente representados en los lienzos del maestro.

David Alfaro Siqueiros (1898–   )

El pintor nació en Chihuahua en 1898. Siqueiros igual que Rivera estudió en la Academia de Bellas Artes de San Carlos. De joven se alistó al ejercito de Carranza. Después de viajar por Europa, volvió a México donde se interesó en los asuntos politicos del país.

Joaquín Sorolla y Bástida (1863–1923)

Nació en Valencia en 1863. Era uno de los más notables representantes del arte español contemporáneo. Sus cuadros más famosos son los que retratan las diferentes regiones de España.

Rufino Tamayo (1899–   )

El fino pintor mexicano nació en 1899. Al principio fue muralista como sus compatriotas Rivera, Orozco, y Siqueiros. También como ellos metía en su obra el tema revolucionario. Más tarde siguió un camino independiente en que divorció la estética de lo social. Se considera hoy en la tradición de Picasso.

Ignacio de Zuloaga (1870–1945)

Ignacio de Zuloaga, pintor del siglo veinte, nos presenta retratos sobre fondos de paisaje español. Se distingue por su gran realismo.

En la provincia de Tereul de la región de Aragón se encuentra la antigua ciudad árabe de Albarracín que era capital de un pequeño reino desaparecido. Fue construida a orillas del río Guadalaviar. Las casas se amontonan sobre una rocosa colina. Muy notable es la muralla gótica que sube desde el pueblo a un castillo que hoy está en ruinas.

Francisco Zurbarán (1589–1664)

Hoy día se reconoce el gran valor de este pintor que se encontraba en el olvido el siglo pasado. Forma con Velázquez la pareja de gigantes del arte español del siglo XVII.

Grande es el contraste entre la obra de los dos genios. Velázquez, pintor de la corte, es todo color y vida mientras que Zurbarán sigue el camino de los temas religiosos, de la meditación.

Nació Zurbarán en un pueblecito de Extremadura. A los 16 años se marchó a Sevilla donde se estableció. Antes de cumplir los treinta años ya se le consideraba maestro.

De los últimos años de Zurbarán se sabe muy poco. Desaparecio después de 1664 y no se sabe cómo, cuándo, ni dónde murió.

INDICE GRAMATICAL

ACKNOWLEDGMENTS

The authors wish to thank the publishers, authors, and holders of copyright for their permission to reproduce the literary works which appear on the pages indicated.

3–5 *Una carta a Dios* from *Cuentos campesinos de México* published by Editorial Cima, México, D.F., courtesy of Gregorio López y Fuentes.

9–13 *Los tres cuervos* from *Los mejores cuentos americanos* by Ventura García Calderón published by Editorial Maucci, S.L., Barcelona, Spain.

17–19 *Importancia de los signos de puntuación* from *Libro de lecturas* by Angel Antón Andrés published by Max Hueber, Munich, Germany

24–26 *El rastreador* from *Facundo*, Vol. II, published by Angel Estrada y Cia, S.A., Buenos Aires, Argentina

40–45 *Campito, payador de Pachacama* from *Empresa, Ercilla*, Santiago, Chile

51–52 *Bolívar,* courtesy of Mrs. Luis Lloréns Torres

55–57 *El Alcázar no se rinde* from *Temas españoles* published by Publicaciones Españolas, Madrid, Spain

60–63 *Héroes de una aventura que glorifica a España* from *La Prensa*, New York

71–74 *El lago encantado* from *Cuentos contados,* edited by Pittaro and Green, published by D. C. Heath and Company, Boston, Massachusetts

78–81 *El pirata sin cabeza* from *El Norte*, Monterrey, Mexico

85–87 *Las sirenas del río Ulúa* from *El Norte*, Monterrey, Mexico

95–96 *El número «7»* from *The News* published by Publicaciones Herrerias, Mexico, D.F.

99–103 *El tesoro de Buzagá* from *Leyendas* published by Editorial Minerva, Bogotá, Colombia, courtesy of Dr. B. Otero D'Costa

105–108 *La lechuza* from *Los gauchos judíos* published by EUDEBA, Buenos Aires, Argentina, courtesy of Ana María Gerchunoff de Kantor

113–114 *Cinco requisitos para ser una novia feliz* from *Excelsior*, Havana, Cuba

123–124 *El arte de decir «no»* from *La Mañana*, Montevideo, Uruguay

129–131 *La yaqui hermosa* from *Obras completas*, Vol. 20, *Cuentos misteriosos* published by Ruiz-Castillo y Cia., S.A., Editorial Biblioteca Nueva, Madrid, Spain

135–137 *Raza de bronce* from *Raza de bronce*, 1922, published by Promoteo, Sociedad Editorial, Valencia, Spain

143–144 *¡Quién sabe!* courtesy of the heirs of José Santos Chocano

148–151 *Miguel Hidalgo y Costilla* from *Historia patria* by Justo Sierra published by the Universidad de México, México, D.F.

155–157 *Con días y ollas venceremos* from *Tradiciones peruanas* published by Montaner y Simón, Barcelona, Spain

168–171 *En el fondo del caño hay un negrito* from *En este lado* por José Luis González published by Los Presentes, México, D.F.

174–179 *Los tres besos* from *El desierto, Viñetas de Giambiagi*, 1924, published by Bajel, S.A., Buenos Aires, Argentina

182–187 *El día del juicio* from *Cuentistas mexicanos modernos* published by Biblioteca Mínima Mexicana, México, D.F.

193–196 *A la deriva* from *Biblioteca Roda* published by Claudio García y Cía., Editores, Montevideo, Uruguay

201–206 *Cuatro mujeres en el ruedo* from *Mundo Hispánico*, Madrid, Spain

245–246 *Mi padre* from *Asomante*, San Juan, Puerto Rico

251–253 *La pared* from *La Condenada*, 1919, published by Promoteo, Sociedad Editorial, Valencia, Spain

258–264 *El potrillo roano* from *De los campos portenos* published by EUDEBA, Buenos Aires, Argentina

270–275 *México: regocijo de Navidad* from *Visión,* Bogotá, Colombia

281–283 *Semana Santa bajo la Giralda* from *Hoy,* México, D.F., courtesy of Raúl de la Cruz

286–289 *El Carnaval en Latinoamérica* from *La Linterna* published by the Folansco Publishing Company, Pittsburgh, Pa.

294–298 *Una esperanza* from *Obras completas,* Vol. 5, *Almas que pasan* published by Ruiz-Costillo y Cía., S.C., Editorial Biblioteca Nueva

301–305 *Memorias de Pancho Villa,* Sixth edition, 1963 published by Campañia General de Ediciones, Mexico, D.F., courtesy of Martín Luis Guzmán

312–316 *Arde El Laurel* from *Tierra,* second edition, published by Ediciones Botas, México, D.F., courtesy of Gregorio López y Fuentes

323–327 *Tránsito* from *Biblioteca Aldeana de Colombia,* 1936, published by Editorial Minerva Ltda., Bogotá, Colombia

331–333 *Costumbres del día de los difuntos* from *El Comercio,* Quito, Ecuador

337–338 *La muerte de Joselito* from *ABC,* Madrid, Spain

344–346 *Pólvora en fiestas* from *El Pensamiento navarro,* Pamplona, Spain

350–351 *San Fermín* from *El pensamiento navarro,* Pamplona, Spain

354–355 *Manolo el intrépido* from *Gráfica,* Hollywood, California

361–364 *Entrevista con Joaquín de Entrambasaguas* from *Mundo Hispánico,* Madrid, Spain

367–372 *La cocina y sus vinos* from *España,* 1959, *Secretaria General Técnica,* Madrid, Spain

375-377 *Graciosos personajes de mi huerta* published by W. M. Jackson, Inc., New York, New York